Oorspronkelijke titel: Die Judas Papiere
Voor het eerst verschenen bij Arena Verlag GmbH,
Würzburg, Deutschland
Binnenwerkillustraties: Georg Behringer
© 2008 Arena Verlag
Alle rechten voorbehouden.

Voor Nederland:
© 2009 Uitgeverij De Eekhoorn BV, Oud-Beijerland
Internet: www.eekhoorn.com
Vertaling: Corry van Bree
Vormgeving: Met DT, Zwijndrecht

ISBN 978-90-454-1374-7/ NUR 342

Rainer M. Schröder

De
Judas
documenten

'Fantasie is belangrijker dan kennis.
Kennis is beperkt.
Fantasie omvat echter de hele wereld.'
  Albert Einstein

'Geen vlieger kan zo hoog
worden opgelaten als de fantasie.'
  Lauren Bacall

'God heeft de mens geschapen,
omdat hij teleurgesteld was in de apen.
Daarna heeft hij afgezien van verdere experimenten.'
  Mark Twain

Proloog

De oeroude kapel uit de tijd van Cromwell lag hoog boven de klippen van de rotskust. Bij het invallen van de duisternis waren donkere wolken boven het Nauw van Calais samengetrokken en nu roffelde de regen een woedend staccato op het dak van de kapel. Vanuit de inktzwarte duisternis van de zee klonk het gedonder van de branding en spatte kolkend schuim op.

Plotseling werd het licht van een stormlantaarn zichtbaar op het kronkelende pad dat naar de kapel liep. Als een dwaallicht danste het door de van regen doordrenkte duisternis. Het verdween telkens voor even achter de stammen van de bijna kale bomen, die langs het stijgende pad stonden.

Twee mannen naderden de donkere kapel met de stormlantaarn. Een van hen zat in een rolstoel; hij hield een houten kistje op schoot. De andere, een man die extreem mager en lang was en een veel te wijde schoudermantel droeg waaraan de wind net zo wild rukte als een vervelend kind aan de jurk van zijn moeder, duwde hem voor zich uit.

Toen ze de kapel hadden bereikt, gaf de man in de rolstoel een sleutel aan de magere man. Hij liep naar de met plaatijzer beslagen deur van het oude godshuis en maakte hem open. Op weg naar de kapel was er geen woord tussen hen gevallen en ook nu zwegen ze.

Zodra de magere man de deur had opengeduwd, stak de man in de rolstoel zijn armen uit de regencape, klemde het kistje tussen zijn dijbenen en begon de rolstoel zelf voort te bewegen. Met een krachtige duw overwon hij de drempel en reed daarna door het middenpad naar het altaar. Intussen rukte hij de drijfnatte cape van zijn lichaam en wierp deze achteloos tussen de kerkbanken.

De magere man haalde hem met snelle passen in, pakte het met kostbaar intarsia versierde houten kistje van hem aan en zette het samen met de stormlantaarn op de grijze marmeren plaat van het altaar. Het licht bescheen nu een deel van de donkere nis die erachter lag.

In de gewelfde halve cirkel achter het altaar hing een middeleeuws drieluik, waarvan de olieverf in de loop der eeuwen veel van de oorspronkelijke lichtintensiteit was verloren. Er liepen talloze scheuren door de vernislaag en op veel plekken waren al stukken ter grootte van een vingernagel van de verflaag van de houten ondergrond gesprongen.

Op het eerste gezicht leek het drieluik niet anders dan de ontelbare andere schilderijen in zijn soort. Het middendeel toonde Jezus heel traditioneel aan het kruis, met Maria en Magdalena aan zijn voeten. Het linker schilderij was echter heel anders dan gebruikelijk was in de eeuwenoude traditie van de kerkschilders. Deze toonde Judas Iskariot op het moment dat hij Jezus in het heilige bos van de Olijfberg verraadde en aan de gerechtsdienaren van de hogepriester uitleverde. De onbekende schilder had ook het rechterdeel aan Judas Iskariot gewijd. Hier hing hij met een strop om zijn nek en een ver uitpuilende tong aan de tak van een hoge boom, terwijl bij de stam dertig zilveren munten in het gras verspreid lagen.

De man in de rolstoel staarde een hele tijd naar het vleugelaltaar. Daarna maakte hij een gebaar naar de magere man, waarmee hij hem ondubbelzinnig te kennen gaf dat hij alleen wilde zijn. De magere man gaf onmiddellijk gehoor aan het bevel, liep de kapel uit en trok de zware houten deur achter zich dicht.

Er verstreek een hele tijd. Daarna duwde de man zich uit de rolstoel omhoog en liep naar het koude altaar. De jichtknobbels, die zijn vingergewrichten hadden aangetast en zijn handen elk jaar meer misvormden, protesteerden met stekende pijnscheuten tegen de klamme kou van de kapel.

Hij had geweten dat het zo zou zijn, maar dat had hem niet kunnen afbrengen van zijn voornemen om op deze plek en nergens anders de laatste hand te leggen aan de taak, waaraan hij al zoveel kostbare tijd had gewijd, om maar te zwijgen van al het geld dat hij in de onderneming had gestoken.

Hier, en alleen hier, voor het oude vleugelaltaar met de afbeeldingen die aan Judas Iskariot waren gewijd, wilde hij de laatste pennenstreken zetten. Daarna zou hij als een oppermachtige marionettenspeler de levensdraden van de vier personen op wie zijn keus was gevallen in zijn handen houden en hun toekomst bepalen.

Hij blies even in zijn handen om ze te verwarmen en opende het met rood fluweel gestoffeerde kistje, dat in meerdere vakken was onderverdeeld. Hij haalde er vier enveloppen en vier vellen van het kostbaarste geschepte papier uit, alsmede een bankbiljet van vijftig pond en een vergeeld krantenartikel, dat acht jaar geleden in de Times was verschenen. De enveloppen en vellen papier legde hij in een waaiervorm op de koude marmeren plaat, waarna hij onder elk van de met purperrode inkt beschreven vellen papier een nog ongeadresseerde envelop legde.

Daarna pakte hij een aansteker, een roodbruine staaf zegellak, een zware loodkristallen inktpot en een ouderwetse schrijfveer uit de kist. Hij had een van zijn moderne vulpennen kunnen meenemen, maar in zijn ogen paste het schrift van een ouderwetse krassende veer veel beter bij de wereldschokkende gebeurtenis, waarom het hier ging.

Met een bijna genietende traagheid doopte hij de veer in de purperrode inkt, trok een envelop naar zich toe en begon met een schuin, schokkerig handschrift de eerste van de vier namen op het geschepte papier te schrijven.

Byron Bourke, Esquire

Even later stond er op alle vier de enveloppen een naam. Toen de inkt droog was, vouwde hij de mooi beschreven vellen papier op en stopte ze in de enveloppen met de juiste naam. In een van de vier enveloppen stopte hij bovendien het biljet van vijftig pond, in een andere het vergeelde krantenartikel. Daarna pakte hij de aansteker en de zegellak. De lak druppelde als dikvloeibaar bloed op het zware geschepte papier. Voordat het kon afkoelen en hard werd, balde hij zijn rechterhand tot een vuist en duwde zijn zegelring in de zachte massa.

Hij werd overvallen door een wild gevoel van opwinding, toen hij besefte dat alle voorbereidingen met het aanbrengen van het laatste zegel achter de rug waren. De kwellend lange tijd van piekeren, plannen smeden en wachten was voorbij! Het net, waaraan hij zo lang had gewerkt, was uitgeworpen en dreef al naar de vier argelozen toe, terwijl het aas nu ook klaar was om uitgezet te worden en zijn werking te ontplooien, waarna hij het net alleen nog hoefde dicht te trekken!

Morgen begon het! Morgen zou het fijne raderwerk onherroepelijk op gang komen.

Zachtjes lachend stopte hij alles weer in het kistje, maar toen hij de inktpot oppakte en in het precies passende vakje wilde zetten, aarzelde hij. Zijn hoofd ging met een ruk omhoog en hij richtte zijn blik op het middenstuk van het drieluik.

Een moment staarde hij roerloos naar de kruisigingscène. Daarna bracht hij zijn hand naar achteren, haalde uit en smeet de inktpot met volle kracht tegen het driedelige schilderij.

Het loodkristallen projectiel versplinterde net boven de doornenkroon van de gekruisigde. Terwijl de glassplinters naar alle kanten vlogen, vloeide de rode inkt over het hoofd van Jezus en stroomde als een golf donker bloed over het gemartelde naakte lichaam. ·

De inkt druppelde nog steeds van het vleugelaltaar toen de kapel al lang weer in koude verlaten duisternis was verzonken.

Deel één

Londen

1

Boven de daken van Londen hing de met roet gevulde rook, die honderd-duizenden schoorstenen de hemel in spuwden. Het wolkendek hing ver-stikkend laag en als een smerige poetsdoek boven de stad. De krachteloze noordoostenwind was niet opgewassen tegen de walm van de kolenvuren die uit de zee van baksteenbruine schoorstenen walmde, en kon maar wei-nig ervan wegvoeren. De meeste rook bleef hardnekkig boven de daken hangen en dreef door de straten en stegen, geduldig wachtend tot de avond-mist zich boven de donkere rivier de Theems had verzameld en de stad in golfde. Als dat moment was aangebroken, mengde de roetachtige gele schoorsteenrook zich met de melkachtige grijze nevel tot de gevreesde Lon-dense mistsoep, waarin zelfs burgers die er al jarenlang woonden angstig door hun vertrouwde woonwijk ronddwaalden en die bescherming bood aan gewetenloze misdadigers, zoals de meervoudige vrouwenmoordenaar Jack the Ripper, die door deze nevel telkens wist te ontsnappen aan de po-litieagenten die jacht op hem maakten.

Op deze kille laatste oktoberdag van het jaar 1899 kwam de vervloekte nevel ongewoon vroeg in Londen opzetten. Op het moment dat de zware klok in de klokkentoren van de Big Ben drie keer sloeg, gleden de eerste dichte slierten als de voorhoede van een geestenleger dat overtuigd was van de overwinning stroomopwaarts de Theems op, en golfden over de brede rivierkromming bij het Isle of Dogs en de Docklands-kades voor overzeese scheepvaart, die ten oosten van de Tower lagen.

Terwijl de derde klokslag van de torenklok aan de oever van de Theems zich staande probeerde te houden in de luidruchtige bedrijvigheid van de binnenstad, hoorde de jonge geleerde Byron Bourke in het advocatenkantoor van Fitzroy, Bartlett & Sons, dat huisde in een aantal donkere vertrekken aan het binnenplein van een smal gebouw aan Fleet Street en dat betere tijden had gekend, dat hij geruïneerd was.

'U kunt ervan overtuigd zijn, meneer, dat ik het buitengewoon pijnlijk vind u te informeren over deze minder verheugende ontwikkeling van uw investering,' verzekerde James Fitzroy hem.

Van die zogenaamd intense pijn was niets te bespeuren in de stem en de gezichtsuitdrukking van de kale advocaat. De woorden kwamen dor en onpersoonlijk over zijn lippen. En net zo stijf als de hoge overhemdkraag met de versleten bovenkant zijn dikke nek omsloot, zat hij ook achter zijn bureau.

Met zijn leeftijd van ruim zestig jaar was James Fitzroy bijna net zo oud als het meubilair dat al decennialang in zijn kantoor en de andere vertrekken van het advocatenkantoor stond. Toen hij als jonge advocaat de stap naar zelfstandigheid had gewaagd, had hij deze meubels bij de opheffing van een oud, net zo onbetekenend advocatenkantoor aan een binnenplein gekocht. Het was daarom niet verwonderlijk dat de gaslamp met zijn melkglazen bol aan de muur met een spaarvlam brandde en alleen een genadig zwak schijnsel op de versleten groenleren fauteuil, het tot op de draad versleten Perzische tapijt en het oude koloniale bureau met het lang geleden mat geworden koperen beslag wierp.

Het naambord Fitzroy, Bartlett & Sons – Attorneys at Law, dat aan de muur naast de toegangsdeur naar het trappenhuis hing, stamde ook uit de tijd waarin de zaken beter gingen en er hoop was geweest op een snelle verhuizing naar een representatiever kantoor. En hoewel Bartlett, voor wie het bord nog steeds reclame maakte, al jaren geleden was vertrokken en James Fitzroy junior had gekozen voor een vaste aanstelling bij de gerenommeerde scheepsverzekeringsmaatschappij Lloyd's, in plaats van een partnerschap met zijn vader, hadden deze niet bepaald onbelangrijke veranderingen geen sporen op het koperen naambord achtergelaten.

'God weet dat ik wilde dat er een aangenamere reden was geweest om u te vragen ons een bezoek te brengen, meneer Bourke,' voegde de advocaat er nog aan toe. 'Maar ook de droevige taken van onze beroepsgroep verdienen onmiddellijke aandacht en een gewetensvolle afhandeling.'

Byron Bourke staarde ongelovig naar de advocaat, die ook zijn vader al vele jaren als juridisch adviseur en financieel adviseur terzijde had gestaan en aan wie hij het beheer van zijn geërfde vermogen dan ook in blind vertrouwen had overgelaten. Ondanks zijn betrekkelijk jonge leeftijd behoorde hij niet tot het soort mensen dat snel van zijn stuk was gebracht. Deze zelfdiscipline had hij zich niet pas tijdens zijn studiejaren in Oxford eigen gemaakt, maar was al van jongs af aan een aanzienlijk onderdeel van zijn opvoeding geweest. Niet alleen door zijn vader, maar ook door zijn Duitse schermleraar, die hem op zesjarige leeftijd zijn eerste degen had gegeven en die hem ruim een decennia lang op vaak pijnlijke wijze had geleerd om ook in de meest benarde situaties het hoofd koel te houden.

Een echte heer raakte nooit van slag door geldproblemen en toonde in elk geval naar buiten toe koele kalmte. Op dit moment viel het Byron Bourke echter onnoemelijk zwaar om zich te beheersen. Dat hij van de ene op de andere dag alles kwijt was wat zijn vader hem zes jaar geleden na zijn dood had nagelaten, kon ... nee, mócht gewoon niet waar zijn! Hij moest verkeerd begrepen hebben wat James Fitzroy net had gezegd.

'Kunt u nog een keer nauwkeurig vertellen, hoe groot het deel van mijn investering in de aandelen in de Spindeltop Mining Company is, dat ik als verlies moet afschrijven?' vroeg hij daarom terwijl hij zijn best deed om zijn stem vast te laten klinken.

James Fitzroy hoestte en ontweek zijn ogen. 'Het gaat niet om een déél van uw investering, meneer Bourke. Uw verlies beslaat de volledige som van uw aandelen ter hoogte van 25.000 pond.'

Byron Bourke verbleekte en voelde zich duizelig worden toen er geen twijfel meer bestond aan zijn financiële ondergang.

'En dat noemt u een "minder verheugende ontwikkeling" van mijn investering?' bracht hij uit. Dat is niet minder verheugend, maar een ramp! Deze 25.000 pond was, zoals u heel goed weet, een groot deel van mijn vermogen, meneer Fitzroy!'

'Een pijnlijk verlies, natuurlijk,' gaf de advocaat toe. Hij maakte een vaag spijtig gebaar.

'Pijnlijk? Dat is waarschijnlijk een verkeerde woordkeuze, meneer Fitzroy! Van de jaarlijkse rentevergoeding betaalde ik de kostschool van mijn twee jongere zussen en alle rekeningen voor mijn levensonderhoud.'

James Fitzroy schoof doelloos een paar documenten over het met gescheurd leer beklede bureaublad heen en weer. 'Goed, zoals ik al zei heeft het mijnbedrijf helaas niet kunnen voldoen aan de hoge verwachtingen die deskundige financiële kringen vorig jaar hadden. Maar dit soort beurshandel kan nu eenmaal net zo goed tot hoge winsten als tot hoge verliezen leiden. Op de renbaan wint ook niet elk paard dat aan de startlijn verschijnt, als u me deze opmerking toestaat.'

'En u mag me de opmerking toestaan dat u vergeten lijkt te zijn dat u hebt aangedrongen op deze zogenaamd zorgeloze beurshandel,' antwoordde Byron Bourke met verbitterde scherpte. 'En dat deed u met allerlei gefundeerde begrotingen alsmede de breedsprakige verzekering dat ik mijn geld met Spindletop Mining Company op een zekere winnaar zou inzetten!'

'Ik heb altijd alleen een adviserende functie bij uw geldbeleggingen gehad, meneer Bourke, niet meer en niet minder,' antwoordde de advocaat koel. 'U hebt uiteindelijk zelf beslist aan welke belegging u de voorkeur gaf. En ik denk dat hiermee alles is gezegd wat er in deze ongetwijfeld droevige aangelegenheid te zeggen is.' Tegelijkertijd kwam hij achter zijn bureau overeind om aan te geven dat hij het gesprek als beëindigd beschouwde.

'Voor u misschien, maar niet voor mij!' beet Byron Bourke hem toe, waarna hij opsprong. Hoewel hij woedend was op de advocaat, wist hij ook dat het zinloos was om hem in een proces ter verantwoording te roepen. Geen enkele rechtbank zou hem in deze kwestie in het gelijk stellen. Hij had zijn ondergang aan zichzelf te wijten. Het was de bittere straf voor het feit dat hij zich nooit echt druk had gemaakt over zijn financiële belangen en de advocaat, die al jaren voor zijn familie werkte, vol vertrouwen de vrije hand had gegeven. 'U hebt me in deze ramp getrokken. Kunt u me misschien vertellen wat ik nu moet doen?'

'Alstublieft, meneer Bourke! Van een ramp kan bij u toch geen sprake zijn!'

verzekerde James Fitzroy hem met zenuwachtige opgewektheid, terwijl hij snel langs hem glipte en de deur naar de voorkamer opende om hem op vriendelijke wijze het kantoor uit te werken.

Milton Hubbard, de klerk met de tranende ogen die jaren geleden bij hun eerste ontmoeting al erg veel op een gerimpelde honderdjarige schildpad op twee benen had geleken, stond onmiddellijk klaar. Met de zwijgende en onderdanige ijver die hem eigen was gaf Milton Hubbard hem zijn cape, hoed en wandelstok.

'U bent toch nog jong, vriend,' ging de advocaat intussen welbespraakt verder. 'Eergisteren pas zevenentwintig geworden, als ik het me goed herinner. U komt er wel weer bovenop, mijn beste! Een man die zo veelzijdig is, zo'n gedegen opleiding heeft gehad en zoveel buitengewone vaardigheden heeft, vindt beslist snel een goed betalende betrekking.'

Byron Bourke keek hem overdonderd aan. Hij had zijn intellectuele en financiële onafhankelijkheid tot dit moment als een vanzelfsprekend privilege beschouwd. En hij kon zich niet herinneren dat hij ooit had overwogen om voor een regelmatig weekloon afhankelijk te worden van een werkgever.

'Nu ja, een betrekking is natuurlijk niet de enige manier,' bond James Fitzroy haastig in toen hij de verbijsterde uitdrukking op het gezicht van zijn cliënt zag. 'U bent in het voorjaar toch opgenomen in de Royal Society of Science, als jongste lid in de geschiedenis van de vereniging? Natuurlijk, het heeft in alle kranten gestaan! Met deze reputatie en uw formidabele uiterlijke verschijning moet er toch vrij snel een goede partij uit een welgestelde familie voor u te vinden zijn!' De advocaat knipoogde naar hem, terwijl hij er nog aan toevoegde: 'U denkt misschien dat het huwelijk een bitter juk is, maar dat is absoluut niet zo.'

Byron Bourke deed zijn mond open en weer dicht, zonder dat er een woord over zijn lippen kwam. Het was alsof hij een bespottelijke nachtmerrie had. Alleen was deze nachtmerrie werkelijkheid en zou er geen reddend wakker worden volgen.

'Bovendien bewoont u toch een indrukwekkend landhuis in Grove Park? Dat zal voor een vrijgezel eerder een last dan een zegen zijn. In de handen van een vaardige makelaar moet dat pand toch een paar duizend pond opleveren. Laat het me weten als u het op de markt wil brengen.' Met deze woorden trok hij de krakende deur naar het trappenhuis zwierig open. 'Ik doe graag mijn best om een kredietwaardige koper te vinden, maar daarover kunnen we op een later tijdstip nog uitvoerig praten. Nu wil ik u niet langer ophouden. Een prettige dag nog, meneer Bourke! En mijn complimenten aan uw twee charmante zussen.'

De deur van het advocatenkantoor viel achter Byron Bourke in het slot. Versuft liep hij de trap af en liep even later de lawaaiige Fleet Street in.

Elegante rijtuigen met één paard, logge paard en wagens, chique koetsen, ruiters en talrijke huurrijtuigen reden in beide richtingen af en aan. Op het trottoir was het niet minder druk. Haastige zakenmensen, bodes in livrei, krantenjongens, werknemers en andere voorbijgangers drongen langs elkaar. Het rook naar tabak, natte kleren, kolenvuren en verse paardenmest.

Byron Bourke wenkte het eerstvolgende vrije huurrijtuig, zonder erover na te denken wat er nu moest gebeuren. Een deel van hem reageerde zoals altijd als hij in de stad was, terwijl het andere deel gevangen bleef in de afschuwelijke nachtmerrie waarin James Fitzroy hem had gestort.

'Naar de Atheneum Club!' riep hij bij het instappen naar de koetsier. En hoewel deze gedistingeerde herenclub voor geleerden een bekend Londens instituut was en elke huurrijtuigkoetsier deze eigenlijk moest kennen, voegde hij er voor alle zekerheid het adres aan toe. '107 Pall Mall.'

'Uitstekend, meneer.'

Het hoorde tot Byron Bourkes vaste gewoonten om de weinige bezoekjes aan de stad na het afwikkelen van zijn zaken af te sluiten met een bezoek aan de rustige, degelijke vertrekken van zijn club. Daar gunde hij zich bij uitzondering een tot twee glazen uitstekende whisky, at misschien een kleine maaltijd in het restaurant en kletste wat met de andere geleerden, waarna hij zich naar Charing Cross Station liet brengen en met een trein van South Eastern Railway terugging naar Grove Park, dat maar een paar kilometer ten zuidoosten van Londen lag.

Deze middag had hij echter geen behoefte aan eten of geleerde gesprekken, maar des te meer aan een flinke borrel.

Dat het totale verlies van zijn investering in het mijnbedrijf een financiële ramp was, had hij in het advocatenkantoor al begrepen. Maar pas tijdens de rit van Fleet Street naar Pall Mall werd hij zich er goed van bewust wat een angstaanjagend en verregaand effect deze fatale, verkeerde investering zou hebben op zijn tot nu toe zo zorgeloze en rustige leventje en op het leven van zijn veertienjarige, dus nog minderjarige tweelingzusjes Alice en Helen. Hij werd letterlijk misselijk bij het idee dat hij al snel gedwongen zou zijn om het landhuis in Grove Park te verkopen, Alice en Helen van de niet bepaald goedkope meisjeskostschool in Croydon te halen en te solliciteren naar een slecht betaalde baan als docent op de een of andere universiteit.

De verkondiging dat het einde van de wereld nabij was, had hem niet erger kunnen schokken dan de duistere gedachten en angsten over zijn toekomstige leven, die tijdens de rit naar de Athenaeum Club door zijn hoofd spookten.

Daarom schonk hij ook geen aandacht aan de met zegellak gesloten brief, die hij bij zijn aankomst in de club overhandigd kreeg met de opmerking, dat deze vanochtend al door een bode in livrei was gebracht. Wat vanochtend misschien nog dringend was geweest, behoorde met het oog op zijn financiële ondergang inmiddels tot de futiliteiten van een verwoest leven en kon wachten.

Pas toen Byron Bourke zijn derde whisky achterovergeslagen had en daarmee een persoonlijk record van in de club genoten drankjes had gevestigd, zonder dat hij daarmee echter de onheilspellende gedachten uit zijn hoofd had verdreven, pakte hij de brief.

Op de voorkant van de envelop met de kostbare papierkwaliteit, iets wat hem meteen opviel, stond alleen Byron Bourke, Esquire, in een langgerekt purperrood handschrift. Er stond geen afzender op de brief, alleen een roodbruin wapenzegel waarvan de omtrekken licht vervormd waren, zodat hij het niet kon thuisbrengen.

Onverschillig verbrak hij het zegel, scheurde de envelop open, haalde het crèmekleurige vel zwaar geschept papier eruit en vouwde het open. Toen zijn oog op de bescheiden, gedrukte dubbele regel van het briefhoofd viel, was hij verbaasd, omdat deze de naam bevatte van een man die af en toe werd genoemd in krantenartikelen over de zittingen van de House of Lords, vossenjachten en andere gebeurtenissen in de hoge adel.

Lord Arthur Pembroke
7th Earl of Castleborough

Hij had lord Pembroke nog nooit ontmoet omdat ze zich niet in dezelfde maatschappelijke kringen bewogen en hij vroeg zich vol verbazing af wat deze brief te betekenen had.

Zijn verwondering veranderde in verbijstering toen hij de paar geschreven zinnen even later vluchtig had gelezen. De boodschap van de lord, nuchter en kort geformuleerd, maar met een schokkende en verwarrende inhoud, luidde als volgt:

Mister Byron Bourke,
Als u bereid bent om uw waardeloos geworden aandelen van de Spindletop Mining Company voor 25.000 pond aan mij te verkopen, en u uw dankbaarheid door middel van een kleine dienst wilt tonen, verzoek ik u om aanstaande zaterdag voor een weekend naar Pembroke Manor te komen. Neemt u de South Eastern Railway-trein van Grove Park naar Westonhangar, een klein plaatsje dat maar een paar kilometer van Dover ligt, die volgens de dienstregeling om 17.10 uur arriveert. Mijn koets zal op dat tijdstip op u wachten en u het resterende korte traject naar Pembroke Manor brengen.

De brief was zonder groeten ondertekend met *Lord A. Pembroke*

Met toenemende onrust staarde Byron Bourke naar de brief en las hem telkens opnieuw. Hij begreep meteen dat er een verband moest bestaan tussen James Fitzroy, de fatale investering in het mijnbedrijf en Lord Pembroke. Het was hem ook duidelijk dat het geen toeval kon zijn dat zijn advocaat hem een uur geleden het bericht over zijn financiële ondergang had gegeven en dat hij vlak daarna in zijn club deze brief kreeg, die hem de redding uit de val in de armoede beloofde.

Als dit allemaal onderdeel was van een fijn gesponnen intrige, waarbij een binnenpleinadvocaat zoals James Fitzroy en een machtige edelman zoals Lord Pembroke betrokken waren, wat was dan het motief voor de val waarin ze hem hadden gelokt? En wat had de 'kleine dienst', die Lord Pembroke als tegenprestatie verwachtte, te betekenen?

Hij was bang dat die niet zo klein zou zijn, als Arthur Pembroke van plan was het enorme bedrag van 25.000 pond voor een stapel waardeloze aandelen te betalen!

Byron Bourke wilde dat het al zaterdag was en hij antwoord kreeg op deze kwellende vraag met betrekking tot de 'kleine dienst'.

2

'**En** ik zeg dat je bluft, McLean!' De jongen met de stierennek, die naar de naam Fluke luisterde en die tijdens het krankzinnige marathonpoker-toernooi een verrassend harde beroepsspeler bleek te zijn, spuugde een stuk tabak uit van de dikke, gedoofde sigaar waarop hij al uren kauwde.

Alistair McLean trok zijn licht gebogen wenkbrauwen, waarop veel vrouwen jaloers waren, op. 'En? Heb je het lef om erachter te komen of je gelijk hebt met je vermoeden?' vroeg hij spottend. 'Nou, wat wordt het, doe je mee of stap je uit?'

Fluke snoof en vertrok zijn gezicht. 'Dat zou je wel willen.'

Alistair McLean haalde zijn schouders op en dwong een zorgeloze glimlach op zijn gezicht, waarvan de jongensachtige trekken hem al aan veel speeltafels een grote dienst hadden bewezen, omdat de geraffineerde gokkers dachten dat hij veel jonger was dan vijfentwintig en daarmee onervaren.

De glimlach kostte hem enige moeite, want zo uitgeput en afgemat als hij nu was, had hij zich al heel lang niet meer gevoeld. De pokerpartij, die vlak na middernacht in de achterkamer van de Half Moon Tavern in Billingsgate was begonnen, ging inmiddels zijn vijftiende uur in. Daardoor lagen niet alleen de zenuwen van iedereen bloot, maar de tegenwoordigheid van geest en het fysieke zitvlees van de beroepsspelers zoals hij bereikte nu ook langzamerhand een grens. Zijn donkerblonde lokken hingen bezweet op zijn voorhoofd, zijn overhemd kleefde aan zijn rug en zijn lichtblauwe ogen brandden van de rook van de sigaren, pijpen en sigaretten. Bovendien was het doffe gebonk in zijn hoofd inmiddels veranderd in pijnlijke steken.

Toch trilden zijn wimpers niet, toen Fluke vanaf de andere kant van de kaarttafel met samengeknepen ogen naar hem staarde, alsof hij met zijn stekende blik wilde ontdekken welke kaarten hij in zijn hand hield. Hij mocht gerust staren, de vette pot in het midden van de met groen vilt bespannen tafel was voor hem! En daarna stopte hij. Alleen een winst, die je bij het opstaan van de speeltafel in je handen hield, was een zekere winst.

Hij wist dat hij het spel had gewonnen. Na bijna vijftien uur had vrouwe Fortuna hem eindelijk de kaarten in handen gegeven die hij nodig had om zijn nek nog op tijd uit de strop te trekken. Want met een gewetenloze krediethaai als Kendall 'de Slang' Taylor, die een tiental bookmakers in East End controleerde en zijn tentakels in heel wat smerige zaakjes had steken, viel niet te spotten. Vooral niet als je voor ruim honderd pond bij hem in het krijt stond en hij twintig procent rente rekende – niet per jaar, maar per week!

'Kom op, Fluke. Doe mee of stap uit,' bromde een van de spelers ongeduldig. De andere vier spelers waren allemaal al uitgestapt en wilden eindelijk wel eens zien wie van de twee de pot opstreek, die gedurende het laatste spel met meer dan honderdtwintig pond was gegroeid.

Terwijl Fluke nog aarzelde, bedacht Alistair McLean wat hij hierna zou gaan doen. Hij had genoeg van Londen. Hij kende elke lucratieve speelsalon. Veel belangrijker was echter dat iedereen hem inmiddels ook kende en daarom op zijn hoede was als hij ergens opdook. Het werd tijd voor een verandering van plaats. Hij kon van het geld dat overbleef na de vereffening van zijn schulden bij Kendall, het best een ticket voor een scheepsreis van meerdere weken kopen. Omdat het bijna winter was, kon hij een overtocht boeken bij de Peninsula & Oriental Steam Navigation Company, op een van hun stoomschepen die naar Egypte voeren. Natuurlijk moest hij eersteklas reizen, ook al kostte hem dat een pijnlijke twintig pond. Alleen de welgestelde passagiers van de eersteklas hadden voldoende geld om ervoor te zorgen dat zijn investering lonend was. Vooral de hoge koloniale ambtenaren en officieren, die op weg waren naar India en de route via Gibraltar en Marseille door het Suezkanaal namen, stonden erom bekend dat ze graag en veel dronken en op zo'n lange reis nooit afwijzend stonden tegenover een opwindend kaartspel. Bij deze gefortuneerde passagiers was beslist flink wat geld te halen, en dat was precies wat hij van plan was.

'Laten we maar eens kijken wie de beste hand heeft, McLean!' riep Fluke, waarmee hij hem uit zijn zelfingenomen gedachten haalde. Fluke gooide de vijf verschuldigde soevereinen in de pot. 'Call, McLean! Laat maar eens zien wat je te bieden hebt.'

Alistair McLean hield het kort en pijnloos. Hij wilde alleen de pot opstrijken, zich uit Kendalls wurggreep bevrijden en dan een halve eeuwigheid slapen.

'Full house,' verkondigde hij in de rokerige achterkamer van de taveerne terwijl hij zijn kaarten – drie koningen en twee boeren – op het groene vilt van de speeltafel gooide.

Fluke ademde scherp in. 'Full House? Ik zou elke weddenschap zijn aangegaan dat je niets in je hand had en dat je het weer eens met pure bluf probeerde.' Hij lachte droog. 'Goed, ik heb me vergist. Wat er echter niets aan verandert dat je toch hebt verloren, McLean.' Met die woorden gooide hij zijn kaarten triomfantelijk op tafel. 'Straight flush!'

Er klonk opgewonden gefluister rond de tafel.

Alistair McLean verbleekte. Hij kon niet geloven dat het afgelopen was, dat hij alles kwijt was, dat er geen overtocht eerste klas naar Egypte of waarnaartoe dan ook zou volgen en dat hij al snel bezoek van Kendalls slagers zou krijgen. De vetste pot van het vijftien uur durende marathonspel was zo goed als zeker van hem en nu was hij hem toch kwijt – en dat met een fantastische full house in zijn hand! De kans om zulke goede kaarten te krijgen was ongeveer 1:500. Dat betekende dat deze combinatie maar één keer per 500 ronden voorkwam. En met zo'n geweldige hand verliezen van een straat met vijf opeenvolgende kaarten van één kleur, kwam beslist maar één keer per 10.000 ronden voor!

En toch had dit hoogst onwaarschijnlijke voorval plaatsgevonden.

Als verdoofd kwam Alistair McLean van zijn stoel overeind. Hij hoorde niet meer wat Fluke en de anderen zeiden toen hij het vertrek uit strompelde. Zijn oren suisden en hij had het gevoel dat hij geen lucht meer kreeg.

Hij wankelde door de korte gang naar de achterdeur van de Half Moon Tavern, die uitkwam op een smalle, verborgen, doodlopende straat. Hij had de deur net geopend, toen iemand achter hem plotseling een zware hand op zijn schouder legde.

'Niet zo haastig, McLean!'

Geschrokken draaide hij zich om en staarde naar de brede grijns van Todd Callaway, de eigenaar van de taveerne met de illegale speelclub. Hij had niet gemerkt dat de potige waard hem achterna was gegaan, en vreesde het ergste. Misschien stonden Kendalls incasseerders in de gelagkamer op hem te wachten en wilden ze hem een voorproefje geven van wat hem te wachten stond als hij zijn schulden niet snel betaalde of in elk geval de verschuldigde weekrente ter hoogte van twintig pond afdroeg.

Daarom was hij des te verbaasder toen Todd Callaway alleen vriendelijk en opbeurend zei: 'Vat het niet zo zwaar op, McLean. Het was vandaag gewoon je dag niet. Wees blij dat je van 'de Slang' afbent. Het was verstandig om eerst je schulden aan hem te voldoen, voordat je bij mij aan de tafel bent gaan zitten. En als je de volgende keer blut bent en een lening nodig hebt, dan kom je naar mij toe, begrepen? Ik ben tevreden met tien procent – met een looptijd van veertien dagen.

Alistair McLean keek hem stomverbaasd aan. Had hij zijn schulden aan Kendall 'de Slang' Taylor betaald? Waar haalde Todd die onzin vandaan? Daarvan kon hij toch alleen dromen!

Voordat Alistair McLean hem ernaar kon vragen, haalde de waard een envelop tevoorschijn, waarop zijn naam in een purperrood, krasserig handschrift stond. 'Hier, deze is daarstraks voor je afgegeven. Vraag me niet van wie hij is. De kerel heeft me alleen opdracht gegeven om je deze brief aan het eind van jullie pokermarathon te geven. En hij heeft royaal betaald voor die dienst.' Hij sloeg Alistair nog een keer vriendschappelijk op zijn schouder en liep daarna de taveerne weer in.

Ontdaan staarde Alistair McLean naar de brief in zijn hand. Hij hoorde het vertrouwde klokgelui van de Big Ben. De klepel in de torenklok liet de zware klok drie keer luiden.

3

Horatio Slade maakte zich geen illusies over de afloop van het ophanden zijnde proces, toen hij de rechtzaal werd ingeleid, zijn handboeien vriendelijk werden afgedaan en hij naast zijn verdediger Nigel Winterthorpe ging zitten, die chagrijnig voor zich uit staarde. Waarschijnlijk was dat omdat hij zijn tijd moest verdoen met een proces, waarvan het verloop en het vonnis van de rechter al vanaf het begin vaststonden. Daarom was het ook geen wonder dat het Openbaar Ministerie een piepjonge officier van justitie had belast met de aanklacht. Zijn opwinding was af te lezen aan de rode vlekken op zijn anders zo bleke gezicht.

Maar zelfs deze zenuwachtige, onervaren melkmuil in zwarte toga en met gepoederde pruik zou niet veel tijd nodig hebben om de rechtbank te overtuigen van de schuld van Horatio Slade. De getuigenissen van kamenierster Amelia Winslow en stalknecht George Busby, die hem op heterdaad hadden betrapt bij de inbraak in het feodale landhuis van Sir Oliver Quincy, waren de nagels in de doodskist van zijn veroordeling. Dat hij in die rampzalige nacht had kunnen vluchten en was ontkomen aan een arrestatie op de plek van het misdrijf, was maar een kort uitstel geweest. Het 'klantenbestand' van Scotland Yard, dat was gevestigd aan Victoria Embankment, bevatte een heel goed portret van hem, waarmee ze hem hadden geïdentificeerd. Helaas was de eerste, weinig flatterende politiefoto, waarop hij een spichtige, holwangige jonge knul van net zeventien jaar was, onlangs bijgewerkt door een fotograaf van Scotland Yard.

De foto toonde nu een man van eenendertig jaar, met het gespierde slanke figuur van een getrainde marathonloper, zwart haar met een scherpe middenscheiding dat met behulp van pommade naar achteren was gekamd, een expressief gezicht met een ronde nikkelen bril op zijn smalle neus, een dunne zwarte snor op zijn bovenlip en een waakzame blik in zijn ogen waarmee hij net zo goed een scherpzinnige inspecteur van Scotland Yard had kunnen zijn. Het was een gezicht dat in elk geval niet snel werd vergeten als hij – zoals gold voor de kamenierster en de stalknecht – in een ongewone situatie was gezien.

Nee, Horatio Slade maakte zich geen illusies. Hij wist wat hem te wachten stond. Zijn lot voor de komende vier tot vijf jaar was bezegeld. Hij deed daarom ook geen moeite om het proces te volgen. Zonder zich om de afkeurende blikken van zijn advocaat te bekommeren, pakte hij een notitieblok en een potlood en begon het schilderij Het Melkmeisje van Johannes Vermeer uit zijn hoofd na te tekenen. De keuze voor dit meesterwerk leek hem gepast, omdat kamenierster miss Winslow op dat moment door de officier van justitie naar de getuigenbank werd geroepen om haar getuigenis af te leggen.

Horatio Slade verdiepte zich in het natekenen van het schilderij – een taak waarop hij zich met overgave stortte – en vergat daardoor helemaal wat er om hem heen gebeurde. Hij was net bezig aan de mand met het brood, die op Vermeers schilderij te zien was, toen er plotseling een luid geroezemoes in de zaal weerklonk en zijn pro deo advocaat Nigel Winterthorpe zijn arm pakte en hem met een opgewonden schreeuw naar de rechtzaal terughaalde.

'Allemachtig! Hebt u dat gehoord, meneer Slade?'

Verward keek Horatio Slade van zijn tekening op. 'Nee. Wat moet ik gehoord hebben?' vroeg hij matig geïnteresseerd terug. Hij begreep niet waarom iedereen ineens opgewonden door elkaar praatte, de jonge aanklager luidkeels bij de getuigenbank protesteerde en de rechter meerdere keren met zijn hamer op de slagplank sloeg om boven het lawaai uit te komen, waarbij hij dreigend riep: 'Orde! ... Orde! Of ik laat de zaal onmiddellijk ontruimen!'

De kamenierster heeft haar getuigenis herroepen,' deelde Nigel Winterthorpe zijn cliënt mee.

'Wat? Wat heeft ze herroepen?' Horatio Slade keek hem ongelovig aan. Hij dacht dat hij het verkeerd had gehoord.

'Ja, u hebt het goed gehoord. Miss Winslow heeft daarnet getuigd dat ze zich bij de identificatie met behulp van de getoonde foto's helaas heeft vergist. U, meneer Slade, was in elk geval niet de inbreker die ze die nacht heeft betrapt. Dat weet ze absoluut zeker, nu ze oog in oog met u staat. Begrijpt u wat dat voor het verdere verloop van het proces betekent?' Hij gaf het antwoord meteen zelf. 'Zelfs als meneer Busby bij zijn getuigenis blijft, is het zijn woord tegen dat van de kamenierster. Met een beetje geluk is een vrijspraak mogelijk!'

De getuigenissen spraken elkaar echter niet tegen, want ook stalknecht George Busby verklaarde even later dat de man in de beklaagdenbank met de naam Horatio Slade niet identiek was aan de man die hij in het huis van zijn werkgever bij een inbraak had betrapt. Er moest een verwisseling hebben plaatsgevonden tijdens het tonen van de foto's bij Scotland Yard. Hoe dat had kunnen gebeuren was zowel miss Winslow als hem een raadsel. En nee, het had er niets mee te maken dat ze sinds kort verloofd waren en van plan waren binnenkort te trouwen. En ja, dat verklaarde hij net als Amelia Winslow onder ede, Edelachtbare!

Vlak daarna verliet Horatio Slade als vrij man en met een opgewekte lach op zijn gezicht het gerechtsgebouw in de Great Marlborough Street. Hij wist weliswaar niet goed wat hij ervan moest denken dat de kamenierster en de stalknecht hem niet herkenden als de man die ze op heterdaad hadden betrapt in het huis van Sir Oliver, maar eigenlijk interesseerde hem dat ook niet. Hij nam de dingen zoals ze kwamen. De onzin om een verband te zoeken tussen de tegenslagen en meevallers van het leven en overal een diepere zin achter te vermoeden, had hij jaren geleden al afgeleerd.

Een bode van middelbare leeftijd in livrei kwam hem tegemoet op het moment dat hij de straat wilde oversteken. Hij ging voor hem staan en sprak hem eerbiedig aan. 'Het spijt me, meneer. Bent u meneer Horatio Slade?'

'Ja, dat ben ik inderdaad. Wat is er?'

'Ik heb de opdracht om u deze brief te overhandigen als u uit het gerechts-gebouw komt, meneer,' deelde de bode hem uiterst beleefd mee terwijl hij hem een envelop van zwaar crèmekleurig geschept papier voorhield.

Verbaasd pakte Horatio Slade de brief aan en zocht vergeefs op de achter-kant naar de naam van de afzender.

'Bovendien heb ik nog een mondelinge mededeling voor u,' ging de bode verder. 'Er zijn me twee zinnen opgedragen, meneer. De eerste luidt: "Het wonder is niet gewoon uit de lucht komen vallen." En de tweede: "Een vrije vlucht op adelaarsvleugels kan snel veranderen in een leven met ge-kortwiekte vleugels in een kleine kooi." Vraagt u me alstublieft niet wat het te betekenen heeft, meneer. Mijn opdrachtgever dacht dat u het wel zou weten.' Na deze woorden maakte hij een lichte buiging, draaide zich op zijn hielen om en liep met snelle stappen weg.

Verbaasd en met de brief in zijn hand keek Horatio Slade hem na. Hij be-greep de boodschap heel goed. Zo moeilijk was deze niet te begrijpen na de ongelofelijke wending die de gebeurtenissen in de rechtszaal daarnet hadden genomen. Hij had er geen flauw idee wie ervoor had gezorgd dat de kamenierster en de stalknecht meineed pleegden en waarom ze dat had-den gedaan.

Aan het begin van het proces was Horatio Slade de kalmte en gelatenheid zelf geweest, maar nu voelde hij zich onrustig worden. Het gevoel waar-mee hij de envelop tijdens de drie klokslagen van de Big Ben openscheurde, was bijna beklemmend te noemen.

4

Zodra ze in haar strak gesneden toneelkostuum met het schandalig korte glitterrokje op de vingerdikke kabel was gaan staan en hem onder haar flinterdunne artiestenschoenen heen en weer liet schommelen, voelde ze instinctief dat er iets verschrikkelijk verkeerd was gegaan bij de voorberei-ding van de voorstelling.

Op het eerste moment leek het alsof alles was zoals altijd. Aan het andere eind van het heen en weer schommelende touw draaide zoals gewoonlijk de grote houten schijf, die met zwart-witte cirkels was beschilderd en waarvan de pyrotechnisch geprepareerde rand in lichterlaaie stond. Op deze branddende, snel draaiende schijf hadden twee assistenten van de variétégroep Jane Cameron volgens de voorschriften met gespreide armen en benen vastgebonden. Ze droeg net zo'n onthullend kostuum en had schijnbaar een flinke dosis doodsverachting. Op de achtergrond klonk het vertrouwde wilde tromgeroffel, dat haar eerste messenworp met twee handen aankondigde en dat met het snel aanzwellende volume de zenuwen van het op sensatie beluste publiek tot aan de grens van het draaglijke moest prikkelen. Alles was zoals het moest zijn, maar wat irriteerde haar dan zo sterk?

Het volgende moment wist ze het. Het waren de toneelcoulissen. Waar kwamen ineens al die herfstachtige bomen en het dichte kreupelhout om haar heen vandaan? En waarom golfden er dichte slierten mist over het podium? Of was het misschien rook? Nee, het was inderdaad mist, want ze rook geen smeulend vuur.

Daar! Het tromgeroffel stopte plotseling!

Ademloze stilte volgde, waarin alleen nog het zachte snorren van het schommelende touw onder haar voeten te horen was. Daarmee was het moment in haar voorstelling aangebroken, waarop ze de eerste twee messen uit de met de glinsterende pailletten bezette heupgordel trok en naar de steeds sneller draaiende schijf met Jane Cameron slingerde.

Doe het niet! Breek de voorstelling af! riep een stem binnenin haar. Je vermoordt haar als je op het touw blijft staan en naar de messen grijpt!

Waarop een andere, koude stem honend antwoordde: Maak je niet belachelijk, Harriet Chamberlain! Wil je eeuwig het kleine volgzame meisje blijven dat zichzelf altijd de schuld geeft van de fouten van anderen? Dus, wat wordt het? Wat wil je zijn, een aambeeld of een hamer?

Reflexmatig bracht ze haar handen naar de werpmessen, trok ze uit de leren kokers van de gordel en slingerde ze al schommelend naar de draaiende, brandende schijf.

De lemmeten boorden zich echter niet zoals anders met een dof geluid rechts en links van Jane Camerons taille in het hout van de schijf. Er klonk een dreun alsof er een enorm schot was gelost toen de messen doel troffen en de schijf met de daarop vastgebonden Jane Cameron in stukken werd gereten. Beide veranderden in een regen van brandende brokstukken.

Op hetzelfde moment werd Harriet Chamberlain krachtig tegen haar borstkas geraakt door een zwaar voorwerp, dat haar ruggelings van het touw de mist in slingerde. Er leek geen einde te komen aan haar val door de misflarden, maar plotseling sloeg ze hard tegen de grond.

De mist om haar heen week meteen terug, en ze staarde in het misvormde gezicht van een dode, met verbrijzelde bovenkaken en een groot ontbrekend stuk achterhoofd.

Ze gilde het uit.

Tegelijk met de gil ontvluchtte Harriet Chamberlain de vreselijke nachtmerrie en werd ze wakker. Ze ging met een ruk overeind zitten in de kooi van de grote woonboot, die vlak achter de Tower Bridge aan de rechteroever van de Theems lag aangemeerd en onder artiesten met een bescheiden gage bekendstond als een goedkoop adres bij gastoptredens in Londen.

Haar adem ging snel, het koude zweet stond op haar voorhoofd en ze had even tijd nodig om tot zichzelf te komen en de verschrikkelijke droombeelden van zich af te schudden.

Door de patrijspoorten van haar kleine kajuit viel fel daglicht naar binnen. Het moest midden op de dag zijn, wat ze absoluut niet vreemd vond. Na de premièrevoorstelling van de afgelopen avond, die met haar eenentwintigste verjaardag samenviel en een enorm succes was geweest, had ze met de andere leden van haar vaudeville-groep nog lang gefeest en ze was pas toen het licht werd in slaap gevallen.

Harriet Chamberlain gooide haar benen ver over de rand van de kooi. Daarbij stootte ze het kleine bijzettafeltje met het Chinese gelakte blad met de vuurrode draak op een zwarte ondergrond om. Met het blad vielen ook een zilveren pillendoosje en een bijna leeg flesje laudanum op de grond.

Ze beet op haar lip toen ze zich weer herinnerde waarmee ze zich die ochtend had verdoofd om in slaap te kunnen vallen. Haastig bukte ze zich naar het laudanumflesje en het zilveren doosje.

Terwijl ze dat deed zag ze de envelop, die iemand door de spleet onder haar kajuitdeur had geschoven. Ze liet alles meteen achteloos liggen, pakte de brief op, liep ermee naar de open patrijspoort en scheurde de envelop open.

Harriet Chamberlain begon te sidderen als een espenblad toen er een vergeeld krantenartikel uit het gevouwen vel papier dwarrelde. Een artikel, dat ze ook na zoveel jaren nog woord voor woord uit haar hoofd kende.

Wit als een doek stond ze bij de patrijspoort in het grijze daglicht, terwijl de Big Ben aan de overkant van de rivier drie keer sloeg.

Deel twee

Pembroke Manor

1

De frisse wind, die van de nabijgelegen kust kwam en het zout van de zee met zich meedroeg, trok het herfstachtige gebladerte van de bomen en struiken van de graafschap Kent en waaide het voor zich uit. Ook in Westonhangar veegde de wind talloze takken kaal en joeg de verdorde bladeren ritselend over het plein dat voor het bescheiden station lag. Toen de middagtrein uit Londen onder het gepuf van de stoomketel naderde, viel de wind op de lange grijszwarte rookpluim aan. Hij verscheurde de smerige sluier, die achter de schoorsteen van de locomotief hing, en wervelde rond de wagons achter de kolentender met de roetige rookwolken.

Byron hield zijn hoofd naar beneden om zich tegen de rookslierten te beschermen toen hij met zijn leren reistas uit de wagon van de eersteklas stapte. Hij haastte zich zo snel mogelijk van het winderige perron van het kleine station af. Hij schonk geen aandacht aan de andere reizigers die in Westonhangar uitstapten en liep snel naar de uitgang, waar de koets van Lord Pembroke op hem zou wachten.

Met het oog op het weer en de maatschappelijke positie van zijn gastheer droeg Byron Bourke een donkergrijze lakense jas met bontkraag over zijn duifgrijze *cutaway* en grijs-zwart gestreepte broek met nauwe pijpen. Zijn voeten staken in zwarte, glanzend gepoetste enkellaarzen, die bij de tenen puntig toeliepen, en op zijn hoofd had hij een stijve zwarte bolhoed. Exclusieve leren handschoenen en een wandelstok met verzilverde knop completeerden zijn kleding.

Hij wist natuurlijk dat de cutaway inmiddels uit de mode was en deze geklede jas met de weggesneden panden nog maar weinig werd gedragen, maar hij vond deze kleding nog steeds de enige geschikte garderobe die een heer bij een dergelijk bezoek kon dragen. Hij piekerde er trouwens niet over om als een dandy de grillen van de mode te volgen. Zijn enige concessie aan de nieuwe stijl van deze tijd was dat hij had afgezien van de formele cilinderhoed en zijn bolhoed droeg.

Op het zanderige plein voor het station verdrongen zich meerdere huurrijtuigen, twee open landauers en een eenassig rijtuig. De deftige equipage van lord Pembroke wachtte op een gepaste afstand van de andere rijtuigen, die tegen het prachtige rijtuig van de lord afstaken als schurftige knollen tegen een vurig renpaard.

Het span bestond uit vier prachtige roodvossen in een glanzend tuig. De onberispelijke kastanjebruine lak van de koets glansde als marmer. Op de koetsdeur prijkte het wapen van het adellijke geslacht Pembroke. Het wapenschild was in vier velden verdeeld, en bevatte een met kantelen gekroonde toren, een griffioen, een zwaard en een toernooihelm. Op de treeplank van de equipage stonden twee jonge bedienden in reebruine livreien met gouden tressen en knopen. De koetsier, een lange, breedgeschouderde man met een leerachtig, getaand gezicht, droeg een niet minder prachtige livrei.

'Excuseer me, meneer. Maar bent u Byron Bourke, meneer?' vroeg de koetsier terwijl hij zijn hoge cilinderhoed optilde.

'Ja, die ben ik,' bevestigde Byron.

'Heel goed, meneer. Ik hoop dat u een aangename reis hebt gehad, meneer Bourke.'

Byron haalde zijn schouders op. 'Van een reis is nauwelijks sprake. De formulering "korte treinrit" is eerder van toepassing. Londen ligt niet bepaald een half continent hiervandaan,' antwoordde hij droog.

'Inderdaad, meneer,' beaamde de koetsier beleefd. Hij stak zijn gehandschoende rechterhand uit. 'Staat u me toe dat ik uw tas van u aanneem, meneer Bourke. Ik kan hem beter in de bagagekist opbergen. Anders wordt het een beetje krap voor u en de twee heren die nog verwacht worden, meneer.'

Byron trok zijn wenkbrauwen verbaasd op terwijl hij zijn tas aan de koetsier overhandigde. 'Welke andere heren?' Hij was er als vanzelfsprekend van uitgegaan dat lord Pembroke hem, met het oog op het enorme bedrag waarom het ging, alleen in zijn landhuis had uitgenodigd.

'Meneer Alistair McLean en meneer Horatio Slade, meneer. Ze zouden met dezelfde trein uit Londen aankomen als u,' vertelde de koetsier terwijl hij de sterk naar buiten gewelfde deur voor hem opende. 'Het lijkt erop dat de twee heren er ook al aankomen, meneer.'

Byron draaide zich even om en wat zijn kritische ogen zagen beviel hem helemaal niet. Een van de twee mannen had donkerblond krullend haar dat vandaag waarschijnlijk nog niet met een kam in aanraking was geweest. Hij slenterde in een volledig ongepast zomerkostuum van zandkleurig ribfluweel dichterbij, met een jas die op de ellebogen en schouders van stukken leer waren voorzien. Hij zag er heel jong uit, nauwelijks ouder dan achttien of negentien. Onbezorgd fluitend als een schooljongen kwam hij naar de koets toe lopen, met een buikige reistas van versleten gobelinstof die vrolijk aan zijn linkerarm heen en weer zwaaide en een wandelstok die hij onder zijn rechterarm had geklemd. Ook zijn hoofddeksel spotte met het herfstachtige weer, want in plaats van een bolhoed droeg hij een zomerse *canotier*, een platte, stijve strohoed, die ook wel spottend 'cirkelzaag' of 'boterbloem' werd genoemd.

Naast de jonge krullenbol liep een slanke, beduidend oudere man, die meer dan een hoofd kleiner was en een eenvoudig, slecht zittend kostuum van een donkere wollen stof droeg, dat nog minder geschikt was dan het lichte zomerkostuum om een bezoek aan een landhuis zoals Pembroke Manor af te leggen. De man droeg een ronde nikkelen bril, had een smalle snor en zwart haar met een middenscheiding dat glansde van de pommade en glad naar achteren was gekamd. Zijn bagage bestond uit een kleine, gedeukte koffer waar twee brede, leren riemen omheen zaten.

De twee zowel in leeftijd als lengte uiterst verschillende mannen praatten met elkaar, waarbij de jongste het grootste deel van het gesprek voor zijn rekening nam en de ander zich voornamelijk beperkte tot knikken of hoofdschudden. Het was niet duidelijk of ze elkaar al langer kenden of dat ze pas in de trein hadden ontdekt dat ze op deze oktobermiddag gehoor gaven aan de uitnodiging van dezelfde man.

Byron draaide zich weer om, stapte in de feodale koets en nam in de rijrichting op de met wijnrood fluweel beklede bank plaats. Het absurde vermoeden dat deze twee zeldzame figuren, die de lord blijkbaar ook had uitgenodigd, iets te maken konden hebben met zijn bezoek aan Pembroke Manor kwam niet eens bij hem op. Hij trok het dunne, in leer gebonden boekje waarmee hij in de trein de tijd had verdreven uit zijn jaszak en sloeg het open om er verder in te lezen.

Even later hoorde hij hoe de koetsier de twee 'heren' met dezelfde stijve beleefdheid begroette waarmee hij hem daarnet had aangesproken. Hij nam hun bagage aan, hield de koetsdeur open en vroeg ze om onmiddellijk bij meneer Bourke in de koets te stappen, zodat ze nog voor het invallen van de duisternis op Pembroke Manor arriveerden.

De man met de warrige donkerblonde krullen negeerde de door de koetsier uitgeklapte tree en sprong bij Byron in de koets, die flink naschommelde in de voortreffelijk verende ophanging.

'U moet meneer Bourke zijn! Ik vermoed dat we alledrie het genoegen hebben om dit weekend de gast van lord Pembroke te zijn,' zei hij. Daarna liet hij zich schuin tegenover hem op de zachte bank vallen, duwde met de zilveren leeuwenkop, die de knop van zijn wandelstok vormde, de platte strohoed naar achteren, sloeg zijn benen in de moderne laarzen nonchalant over elkaar en stak vanuit zijn scheve, half onderuitgezakte positie zijn hand naar hem uit. 'Ik ben McLean … Alistair McLean.'

'Byron Bourke,' antwoordde Byron kortaf. Hij gaf de jonge vlegel, die zoveel plaats innam terwijl hij wist dat er zo meteen nog een passagier zou instappen, met tegenzin een hand.

De slanke man met de nikkelen bril en het dunne snorretje stapte in. Hij knikte kort naar Byron en tikte met zijn sjofele wandelstok licht tegen de over elkaar geslagen benen van de krullenbol, die bijna de hele breedte van de bank in beslag namen.

'Neem me niet kwalijk, meneer McLean. Als u zo vriendelijk zou willen zijn om iets minder ruimte in te nemen, ben ik u heel dankbaar,' zei hij enigszins sarcastisch, terwijl de gestoffeerde deur achter hem dichtviel en de koetsier op zijn verhoogde plek ging zitten.

Alistair lachte zorgeloos. 'Ik denk dat dat wel te regelen is, meneer Slade,' zei hij. Hij trok zijn lange benen in en ging rechtop zitten.

Alsof het tovenarij was hield hij het volgende moment een spel kaarten in zijn hand en schudde ze schijnbaar diep in gedachten; met maar één hand.

'Vertel eens, meneer Bourke, kent u lord Pembroke?' vroeg hij terwijl zijn vingers de kaarten zo snel openlegden en weer samenvouwden dat de bewegingen nauwelijks te volgen waren. 'En bent u misschien al eerder voor een verblijf op zijn kasteel uitgenodigd? De Pembrokes schijnen al generaties lang in een enorme groot gebouw te wonen.'

Byron vond de vingervlugheid van de jonge man net zo verbazingwekkend als hij zijn openhartigheid en nonchalante woordkeuze ordinair en ongepast vond, en hij concludeerde dat het kaartspel waarschijnlijk een van de passies van deze meneer McLean was, wat hem er in zijn ogen niet sympathieker op maakte.

De koets kwam met een schok in beweging. De vier roodvossen zetten zich onder de aansporingen van de koetsier schrap in het tuig en de snelheid van de koets nam toe.

'Nee, ik heb lord Pembroke nog niet ontmoet, waarmee waarschijnlijk ook uw tweede vraag is beantwoord,' zei Byron gereserveerd. Hij pakte zijn boek weer en sloeg het open om de opdringerige knaap duidelijk te maken dat hij geen interesse had om het gesprek voort te zetten.

Het bracht Alistair McLean echter niet tot zwijgen. 'Mmm, dan kunnen we alledrie benieuwd zijn wat ons op Pembroke Manor te wachten staat,' ging hij vrolijk verder. 'Ik heb er in elk geval geen flauw idee van waaraan ik de uitnodiging van deze stinkend rijke edelman heb verdiend. Nu ja, het maakt me ook niet uit. Een uitnodiging van iemand die me bij wijze van vergoeding voor de reiskosten onder andere een prachtig biljet van vijftig pond stuurt, hoewel een treinkaartje maar een paar shilling kost, is altijd uiterst welkom.

Byron bezat een fijn gehoor voor tussentonen en het viel hem daarom op dat Alistair McLean bij zijn uitnodiging onder andere vijftig pond had gekregen, maar hij gaf geen commentaar. Dat gold ook voor Horatio Slade, die zwijgend naar het landschap bleef kijken, hoewel er buiten niets ongewoons te zien was. Of het moest zo zijn dat je een uitgesproken voorliefde had voor grazend vee, kleine boerderijen en agrarisch gebruikte grond onder een trieste, grijze, donker wordende novemberhemel.

Een tijdlang was alleen de gelijkmatige hoefslag van de vier prachtige paarden en het ratelen van de koetswielen te horen, terwijl het herfstachtige landschap van velden, weilanden en kleine bospercelen aan beide kanten van de equipage voorbijvloog. Uit de laagvlakten stegen hier en daar de eerste nevelsluiers op, die in de kale takken van de struiken leken te blijven hangen. En in het geleidelijk zwakker wordende licht van de verdwijnende dag leken de zachte rondingen van de heuvels op de golven van een kalme zee.

Alistair McLean verbrak na een paar minuten het zwijgen. 'U schijnt buitengewoon spannende lectuur te lezen, meneer Bourke, als u zelfs bij dit slechte licht uw boek niet kunt wegleggen,' zei hij nieuwsgierig. 'Zo verdiept ben ik wel eens in een spannende roman, zoals *De vrouw in het wit* van Wilkie Collins. Hoewel een aantal van de misdaadverhalen over Sherlock Holmes, die uit de pen komen van die oogarts, Arthur Conan Doyle, die de laatste tijd furore maakt, ook behoorlijk spannend zijn. Fantastische lectuur wat die Doyle op papier zet, ook al is meneer Watson nogal simpel, als u het mij vraagt. Die snapt nooit iets.'

Byron zuchtte gekweld, deed het boek dicht en liet het op zijn schoot zakken. De hoop dat hij nog een paar bladzijden kon lezen voordat ze bij lord Pembroke arriveerden, moest hij laten varen.

'Bij dit werk gaat het niet om een goedkoop griezelverhaal à la Wilkie Collins of om een potsierlijke detective met een lachwekkend, duister talent om sporen te interpreteren,' antwoordde hij vinnig. 'Het is een verhandeling van een vooraanstaand filosoof en wiskundige uit de oudheid. Een uitzonderlijke geleerde, aan wie ook tweeduizend jaar later nog geen andere wiskundige heeft kunnen tippen.

'O, dat klinkt als zware kost,' antwoordde Alistair McLean luchtig. 'En over welk uitzonderlijk brein gaat het?'

'Over Archimedes – als die naam u iets zegt.' Byron hield zichzelf eigenlijk voor een prettige persoonlijkheid, die niet neigde naar arrogantie en zijn medemensen niet afmat aan zijn eigen intelligentie. Maar de hatelijke opmerking was hem ontglipt doordat hij ontstemd was over de vervelende opdringerigheid van deze jonge pummel.

Alistair McLean bleef vrolijk naar hem glimlachen. 'Natuurlijk. Dat is toch die krankzinnige vent die in een regenton woonde en tegen de een of andere rustverstoorder "Ga uit mijn zon" zei omdat die hem ...'

'Nee, die legende wordt verteld over de cynische filosoof Diogenes van Sinope,' viel Byron hem in de rede. 'Waarbij de anekdote met de regenton, waarin Diogenes geleefd zou hebben, heel waarschijnlijk is ontstaan door een verkeerde vertaling van een uitspraak die wordt toegeschreven aan de Romeinse stoïcijn Seneca. Wat Seneca echt bedoelde, was waarschijnlijk dat een man met zo weinig pretenties als Diogenes net zo goed in een regenton zou kúnnen wonen. Nee, Archimedes was de grootste wiskundige uit de oudheid en de man die ...'

'Die als oude zonderling geometrische figuren in het zand tekende, terwijl rondom hem de bloederige strijd om Syracuse woedde,' merkte Horatio Slade op. 'Dat was in de tijd van de Tweede Punische Oorlog, toen de Romeinen Sicilië veroverden. En toen een Romeinse legionair deze oude zonderling Archimedes tijdens zijn gekrabbel lastig viel, beet hij de soldaat de beroemde woorden "verstoor mijn cirkels niet" toe, waarna de Romeinse soldaat hem doodsloeg.'

Alistair McLean knikte. Hij schaamde zich er absoluut niet voor dat hij twee legendarische geleerden uit de oudheid had verwisseld. 'Inderdaad, ik weet het weer. Vervelend voor Archimedes, zou ik zeggen. Dat zou voor veel wereldvreemde geleerden een lesje moeten zijn.' Terwijl hij dat zei grijnsde hij brutaal naar Byron.

'Archimedes was ongetwijfeld een wiskundig genie, maar absoluut niet wereldvreemd, meneer McLean,' corrigeerde Byron hem onmiddellijk. 'En de sentimentele legende die u daarnet ten beste hebt gegeven en die helaas al eeuwenlang tot het gemeengoed van historische bakerpraatjes behoort, heeft weinig met de waarheid te maken, meneer Slade.'

Horatio Slade trok zijn wenkbrauwen licht op en duwde zijn nikkelen bril hoger op zijn neus. 'Zo? U zegt het.' Zijn potlooddunne snor vertrok door de vinnige glimlach die rond zijn mond verscheen. 'Ik neem aan dat u een verhelderende toelichting paraat hebt om ons onmiddellijk uit onze vreselijke toestand van onwetendheid te bevrijden en ons naar het stralende licht van uw kennis te leiden, meneer Bourke.'

Alistair McLean lachte geamuseerd.

Byron negeerde de spottende toon van de brildrager en het lachen van de jonge vlegel. 'Ik geef graag gehoor aan uw vriendelijke verzoek, meneer Slade.' Hij wachtte even en begon daarna met een lerarenstem uit te leggen. 'Archimedes, de astronoom aan het hof van Syracuse, liet zich, ondanks zijn hoge leeftijd, tijdens de Romeinse belegering van Syracuse maar al te graag door koning Hieron II tot militaire opperbevelhebber over het wapenarsenaal benoemen. Tijdens de belegering ontwikkelde hij meerdere enorme katapulten en ander wapentuig, die heel veel schade toebrachten aan de schepen en belegeringstroepen van de Romeinen en die veel mensenlevens kostten. Een tijdlang leek het er zelfs op dat Archimedes alleen met behulp van zijn uitvindingen de inname van Syracuse kon verhinderen. Dat was echter niet zo. En dat hij na de verovering van de stad stierf door het zwaard van een Romeinse soldaat, was logisch. De steek van de legionair was niet bedoeld voor het wiskundige genie, dat onder andere het integraalrekenen, de hefboomwerking en het principe van de waterverplaatsing heeft ontdekt, maar was bedoeld voor de trouwe militair en enthousiaste wapenontwikkelaar – en trof daarmee ook de juiste persoon.' Met een zweem sarcasme voegde hij er nog aan toe: 'De moord op hem was overigens de enige beslissende bijdrage van de Romeinen aan de wiskunde.'

De twee mannen op de bank tegenover hem, die zo verschillend waren maar die op dit moment hetzelfde dachten, keken elkaar na deze korte uitleg enigszins verbijsterd en verwonderd aan.

Daarna draaide Horatio Slade zijn hoofd zwijgend om en keek weer naar het voorbijtrekkende landschap, terwijl Alistair McLean zuchtte, enigszins lusteloos naar het spel kaarten in zijn hand keek en als in gedachten mompelde: 'En ik dacht nog wel dat het een ontspannen weekend op Pembroke Manor zou worden.'

2

De koets volgde de wijde boog, die de provinciale weg rond de uitloper van het bos maakte en bereikte aan het eind ervan een lange laan met oeroude bomen. De hoeven van de roodvossen ploegden door een enkelhoog tapijt van gebladerte. Het luide geritsel leek veel op een ruisende boeggolf.

'Daar is het! Pembroke Manor!' riep Alistair McLean opgewonden terwijl hij aan de linkerkant tegen het raam van de koetsdeur tikte. Lieve hemel! Kijk toch eens! Dat noem ik nog eens een kast van een huis! In zo'n enorm gebouw kun je elke dag van het jaar een andere kamer nemen, als je niet verdwaalt in alle kamers en gangen!'

Byron keek op hetzelfde moment uit het raam en zag het landhuis ook. Hij werd eveneens overvallen door een bijna ongelovige verbazing door de aanblik van het enorme gebouw, dat was opgebouwd uit ruwe grijze kalksteen uit de graafschap en werd omringd door uitgestrekte, kunstig aangelegde plantsoenen. Zijn blik viel op de enorme hoeveelheid hoektorens, de met kantelen bekroonde daken, de uitspringende erkers, het tempelachtige, door zuilen gedragen portaal en de voorgevel met een hoogte van drieëneenhalve verdieping en een bijna eindeloze hoeveelheid hoge ramen met roeden. De drie vleugels waaruit het landhuis bestond vormden samen een H, terwijl het dominante middelste deel met het hoog uitstekende zuilenportaal boven de trapopgang twee keer zo lang was als de zijvleugels.

Horatio Slade boog zich nu ook naar voren om een eerste blik op het bezit van hun gastheer te werpen. 'Wat een afstotelijke architectonische bastaard,' zei hij hoofdschuddend. 'Een mengelmoes van de meest verschillende stijlen, waarvan telkens alleen de vulgaire en protserige elementen zijn gebruikt. Nergens ook maar een spoor van waardige terughoudendheid, om maar te zwijgen van verfijnde schoonheid en harmonische lijnen.'

Het vernietigende oordeel van de man verbaasde Byron, die zo'n bliksemsnel verstand en deskundig beoordelingsvermogen niet van hem had verwacht. Wie ongeveer tweehonderd jaar geleden de architect van dit pompeuze bouwwerk ook was geweest, hij of zijn opdrachtgever hadden gedurende de jaren dat de bouw duurde niet kunnen beslissen of het een luisterrijk gotisch kasteel naar Frans voorbeeld met toespelingen op de oudheid of een massieve Noorse vesting moest worden. Uiteindelijk was er een architectonisch tweeslachtig wezen uit voortgekomen, zonder enige symmetrie of harmonische lijnen. Het enige wat deze enorme berg smakeloos gebouwde kalksteen duidelijk en niet mis te verstaan tot uitdrukking bracht, was de enorme rijkdom en de even grote geldingsdrang van de Pembrokes.

De koets kwam voor het uitspringende zuilenportaal tot stilstand en de drie mannen waren net uitgestapt toen hun aandacht werd getrokken door een ruiter.

Hij galoppeerde rechts van hen aan de overkant van de plantsoenen op een prachtige schimmel over een met gras begroeide heuvel naar hen toe. In gestrekte galop en diep over de rug van het paard gebogen joeg de ruiter de heuvel af in de richting van het landhuis. Hij stuurde het dier echter niet naar rechts, waar een hoge haagboog toegang gaf tot het plantsoen, maar reed rechtstreeks naar de lange, bijna borsthoge heg, die de omringende natuur afbakende van de geometrisch aangelegde plantsoenen rondom Pembroke Manor.

'In 's hemelsnaam, die knaap zal toch niet zo gek zijn om over de ...' begon Horatio Slade geschrokken.

Hij kwam er niet aan toe om zijn zin helemaal af te maken, want op dat moment sprong de schimmel met een adembenemend elegante sprong over de hoge hindernis – en met hem de atletisch slanke gestalte die op het gestrekte lijf van het paard lag alsof hij ermee versmolten was. Even later spatten de kiezels op het tuinpad naar alle kanten weg onder de roffelende hoeven van het paard, terwijl het in galop kwam aanstormen.

Pas een krappe tiental paardenlengtes voor het portaal greep de ruiter de teugels en bracht de schimmel tot stilstand, vlak voor de voeten van de stalknecht die inmiddels uit een zijdeur naar de binnenplaats was gekomen. De flanken van het prachtige dier glansden van het zweet en er stond schuim op zijn mond. Maar ondanks de inspanning leek het niet overmatig door de ruiter op de proef te zijn gesteld.

'Nu breekt mijn klomp! Die roekeloze ruiter is helemaal geen man!' riep Alistair McLean ongelovig toen de ruiter kort naar hen keek, de kinriem van de cap losmaakte, hem afdeed en het bezwete haar uitschudde. Het gezicht van de jonge vrouw, waarop de donkere schaduw van de helm nu niet meer viel, was fijn en werd omringd door kastanjebruin haar dat ze in een pagekapsel droeg. 'En die roekeloze vrouw is niet alleen als een man gekleed, maar heeft ook als een huzaar op een mannenzadel gereden.'

'Uitermate ongepast,' mompelde Byron misprijzend.

'Inderdaad! Maar blijkbaar kan ze zich dat veroorloven,' merkte Horatio Slade droog op. 'Ik neem aan dat ze tot de Pembroke-clan behoort.'

Met een buitengewoon soepele, bijna katachtige beweging gleed de rijdster, die aardebruine, kniehoge rijlaarzen en een lichte rijbroek droeg, uit het zadel. Zwijgend wierp ze de paardenknecht de teugels en haar helm toe, keek met een licht hoofdknikje ter begroeting in hun richting en haastte zich daarna alles behalve damesachtig met krachtig verende passen de traptreden op.

De koetsier, die de opmerking van Horatio Slade had gehoord, kuchte. 'Meneer, staat u me toe op te merken dat u zich vergist. Miss Harriet Chamberlain is net als u te gast op Pembroke Manor. Alleen is zij vanmiddag vroeg al gearriveerd en heeft ze de tijd tot uw aankomst gebruikt voor een lange buitenrit.' En tegen hen alledrie gericht voegde hij er met een nauwelijks merkbaar gebaar naar de trap aan toe: 'Als u nu zo vriendelijk wilt zijn om naar boven te gaan, heren. Meneer Trevor Seymour, de butler van de lord, wacht u boven bij de deur op. En wat uw bagage betreft, die wordt door een van de bedienden naar uw kamers gebracht.'

Alistair McLean vertrok zijn gezicht in een vrolijke grijns toen ze de buitentrap naar het zuilenportaal van het herenhuis op liepen.

'Kijk eens, die kleine is hier ook maar te gast. Die heeft zich snel aangepast. Het zal een plezier zijn om kennis met haar te maken.' Hij wierp

Byron een spottende blik toe. 'Er bestaat dus hoop dat het toch nog een gezellig weekend wordt.'

Byron ging niet in op de scherpe steek onder water. Hij werd op dit moment door iets heel anders in beslag genomen, namelijk de merkwaardige opmerking van de koetsier dat de onbekende jonge vrouw de tijd tot hun aankomst had gebruikt voor een lange buitenrit.

Hoezo tot hun aankomst? Waarom had ze rekening moeten houden met het tijdstip van hun aankomst op Pembroke Manor?

'Meneer Bourke ... meneer Slade ... meneer McLean, welkom op Pembroke Manor, heren,' begroette de butler hen met een lichte buiging bij de ingang naar het enorme voorportaal. Zijn stem had een krassende, dorre klank, alsof zijn keel net zo uitgedroogd was als een sinds jaren werkeloze bron. Daarbij keek hij letterlijk op de gasten van zijn werkgever neer.

Trevor Seymour, die een zwart butlerkostuum met een stijf, wit plastron en handschoenen van fijn wit linnen droeg, was een ongewoon lange, magere man van een jaar of zestig. Hij had het uitgeteerde, spitse gezicht van een strenge asceet*, met lichte, heldere ogen die veel te groot leken in de diepe oogkassen. Witgrijs haar, dat voor een man van zijn leeftijd nog verrassend vol was, bedekte zijn hoofd.

'Lord Pembroke laat zich verontschuldigen, heren,' ging de butler met kurkdroge vormelijkheid verder. 'Hij verwacht u allemaal om half zeven, dus over ruim een half uur, in de salon van de westvleugel voor een drankje voor het diner. Staat u me nu toe u naar uw kamers te brengen, zodat u zich nog wat kunt opfrissen voor de ontmoeting met lord Pembroke. Als u me wilt volgen, heren!' Zonder op antwoord te wachten draaide hij hen zijn lange, smalle rug toe en liep voor hen uit.

De enorme toegangshal met de zwart-witte marmeren vloer in schaakbord-patroon, het hoge met stucwerk versierde koepelplafond en de twee draai-trappen was indrukwekkend, dat moest Byron zelfs heimelijk toegeven. De hal was zo groot dat een compagnie soldaten zich er met gemak zou kunnen opstellen zonder dat ze last van elkaar hadden. Overal stonden levensgrote beelden van het kostbaarste marmer, die Griekse en Romeinse goden alsmede beroemde figuren uit de Oudheid voorstelden.

---

* *Iemand met een strenge, vrome levenswandel die zich onthoudt van zinnelijke genoegens.*

'Dit is een puur heidense muzentempel,' merkte Alistair McLean op terwijl hij naar de collectie keek. 'Hier staan Diana, Neptunus en Juno, en als ik me niet vergis zijn dat Athene, Apollo en Medusa. Alleen die prachtige knaap daar, die naakt aan een boom is gebonden, zegt me niets. En de buste van die oude man in de trapnis ook niet.'

'De buste kan de Griekse generaal en geschiedschrijver Thukydides voorstellen,' zei Horatio Slade, waarmee hij Byron heel even voor was.

Byron gaf hem gelijk. 'Het is zonder twijfel Thukydides, de stamvader van de historische geschiedschrijving. En de man aan de boom is natuurlijk Marsyas uit de Grieks-Romeinse sagewereld, een sater, dus een ...' Verder kwam hij niet met zijn uitleg.

'Natuurlijk! Hoe heb ik dat over het hoofd kunnen zien? Terwijl in elk fatsoenlijk huishouden een mooie Marsyas de schoorsteenmantel siert,' viel Alistair McLean hem in de rede terwijl hij tegen zijn voorhoofd sloeg. 'Waar heb ik mijn ogen gehad? Je zou me bijna voor ongeletterd kunnen houden. Goed dat u me daaraan hebt herinnerd, meneer Bourke! Aan uw voorlichting heb ik echt iets. In dit verband schiet me trouwens een heel treffende uitspraak van de Duitse filosoof Friedrich Nietzsche te binnen, die het ooit als volgt formuleerde: "Ontwikkeld zijn is niet laten merken hoe dom men is".'

Horatio Slade lachte onderdrukt. 'Niet slecht, meneer McLean.'

Byron slikte een gevat antwoord op de onbeschaamdheid van Alistair McLean in. Deze onbehouwen melkmuil was het niet waard om zich door te laten provoceren. Hij kon hem het best negeren en zoveel mogelijk uit de weg gaan. Helaas voorspelde de opmerking van de butler dat lord Pembroke ze allemaal om half zeven in de salon van de westvleugel verwachtte, niet veel goeds.

De butler leidde ze even later een gang in, waar donkere, zware cassettedeuren toegang gaven tot hun logeerkamers. 'Percy zal zo meteen met uw bagage komen, meneer Bourke,' zei Trevor Seymour, die hem als eerste zijn kamer had gewezen. 'Als u vragen hebt of iets nodig hebt, laat het hem dan weten. Hij zal meteen zorgen dat het in orde komt. U kunt hem met de bel naast de deur roepen. Hij haalt u om half zeven op om u naar de salon in de westvleugel brengen. Ik wens u een aangenaam verblijf, meneer.'

'Nu ja, we zullen zien,' mompelde Byron vol duistere vermoedens. Hij schonk weinig aandacht aan zijn voorname onderkomen, dat uit een slaapkamer met aangrenzende salon en een gerieflijke wasgelegenheid bestond. Een ander zou de inrichting van de kamers ademloos hebben bekeken, maar hij had nooit waarde gehecht aan materiële luxe en bovendien was hij veel te veel in gedachten verzonken om de overdadige inrichting van de vertrekken bewust waar te nemen: de prachtige tapijten op de parketvloer; het wijnrode behang met het kostbare oriëntaalse dessin; de vergulde sierlijsten; het stijlvolle stucwerk met de plafondfries van gouden, met vleugels uitgeruste leeuwen; de antieke schilderijen; de zware gestoffeerde meubelen; de brokaatgordijnen voor de hoge ramen; het bed met de vier poten met houtsnijwerk die een hemel van het fijnste mousseline droegen; en wat er verder nog allemaal bij de inrichting van zijn ruime gastenverblijf hoorde.

Onrustig liep hij heen en weer, nadat de huisbediende Percy zijn reistas had gebracht en erop had gestaan om de inhoud ervan in de kast en de commode op te bergen. Terwijl de duisternis zijn zwarte kleed over het land en het pompeuze gebouw van Pembroke Manor legde, peinsde hij zich suf.

Wat had zijn dreigende financiële ondergang, die hij ongetwijfeld te danken had aan een intrige van lord Pembroke, en de 'kleine dienst' waarvoor Pembroke het enorme bedrag van 25.000 pond wilde betalen, te maken met de twee vreemde, nogal eenvoudige mannen Horatio Slade en Alistair McLean en de jonge eigenzinnige wildebras Harriet Chamberlain?

Byron kon het niet afwachten om eindelijk de man te ontmoeten die zijn toekomst en die van zijn zusjes in handen had. Hij wilde van hem horen wat er schuilging achter al deze geheimzinnige gebeurtenissen. Tegelijkertijd groeide er een gevoel van beklemming in zijn binnenste – en het vermoeden dat er deze avond iets onvermijdelijks zou gebeuren. Iets, wat zijn leven volkomen zou veranderen en waarna niets meer zou zijn zoals hij dat tot nu toe had gekend en gewaardeerd.

3

Toen de huisbediende Percy stipt om half zeven voor zijn deur in de oost-vleugel verscheen en Byron hem door het lange middendeel naar de west-vleugel volgde, kon hij zijn ogen nauwelijks geloven. In het westelijke deel van Pembroke Manor werd het beeld van de kamers en lange gangen niet bepaald door traditioneel Engels meubilair en klassieke marmeren beelden en busten, maar door een schokkende hoeveelheid zeldzame en wonder-lijke verzamelaarstukken, die werd verlicht door enkele flakkerende gas-lampen.

Het was geen wetenschappelijk samengestelde verzameling met een ver-bindend overkoepelend begrip, zoals bijvoorbeeld 'het leven in de middel-eeuwen' of 'de volkeren tussen Eufraat en Tigris'. De objecten die in de kamers, gangen en zelfs op de trappen met elkaar om ruimte concurreer-den, waren ook niet afkomstig uit een etnisch of geografisch duidelijk afge-bakende cultuurkring. De beklemmende chaos werd veel meer gekenmerkt door de verzamelwoede van een rijke man, een man die letterlijk uit alle hoeken van de wereld kunst, kitsch, curiosa en griezelige spullen bij elkaar had gebracht.

Overal stond opgezet groot wild, van Afrikaanse leeuwen en Indiase tij-gers tot Noord-Amerikaanse grizzlyberen. Niet als prachtige, afzonderlijke exemplaren, die op indrukwekkende wijze werden gepresenteerd, maar met tientallen tegelijk. En tussen deze majestueuze dieren stonden in het wilde weg houten poppen, waarvan sommige van top tot teen in de gepantserde uitrusting van een kruisridder waren gekleed en flitsende zwaarden vast-hielden, terwijl andere de wapens en kleding van een Mongolische stam-menleider droegen. Tussen de benen van deze mongolen loerden enorme kaaimannen met ver opengesperde bekken, terwijl geprepareerde gorilla's uit de Kongolese bergwouden, Australische koala's, Afrikaanse aasgieren, reuzenanaconda's en andere hagedisachtigen uit de Braziliaanse jungle aan de plafonds hingen, alsof ze zich elk moment op hun argeloze slacht-offer konden storten. Waar op de vloer nog lege plekken waren geweest, lagen allerlei eigenaardige voorwerpen, zoals veren tooien, opgerolde huiden, vuurstenen, primitieve wapens en nog veel meer, waaraan Byron in het snelle voorbijgaan geen herkomst of gebruiksdoeleinde kon afleiden.

Op weg naar de salon kwam hij ook langs een verzameling stenen sarcofagen, die ten dele met Egyptische hiërogliefen waren versierd. Ze vormden rechts en links twee lange rijen in de gang, alsof ze erop wachtten dat ze eindelijk werden afgehaald door een begrafenisonderneming om in een of ander Egyptisch graf te worden bijgezet.

Tussen deze stenen grafkisten stonden Indiaanse totempalen tegen de muren geleund, en hij zag op elkaar gestapelde kamelenzadels, bundels bedoeïenensperen, oude voorlaadgeweren, fel beschilderde Indische goden met vervormde gezichten en nog veel meer. Het was net alsof deze verzamelstukken hier tijdelijk waren neergezet, omdat men niet wist waar ze moesten staan, waarna ze waren vergeten.

De deels rijkelijk met stof en woestijnzand bedekte, in doeken gewikkelde mummies, die ooit de sarcofagen hadden bemand, lagen een gang verder, met een samenraapsel van stenen beelden uit de tijd der farao's, die half menselijke, half dierlijke goden zoals de zonnegod Ra, Anubis, Horus, Chnum, Bastet en Selket voorstelden.

Toen Byron de beklemmende dodengalerij was gepasseerd en hij Percy door een bocht in de gang volgde, zag hij een gruwelijke dubbele rij menselijke geprepareerde hoofden met lange vlechten, die op bamboestokken waren geprikt. Ze waren uit een of ander kannibalistisch land geïmporteerd en staarden ondanks hun levenloze koude ogen zo hypnotiserend naar hem alsof ze vanuit het hiernamaals een banvloek uitspraken over iedereen die het waagde om tussen hen door te lopen.

Er liep een koude rilling van afschuw langs zijn rug en hij moest kokhalzen bij de gedachte aan de manier waarop de inwoners van Borneo of een andere nauwelijks bestudeerde wildernis aan deze huiveringwekkende trofeeën waren gekomen.

'Hoe lang duurt het nog voordat we bij de salon zijn?' vroeg Byron, terwijl ze tussen de gruwelijke erehaag door liepen. 'Ik had niet verwacht dat ik onderweg aan zo'n ... zo'n beproeving zou worden blootgesteld.'

'Lord Mortimer heeft inderdaad een aantal eigenaardigheden waaraan men moet wennen. En we zijn er bijna,' klonk het kalmerende antwoord van de huisbediende. 'De salon bevindt zich achter de volgende bocht, meneer.'

Toen Byron even later door de hoge, openstaande vleugeldeuren de salon in liep en de huisbediende zich discreet bij de ingang terugtrok, stelde hij vast dat hij als laatste van lord Pembrokes gasten arriveerde.

Horatio Slade, Alistair McLean en Harriet Chamberlain hadden het zich al gemakkelijk gemaakt in de zware, gestoffeerde fauteuils, die in het midden van de ruimte rond een lage tafel met een Arabisch aandoend blad van gehamerd zilver gegroepeerd waren. Ze hielden alledrie een drankje in hun hand, dat waarschijnlijk afkomstig was uit de goed gevulde barkast achter hun rug. Naast de barkast stond de lange, ascetische Trevor Seymour, de butler met het uitdrukkingsloze gezicht.

'Ach, daar bent u, meneer Bourke!' riep Alistair McLean naar hem terwijl hij zijn glas omhoog hief, waarin een goudbruine vloeistof klotste, waarschijnlijk whisky of cognac. In zijn andere hand hield hij een van die met papier omwikkelde rolletjes, die 'sigaretten' werden genoemd en die zich sinds enkele jaren vooral onder de lagere bevolkingslagen in een toenemende populariteit mochten verheugen. 'We waren al bang dat u ergens op het labyrintachtige pad van het diepe Kongo naar het faraoland was verdwaald en voor eeuwig spoorloos verdwenen zou zijn. Dat zou een bitter verlies zijn geweest.' Hij knipoogde naar hem met een brede grijns, alsof er nooit een verkeerd woord tussen hen was gevallen.

Byron concludeerde daaruit dat de borrel waaraan de krullenbol nipte waarschijnlijk niet zijn eerste was.

'Ja, we dachten al dat u misschien bij de koppensnellers was terechtgekomen,' lachte ook Horatio Slade, die losse tabak uit een leren buideltje in de kop van een meerschuimpijp stopte. 'Gewoon onbegrijpelijk, wat een monsterlijke wereld bezoekers in de westvleugel te wachten staat, vindt u ook niet? Op sommige plekken is elk commerciële griezelkabinet net zo opwindend als een slapende voet in vergelijking met deze krankzinnige verzameling. En zelfs hier, in deze salon, zijn we omringd door die wonderlijke verzameling.'

Byron betuigde zijn instemming met een zwijgend knikje. Hij had nog niet om zich heen gekeken, maar een vluchtige blik was voldoende om te weten dat hij ook in dit vertrek niet kon ontsnappen aan de duistere voorwerpen. Zijn blik viel op een serie met huid bespannen oerwoudtrommels, op een wilde chaos van macheten, vuursteengeweren, stenen bijlen, kromzwaarden, Indische dolken met slangvormige lemmeten, nijlpaardzwepen en maskers, op dicht naast elkaar hangende foto's aan de muren, op wierookvaten en Tibetaanse gebedsmolens, op glazen vitrines en boekenkasten met oude folianten, brevieren, papierrollen en perkamenten, en op een zwerm opgezette vleermuizen. Deze schepsels van de nacht hingen met wijd uitgespreide vleugels, opengesperde bekken en enorme, puntige oren tussen een wirwar van bundels gedroogde kruiden en knoflookbollen aan het plafond.

'Onze gastheer moet een man met veel interesses en een eigenzinnige smaak zijn,' zei Alistair McLean. Hij dronk zijn glas leeg en gebaarde naar de butler om hem nog een keer hetzelfde te brengen.

'En wat mag het voor u zijn, meneer Bourke?' vroeg de butler met de gortdroge stem achter de vier zware stoelen, die een driekwartskring vormden. 'Kan ik u ook iets te drinken brengen, meneer?'

Byron knikte. 'Een cognac kan ik heel goed gebruiken,' zei hij. Het viel hem nu pas op dat er een gat gaapte in de kring van stoelen, een plek die waarschijnlijk voor lord Pembroke was bedoeld.

'Heel goed, meneer.'

Byron keek naar de jonge vrouw, die tot nu toe geen commentaar had gegeven. Harriet Chamberlain zat zwijgend en met over elkaar geslagen benen op haar stoel, draaide zenuwachtig haar glas tussen haar slanke handen en staarde naar de barnsteenkleurige vloeistof, alsof ze op de bodem van haar glas naar het antwoord op een dringende vraag zocht. Haar ovale, lieftallige gezicht onder het trapsgewijs geknipte pagekapsel was heel bleek en heel gespannen.

Byron stelde enigszins gepikeerd vast dat ze het niet nodig had gevonden om zich na haar buitenrit om te kleden. Dat gold weliswaar ook voor de twee mannen, die met hem in de koets naar Pembroke Manor waren gereden, maar die droegen tenminste kostuums, hoe bescheiden deze ook waren. Harriet Chamberlain droeg nog steeds haar rijkleding, bestaande uit een rijbroek, kniehoge laarzen, een sterk getailleerd rijjasje met een opstaande kraag en een overrok. Daardoor kwamen haar slanke figuur en vrouwelijke rondingen weliswaar opvallend goed uit, maar het was absoluut niet geschikt om in een herenhuis bijeen te komen voor een drankje voor het diner en aan de adellijke gastheer voorgesteld te worden.

De butler bracht de cognac en bood Byron een sigaar uit een humidor aan. Byron pakte het zware glas, koos een sigaar, rolde hem keurend tussen zijn vingers, bevochtigde beide uiteinden kort met zijn lippen, sneed de punt van het mondstuk en liet zich vuur geven.

Byron was niet in de stemming om nu al bij de anderen te gaan zitten. Hij liep door het vertrek en deed alsof hij zich voor de foto's en de inhoud van de vitrines interesseerde.

In werkelijkheid keek hij nauwelijks naar de weerzinwekkende en onesthetische chaos van oude munten, opgeprikte vlinders, gebleekte botten, aan kettingen geregen roofdiertanden, orthodoxe kruisbeelden, liturgisch gereedschap, met naalden doorboorde voodoopoppen, vruchtbaarheidsfetisjen in de vorm van gedroogde dierlijke geslachtsdelen en wat er verder nog kriskras in de vitrines verspreid lag.

Hij pijnigde zijn hersenen weer en vroeg zich af waaruit de 'kleine dienst' zou bestaan, die hem voor een val in de armoede kon bewaren. Ook werd hij gekweld door de vraag waarom lord Pembroke hem niet onder vier ogen ontving, maar in het gezelschap van de twee onbekende mannen en de uitermate onbehoorlijke Harriet Chamberlain.

Bovendien was het hem een raadsel waarom ze uitgerekend in deze afschuwelijke salon moesten opdraven, terwijl er in de oostvleugel en vooral in het langgerekte hoofdgedeelte meer dan genoeg vertrekken waren die niet waren ingericht alsof ze aan een nachtmerrie waren ontsproten.

De droge stem van de butler haalde hem uit zijn gepieker en hij draaide zich om toen deze, plechtig als een hofmaarschalk bij de ontvangst op een vorstenhuis, verkondigde: 'Juffrouw Chamberlain ... heren ... lord Arthur Pembroke!'

4

Byron had helemaal niet gemerkt dat de ascetisch magere butler even weg was geweest, maar plotseling duwde hij lord Pembroke tot verrassing van iedereen in een rolstoel de salon in.

De eigenaar van Pembroke Manor droeg een elegante kamerjas van donkerblauwe zijde en brede smaragdgroene revers, was eind veertig en had een krachtig, maar enigszins gedrongen figuur. Het gezicht met de brede kinpartij was hoekig, bijna vierkant, en de ronde, in goud gevatte monocle in zijn linkeroog leek niet bij hem te passen. Zijn haar had zich op het voorhoofd en de slapen al ver teruggetrokken en had kale plekken achtergelaten. De rode bakkebaarden daarentegen, die tot zijn kin liepen en een groot deel van het afschuwelijke eczeem op de rechterkant van zijn gezicht verborgen, waren dicht en ruig, als verwilderd kreupelhout.

Horatio Slade en Alistair McLean zetten hun drankjes snel neer en kwamen uit de diepe fauteuils overeind. Harriet Chamberlain maakte echter geen aanstalten om hun gastheer het gepaste respect te betuigen en op te staan. Ze had een koppige, bijna vijandige uitdrukking op haar tot nu toe gesloten gezicht.

'Mooi, ik zie dat we er allemaal zijn!' riep Arthur Pembroke vriendelijk, terwijl Trevor Seymour hem naar de cirkel van zware leunstoelen en de voor hem bedoelde opening duwde. Met een korte ruk van zijn linkerwenkbrauw liet hij de monocle in zijn schoot vallen. 'Juffrouw Chamberlain … heren, alstublieft, gaat u toch zitten.' Dat Harriet Chamberlain helemaal niet was opgestaan, leek hij niet gemerkt te hebben of bewust te negeren.

De twee mannen gingen weer zitten en Byron liep naar hen toe om op de laatste vrije stoel te gaan zitten. Harriet Chamberlain zat links van hem en lord Pembroke rechts, terwijl Horatio Slade en Alistair McLean tegenover hem zaten.

'Ik hoop dat ik jullie niet overmatig lang heb laten wachten,' zei lord Pembroke luchtig. 'De vervelende jicht, waaraan ik steeds vaker het twijfelachtige genoegen van een rolstoel te danken heb, heeft me met een heel onaangename aanval weer eens duidelijk gemaakt dat het waterkoude Engelse weer vergif is voor mijn botten.' Hij draaide zich naar de butler en voegde er naadloos aan toe: 'Een dubbele single malt, Trevor.'

'Uitstekend, meneer,' antwoordde Trevor Seymour stijfjes, waarna hij naar de barkast liep.

Heel even viel er een onnatuurlijke, gespannen stilte. De gasten hadden alle vier dringende vragen op het puntje van hun tong liggen, maar geen van hen wilde de eerste zijn die in aanwezigheid van de drie vreemden begon te praten over de persoonlijke redenen die de oorzaak waren van de uitnodiging – en die van zo'n aard waren, dat niemand ze graag in het openbaar besprak.

Arthur Pembroke leek de sterke spanning niet te voelen. Hij keek met een vrolijke glimlach naar zijn gasten en wachtte tot de butler hem zijn single malt had gebracht.

Terwijl de butler de salon verliet en de dubbele deuren achter zich dichttrok, informeerde lord Pembroke als een bezorgde gastheer of ze tevreden waren over hun onderkomen en of de drie heren de gemeenschappelijke koetsrit hadden benut om elkaar te leren kennen.

Alistair McLean verbrak het zwijgen van de vier en gaf antwoord. 'De koetsrit heeft bij geen van ons tot het heftige verlangen geleid om nader kennis met elkaar te maken. Of ziet u dat misschien anders, meneer Bourke?'

'Dat beschouw ik als uw eerste verstandige opmerking sinds we elkaar hebben leren kennen,' antwoordde Byron.

Lord Pembroke begon geamuseerd te lachen. 'Niet alle huwelijken worden in de hemel gesloten, heren. Wat het verstand samenvoegt, is vaak duurzamer en succesvoller dan een verbond uit sentimentele harmonie.'

Hij wachtte even en keek weer lachend om zich heen, maar zijn donkere, kleine ogen lachten niet mee.

'Omdat u elkaar allemaal nog niet kent, is het me zo meteen een genoegen om u aan elkaar voor te stellen en over ieder van u een paar zinnen te zeggen, die uw leven tot nu toe kort, maar toch heel krachtig beschrijven.'

'Ik weet niet waar dat goed voor is,' antwoordde Horatio Slade meteen. 'Wat gaat de anderen mijn leven aan, sir?'

Harriet Chamberlain lachte kort en hatelijk, alsof ze een vermoeden had van het antwoord en wist dat het niemand zou bevallen.

Geïrriteerd door haar lach wierp Byron haar een vluchtige blik toe, en liet daarna met een knikje weten dat hij het eens was met Horatio Slade. Hij verpakte zijn eigen protest in een fraaie diplomatieke formulering. 'Ook mij ontgaat het nut en de noodzaak van een dergelijk voorstellen. Ik vind het bovendien niet wenselijk of tactvol, lord Pembroke.' Het protest leek hem gepast, maar het mocht niet zo overdreven uitvallen dat hij daarmee het aanbod van de lord om de waardeloze mijnaandelen voor de oorspronkelijke prijs over te nemen, in gevaar bracht.

'Dat zie ik anders, meneer Bourke,' antwoordde lord Pembroke. 'En ik heb mijn redenen, die jullie ongetwijfeld ook duidelijk zullen zijn als we bij de kern van ons samenzijn zijn beland.'

Met een zichtbaar ongeduldige beweging drukte Alistair McLean zijn sigaret in de asbak uit. 'Allemachtig, waar wacht u dan nog op? Wat houdt u tegen om zonder lang geklets en andere omhalen tot de kern van de zaak te komen, sir? Het zou niet verkeerd zijn om eindelijk uw kaarten op tafel te leggen en ons te vertellen waarom u ons hebt uitgenodigd, wat er in de pot zit en of u eerlijk of met gemerkte kaarten speelt.'

'Inderdaad,' bromde Horatio Slade. 'Het neigt langzamerhand naar boerenbedrog. En daarmee bedoel ik niet alleen deze uitpuilende rariteitenverzameling met een duidelijke hang naar gruwelijkheid en necrofilie, als u me deze opmerking toestaat.'

'U hebt gelijk, heren, de wereld in de westvleugel is er inderdaad een waaraan men moet wennen,' viel lord Pembroke hem bij. 'Ik vind het persoonlijk veel verder gaan dan waaraan een geestelijk gezond mens kan wennen zonder beschadigd te raken. Daarom zal het u ook nauwelijks verbazen als ik u vertel dat deze gruwelijke verzameling het werk is van een krankzinnige geest. Een steeds meer in waanzin wegzinkende man, die bijna drie decennia lang rusteloos over de wereld heeft gereisd en zichzelf niet alleen beschouwde als een begenadigd jager op groot wild en kaartspeler, maar ook als een geleerde onderzoeker en archeoloog.

'Heeft een krankzinnige wereldreiziger zich hier uitgeleefd? Nou, dat verklaart het een en ander,' merkte Horatio Slade droog op.

'En wie was deze man?' wilde Byron weten.

'Mijn drie jaar oudere broer Mortimer, die vorig jaar januari in een toestand van verstandsverbijstering en gekweld door waanvoorstellingen zelfmoord heeft gepleegd,' vertelde lord Pembroke.

'U hebt toch nog een oudere broer?' vroeg Byron, die zich meende te herinneren dat hij dat in het Engelse adelregister over het geslacht Pembroke had gelezen.

Arthur Pembroke knikte. 'Ja, Wilbur. Hij was de oudste van mijn twee broers. Hij is al acht jaar dood.' Hij aarzelde even voordat hij eraan toevoegde: 'Wilbur is omgekomen bij een tragisch jachtongeluk.'

'En daarna heeft Mortimer met zijn zelfmoord de weg vrijgemaakt voor u, de jongste mannelijke erfgenaam en eigenaar van Pembroke,' constateerde Harriet Chamberlain vinnig. 'Waar een krankzinnige zelfmoordenaar in de familie toch goed voor kan zijn, vooral als diegene eerst komt in de erfopvolging.'

Lord Pembroke staarde even naar haar met een stekende blik, terwijl zijn rechterhand het glas zo stevig omklemde dat de knokkels wit werden. Een moment leek het alsof hij een scherp antwoord wilde geven. Daarna zette hij het glas met een ruk aan zijn lippen en dronk het in een keer leeg. Hij spoelde zijn woede blijkbaar weg met de single malt. In elk geval ging hij helemaal niet in op Harriet Chamberlains hatelijke opmerking.

'Dat met uw krankzinnige broer Mortimer is allemaal goed en wel,' zei Alistair McLean. 'Maar het verklaart nog altijd niet waarom u ons hier bij elkaar hebt gebracht.'

'De reden daarvoor zal u later duidelijk worden, meneer McLean,' antwoordde lord Pembroke. 'U kunt er echter verzekerd van zijn dat niets van wat ik vanavond allemaal van u vraag, uit onnadenkendheid gebeurt. Alles heeft een diepe, weloverwogen reden. En ook deze onaangename salon en de aangrenzende eetkamer, waar we zo meteen zullen dineren, heeft een betekenis. Door deze vertrekken krijgt u namelijk een beter begrip voor de situatie.'

'Een beter begrip?' Horatio Slade schudde zijn hoofd en zei vol ergernis: 'Geen sprake van. Ik begrijp er op dit moment nog minder van dan eerst. De duivel mag weten waarom het gaat.'

Byron zei hetzelfde, ook al drukte hij zich anders uit. 'Ik ben het eens met meneer Slade. Ook voor mij schijnt de raadselachtigheid eerder te verdiepen dan dat de plaats en omstandigheden van dit samenzijn langzamerhand een begrijpelijk nut krijgen.'

Lord Pembroke leek niet onder de indruk van de bezwaren. 'U zult me op mijn woord moeten geloven dat dit alles zeer zeker nut heeft, heren. Dus oefen een beetje geduld en laat het aan mij over hoe ik u naar de kern van deze zaak leid. Anders moet ik u er namelijk aan herinneren dat u allemaal niet vanuit onbaatzuchtige motieven te gast bent op Pembroke Manor en dat er vooraf bepaalde prestaties door mij zijn geleverd. Ik wil graag benadrukken dat de definitieve status van deze prestaties voor u allemaal nog onbeslist is en dat ik daarom nu al een zekere mate aan medewerking mag verwachten,' antwoordde hij op een toon, waaruit de aanvankelijke vriendelijkheid was geweken voor een onmiskenbare hardheid en scherpte.

De dreiging miste zijn werking niet. Er heerste ineens een pijnlijke stilte in de kring. Iedereen vermeed het de anderen aan te kijken. Byron staarde naar de askegel van zijn sigaar, alsof deze ineens bijzonder interessant was; Horatio Slade frunnikte met een grimmige uitdrukking op zijn gezicht aan zijn pijp; Alistair McLean greep naar zijn pakje Gold Flake-sigaretten en Harriet Chamberlain speelde met het kleine gouden kruis dat aan een dun gouden kettinkje rond haar hals hing, terwijl ze schijnbaar geboeid naar de vleermuizen staarde.

Arthur Pembroke leek te genieten van de pijnlijke stilte, want hij liet minstens tien tot twaalf lange seconden voorbijgaan waarin hij kalm de laatste druppels single malt op zijn tong liet lopen.

'Laten we het voorstellen beginnen met miss Harriet Chamberlain,' verbrak hij uiteindelijk de onaangename stilte. 'Uw moeder was van adellijke geboorte en had een opvoeding overeenkomstig haar stand gekregen ...'

'Laat u mijn moeder hier alstublieft buiten,' siste Harriet Chamberlain, die onmiddellijk stijf rechtop was gaan zitten en hem met onverholen afschuw in haar van boosheid fonkelende ogen aankeek.

Arthur Pembroke ging onbewogen verder. 'Helaas stroomt in uw aderen ook een flinke hoeveelheid van het inferieure bloed dat in elk adellijk geslacht aanwezig is, al is het nog zo roemrijk en nobel. Bovendien had ze geen controle over de zwakte van het vlees en haar zondigheid, vooral omdat het vrouwelijke geslacht van nature toch al een sterke neiging in deze richting vertoont. Zo kwam het dat ze er bijna tweeëntwintig jaar geleden vandoor ging met een gewone kermisklant en zwanger van hem raakte en dat Harriet Chamberlain, de zondige vrucht van deze schandelijke liefdesrelatie die in de wereld van zwervers en circusartiesten opgroeide, zelf eveneens deze weg insloeg en sindsdien het rusteloze leven van een sensatie-artiest en acrobate leidt. Een leven, zo moet ik helaas constateren, dat miss Chamberlain bijna voor altijd had geruïneerd door een bloederige schanddaad die aan iemand het leven heeft gekost.'

Harriet Chamberlain perste haar lippen tot een dunne, harde streep op elkaar. Onder de onderzoekende blik van de drie mannen, die in gedachten natuurlijk meteen naar de aard van deze bloederige schanddaad raadden, schoot het bloed naar haar gezicht.

'We mogen echter ook niet verzwijgen dat Harriet Chamberlain in haar beroep een goede naam heeft opgebouwd en al op veel plekken die een grote naam hebben in de wereld van de vaudeville, het variété en het circus, heeft opgetreden; ook op het continent, waar ze enige jaren op tournee is geweest,' ging lord Pembroke verder. 'Bovendien is ze niet alleen een acrobate die buitengewoon veel risico neemt, maar ook een bijzonder goede paardrijdster en kan ze uitstekend omgaan met allerlei soorten wapens. Waaraan het bij haar ontbreekt, is vrouwelijke manieren en respect voor de ongeschreven, maar toch onbuigzame conventies van onze maatschappij.'

'Begin niet met dat oude-mannengeklets, dat alleen is bedoeld om vrouwen te onderdrukken. Niets is onbuigzaam of ligt voor altijd vast, uw zogenaamde conventies al helemaal niet,' siste ze. 'Ik laat me in elk geval niets voorschrijven. Ik doe met mijn leven wat ik voor juist houd.' Met die woorden richtte ze zich onverwacht tot Alistair McLean, die net een sigaret uit zijn pakje had getikt, en snauwde tegen hem: 'Hoe zit het? Gaat u me nog een sigaret aanbieden?'

Alistair trok een verbaasd gezicht. 'O, rookt u?' vroeg hij verrast.

'Ja, soms,' zei ze. Ze haalde een grijs sigarettenpijpje uit haar jaszak en vroeg kattig: 'Of denkt u misschien dat alleen mannen het kunststukje om blauwe rook uit te blazen beheersen?'

Alistair McLean lachte geamuseerd en grijnsde breed naar haar. 'Ik weet zeker dat u tot nog heel andere kunststukjes in staat bent, miss Chamberlain,' zei hij terwijl hij haar het pakje voorhield, zodat ze er een kon pakken.

'Als het zo verdergaat met die tegendraadse jonge vrouwen, eisen ze op een dag nog dat ze kiesrecht krijgen en kunnen meebeslissen over onze regering en wetgeving,' mompelde Horatio Slade afkeurend.

'En die dag is niet ver weg, daar kunt u vergif op innemen, meneer Slade,' antwoordde Harriet Chamberlain, waarna ze zich vuur liet geven door Alistair McLean.

Horatio Slade rolde met zijn ogen.

'Goed, nu uw naam toch al gevallen is, meneer Slade, wil ik met u verdergaan,' zei lord Pembroke. 'Met de bewogen levenswandel van meneer Horatio Slade zouden we waarschijnlijk een hele avond kunnen vullen, net zoals deze omvangrijke gerechtelijke dossiers vult. Maar omdat we vandaag nog iets anders moeten bespreken, wil ik het ook bij hem kort houden. Daarom zal ik hier alleen vermelden dat hij bijna eenderde van zijn eenendertig levensjaren in de gevangenis heeft doorgebracht. De sloten van deze strafinrichtingen bleken echter vaak niet bestand tegen de buitengewone vaardigheden als uitbreker die deze meester van alle zelfgemaakte valse sleutels bezit.'

Horatio Slade trok een gezicht alsof hij in een citroen had gebeten. 'Bedankt voor de doornige bloemenkrans, sir.'

'Kijk eens aan, we hebben een bajesklant in ons midden,' liet Alistair McLean zich ontvallen. Het klonk niet geschokt, eerder geamuseerd en geïnteresseerd.

Byron vond de boodschap daarentegen absoluut niet grappig, maar eerder uiterst verontrustend. Niet uit morele afwijzing, maar omdat het hem elk moment duidelijker werd dat lord Pembroke hen vieren als een bij elkaar horende groep beschouwde – ook ná deze avond!

'Meneer Horatio Slade is niet alleen een meester in het ongeoorloofd openen van vreemde sloten, maar de tragiek van zijn leven bestaat erin dat er aan hem waarschijnlijk een grote kunstenaar op het schildersdoek verloren is gegaan,' ging lord Pembroke verder. 'Als kopieerder van beroemde schilderijen en vooral Russische en Griekse iconen behoort hij namelijk tot de besten van zijn gilde. En hij zou ongetwijfeld een fatsoenlijk inkomen verdienen en een leven ver van de tralies leiden, als hij zich ertoe zou beperken zijn kopieën als zodanig te verkopen. Onze vriend geeft er echter de voorkeur aan om schilderijen van oude meesters en iconen die in de huizen van de adel en rijke fabrikanten hangen te kopiëren. Daarna sluipt hij 's nachts in deze huizen naar binnen, vervangt het origineel door de kopie en verkoopt het gestolen kunstwerk aan buitenlandse verzamelaars. Een handelswijze die niet altijd onopgemerkt blijft, vooral als hij zich daarbij op heterdaad laat betrappen.'

'Originelen stiekem voor kopieën verwisselen? Wat een fantastisch idee! Dan bent u zoiets als de Robin Hood van de kunst, meneer Slade,' zei Harriet Chamberlain spottend. 'Dat u steelt van de adel en de fabrikanten beschouw ik als een rechtvaardigheid die een klein beetje compenseert. Deze schijnbaar eerzame lieden zijn namelijk bijna uitsluitend door bedrog, oorlog of uitbuiting van eenvoudige mensen aan hun rijkdom gekomen.'

Horatio Slade onderdrukte een lach en boog licht. 'Miss Chamberlain, dank u wel voor het compliment. Ik zie u inmiddels in een aanzienlijk zachter, voordeliger licht dan ik daarnet nog voor mogelijk had gehouden.'

'Zo? Nu, dan ben ik natuurlijk oneindig opgelucht, meneer Slade,' antwoordde ze kattig.

'Dan komen we nu bij meneer Alistair McLean,' zei lord Pembroke. 'Al te veel belangrijks is er niet te vertellen over deze argeloos uitziende jongeman, eigenlijk alleen dat meneer McLean zijn tijd het liefst aan de speeltafel doorbrengt. Hij is op twaalfjarige leeftijd, toen hij definitief ontsnapte aan de strenge tucht van het weeshuis, begonnen aan zijn carrière als beroepsspeler. In de dertien jaar die er sindsdien zijn verstreken, heeft hij daarin een zeker meesterschap bereikt.

Zichtbaar verwonderd keken Byron, Horatio Slade en Harriet Chamberlain naar de oneerbiedige krullenbol tegenover hen, die ze allemaal niet ouder dan hoogstens achttien had geschat.

'Wat? Is deze … betweterige melkmuil al vijfentwintig en dus maar twee jaar jonger dan ik?' liet Byron zich ongelovig ontvallen.

Lord Pembroke knikte. 'Inderdaad, meneer Bourke. En als u op een dag het twijfelachtige genoegen hebt om met hem aan een kaarttafel te zitten en om geld te spelen, dan zult u al snel merken dat hij alles behalve een groentje is. Hij gaat aanzienlijk handiger met de kaarten om dan de wet toestaat en zijn medespelers zouden willen.'

'Hij is dus een gladjanus, een kaartenmerker en een valsspeler,' concludeerde Horatio Slade.

'Valsspeler is een hard woord, meneer Slade. Ik geef er de voorkeur aan om net als mijn leermeester Fagin over creatief kaartspel te spreken,' antwoordde Alistair McLean zonder een spoor van verlegenheid. 'Zo, en daarmee is over mijn persoon alles gezegd en kunt u verdergaan met meneer Bourke, lord Pembroke.'

'Dat was ik ook van plan.'

'Hoewel mijn interesse in hem heel beperkt is,' voegde Alistair McLean er nog aan toe. 'Mijn gevoel zegt me dat meneer Bourke zich graag opstelt als een "geleerde hoofdonderwijzer zonder humor".'

'Uit de mond van een onbeschofte valsspeler beschouw ik dat als een compliment,' antwoordde Byron koel en razendsnel.

'De term "geleerd" is inderdaad van toepassing op meneer Byron Bourke,' bevestigde lord Pembroke. 'Door zijn snelle begripsvermogen en scherpe intelligentie is hij al op amper vijftienjarige leeftijd toegelaten tot de studie wiskunde en natuurkunde in Oxford. Een studie, die hij niet alleen in een buitengewoon korte tijd summa cum laude heeft afgerond, maar die hij ook nog heeft aangevuld met de vakken theologie, filosofie en meerdere vreemde talen.'

'Wordt op deze plek in uw verslag een knieval verwacht, sir?' vroeg Harriet

Chamberlain spottend.

Alistair McLean haalde onverschillig zijn schouders op. 'Zoals ik al zei; een saaie piet en een betweter.'

Lord Pembroke schonk geen aandacht aan de opmerkingen, maar ging verder: 'Dat hij als een van de jongste geleerden in de Royal Society of Science is opgenomen, en tevens in het bestuur van de gerenommeerde Athenaeum Club zit, die alleen bekende en daarom meestal aanzienlijk oudere geleerden in haar gelederen heeft, is een snel besluit van het opnoemen van zijn verdiensten.' Hij zweeg even en ging toen verder. 'Door zijn lichtzinnige, naïeve houding tegenover geld zal er echter nooit een lauwerkrans voor hem worden gevlochten. Het aanzienlijke vermogen dat zijn vader als vakkundig ingenieur en bouwer van vuurtorens in zijn leven heeft vergaard en verstandig heeft vermeerderd, heeft meneer Bourke op één dag met een paar pennenstreken verspeeld.'

'Een stommiteit waartoe onze advocaat, die al jarenlang voor mijn familie werkt en die tot nu toe steeds loyaal is geweest, me op een achterbakse manier heeft verleid!' riep Byron verontwaardigd. 'En hij heeft dat beslist niet uit eigen beweging gedaan. Ik weet heel zeker dat het op uw verzoek is gebeurd. U hebt hem omgekocht, zodat hij mij zou overhalen om deze waardeloze mijnonderdelen te kopen.'

'Een theorie waar zeker iets in zit, maar die u nooit kunt bewijzen, meneer Bourke. Daarom praten we daar ook niet verder over,' antwoordde lord Pembroke met een lachje.

Op dat moment verscheen de butler bij de ingang van de salon. Hij maakte zich kenbaar door beschaafd te hoesten en meldde daarna: 'Het diner kan geserveerd worden, sir.'

'Dat komt heel goed uit, Trevor,' zei lord Pembroke tevreden. Daarna praatte hij verder tegen zijn vier gasten: 'Nu we hiermee het inleidende gesprek achter de rug hebben en jullie allemaal weten met wie jullie in het vervolg te maken hebben, kunnen we ons tot de hoofdzaak beperken – namelijk tot de opdracht die ik voor jullie heb en die jullie gezamenlijk op jullie zullen nemen, als jullie tenminste bij mij in de gratie willen blijven. Daar kunnen we echter wel vanuit gaan.' Hij lachte weer, maar het was de koude lach van een man die zich bewust was van zijn macht en overwicht. 'Het is overigens een opdracht waarvoor enig reizen vereist is.'

Er verscheen een verbouwereerde uitdrukking op Alistair McLeans jongensachtige gezicht. 'Ik weet niet of ik daar zin in heb,' pruilde hij. 'In uw uitnodiging was sprake van lucratieve handel, waarbij mijn bijzondere talenten als beroepsspeler vereist waren. Ik ben daarom uitgegaan van een eersteklas kaarttoernooi op Pembroke Manor. En nu vertelt u ons dat u een opdracht hebt die we gezamenlijk moeten volbrengen en waarvoor we ook nog moeten reizen?'

Lord Pembroke knikte onaangedaan. 'Zo is het. Het zal voor u allemaal buitengewoon lucratief zijn, om u met volledige overgave aan de opdracht te wijden.' Hij klapte in zijn handen, strekte ze daarna voor zich als een priester die zijn gemeente zegent en verkondigde enigszins hoogdravend: 'Miss Chamberlain ... heren, u hebt de grote eer om op zoek te gaan naar iets wat een sensationele waarde heeft en wat erop wacht om eindelijk teruggevonden en aan de wereld openbaar gemaakt te worden. Als dat eenmaal is gebeurd, zal de wereld niet meer dezelfde zijn.'

'En wat is dat sensationeel waardevolle, dat we voor u moeten vinden precies?' wilde Horatio Slade chagrijnig weten. Hij was Byron voor met zijn vraag.

Lord Pembroke antwoordde onomwonden: 'Het evangelie van Judas.'

5

Byron had net een trekje van zijn sigaar genomen, toen Arthur Pembroke deze vier geladen woorden uitsprak. Onwillekeurig ademde hij de rook, die hij anders nooit inhaleerde, diep in en moest daarop zo hevig hoesten dat de tranen in zijn ogen schoten.

'Bedoelt u de verrader van Jezus, Judas Iskariot?' riep Horatio Slade ongelovig.

'Inderdaad, dat is degene over wie ik het heb,' bevestigde lord Pembroke terwijl Trevor Seymour de met leer beklede vleugeldeuren van de aangrenzende eetkamer openduwde.

Alistair McLean lachte. 'Het Judas-evangelie? Dat is toch een grap, of niet soms? Zoiets heeft nooit bestaan. Anders hadden we daar al lang over gehoord.'

'Ik stel voor dat we ons gesprek niet hier, maar hiernaast tijdens het diner voortzetten,' zei Arthur Pembroke. Hij maakte zijn butler met een klein handgebaar duidelijk dat hij hem naar het aangrenzende vertrek moest duwen.

Byron vocht nog steeds tegen de hoestprikkel terwijl hij de anderen naar de eetkamer volgde. Ook hier stuitten ze op opgezette dieren, Egyptische grafgiften, zoals beschilderde draagstoelen en bisschopsstaven, alsmede enkele tegen de muren opgestapelde sarcofagen. Rechts en links van de vleugeldeuren leken twee hyena's uit de Afrikaanse savanne, die hoog op hun poten stonden en ontblote tanden hadden, de doorgang te bewaken. Hoog boven hen waren netten van fijne witte draden gespannen, die sprekend op spinnenwebben leken – vooral omdat er grote geprepareerde spinnen in deze netten op een prooi leken te loeren.

De achterste muur werd in beslag genomen door een meer dan manshoge kast, met planken die vol stonden met grote glazen potten. Ze hadden er allemaal geen behoefte aan om te zien wat de geestelijk gestoorde Mortimer van de natuurlijke ontbinding had gered en wat nu in de conserverende vloeistof dreef. Daarom liep niemand er naartoe en meden ze de beslist gruwelijke aanblik ervan.

Toch leek deze naar verhouding kleine, intieme eetkamer niet zo nachtmerrieachtig als de aangrenzende salon en de andere vertrekken en gangen, die ze op weg hiernaartoe in de westvleugel waren gepasseerd. Dat kwam waarschijnlijk door de olieverfschilderijen, die het grootste deel van de muren bedekten. Het waren uitsluitend mannelijke, bijna levensgrote portretten, vermoedelijk familieportretten. Onder de kroonluchter in het midden van het vertrek stond een ronde tafel, die feestelijk was gedekt met crèmewit damast, zwaar tafelzilver, kristallen glazen en elegant porselein.

Toen iedereen aan tafel had plaatsgenomen, viel het Byron op dat de bedienden het eten weliswaar uit de keuken haalden, maar het in de gang onder de kritische blikken van Trevor Seymour op een rolwagen zetten en meteen weer vertrokken. Het opdienen en serveren nam de butler met het magere gezicht voor zijn rekening. En hij zorgde er ook voor dat de vleugeldeuren meteen achter hem werden gesloten. Byron concludeerde daaruit dat de inhoud van dit gesprek onder geen enkele omstandigheid tot de oren van de bedienden mocht doordringen. De enige uitzondering daarop was Trevor Seymour. De butler was blijkbaar ingewijd en genoot het onbeperkte vertrouwen van zijn baas.

'Wat is uw antwoord op de mening van meneer McLean dat zo'n evangelie van Judas nooit heeft bestaan, meneer Bourke?' vroeg lord Pembroke nadat Trevor Seymour witte wijn in de kristallen glazen had geschonken en voor iedereen bij wijze van voorgerecht soep uit een zilveren terrine had opgeschept.

'Dat getuigt van onwetendheid,' antwoordde Byron. 'Het bestaan van een tekst die wordt toegeschreven aan Judas Iskariot is al langer dan 1700 jaar bekend. Bisschop Ireneüs ...'

'Misschien geldt dat voor de geleerde kringen waarin u verkeert,' viel Harriet Chamberlain hem in de rede, 'maar ik heb ook nog nooit van zo'n evangelie van Judas gehoord.'

'Omdat het waarschijnlijk een van de teksten is die door de katholieke kerk en de Romeinse leden van het pauselijke hof in diskrediet zijn gebracht en in een of ander geheim archief van het Vaticaan achter slot en grendel worden bewaard,' vermoedde Alistair McLean. 'Dat is in Rome de traditie. Zo is het toch ook met die ... die geheime apo-dinges teksten gegaan, die ze destijds niet in de canon van de Bijbel hebben opgenomen.'

Byron keek hem medelijdend aan. 'Wat u bedoelt zijn de apocriefe geschriften, die sinds hun opschrijven honderden keren door monniken en anderen zijn gekopieerd en heel waarschijnlijk altijd voor elke geïnteresseerde toegankelijk waren, mits hij tot de kleine groep intellectuelen behoorde die Latijn en Oudgrieks beheersten,' corrigeerde hij. 'Natuurlijk zijn er in strenggelovige eeuwen ook tijden geweest waarin men overwoog om dergelijke teksten te verbranden of op een andere manier te vernietigen ...'

'Dus toch,' zei Alistair McLean triomfantelijk.

'Maar niet omdat ze bepaalde "waarheden" bevatten die in strijd waren met de kernuitspraken van de christelijke geloofsleer,' ging Byron snel verder. 'Dat was omdat de meeste van deze apocriefe geschriften merkwaardige combinaties zijn van romanachtige fantasieën, overdreven legenden, fictieve dialogen, gevoelvolle fabels en anekdoten. En het lezen van dergelijke teksten, die het christelijke geloof bedenkelijk dicht in de buurt van het heidendom brengen, wilde men om goede redenen tegengaan.'

'Zoals ik al zei, deze verboden en duistere intriges van de kerk zijn een traditie,' herhaalde Alistair McLean genietend.

'Dat is niet waar. Wat echter inderdaad traditie is, is het soort complottheorieën dat u oppert, meneer McLean,' antwoordde Byron. 'Maar deze krijgen niet meer waarheidsgehalte doordat ze in elke generatie weer worden opgerakeld. Met een paar passende halve waarheden en een flinke portie demagogie* zijn zulke stellingen helaas altijd weer uitstekend geschikt om kwaad te spreken over datgene wat op behoorlijke wijze en met zakelijke argumenten niet onderdrukt kan worden.'

Harriet Chamberlain keek met licht opgetrokken wenkbrauwen naar hem. 'Hoor, hoor. Het lijkt erop dat er iemand heeft gesproken die bijzonder trouw is aan zijn kerk en zijn christelijke geloof.'

'Zo is het, miss Chamberlain,' antwoordde Byron. 'Wat uw mening daarover is, is uw zaak. Maar misschien deelt u mijn overtuiging wel.' Hij wees naar de hanger aan haar ketting.

'O, vanwege het kruis?' Ze haalde haar schouders op. 'Dat is een erfstuk van mijn moeder en het enige van materiële waarde wat ze me heeft nagelaten. Ik zou het ook dragen als ik zo'n overtuigde atheïst was als meneer McLean.'

'Laten we deze nutteloze schermutselingen laten voor wat ze zijn en terugkomen op Judas Iskariot,' viel lord Pembroke hen in de rede. 'Ga alstublieft verder waar u daarnet werd onderbroken, meneer Bourke. U had het over bisschop Ireneüs …'

Byron knikte. 'Bisschop Ireneüs van Lyon schreef rond 180 n. Chr. in zijn boek *Tegen de Ketters* al over een tekst van Judas Iskariot, die hij als sektarisch verwierp. Er is echter geen sprake van een evangelie. Bovendien is het erg omstreden of de genoemde tekst inderdaad van Judas Iskariot is, of dat deze lang na zijn dood door iemand anders is samengesteld die zijn naam heeft gebruikt, om welke reden dan ook,' benadrukte hij en stond zichzelf daarmee een zekere twijfel toe. Het idee van een authentieke Judas-tekst was voor iemand zoals hij enorm opwindend en fascinerend.

'Als er echt zo'n evangelie zou bestaan, dat niet door een tijdgenoot van Jezus maar door een van zijn twaalf intiemste vertrouwelingen is geschreven, zou zo'n document inderdaad een wereldsensatie zijn,' gaf Horatio Slade in overweging.

'Natuurlijk, het zou als een bom inslaan en waarschijnlijk het eind van het christendom betekenen,' viel Alistair McLean hem bij. Het klonk niet alsof het hem zou spijten als dat zo was. 'Omdat deze bisschop Ireneüs de tekst destijds als ketterij heeft veroordeeld, betekent dat waarschijnlijk dat deze Judas een heel ander verhaal te vertellen heeft dan de vier knapen die het nieuwe testament hebben geschreven en die lang niet zo dicht bij de gebeurtenissen zijn geweest als Judas.'

Lord Pembroke lachte. 'Zoals ik al zei, de wereld staat stil als het Judas-evangelie openbaar wordt gemaakt en zal daarna nooit meer dezelfde zijn. Helemaal afgezien van het feit dat mijn naam – en eventueel ook die van jullie – voor altijd met deze sensatie verbonden zal zijn,' zei hij terwijl zijn ogen fonkelden van opwinding. 'Ik heb namelijk goede redenen om aan te nemen dat het geschrift dat Ireneüs heeft verworpen niet de originele Judas-tekst was, maar dat het om een soort kopie of navertelling ging, waarin iemand decennia na de dood van Judas Iskariot heeft samengevat wat hij waarschijnlijk alleen heeft gehoord over het echte evangelie van Judas.'

'Ik vind dat we de tekst van Judas Iskariot niet zo lichtzinnig als een evangelie moeten bestempelen,' wees Byron hen terecht. 'Het woord "evangelie" komt uit het Grieks. Daar heet het euangélion, wat zoveel betekent als een "vrolijke boodschap". En omdat Ireneüs deze tekst ondubbelzinnig als ketterij heeft verworpen, mag deze niet dezelfde naam dragen als de boeken van de vier canonische evangelisten Mattheüs, Marcus, Lucas en Johannes.'

'Waarom niet?' vroeg lord Pembroke koel. 'Dat is toch helemaal afhankelijk van de manier waarop je het ziet? Wat voor de een ketterij is, kan voor de ander geloofsbelijdenis zijn, meneer Bourke.'

'Inderdaad,' viel Alistair McLean hem bij. 'Voor iemand die niet bij het christendom is betrokken en het geloof in God voor hocus-pocus houdt, kan het heel goed een evangelie zijn. De goede Nietzsche zou daarover zeggen: Voor het Christendom wordt men niet geboren, daarvoor moet men alleen ziek genoeg zijn. Of deze: Men moet geen kerken binnengaan als men zuivere lucht wil inademen. Ik vind dat daar iets in zit.' Met een grijns pakte hij zijn wijnglas en proostte Byron toe.

'Het getuigt niet bepaald van grote originaliteit om de argumenten van een ander over te nemen,' antwoordde Byron. 'Maar omdat u blijkbaar altijd een goedkope uitspraak van deze Duitse filosoof paraat hebt, zult u waarschijnlijk niet alleen de uitlatingen kennen waarmee hij op het christendom in het bijzonder en het geloof in God in het algemeen inhakt. Misschien kent u ook zijn treffende uitspraak: Het fanatisme is de enige "wilskracht" waartoe ook de zwakten gerekend kunnen worden.'

'Dat is een punt voor meneer Bourke. Daarmee hebben we waarschijnlijk een gelijke stand,' zei Harriet Chamberlain over de woordenwisseling.

Nu meldde ook Horatio Slade zich: 'Of het een evangelie is of alleen een tekst, interesseert me op dit moment net zo weinig als waarin de aanwezigen geloven of niet geloven. En ik heb ook geen trek in een uitgebreide maaltijd.' Hij schoof het bord soep, waarvan hij maar twee of drie happen had genomen, met een abrupte beweging van zich af. Het scheelde niet veel of de soep gutste over de rand. 'Ik heb een paar heel concrete vragen, waarop ik net zulke concrete antwoorden verwacht, lord Pembroke. Ik wil eindelijk weten wat de bedoeling is van deze tamelijk krankzinnig klinkende opdracht, waar en hoe we deze Judas-tekst moeten zoeken, waarom de keuze uitgerekend op ons is gevallen, en vooral wat wij aan deze zaak overhouden.'

'Daar ben ik het helemaal mee eens, meneer Slade!' riep Alistair McLean enthousiast. Hij was zijn vinnige woordenwisseling met Byron meteen vergeten. 'Laten we eindelijk over de belangrijke punten praten en vertel ons wat u te bieden hebt, lord Pembroke.'

'Dat punt is snel afgehandeld,' verzekerde Arthur Pembroke hem. 'Terwijl ik meneer Bourkes waardeloze mijnaandelen afkoop voor de uitgiftekoers en hem daarmee red van een financiële ondergang ...' Hij pauzeerde nauwelijks merkbaar en wierp Byron een waarschuwende blik toe, waarvan deze de betekenis besefte op het moment dat Arthur Pembroke verderging, '... zullen meneer McLean, meneer Slade en miss Chamberlain allemaal 5000 pond voor hun deelname ontvangen.'

Alistair McLean floot goedkeurend maar tegelijkertijd erg onbeschoft, waarop de butler met een verontwaardigde gezichtsuitdrukking reageerde. '5000 pond? Heremijntijd, dat noem ik nog eens een mooie pot, waarvoor ik graag iets wil doen. Ik ben van de partij.'

'Mm, het klinkt niet slecht.' Horatio Slade was iets terughoudender, maar het opflitsen van zijn ogen verraadde dat hij net zo enthousiast was over het aanbod als Alistair McClean.

Harriet Chamberlain haalde alleen kalm haar schouders op, terwijl 5000 pond toch een enorm bedrag moest zijn voor een artiest zoals zij, waarschijnlijk de gage voor minstens vijf tot zes jaar optreden.

'Het is een aanlokkelijk aanbod,' mompelde Byron. Hij hoopte dat geen van de anderen zou vragen wat Pembroke hem voor zijn waardeloze aandelen wilde betalen. Met de scherpe blik in de minieme pauze had de lord hem er ongetwijfeld toe gemaand, in geen geval bekend te maken dat hij vijf keer zoveel zou krijgen. Wat aan de andere kant niet meer dan terecht was, en hem eigenlijk zelfs benadeelde, want terwijl de drie anderen een reële winst van 5000 pond maakten, kreeg hij alleen datgene terug wat Pembroke hem had ontfutseld. In dat opzicht had hij eigenlijk recht op 30.000 pond.

'Jullie krijgen allemaal een voorschot van 1000 pond bij het begin van de onderneming. De resterende 4000 pond krijgen jullie als ik de papyri van het Judas-evangelie in mijn handen heb. Reiskosten en andere noodzakelijke uitgaven zijn voor mijn rekening,' vertelde Arthur Pembroke. 'Ik geef jullie een ruime contante reissom mee, alsmede een kredietbrief van mijn bank waarmee het mogelijk is om bijna overal in Europa en rond de Middellandse Zee meer financiële middelen bij gerenommeerde banken te krijgen, waarover we dan na afloop een concreet gesprek zullen hebben.'

Horatio Slades tevreden gezichtsuitdrukking kreeg een sceptische trek. 'De financiële kant van deze kwestie klinkt heel acceptabel, maar ik weet zeker dat er een adder onder het gras schuilt, misschien zelfs meerdere. Het zal ongetwijfeld een reden hebben waarom u zoveel … zoveel moeite hebt gedaan om ons hier te krijgen en u ons nu zoveel geld aanbiedt.'

Byron had min of meer hetzelfde gedacht. 'De adder onder het gras is waarschijnlijk de zoektocht naar deze verdachte tekst van Judas. Bovendien ben ik benieuwd waarom u denkt te weten waar deze geheimzinnige tekst te vinden is, waar u uw kennis vandaan hebt en waarom u uitgerekend ons nodig hebt om deze tekst te vinden.'

'Het antwoord op de laatste vraag is waarschijnlijk overbodig met het oog op mijn lichamelijke handicap,' zei lord Pembroke enigszins vinnig terwijl hij op de wielen van zijn rolstoel sloeg. 'En de vraag hoe ik van het bestaan van dit Judas-evangelie op de hoogte ben is net zo gemakkelijk te beantwoorden: ik heb het met mijn eigen ogen gezien en de papyri in dit vertrek in mijn handen gehad voordat ze verdwenen.'

6

Ze keken de eigenaar van Pembroke Manor verbijsterd en ongelovig aan. 'Mijn broer Mortimer is in het voorjaar van 1879 bij een opgraving in het Nabije Oosten op deze sensationele vondst gestuit. Ik weet niet zeker of dat in Palestina, Egypte of de Jordaanse woestijn was,' ging Arthur Pembroke verder. 'Mortimer heeft daarover geen mededelingen gedaan. Destijds waren zijn heldere momenten al heel zeldzaam en ze duurden helaas ook maar een paar minuten. Maar ik kan ervan getuigen dat dit evangelie bestaat en is opgesteld in de Aramese taal, die Jezus en zijn volgelingen spraken.'

'En waardoor bent u er zo zeker van dat het geschrift echt van Judas afkomstig is en het geen waanidee is?' vroeg Byron.

'Mijn broer was tijdens zijn leven misschien in meerdere opzichten een warhoofd, die zich niet alleen voor bruggenbouw en kanalisatie interesseerde, maar die zich met net zoveel passie op het bestuderen van de Afrikaanse zeden en de zoektocht naar weerwolven en andere tweeslachtige wezens stortte. Tevens zocht hij het gezelschap van de meest onmogelijke en tegenstrijdige mensen; hij schuwde zelfs het contact met duistere figuren, revolutionairs, wapenhandelaren en door de wol geverfde misdadigers niet,' antwoordde lord Pembroke. 'Dat is allemaal waar, net zoals het waar is dat hij aan het eind van zijn leven helemaal aan zijn waanzin ten prooi is gevallen. Maar wat Bijbelse papyri en dergelijke oude geschriften betrof, kon geen geleerde hem iets wijsmaken. Hij was ontzettend belezen en had meer ervaring dan iedere andere deskundige op dit vakgebied, waarvoor hij al van jongs af aan een bijzondere hartstocht heeft gehad. Hij zoog de kennis op als een spons en leerde zo snel vreemde talen alsof het net zo gemakkelijk was als de tafel van een. Hij beheerste het Aramees en het Hebreeuws zo voortreffelijk alsof het zijn moedertaal was. En daarom kon hij ook heel goed beoordelen wat hij daar in de woestijn had gevonden.'

'Ik moet bekennen dat ik nu verwarder ben dan daarstraks, lord Pembroke,' bekende Byron met een gefronst voorhoofd, terwijl de butler de soepborden afruimde en daarna een bijzonder bloederige roastbeef serveerde, waarbij hij een donkerrode wijn schonk. Dat merkte Byron echter niet, omdat hij helemaal in de ban was van het ongelofelijke idee dat een dergelijk Judas-geschrift echt zou bestaan. 'Als uw broer deze papyri heeft gevonden en hiernaartoe heeft meegenomen, waarom hebt u ons dan nodig om ze opnieuw te vinden?'

'Een goede vraag,' viel Horatio Slade hem bij. 'Hoe zijn deze papyri verdwenen? Zijn ze van uw broer gestolen?'

Lord Pembroke lachte even kort en nijdig. 'Het antwoord daarop is veel grotesker. Mortimer leefde tijdens zijn waanvoorstellingen voortdurend met de angst dat hij door de een of andere geheimzinnige louche figuur zou worden overvallen omdat hij het Judas-evangelie in zijn bezit had. Soms was er sprake van een zekere Abbot, die hij wantrouwde. Een andere keer praatte hij over een mysterieuze groepering, die zich het Achtenswaardige Genootschap der Wachters noemt. Hij heeft het zelfs gehad over de Orde der Illuminaten en over een zekere Caine, die hem op de hielen zaten en als dat nodig was over lijken zouden gaan om in het bezit van het evangelie te komen. Een andere keer slaakte hij een stortvloed van wilde verwensingen die bedoeld waren voor een man met de naam Marthon of Martikon. Wat daarvan op paranoïde inbeelding berustte en wat een reële achtergrond heeft kan ik niet beoordelen. Ik ben in elk geval nog geen van deze lieden tegengekomen of heb over hen gehoord, afgezien van de Orde der Illuminaten.'

'Veel vijandigheid, veel eer,' zei Alistair McLean spottend. 'Als je zoveel mensen tegen je hebt, kan dat je ondergang worden en kun je een mes of een kogel op je pad vinden.'

'Nee, op deze manier is het Judas-evangelie niet verdwenen. Mijn broer is niet overvallen en beroofd of door een van deze ingebeelde duistere figuren vermoord,' ging lord Pembroke verder. 'Hij heeft er zelf voor gezorgd dat de papyri van Judas onvindbaar zijn. Om deze te vinden moeten zijn raadselachtige aanwijzingen met betrekking tot de verstopplek eerst worden ontcijferd, die vervloekte raadsels van een geestelijk gestoorde.'

'Zo moeilijk zal het toch niet zijn om die geheime plek te vinden als uw broer het geschrift hier ergens in de omgeving heeft verstopt,' opperde Alistair McLean.

'Ik heb niet gezegd dat mijn broer het Judas-evangelie hier ergens heeft verstopt,' antwoordde lord Pembroke enigszins geïrriteerd, omdat Alistair McLean duidelijk niet aandachtig had geluisterd. 'Anders waren jullie beslist niet hier, hadden jullie geen kredietbrief voor banken op het continent nodig en hadden jullie zeer zeker niet het vooruitzicht om 5000 pond te verdienen.' Hij nam een flinke slok rode wijn voordat hij verderging. 'Ik zal jullie vertellen wat Mortimer in zijn waanvoorstellingen heeft gedaan. Hij is van het ene op het andere moment vertrokken voor een overhaaste en geheime reis, waarvan hij pas ruim zeven weken later, begin januari en tien dagen voor zijn vrijwillige dood, is teruggekeerd. In de weken die de reis duurde heeft hij over het continent gezworven en tenslotte het Judas-evangelie op de een of andere godvergeten plek verstopt.'

'En u hebt geen enkel idee waar deze verstopplek ongeveer zou kunnen zijn?' vroeg Horatio Slade verbouwereerd.

Lord Pembroke schudde zijn hoofd. 'Nee, dat kan net zo goed in Caïro als in Moskou, Amsterdam, Athene of Wenen zijn. Wenen was de eerste en de laatste etappe van zijn waanzinnige reis. Het zijn ook de twee enige etappes van zijn route waarvan ik definitief op de hoogte ben, omdat Mortimer me dat heeft verteld.'

Alistair McLean kreunde. 'Lieve hemel! Hoe moeten uitgerekend wij die verstopplek vinden als deze net zo goed in Rusland, Egypte of Griekenland kan liggen?'

Horatio Slade knikte met een sombere trek op zijn gezicht. 'Daarbij vergeleken is de zoektocht naar de naald in de hooiberg een kleinigheid.'

'Er zijn bepaalde aanwijzingen voor de verstopplek, die het mogelijk maken om deze te vinden, als je ze tenminste herkent en de kunst van de cryptologie eigen bent, dus geheime codes kunt ontcijferen,' antwoordde lord Pembroke. 'Twee dagen voor zijn vrijwillige dood heeft Mortimer me namelijk in een moment van redelijke helderheid toevertrouwd dat alleen degene die in staat is zijn hexagoon te ontcijferen de weg vindt naar de plek waar het Judas-evangelie is verstopt.'

Alistair McLean fronste zijn voorhoofd. 'Hexa-wat? Heeft dat iets met heksen te maken?'

Byron stond op het punt uitleg te geven, maar vond het verstandiger dat aan Arthur Pembroke over te laten, die ook meteen antwoord gaf. 'Nee, met heksen heeft een hexagoon niets te maken. Het woord komt uit het Grieks. Hexa betekent 'zes'. Een hexagoon is een gelijkzijdige zeshoek.

'Waarvan je een hexagram kunt maken, doordat je de verschillende hoekpunten van het hexagoon met elkaar verbindt,' vulde Byron aan. 'De geometrische figuur die daaruit ontstaat wordt ook wel een Davidster genoemd. De Griekse wiskundige Euclides heeft rond 400 v.Chr. in zijn vijftiende wiskundige stelling van het vierde deel van *De Elementen* de wiskundige verbanden tussen binnenhoeken, straal van de binnencirkel enzovoort beschreven, maar dat terzijde.'

Dit keer kwam er geen vinnig commentaar van Alistair McLean. Hij zweeg met een ontstemde gezichtsuitdrukking en kauwde op zijn onderlip.

'En wat heeft dat met dit bijzondere hexagoon te maken?' vroeg Horatio Slade.

Lord Pembroke schudde zijn hoofd. 'Ik weet het niet. Mortimer heeft alleen gezegd dat het raadsel van dit hexagoon moet worden opgelost om de weg naar de verstopplek te vinden. En wat het nog moeilijker maakt, is dat mijn broer op verschillende etappes van zijn reis telkens een gedeeltelijke aanwijzing met betrekking tot de verstopplek heeft achtergelaten, die hij voor elke etappe in de vorm van raadsels in zijn reisdagboek heeft verstopt.' Zijn rechterhand verdween in de binnenzak van zijn elegante kamerjas en kwam weer tevoorschijn met een klein, in leer gebonden notitieboekje. 'In dit notitieboekje staan het hexagoon en de gecodeerde aanwijzingen, die jullie naar Mortimers reisetappes en daarna hopelijk naar de verstopplek van het Judas-evangelie zullen leiden.'

'O, dat is een van die prachtige notitieboeken, die alleen in de papierwinkel van Parkins & Gotto in Oxford Street te koop zijn,' zei Byron verrast toen hij het in elegant mosgroen leer gebonden boekje zag.

'En? Mogen we het inzien?' vroeg Horatio Slade gespannen.

'Graag,' antwoordde Arthur Pembroke bereidwillig terwijl hij het over de tafel aangaf. 'Maar wees gewaarschuwd. Wat jullie in dit boekje vinden, zijn geen geordende en duidelijk zichtbare raadsels en codes. Het is eerder het angstaanjagende spiegelbeeld van een door waanzin aangetaste ziel.'

Horatio Slade pakte het aan, sloeg het open en trok een verbijsterd gezicht. 'Allemachtig!' stamelde hij terwijl hij er vluchtig in bladerde. 'Dat ... dat is toch ...' Hij had geen woorden voor wat hij op de bladzijden van het notitieboekje zag.

Alistair McLean, die zich nieuwsgierig naar hem toe had gebogen, keek eveneens geschrokken. 'Hemel, zoiets heb ik nog nooit gezien. Uw broer Mortimer moet echt krankzinnig zijn geweest.'

Lord Pembroke gaf daar geen commentaar op, prikte met zijn vork een bloederig stuk vlees op en schoof dat in zijn mond.

Byron kon het niet afwachten om eveneens een blik in het dagboek te werpen. Toen Horatio Slade het uiteindelijk aan hem gaf en hij het opensloeg, reageerde hij in eerste instantie nuchterder dan de twee mannen tegenover hem.

Met al zijn verwarde bijbelcitaten, tekeningen en krabbels had het boekje veel weg van de chaotische verzameling in de westvleugel. Mortimer had verschillende schrijfstijlen gebruikt. Sommige stukken had hij met potlood genoteerd of getekend, andere met de zwarte inkt van een vulpen. Er waren net zoveel ruwe schetsen als gedetailleerde tekeningen, die van een groot tekentalent getuigden, alsmede tekstgedeelten in groene en rode inkt. Ook had hij pennen van extreem dun tot extreem dik gebruikt. En op veel plekken had hij landschapsschetsen met mysterieuze tekens gevuld of de ene tekst over de andere geschreven. Bovendien hadden de vulpen of het potlood zelden de voorgedrukte schrijfregels gevolgd, maar bedekten ze de bladzijden kriskras en volkomen willekeurig.

De wirwar van gebruikte teken- en schrijfmaterialen was net zo willekeurig als de chaos van schijnbaar zinloze getallen- en letterrijen, van geometrische figuren en tekeningen van gecompliceerde doolhoven, van nachtmerrieachtige scènes, landschappen en gebouwen, van tientallen aaneengeregen citaten, van soms bladzijdenlange teksten uit de Bijbel, van spreuken, gezegden en gedeelten van gedichten. Daartussen stonden gedeelten van partituren met noten en andere symbolen. In het achterste deel vond hij meerdere tekeningen met religieuze motieven, die artistiek zo goed waren gelukt, dat ze eruitzagen alsof het met potlood vervaardigde miniatuurafbeeldingen van iconen waren.

Enkele van de geometrische tekeningen en symbolen herkende Byron onmiddellijk als beeltenissen en voorstellingen die door de vrijmetselaarsloge werden gebruikt. Andere stamden van het kabbalisme of uit de rijke schat aan Egyptische hiërogliefen. Daarnaast stonden woorden, begrippen, getallen en zinnen in Hebreeuws, Aramees, Oudgrieks en Arabisch. Op meerdere bladzijden had Mortimer Pembroke speelkaarten nagetekend, die waren verscheurd door sabelklingen of doorgeprikt door minaretten.

Tussendoor waren er telkens bladzijden slordig uitgescheurd, wat eenvoudig te herkennen was aan de achtergebleven papierresten. Hij dacht eveneens te zien dat bepaalde bladzijden voor wat betreft onderwerp bij elkaar hoorden en op de een of andere manier een raadsel vormden. Wat er op de ongeveer vijftig tot zestig bladzijden van het groene leren notitieboekje niet stond, was het hexagoon.

'Ik weet het,' zei lord Pembroke toen Byron hem daarop wees. 'Ik heb de bladzijden een hele tijd intensief bestudeerd zonder het hexagoon te vinden. Maar het moet ergens verstopt zitten. Het zal uw taak zijn om het te vinden en de andere gecodeerde boodschappen te ontcijferen, meneer Bourke. U bent tenslotte een deskundige op het gebied van de cryptologie.'

'Ik heb me daarmee beziggehouden, dat is inderdaad waar,' gaf Byron toe. 'Maar een echte deskundige ben ik niet.'

Lord Pembroke maakte een ongeduldig, wegwuivend handgebaar. 'De Royal Society of Science heeft uw wetenschappelijke verhandeling over dit thema afgelopen voorjaar gepubliceerd. Dat is voor mij voldoende om te weten dat u de juiste man voor deze taak bent.'

Nu wist Byron waarom lord Pembroke hem nodig had en hoe hij zijn aandacht had getrokken.

Lord Pembroke nam het woord weer. 'Als u de notities later nauwkeurig bestudeert, en ik denk dat u er nog veel meer uren boven zit te broeden dan ik heb gedaan, dan zult u net als ik tot de conclusie komen dat voor de oplossing van deze opgave meer mensen nodig zijn dan alleen een intelligente cryptoloog. Ik bedoel daarmee iemand als meneer Slade, die zich bezig houdt met kunst, iconen en het openen van vreemde sloten, en een ervaren beroepsspeler als meneer McLean, die zich kan beroemen op een buitengewone vingervlugheid en bovendien alle valsspeeltrucs kent.'

'Ik heb er niets op tegen om met meneer McLean en meneer Bourke op zoek te gaan naar dit evangelie,' zei Horatio Slade. 'Ik denk dat wij drieën het wel met elkaar uithouden en dat we in staat zijn om de verstopplek te vinden, als dat mogelijk is met behulp van dit krankzinnige notitieboekje. Maar met alle achting voor het vrouwelijke geslacht ...,' hij knikte kort in de richting van Harriet Chamberlain, '... bevalt het me helemaal niet dat er ook een jonge vrouw van de partij is. Ik zie daarin een onnodige hindernis en ik zou met de beste wil van de wereld niet weten waarom zij nuttig kan zijn voor het voltooien van onze opdracht. Een vrouw in ons gezelschap, vooral iemand die zo ... onconventioneel is als miss Chamberlain, veroorzaakt alleen problemen en zou ongetwijfeld een ballast zijn.'

Harriet Chamberlain lachte en schudde haar hoofd. 'Sommige mannen worden blijkbaar seniel, vastgeroest en hardleers geboren.'

Er lag een kil lachje op het gezicht van lord Pembroke toen hij commentaar gaf op Horatio Slades bezwaar. 'Miss Chamberlain zal geen ballast zijn en ook geen problemen veroorzaken, maar zal een enorme steun voor u zijn en uw veiligheid garanderen.' Hij greep in een zak die onder de armleuning van zijn rolstoel hing en haalde een mes met een lange, brede kling tevoorschijn. Tot verbazing van de drie mannen gaf hij het aan Harriet Chamberlain. 'Als u zo vriendelijk wilt zijn om de heren een klein voorproefje van uw bijzondere kwaliteiten te geven, zou ik u heel dankbaar zijn. De hyena bij de deur tussen de ogen alstublieft.'

Harriet Chamberlain haalde onverschillig haar schouders op. 'Zoals u wilt. Wie de muziek betaalt kan beslissen wat er wordt gespeeld,' zei ze, pakte het mes met duim en wijsvinger bij de klingpunt en slingerde het tussen Horatio Slade en Byron door naar de deur.

Het mes trof echter niet de opgezette hyena, die met ontblote tanden links naast de deur stond, maar boorde zich door het linnen doek van een voorvaderportret en het hout van de betimmering erachter.

'Verdomme, wat heeft dat te betekenen?' stootte lord Pembroke uit terwijl hij haar met van woede fonkelende ogen aankeek en het bloed naar zijn gezicht schoot. 'Dat is het portret van mijn oudste broer, Wilbur Pembroke zaliger.'

Gelaten beantwoordde Harriet Chamberlain zijn blik. 'U zei dat ik de hyena tussen de ogen moest raken. Dat is precies wat ik heb gedaan.' Ze wees naar het schilderij; de kling was inderdaad midden tussen de ogen van de plompe man terechtgekomen. 'Of wilt u beweren dat deze man geen hyena is geweest?'

De mannen aan de tafel waren sprakeloos, met inbegrip van lord Pembroke, maar terwijl de drie mannelijke gasten verbijsterd waren over de ongelofelijke trefzekerheid en brutaliteit van Harriet Chamberlain, had het zwijgen van de lord een heel andere reden.

'Ieder van deze adellijke voorvaderen is op zijn manier een hyena – met inbegrip van u,' snauwde Harriet Chamberlain tegen hem. 'Anders zaten we namelijk niet hier en hoefden we niet te buigen voor uw wil. Maar goed, zeg het maar als u liever wilt afzien van mijn deelname aan uw verdomde zoektocht. Ik heb uw smerige geld niet nodig. Dus, waar wacht u op?'

Lord Pembroke slikte alsof hij een dikke pad moest doorslikken. Daarna sloeg hij zo hard met zijn vuist op tafel dat het porselein rinkelde en de glazen bedenkelijk wiebelden. 'U doet wat ik zeg en u zult uw opdracht net als de anderen vervullen, miss Chamberlain!' bulderde hij. Zijn gezicht was zo rood alsof hij op het punt stond een beroerte te krijgen. 'Vergeet de brief niet die ik in mijn bezit heb. En nu geen woord meer!'

Harriet Chamberlain zweeg inderdaad.

Abrupt wendde Arthur Pembroke zich tot de drie mannen. 'En nu naar jullie. We bespreken de organisatorische details later nog, maar nu wil ik van jullie weten of jullie bereid zijn om te doen wat ik van jullie verlang, als tegenprestatie voor de 5000 pond en wat er aan jullie komst hiernaartoe is voorafgegaan.'

Alistair McLean knikte breed grijnzend. 'Op mij kunt u rekenen. Ik zou krankzinnig zijn als ik zo'n vette pot door mijn vingers liet glippen.'

'Ik zie ook geen reden om een dergelijke lucratieve opdracht af te wijzen,' zei Horatio Slade. 'Bovendien ben ik bang dat de dienstmeid en de stalknecht zich mijn gezicht ineens weer zullen herinneren als ik zo stom zou zijn om uw aanbod af te wijzen.'

Lord Pembroke lachte koel. 'Uw gevoel bedriegt u absoluut niet, meneer Slade.'

'Toch heb ik nog een vraag, sir,' zei Alistair McLean terwijl Arthur Pembroke zich al tot Byron wilde richten om zijn beslissing te horen.

'En die is?'

'Stel dat we in staat zijn het raadsel op te lossen, de verstopplek te vinden en het evangelie in ons bezit te krijgen, hoe kunt u er dan zeker van zijn dat we deze aan u overhandigen? We zijn dan tenslotte ergens in Rusland, Egypte of Griekenland en u bent hier ver weg op Pembroke Manor,' zei de beroepsspeler. 'Ik bedoel, als deze papyri echt zo'n wereldsensatie zijn, dan zou een van ons wel eens op het idee kunnen komen om zich niets aan te trekken van uw 4000 pond en het evangelie op eigen houtje aan de hoogste bieder te verkopen. En dat is waarschijnlijk een veelvoud van wat u bereid bent ons te betalen.'

Lord Pembroke staarde naar hem met een blik in zijn ogen die koud en stekend was als een stalen lanspunt. 'Zulke gedachten kunt u maar beter meteen laten varen. En dat geldt voor allemaal, als jullie leven je lief is,' dreigde hij onomwonden. 'Jullie kunnen er namelijk verzekerd van zijn dat ik daarover uitvoerig heb nagedacht en dat ik bepaalde voorzorgsmaatregelen heb getroffen om onmiddellijk van zo'n verraad op de hoogte te worden gesteld. En lang voordat een van jullie de papyri te koop kunnen aanbieden, hebben mijn maatregelen verder eigenmachtig handelen al verhinderd. Wie probeert mij te bedriegen, zal ik laten opjagen als een schurftige hond en laten vermoorden. En diegene zal ook als een schurftige hond sterven, dat beloof ik jullie!'

'Dat noem ik nog eens een heldere uitspraak,' zei Alistair McLean schijnbaar zorgeloos, hoewel hij niet kon verbergen dat hij bleek was geworden onder de ondubbelzinnige bedreiging met de dood.

Lord Pembroke bleef een tijd zwijgen, waarschijnlijk zodat iedereen zijn woorden ter harte nam. Daarna richtte hij zich tot Byron.

'De anderen hebben zich bereid verklaard de opdracht onder de genoemde voorwaarden te aanvaarden. Hoe zit dat met u, meneer Bourke?'

'U hebt mijn woord als heer dat ik alles zal doen wat in mijn macht ligt om de verstopplek te vinden, zolang u uw woord houdt en de mijnaandelen tegen de uitgiftekoers van me koopt – vóór ons vertrek,' verkondigde hij. 'Ik moet zeker weten dat er voor mijn zusjes wordt gezorgd, voordat ik me met dit avontuur inlaat.'

Lord Pembroke dacht even na en knikte toen. 'Uw voorwaarde is begrijpelijk en geaccepteerd. U zult het volledige bedrag voor uw vertrek krijgen. Ik weet dat ik u op uw woord kan vertrouwen.'

'Zo? Hoezo dat?' vroeg Alistair McLean nors. 'Ik zou graag willen weten waarom u uitgerekend hem de volle mep betaalt, terwijl wij in eerste instantie maar 1000 pond krijgen.'

'Omdat meneer Bourke, in tegenstelling tot u, een man van eer is die een eenmaal gegeven erewoord nooit zou verbreken, ongeacht aan wie hij dat heeft gegeven,' antwoordde lord Pembroke op barse toon. Daarna richtte hij zich weer tot Byron en vroeg schijnbaar volledig in wilde weg: 'Vertel eens, hebt u haar ooit weer ontmoet?'

'Ontmoet? Wie?' vroeg Byron verward.

'U weet wel, Constance,' legde lord Pembroke uit. 'De liefde van uw leven die u destijds hebt opgegeven vanwege uw erewoord.'

Het bloed schoot naar Byrons gezicht. Zijn wangen brandden als vuur van verlegenheid en hij kon niet geloven dat Arthur Pembroke zelfs dit intieme detail van zijn leven had achterhaald.

'Nee,' antwoordde hij kortaf. Hij voelde de blikken van de anderen, vooral die van Harriet Chamberlain.

'Goed, dan is daarmee alles geregeld,' zei lord Pembroke, pakte zijn glas wijn en leunde achterover in zijn rolstoel. 'Dan staat niets uw gezamenlijke vertrek van aanstaande maandag meer in de weg. Laten we op een snel en mooi succes drinken.'

Terwijl Byron zijn glas optilde, stond hij innerlijk in tweestrijd. Hij wist niet of hij Arthur Pembroke moest vervloeken of dat hij hem eerder dankbaar moest zijn. Wat hij echter wel wist, was dat hij vanaf het begin geen keus had gehad. Hoe idioot de toestand met het evangelie van Judas Iskariot ook klonk, hij moest zich ermee inlaten. Alleen al vanwege zijn minderjarige zusjes, voor wie hij verantwoordelijk was. Maar zelfs als Arthur Pembroke hem niet had gechanteerd, was hij op zoek gegaan naar deze ongelofelijke vondst. Want als het bij de door Mortimer Pembroke gevonden papyri inderdaad niet om een vanouds bekend ketters geschrift ging dat Ireneüs had verworpen, dan was het heel goed mogelijk dat de papyri een evangelie bleken te zijn, misschien zelfs het enige echte, waarnaast de tot nu toe bekende evangeliën van Mattheüs, Marcus, Lucas en Johannes volkomen onbelangrijk zouden zijn.

Misschien verkondigde dit evangelie zelfs een heel andere waarheid over het leven en de dood van Jezus. Misschien zelfs een verhaal over een radicale rondtrekkende prediker, die níét had bewezen dat hij Gods zoon was en die níét uit de dood was opgestaan.

Byron huiverde toen hij zich bewust werd van de enorme, wereldschokkende draagwijdte die deze papyri van Judas Iskariot konden hebben – voor zijn geloof en wereldwijd voor het bijna 2000 jaar oude christendom.

7

De nacht lag zwart over Pembroke Manor, toen er een schim over de dienst-bodetrap naar de begane grond sloop, in het middengedeelte geluidloos als een schaduw door de donkere gangen snelde en vlak daarna voorzichtig de deur naar de bibliotheek opende.

De schim had geen kaarslicht of een olie- of petroleumlamp bij zich. De duisternis was zijn bondgenoot. Hij glipte door de kier in het rijk van tienduizenden boeken, deed de deur geluidloos achter zich dicht en haastte zich langs de twee verdiepingen hoge, deels met glazen deuren afgesloten boekenwanden.

De boeken op de bovenste verdieping van de bibliotheek waren bereikbaar via de rondlopende galerij, die je bereikte via twee ijzeren wenteltrappen die rechts en links in het midden van de lange muren naar boven leidden.

De schim liep een van de twee wenteltrappen op en volgde de smalle, met tapijtlopers bedekte galerij naar een rondboog met een in de boekenwand aangebrachte deur.

De deur stond op een kier. De nachtelijke schim bevond zich het volgende moment in een nogal kleine, maar heel intiem en voornaam ingerichte studeerkamer. Door de halve boog van een door spijlen onderverdeeld raam, dat uitkeek op de terrassen en plantsoenen achter het gebouw, viel wat maanlicht in het vertrek waarvoor bijna alle eigenaars van Pembroke Manor een bijzondere voorliefde hadden gehad. De zwakke maneschijn viel op een antiek bureau, dat ooit had toebehoord aan de Franse Zonne-koning, en op de nieuwste technische verworvenheid, die telefoon werd genoemd en die zich in een steeds grotere populariteit kon verheugen onder degenen die zich deze ongelofelijke voorziening konden permitteren.

De schim pakte de hoorn van de haak, duwde hem tegen zijn oor, maakte contact en wachtte op de vrouwenstem uit de telefooncentrale in het nabijgelegen Dover.

'Ik wil met een abonnee in Londen verbonden worden,' deelde de schim de telefoniste mee. Hij hield zijn lippen dicht bij het mondstuk, om zo zacht mogelijk te kunnen praten. Het nummer is Kensington 2 ... 7 ... 9.'

Het was even stil. 'Het spijt me dat ik het vraag, meneer,' klonk de vrouwenstem in het oorstuk. 'Maar weet u zeker dat u deze verbinding op dit tijdstip wilt? ... Ik bedoel, het is bijna half drie 's nachts, meneer.'

'Ja, u hebt het goed begrepen, miss. Ik wil nu een verbinding.'

'Natuurlijk, meneer. Zoals u wilt, meneer,' zei de telefoniste in Dover haastig. De verlegenheid klonk door in haar stem. 'Blijft u alstublieft aan de lijn. De verbinding komt zo tot stand, meneer.'

Even later was hij verbonden met Kensington 279. Daar meldde zich een donkere mannenstem, die ondanks het late tijdstip verbazingwekkend wakker klonk en helemaal niet alsof het rinkelen van de telefoon hem uit een diepe slaap had gehaald.

De schim in de studeerkamer wachtte even. Daarna zei hij zachtjes het eerste deel van het wachtwoord: *'Similitudo ...'*

'... dei,' klonk het tweede deel van het wachtwoord meteen als antwoord. 'Eindelijk! Ik begon me zo langzamerhand echt zorgen te maken.'

'Ik weet het, maar ik durfde niet eerder te bellen, Abbot,' antwoordde de schim op Pembroke Manor. 'Het is heel laat geworden. En ik moest zeker weten dat iedereen diep in slaap is.'

'Natuurlijk. Vertel! Hebt u Mortimer Pembrokes notitieboekje gezien?'

'Ja, van heel dichtbij. Het bestaat en schijnt goed bewaard te zijn. Geen beschadigingen, Abbot.'

'Dat is in elk geval een geruststelling,' zei de man in Kensington opgelucht.

'De opdracht is meegedeeld en aangenomen. Iedereen ging akkoord.'

'Goed. In wiens bezit bevindt het boekje zich nu?'

'Het ligt nog in de brandkast, maar lord Pembroke zal het meneer Bourke kort voor vertrek aan boord van de veerboot overhandigen. Byron Bourke is min of meer de leider van het team.'

'Hoe zijn de exacte plannen voor de komende dagen?'

'De jacht begint op maandag, Abbot. Eerst de overtocht met een veerboot van de Chatham and Dover Steamship Company naar Oostende. Daarna verder met de exprestrein. De eerste etappe is Wenen. Hun accommodatie in hotel Bristol aan de Kärntnerring is al telegrafisch gereserveerd.'

'Heel goed. Dat is precies de informatie waaraan we iets hebben. Ik zal het morgenvroeg doorgeven.'

'Hoe staat het met onze mensen daar, Abbot?'

'Uitstekend. Wenen moet eigenlijk een thuiswedstrijd zijn. Is er verder nog iets belangrijks?'

'Nee, niet dat ik weet.'

'Dan laten we het voor vandaag hierbij. Zorg ervoor dat u nog een paar uur slaap krijgt.'

'Wie denkt er aan slapen als het om zoiets ontzagwekkends gaat als deze papyri?'

'Goed dan, tot het volgende contact.'

In het oorstuk klonk een metaalachtige klik, dat de schim in de studeerkamer van Pembroke Manor vertelde dat de man in Kensington had opgehangen en de verbinding was verbroken.

De schim hing het oorstuk op de haak, bleef nog heel even bij het bureau staan, keek door het raam naar het nachtelijke, al bijna winters verstarde landschap en vroeg zich af of ze op alles bedacht waren – en of het Abbot zou lukken om de touwtjes stevig in handen te houden.

Deel drie

De oever van de Hades

1

De stevige bries zorgde voor schuimkoppen op de golven en veegde de voortdurend vallende motregen over het dek van de bejaarde raderboot, die al urenlang door de ruwe zee van het Kanaal voer. De kust van het continent kon niet ver meer zijn, hoogstens ruim een uur weg. Maar door het sombere regenweer was het zicht zo slecht dat de kust en de haven van Oostende onder de mistroostige met wolken bedekte novemberhemel waarschijnlijk pas een paar kilometer voor het eind van de overtocht zichtbaar zou zijn.

Byron stond wijdbeens bij de reling, de kraag van zijn mantel met schoudercape opgeslagen en zijn hoed diep over zijn voorhoofd getrokken. Met één hand, die bijna zonder druk op de reling lag, compenseerde hij de licht schommelende en slingerende bewegingen van het dek onder zijn voeten.

Het weer mocht slecht zijn en niet bepaald uitnodigen tot een verblijf aan dek, maar het was nog lang geen stormachtige zee. Bovendien bezat Byron dankzij zijn regelmatige schermlessen, die hij al die jaren consequent had bijgehouden, een uitstekend gevoel voor evenwicht.

Zijn blik ging over de koude, door regen versluierde verte boven de kabbelende zee. Hij zocht echter niet naar de kustlijn in het oosten en zag ook de ranke driemaster niet, het trotse symbool van een verdwijnend tijdperk, die geluidloos als een majestueuze zeevogel dwars op de regenmuur opdook en een tegengestelde zuidwestelijke koers aanhield, zodat hij over een paar minuten achter de veerboot zou kruisen. Byron was te diep in gedachten verzonken, tot Horatio Slade even later naast hem kwam staan en hem uit zijn gepeins en gepieker haalde.

'Nogal onbehaaglijk hier buiten. Je zou met dit weer geen hond uit huis jagen. Bent u zo langzamerhand niet helemaal verkleumd door dit ellendige, natte weer, meneer Bourke?' Hij rilde en trok de dikke wollen sjaal dichter rond zijn hals, alsof hij de kou nu al tot in zijn botten voelde. 'U staat beslist al ruim een half uur aan dek zonder van uw plek te komen.'

'Ik had frisse lucht nodig en hoopte in de buitenlucht een helder hoofd te krijgen. Maar het is hier helaas niet zo helder,' antwoordde Byron.

Horatio lachte even. 'Wie verbaast dat? Ik weet uit ervaring dat helderheid een schaars artikel in het leven is. Het grijze en onbestemde bepaalt het speelveld meestal. En als u het mij vraagt is de wereld bovendien stapelgek.'

Byron wierp hem zwijgend een vragende blik toe.

'Als iemand me een paar dagen geleden had gezegd dat ik op maandag niet alleen vrij zou zijn, maar met 1000 pond op zak en in gezelschap van een geleerde, een beroepsspeler en een beeldschone acrobate als reizigers eersteklas op weg naar Wenen zou zijn om op zoek te gaan naar een geheimzinnig Judas-evangelie, had ik hem uitgelachen en waarschijnlijk gedacht dat hij krankzinnig was.'

Byron knikte. 'Ja, het is een eigenaardige situatie die ook ik niet voor mogelijk had gehouden.' Hij kon nauwelijks geloven wat hij gedurende de afgelopen dagen had meegemaakt en hoezeer zijn ooit vast verankerde, rustige wereld uit zijn gewone doen was geraakt.

De ene dag was hij financieel geruïneerd geweest en had hij zich al genoodzaakt gezien om een baan aan te nemen, en een paar dagen later had hij zijn waardeloze mijnaandelen kunnen verkopen en een bankcheque ter waarde van 25.000 pond op zijn rekening kunnen storten. In de tussentijd had hij gehoord over de geheimzinnige vondst van het al bijna 2000 jaar vermiste evangelie van Judas, dat net zo geheimzinnig weer verdwenen was. Het leek hem nog steeds onwerkelijk dat hij gedwongen werd om op reis te gaan met twee onbekende mannen en een onbekende jonge vrouw, een reis waarvan niemand van hen bij benadering wist hoe lang deze zou duren, waartoe deze zou leiden en hoe deze zou eindigen.

Het leek allemaal een verwarrende droom. Horatio Slade had volkomen gelijk, de wereld was gek. Stapelgek.

Het krankzinnige reisdagboek van de geestelijk gestoorde Mortimer Pembroke in de linker binnenzak van zijn kostuumjasje, dat daar voelbaar tegen zijn borstkas drukte, bevestigde echter dat het absoluut geen droom was, maar de realiteit. Lord Pembroke had het hem in Dover vlak voor het uitvaren van de veerboot gegeven en hij had het de afgelopen uren intensief bestudeerd om het hexagoon te vinden; tot nu echter tevergeefs.

Byron verbaasde zich er nog steeds over hoe snel alles was gegaan en hoe overhaast hij had moeten vertrekken. Hij had nog net tijd gehad om op zondag een lange, kalmerende brief aan zijn zusjes Alice en Helen te schrijven, die de meisjeskostschool in Croydon bezochten, met zijn huishoudster Martha Tinkerton, die al jaren bij hem in dienst was, over zijn afwezigheid te praten, het noodzakelijke voor deze reis naar het ongewisse in te pakken en zich er op maandagochtend bij zijn bank van te verzekeren dat de cheque van lord Pembroke gedekt was en dat het bedrag meteen werd bijgeschreven. Daarna had hij zich moeten haasten om met zijn onhandige bagage op tijd in Victoria Station te arriveren. De trein naar Dover zou even over tienen vertrekken.

Alistair McLean was nog later dan hij op het perron verschenen. Hij had op de trein moeten springen, die al begon te rijden, waarbij zijn belachelijke strohoed van zijn hoofd was gewaaid en onder de wielen was gekomen, wat Byron stiekem voor een goed omen had gehouden.

'Dat wij vieren samen het raadsel van de verstopplek van dit zogenaamde Judas-evangelie moeten oplossen, is al eigenaardig genoeg,' zei Horatio terwijl hij huiverend van de kou over zijn armen wreef. 'Maar ik vraag me af of dit geschrift ook echt bestaat.'

Byron trok licht verwonderd zijn wenkbrauwen op. 'Daarvan ga ik uit.'

'Zo? Ik niet.'

'En waarom niet, als ik vragen mag?'

'Stel dat Mortimer Pembroke het zich allemaal in zijn waanzin heeft verbeeld en dat deze papyri, die hij ergens in de woestijn heeft gevonden, helemaal niet van de pen van Judas Iskariot stammen, maar tot de apocriefe geschriften behoren, waarvan er al heel veel zijn?' gaf Horatio in overweging. 'Kortom, wie zegt ons dat dit zogenaamd oeroude geschrift van een volgeling van Jezus niet volkomen waardeloos is?'

'Lord Pembroke,' antwoordde Byron droog en zonder een ogenblik te aarzelen. 'Hij maakte op mij niet de indruk van een zonderlinge, wereldvreemde man die een hersenspinsel najaagt.'

'Hij wil door middel van deze papyri dolgraag wereldroem vergaren en in de geschiedenisboeken worden opgenomen. Zijn ambitie om meer te zijn dan slechts een steenrijke, maar toch volkomen onbelangrijke edelman, kan hem verblind hebben.'

'Natuurlijk, dat is niet helemaal uit te sluiten, maar dat lijkt me bij Arthur Pembroke niet waarschijnlijk. Vergeet niet dat hij deze papyri zelf in zijn handen heeft gehad. Dat zegt natuurlijk niet alles over de kwaliteit en echtheid ervan, omdat Arthur Pembroke de Aramese taal niet machtig is. Maar hij moet toch heel zeker van zijn zaak zijn. Anders had een man zoals hij zich waarschijnlijk niet ingelaten met dit kostbare avontuur.'

Horatio streek nadenkend met zijn duim en wijsvinger over zijn zwarte snor. 'Maar stel dat deze verstopplek helemaal niet meer te vinden is, omdat Mortimer Pembroke in zijn verstandsverbijstering alleen onzin in het notitieboekje heeft gekrabbeld?'

'Met die mogelijkheid moeten we rekening houden, meneer Slade,' gaf Byron toe. 'Maar hoe warrig de symbolen, tekeningen en krabbels ook lijken, toch geloof ik dat ik heb vastgesteld dat alle notities een heldere volgorde hebben.'

'Zou het u iets uitmaken om deze volgorde binnen in de warmte uit te leggen?' vroeg Horatio terwijl regendruppels en schuimvlokken over zijn brillenglazen liepen. 'Bovendien zullen de twee anderen ook geïnteresseerd zijn in wat u de afgelopen uren in het notitieboek hebt ontdekt, meneer Bourke.'

Byron had daar niets op tegen, vooral omdat hij zichzelf inmiddels lang genoeg had blootgesteld aan het waterkoude weer en hij ook weer terug wilde naar de bescherming en de warmte van een van de salons.

2

Ze vonden Harriet Chamberlain en Alistair McLean in de bar- en rooksalon van de eerste klas, die met zijn dikke tapijten, zware zitgroepen, met donker hout beklede wanden en messing lampen net zo goed in een duur Londens hotel had kunnen horen. De stoelen en banken boden ruim plaats aan minstens veertig passagiers, maar behalve twee oudere echtparen, die aan de andere boordzijde in een bridgespel verdiept waren, en een dikke, alleen reizende man van middelbare leeftijd, die aan de bar zat en een patience legde, was de salon uitgestorven – in tegenstelling tot de salons van de tweede en derde klasse.

Een oplettende steward naderde gedienstig zodra ze binnenkwamen om hun mantels en hoeden, handschoenen en sjaals aan te nemen en hen naar hun wensen te vragen.

'Ik wil graag een darjeeling,' zei Byron. 'Maar laat de thee niet langer dan anderhalve minuut trekken.'

'Voor mij hetzelfde,' zei Horatio Slade terwijl hij in zijn koude handen wreef om de bloedcirculatie op gang te brengen. 'En wat gebak.'

'Uitstekend, heren,' antwoordde de steward met een geroutineerde buiging, waarna hij zich weg haastte om de kleding op te hangen en de bestelling te brengen.

'En? Hebt u inmiddels achterhaald waar die idioot dat verdomde hexagoon in zijn boek heeft verstopt?' wilde Alistair weten. Hij gaapte hartgrondig toen Byron en Horatio naar de zitgroep liepen die het verst van hun medepassagiers verwijderd was.

Alistair had bij het begin van de overtocht geprobeerd om de twee oudere heren en de dikke tot een 'klein spelletje' om geld te verleiden. Maar ze hadden hem beleefd afgewezen, waarop Alistair het zich na twee stevige borrels gemakkelijk had gemaakt in een van de stoffen fauteuils en het grootste deel van de reis had geslapen. Het op en neer gaan van de stoomboot had hem niet in zijn slaap gestoord en leek hem nu ook niet te deren, wat eveneens gold voor Byron en Horatio. Harriet had daarentegen een enigszins bleek gezicht en leek tegen een aanval van misselijkheid te vechten.

'Lieve hemel, kan het nog harder?' siste Horatio. Hij ergerde zich aan het volume waarop Alistair naar het hexagoon had geïnformeerd. 'Waarom leent u de megafoon van de kapitein niet, dan kunt u meteen overal op het schip rondbazuinen dat we op zoek zijn naar het spoorloos verdwenen Judas-evangelie.'

Alistair keek om zich heen om te controleren of een van de andere passagiers aandacht voor hen had en naar hen keek. Dat was niet zo. De twee echtparen bespraken een net beëindigd bridgespel en de dikke in de hoek schoof genietend kleine komkommersandwiches in zijn mond terwijl hij zijn patiencekaarten legde.

'Niemand van hen schijnt bij het mysterieuze geheime genootschap van de Illuminaten of de Wachters te horen,' zei Alistair. 'En ik wed dat geen van hen Abbot of Martikon heet.'

'Soms kun je heel onderhoudend zijn, maar dit was alleen misplaatst, Alistair,' zei Harriet Chamberlain slechtgehumeurd.

De beroepsspeler haalde zijn schouders op. 'Je kunt niet altijd winnen. Geloofd zij wat hard maakt, laat Nietzsche zijn Zarathustra zeggen.'

Kijk eens aan, schoot het door Byrons hoofd, die twee tutoyeren elkaar al. Om de een of andere onverklaarbare reden zat het hem dwars.

'Genoeg gekletst,' zei Horatio energiek terwijl hij op een van de stoelen ging zitten, een zakdoek tevoorschijn haalde en zijn bril schoonmaakte. 'Laten we liever luisteren naar wat meneer Bourke ons kan vertellen over zijn inzichten tot nu toe.' Hij zette zijn bril weer op zijn neus, klemde de draadbeugels achter zijn oren en ging verder tegen Byron: 'U had het buiten op het dek over een bepaalde regelmaat die u misschien in de chaos hebt ontdekt, meneer Bourke. Wilt u ons uitleggen wat dat precies betekent en hoe het ons kan helpen om op het spoor van het hexagoon te komen?'

Harriet Chamberlain knikte. 'Ja, zonder het hexagoon kunnen we de gecodeerde aanwijzingen die naar de verstopplek leiden niet oplossen. Tenminste, als het klopt wat Mortimer Pembroke tegen zijn broer heeft gezegd over de betekenis van de zeshoek.'

Byron ging tussen Harriet en Horatio zitten en wilde Mortimers notitieboekje uit zijn jaszak halen toen hij zag dat de steward hen met een dienblad naderde. 'Een moment,' mompelde hij terwijl hij zijn hand terugtrok. Even later stond de steward bij hun tafel. Hij bracht twee buikige theepotten, een melkkannetje en een suikerpot, allemaal van zwaar hotelzilver, twee theekoppen van fragiel Wedgewood-porselein en een schaaltje met zandgebak.

'Hebt u nog een wens?' vroeg de steward terwijl hij daarbij eerst naar Harriet Chamberlain en daarna naar Alistair McLean keek. 'Mevrouw? … Meneer?'

Harriet maakte een afwijzend gebaar met een licht gekwelde uitdrukking op haar gezicht.

Alistair daarentegen bestelde een dubbele scotch en greep naar zijn Gold Flake-sigaretten.

Byron en Horatio deden melk in hun kopjes voordat ze de darjeeling-thee erbij schonken. De scotch voor Alistair kwam onmiddellijk, dus voorlopig hoefden ze er geen rekening mee te houden dat ze werden gestoord. Byron haalde het groenleren notitieboekje tevoorschijn en sloeg het open.

'Wat ik ondanks de ongelofelijke chaos van symbolen, tekstuittreksels, getallen, tekeningen en krabbels als een bepaalde regelmaat beschouw,' begon Byron zijn uitleg, 'is het feit dat de achtenveertig bladzijden in zes delen of hoofdstukken onderverdeeld kunnen worden. En elk van deze zes delen heeft een heel eigen thema en … nou ja, ook een eigen landschappelijk motief, dat zich duidelijk van de andere delen onderscheidt.

'Zes delen – net als het hexagoon zes zijden heeft,' zei Harriet. 'Waaruit je de conclusie zou kunnen trekken, dat in elk van deze zes hoofdstukken een deel van het hexagoon verstopt zit.'

Byron knikte. 'Dat vermoeden heb ik ook, hoewel het natuurlijk niet dwingend is.'

'Als u zes verschillende thema's en landschappelijke motieven hebt ontdekt, dan moet daaruit toch gemakkelijk af te lezen zijn waar de reis naartoe gaat,' zei Alistair.

'Helaas niet,' antwoordde Byron. 'De motieven zijn namelijk overwegend van algemene aard. Het is mogelijk om daaruit een regio of een cultuurgebied te concluderen, maar geen bepaalde plek. Of iemand heeft veel rondgereisd en herkent de plek aan de hand van de schetsen. Maar zelfs dan betekent dat nog steeds niet dat we de exacte verstopplek weten.'

Horatio fronste zijn voorhoofd. 'Dat klinkt mij te theoretisch, meneer Bourke. Misschien is het beter om het ons uit te leggen met behulp van de concrete bladzijden in het dagboek. We hebben tenslotte nog geen gelegenheid gehad om het notitieboek nader te bekijken.'

'Natuurlijk! Het spijt me,' zei Byron. Hij schoof zijn theekopje opzij, legde het notitieboekje opengeslagen op het midden van de tafel zodat ze allemaal een goed zicht op de bladzijden hadden, en begon er langzaam in te bladeren. 'De eerste drie bladzijden vormen naar mijn mening deel een.'

'Waarom?' vroeg Alistair.

'Omdat ze zich ondubbelzinnig van alle andere delen, en zelfs van alle andere bladzijden onderscheiden,' zei Byron. 'Deze drie bladzijden zijn namelijk alleen op de voorkant beschreven en de tekst bestaat uitsluitend uit tientallen bijbelverzen. Nergens anders in dit boekje bevindt zich nog een bladzijde die alleen met tekst is gevuld. Als er langere teksten vermeld zijn, staan er ook bepaalde symbolen, getallenrijen, schetsen, zinnen in Hebreeuws en Aramees, cyrillische tekens enzovoort bij. Alleen de eerste drie bladzijden bestaan uitsluitend uit tekst.'

Horatio boog zich verder naar voren en begon een aantal bijbelverzen hardop voor te lezen: '… Abraham haalde boter en melk, nam het gebraden kalf en zette alles zijn gasten voor …'

'Dat is uit Genesis hoofdstuk 18, vers 8,' meldde Byron.

'… Daarom ben ik afgedaald om hen uit de macht van de Egyptenaren te bevrijden en om hen uit Egypte naar een mooi en uitgestrekt land te brengen, een land dat overvloeit van melk en honing …'

'Exodus hoofdstuk 3, vers 8.'

'… Wie tracht hij nu kennis bij te brengen? Aan wie wil hij zijn boodschap kwijt? Houdt hij ons soms voor zuigelingen, nog maar net de melk van de moederborst ontwend? …'

'Jesaja hoofdstuk 28, vers 9,' mompelde Byron.

'… Dan, in die tijd, zal de wijn van de bergen druipen en de melk van de heuvels vloeien; alle waterstromen van Juda zullen bruisen …'

'Joël hoofdstuk 4, vers 18.'

Alistair klapte drie keer langzaam in zijn handen. 'Heel goed, meneer Bourke. Een priester zou het u niet verbeteren. Alleen weet ik niet hoe dat ons een stap verder moet brengen.'

Byron negeerde zijn opmerking. 'Al deze citaten, in totaal zijn het er zesendertig ...'

'Dat is zes keer zes,' merkte Harriet op. 'Zes keer de zes van het hexagoon! Dat kan geen toeval zijn.'

Byron knikte naar haar. 'Al deze citaten van de eerste drie bladzijden vormen volgens mij deel een. De eerste bladzijden van wat ik als deel twee beschouw ziet er namelijk heel anders uit.'

'Ja, absoluut,' bevestigde Horatio. 'Hier begint de wilde chaos van tekeningen, teksten en symbolen die Mortimer kriskras op de bladzijden heeft gekrabbeld. Wat een krankzinnige chaos!'

'Wacht!' riep Harriet opgewonden toen Byron verder wilde bladeren. Ze boog naar voren en tikte daarna op een heel aanschouwelijke en gedetailleerde tekening van een zuil. 'Dat is de drie-eenheidszuil aan de Graben in Wenen! ... En bovenaan de bladzijde staat de Raphael Donner-fontein op de Neuen Markt. Ik weet het heel zeker. Ik ken Wenen erg goed. Ik heb daar met mijn groep de afgelopen jaren meerdere malen gedurende lange periodes opgetreden.'

Terwijl ze de volgende bladzijden bestudeerde, vond ze nog meer schetsen van Wenen, zoals het gedenkteken voor Beethoven en de Maria-Stiegenkerk. Daartussen bevond zich een bladzijde, waarop van boven tot onder bijna alleen Bijbelse namen achter elkaar stonden. Aan de randen had Mortimer Pembroke verder alleen nog symbolen van de Vrijmetselaars en chaotische krabbels achtergelaten. De terugkerende Bijbelse namen bedekten ook bijna de helft van de volgende bladzijde.

Horatio pakte zijn theekopje en leunde tevreden naar achteren. 'Heel goed! We weten natuurlijk dat Wenen onze eerste etappe is. En daarmee is deel twee dus in werkelijkheid deel een van onze reis,' stelde hij vast.

'Daar hebt u gelijk in,' zei Byron. 'Het ging er mij met de indeling alleen om, de achtenveertig bladzijden duidelijk in verschillende hoofdstukken onder te verdelen en het systeem te achterhalen dat Mortimer Pembroke heeft gebruikt. Hoe meer ik me met dit dagboek bezighoud, des te zekerder ben ik ervan dat hij weliswaar flink geestesziek was, maar dat hij toch precies wist hoe en met welk doel hij zijn informatie in dit boekje op papier zette.'

'Maar als de eerste drie bladzijden als deel een wegvallen, zou dat betekenen dat de reis ons naar vijf en niet naar zes plaatsen brengt,' zei Alistair nadenkend. 'Hoe is dat te rijmen met het hexagoon?'

'Heel goed,' zei Harriet. 'Als we namelijk op elke plek waar deze vijf delen ons naartoe leiden een aanwijzing voor de verstopplek vinden, dan is de verstopplek natuurlijk de zesde plek – en daarmee is de symboliek van het hexagoon compleet.'

Alistair trok een verbaasd gezicht. 'Dat klopt.'

Byron schonk haar een goedkeurend lachje. Dat ze in staat was om zo scherpzinnig en logisch na te denken, hoewel ze zichtbaar onder zeeziekte leed, imponeerde hem. 'Zo zie ik het ook, miss Chamberlain. Dat hebt u snel ingezien.'

Ze keek hem streng aan, alsof ze hem duidelijk wilde maken dat niet alleen mannen logica en een helder verstand bezaten.

'Dan zijn we dus al een kleine stap verder,' zei Horatio. 'En laat ons nu maar eens zien wat de vier andere hoofdstukken te bieden hebben.'

Wat aan deel drie vooral opviel, waren de gedetailleerde tekeningen van meerdere labyrinten van verschillende afmetingen, en bovendien een bladzijde die uitsluitend was volgeschreven met dichte rijen getallen en letters. De landschapsschetsen toonden met sneeuw bedekte bergen en dalen, een burcht op een berg, een wapen, een wapenrusting van een ridder en de daarbij behorende wapens. In welk land deze burcht stond, kon niemand van hen aan de hand van de tekeningen zeggen. Datzelfde gold voor deel vier. Ze waren het erover eens dat die plaats in een land met een moslimbevolking moest liggen. Dat verrieden de afbeeldingen van meerdere moskeeën met hun hoge minaretten en de tekeningen van gesluierde vrouwen.

Op de bladzijden van deel vijf stuitten ze op een opeenhoping van cyrillische en Griekse schrifttekens, schetsen van afbeeldingen die op iconen leken, tekeningen van orthodoxe kerken en plattegronden van kloosters.

'Iconen zijn de favoriete religieuze afbeeldingen van de oosters-orthodoxe kerk. Daarom kunnen deze tekeningen niet alleen naar een Balkanland, maar ook naar Griekenland en Rusland verwijzen,' zei Horatio schouderophalend.

'Alsjeblieft niet Rusland,' kreunde Alistair. 'Daar is het nu al winter! En als ik iets hartgrondig verafschuw, is het kou!'

Op de laatste bladzijden, die deel zes vormden, domineerden Arabische schrifttekens en citaten uit de Koran. De tekeningen gaven echter opnieuw te weinig informatie om te concluderen naar welk land ze verwezen. De speculaties van de vier liepen uiteen van het Osmanische Rijk, het Heilige Land, Jordanië en Egypte tot aan de Noord-Afrikaanse landen die aan de Middellandse Zee grensden, zoals Tripolitanië, Algerije en Marokko. Ze wisten dat Mortimer Pembroke al deze landen goed genoeg had gekend om daar een laatste aanwijzing voor de verstopplek achter te laten.

'Tot nu toe hebben we niet erg veel ontdekt. Eigenlijk alleen dat we Mortimer Pembrokes chaotische aantekeningen in zes hoofdstukken kunnen verdelen,' zei Alistair.

Harriet deelde zijn teleurstelling. 'Morgen zijn we in Wenen en dan weten we nog steeds niet waar en naar wat we daar moeten zoeken.'

'We lossen het raadsel wel op,' antwoordde Horatio optimistisch. 'Dat lord Pembroke uitgerekend meneer Bourke als deskundige op het gebied van het ontcijferen van geheime codes heeft gekozen, zal een goede reden hebben.'

'Hopelijk wel,' zei Alistair. 'Anders kunnen wij drieën die 4000 pond op onze buik schrijven.'

'Dan stel ik voor dat u zich niet langer door ons laat ophouden en met ontcijferen begint, meneer Bourke,' drong Harriet aan.

Byron hief in een gebaar van voorzichtig protest zijn hand op. 'Stop. Zo eenvoudig is dat niet, miss Chamberlain! Ik zal doen wat in mijn macht ligt. Maar verwacht niet dat ik in een handomdraai oplossingen presenteer, zoals een goochelaar een wit konijntje uit zijn hoed trekt, of zoals een valsspeler een aas uit zijn mouw haalt.'

Alistair glimlachte en maakte een afwerend gebaar. 'Zoiets primitiefs proberen alleen prutsers. Echte profs kennen trucs die veel geraffineerder zijn dan in mouwen verstopte kaarten.'

'U gelooft absoluut niet hoezeer me dat geruststelt, als we straks op uw talenten zijn aangewezen, meneer McLean,' antwoordde Byron.

'We helpen u natuurlijk zo goed mogelijk,' verzekerde Horatio hem. 'U hoeft ons alleen te zeggen hoe en waarmee.'

Byron zuchtte. 'Tja, als ik dat zelf eens wist,' mompelde hij terwijl hij terugbladerde naar de eerste bladzijden. 'Ik tast net zo in het duister als u. Maar vanuit mijn gevoel zou ik zeggen dat het belangrijk is om ermee te beginnen de betekenis van de eerste drie bladzijden te achterhalen.'

'Dan moet u dat gevoel volgen,' zei Harriet.

Byron knikte. 'Ja, dat moet ik waarschijnlijk doen. Hierin zit iets belangrijks verstopt. En ik vermoed dat het Mortimer Pembroke niet meteen is gelukt ...'

Horatio keek hem verrast aan. 'Hoe komt u op dat idee?'

'Omdat dit niet de echte eerste bladzijden van het notitieboek zijn. Zijn dagboek begint eigenlijk op bladzijde drie. De eerste twee bladzijden heeft hij eruit gescheurd,' antwoordde Byron terwijl hij het notitieboekje ver openklapte. 'Hier onder bij de rand zijn de kleine stukjes papier van bladzijde een en twee nog te zien.' Hij wees naar de piepkleine stukjes papier in het boek, die voor een minder scherp oog beslist verborgen waren gebleven.

'Laten we de zesendertig bijbelverzen samen doornemen en hun geheim proberen te ontrafelen,' stelde Harriet voor.

'Ja, en als ons iets bijzonders opvalt kan ik beter meteen aantekeningen maken,' zei Byron terwijl hij uit zijn andere kostuumzak een van zijn eigen notitieboekjes trok. Het stamde uit dezelfde voorname papierhandel Parkins & Gotto in Oxford Street, waar Mortimer Pembroke zijn boekje blijkbaar ook had gekocht. Daarom leken ze voor wat betreft afmeting, aantal bladzijden en groene leren band als twee druppels water op elkaar. Het enige uiterlijke verschil was dat het boekje van Byron iets meer versleten was.

'Goed, laten we ons dan maar diep in het christelijke geloof storten,' zei Alistair spottend. En met een knipoog voegde hij eraan toe: 'Want zoals die goede Nietzsche het zo treffend zegt: Deze evangeliën kan men niet behoedzaam genoeg lezen.'

'Inderdaad. Uw favoriete atheïst zegt echter ook: De fijnste humaniteit openbaart zich in de wens om anderen schaamte te besparen!' antwoordde Byron. 'En daarom wil ik u erop wijzen dat de evangeliën bij het Nieuwe Testament horen, terwijl de meeste van deze Bijbelcitaten uit het Oude Testament afkomstig zijn.'

Alistair grijnsde zorgeloos. 'Ik neem aan dat men het Oude Testament ook niet behoedzaam genoeg kan lezen.'

'En precies daarmee moeten we nu langzamerhand beginnen,' bromde Horatio.

'Misschien zijn de getallen van de hoofdstukken en verzen die bij elk bijbelcitaat horen, de geheime code die we op deze bladzijden moeten ontcijferen,' zei Harriet, die het zichtbaar goed deed dat ze iets concreets kon doen en daardoor van haar lichamelijke ongemak werd afgeleid. 'Dus de 18 en de 8 van het Genesis-citaat, 3 en 8 van het Exodus-citaat, 28 en 9 van Jesaja en 4 en 18 van het boek Joël.'

Byron knikte. Hij was opnieuw onder de indruk van haar snelle begripsvermogen en het verbaasde hem dat ze zijn informatie van daarnet zo exact had onthouden. 'Dat is heel goed mogelijk, miss Chamberlain. Dan bestaat het ontcijferde bericht waarschijnlijk uit zesendertig letters. We moeten dus bijzondere aandacht aan de getallen schenken.'

Ze namen samen citaat na citaat door, terwijl Byron aantekeningen maakte. Hij schreef de getallen van alle hoofdstukken en verzen in drie verschillende kolommen. In de eerste kolom schreef hij de getallen van de hoofdstukken en de verzen achter elkaar, zodat er telkens één getal ontstond. In de tweede kolom kwamen alleen de getallen van de hoofdstukken, terwijl hij in de derde kolom alleen de getallen van de verzen schreef.

Toen Horatio hem naar de reden vroeg, legde Byron het uit: 'Omdat ik niet weet of bijvoorbeeld bij dit citaat, uit de spreuken van Salomo – Want als je melk slaat, komt er boter, als je iemand op zijn neus slaat, vloeit er bloed, als je iemand slaat die woedend is, komt er strijd – de code bestaat uit het getal met vier cijfers dat wordt gevormd door hoofdstuk en vers, dus 3033. Het kan ook zijn dat de code alleen uit het getal van het hoofdstuk, in dit geval 30, of uit het versgetal 33 bestaat.'

Horatio trok een gezicht en wees naar zijn voorhoofd. 'Natuurlijk, stomme vraag van me.'

'Integendeel,' antwoordde Byron. 'Geen enkele vraag of veronderstelling in de cryptologie is zo dom dat deze zinloos is. Vaak is men zo gefixeerd op wat gecompliceerd en geraffineerd is, dat men helemaal over het hoofd ziet wat eenvoudig en duidelijk is.'

'Dan moeten we misschien ook de eerste letters van de citaten opschrijven,' stelde Alistair voor. 'Want dat zijn uiteindelijk ook zesendertig letters.'

Harriet trok verrast haar licht gebogen wenkbrauwen onder haar pony op en keek hem van opzij aan. 'Dat vind ik knap. Je hebt dus inderdaad af en toe iets interessants bij te dragen, Alistair.'

Ook Byron vond het voorstel opmerkelijk en hij maakte een vierde kolom waarin hij de beginletters van de bijbelcitaten achter elkaar opschreef.

Toen ze alle citaten hadden doorgenomen, in de teksten naar verborgen aanwijzingen hadden gezocht en alle getallen en beginletters hadden genoteerd, waren ze echter nog net zo ver als eerst – of liever gezegd, ze wisten nog net zo weinig als eerst.

Byron vond de rijen letters en getallen niet zo veelbelovend dat deze een geheime boodschap zouden kunnen bevatten. En als dat wel zo was, dan bevatte deze geen aanwijzing voor de code. 'De getallen bestaan soms uit vier, soms uit drie en soms uit twee cijfers,' piekerde hij hardop. 'Misschien moeten we met een nul als vulteken werken, zodat alle getallen uit vier cijfers bestaan. Maar misschien heeft Mortimer ook met blenders gewerkt. En de letters zouden op linguïstische steganografie onderzocht moeten worden. Misschien is er ergens een semagram of een acrostichon te ontdekken. Maar nee, dat zou toch iets te primitief zijn en dat was me meteen opgevallen.'

Harriet, Alistair en Horatio keken elkaar stomverbaasd aan en Alistair vroeg: 'Wat? Vulteken? Semagram? Acrostichon? Linguïstische steganodinges en blender? Weet iemand waarover onze geleerde het heeft?'

Harriet schudde haar hoofd. 'Nooit van gehoord.'

Ook Horatio kende deze begrippen niet. 'In de citaten is weliswaar telkens sprake van melk, maar van deze melk der wijsheid heeft alleen meneer Bourke blijkbaar gedronken.'

Byron keek verbaasd naar hem en plotseling ging hem een licht op. 'Dat is het, meneer Slade!' riep hij opgewonden. 'De getallen en de letters bevatten de oplossing van het raadsel niet!'

'Hoezo?' vroeg Horatio verbaasd.

'De melk! Het woord "melk" komt in elk citaat voor. Dat hebben alle Bijbelcitaten gemeenschappelijk. En dat is heel duidelijk de code – of liever gezegd de aanwijzing voor wat er op deze drie bladzijden verborgen is!'

'Alles goed en wel, maar wat is dat woord "melk" dan voor een aanwijzing?' vroeg Alistair wantrouwig. 'Ik kan me niet voorstellen dat we in Wenen naar een melkfabriek of een melkkoe moeten zoeken.'

Byron lachte. 'De melk waarom het hier gaat is al lang geleden vergoten. Maar dat zullen we zo meteen zien.' Hij wenkte de steward en vroeg hem om een kaars te brengen. 'Zonder kandelaar. Alleen de kaars. Het mag ook een stompje zijn. Ik hem hem alleen nodig voor een klein experiment.'

De passagiers die eerste klas reisden hadden niet zelden nogal lachwekkende gewoonten. De steward liet dan ook geen verbazing blijken, maar verzekerde dat hij het gewenste onmiddellijk zou brengen.

Er gleed een lach over het gezicht van Horatio toen hij begreep wat de melk te betekenen had. 'U denkt dat onder al deze melkcitaten uit de Bijbel een boodschap in geheimschrift verborgen zit, die met melk is geschreven, nietwaar?'

Byron knikte. 'Dat is de enige verklaring voor de opeenstapeling van deze citaten. Melk wordt net als citroensap op papier zo goed als onzichtbaar, als je het niet te dik aanbrengt. Aan de andere kant wijst een witachtige glans iemand die nauwkeurig kijkt op het geheimschrift. In dit geval zijn de vele tekstuittreksels uit de Bijbel een uitstekende dekmantel voor datgene wat Mortimer heeft verborgen. En dat wordt pas weer goed zichtbaar als je het papier voorzichtig boven een vlam verwarmt.'

'Ik ben heel benieuwd of u gelijk hebt met uw vermoeden, meneer Bourke,' zei Harriet.

'Niet alleen jij,' zei Alistair.

Even later bracht de steward de gevraagde kaars, geen stompje, maar een die niet was gebruikt, met een lont die nog niet had gebrand. Hij overhandigde hem op een klein zilveren blad en in een linnen servet gewikkeld.

'Fantastisch! Hartelijk dank,' zei Byron terwijl hij de kaars uit het servet haalde.

'Tot uw dienst, meneer,' antwoordde de steward met een uitdrukkingsloos gezicht, waarna hij wegliep.

Alistair boog zich naar Byron toe, wipte met zijn duim het deksel van zijn zilveren aansteker omhoog en stak de lont aan. 'Ik hoop heel erg dat uw vermoeden juist is,' zei hij. 'Ontsluier de eerste van Mortimer Pembrokes geheimen, Bourke.'

Byron gaf geen commentaar op het feit dat Alistair hem geen 'meneer' had genoemd en hem kameraadschappelijk alleen met zijn achternaam had aangesproken. Hij hield de lont van de kaars in de vlam van Alistairs aansteker en stak hem aan. Daarna pakte hij het notitieboekje in de gespreide vingers van zijn linkerhand en duwde de leren voorkant zover naar achteren dat deze de rug bijna raakte.

'Pas op dat u het notitieboekje niet in brand steekt,' waarschuwde Harriet. 'Anders eindigt onze zoektocht naar het Judas-evangelie nog voordat deze goed is begonnen.'

'Een overweging die me niet helemaal vreemd is,' antwoordde Byron droog. Hij hield de eerste beschreven bladzijde met wijsvinger en duim weg van de rest van het dagboek en bewoog de vlam voorzichtig heen en weer onder de bladzijde. Daarbij lette hij erop dat de vlam het papier weliswaar verhitte, maar dat deze niet te dichtbij kwam en vooral niet te lang op één plek bleef. Als hij een gat in de bladzijde brandde, kon dat namelijk betekenen dat hij belangrijke informatie onherroepelijk vernietigde.

Ze keken allemaal vol spanning naar de vlam en de bladzijde, maar er gebeurde niets. Er verschenen geen geheime tekens onder de bijbelcitaten, hoewel Byron de onderkant al flink had verhit.

'Niets!' stelde Horatio teleurgesteld vast.

'We hebben bladzijden twee en drie nog,' zei Byron kalm, hoewel hij ook een steek van teleurstelling voelde en zich heimelijk afvroeg of hij de melk verkeerd had geïnterpreteerd.

Hij sloeg de eerste bladzijde om, pakte de tweede bladzijde net als de eerste tussen duim en wijsvinger en stelde ook deze onder gelijkmatig heen en weer bewegen aan de hitte van de vlam bloot.

Opnieuw hielden ze allemaal hun adem in en staarden ze geboeid naar de bladzijde, die was bedekt met in zwarte inkt geschreven bijbelcitaten.

'Daar! … Er komt iets bruins tevoorschijn!' riep Harriet plotseling opgewonden. 'Een lijn! … En tekens!'

Horatio, Alistair en Harriet sprongen overeind en verdrongen zich opgewonden rond Byron en het notitieboekje, dat zijn eerste geheim onder invloed van de vlam prijsgaf.

Onder de inktzwarte regels van de bijbelcitaten begon zich een bruinige, geometrische, hoekige vorm af te tekenen die was omgeven door eigenaardige tekens.

'Heilige Hieronymus, daar is het!' riep Horatio enthousiast. 'U had gelijk!'

'Waar is wat?' vroeg Alistair, die de ongunstigste positie had en zijn nek uitrekte om de bruine lijnen en tekens te zien.

Byron hield hem de bladzijde voor, terwijl hij met een gedempte stem verkondigde: 'Het hexagoon.'

3

Byron had zijn notitieboekje gepakt en had het hexagoon met de rondlopende schrifttekens op de eerste vrije bladzijde achter de lange getallenkolommen overgeschreven, wat helemaal niet zo eenvoudig was geweest. De zwarte inktstrepen van Mortimers handschrift hadden veel van de bruine schrifttekens bedekt, en als hij de taal niet had beheerst waarin de woorden rondom het hexagoon waren geschreven, was hem waarschijnlijk veel ontgaan of had hij een vertekend beeld gekregen. Nu lag de tekst echter duidelijk en zonder misleidende bijbelcitaten voor hem.

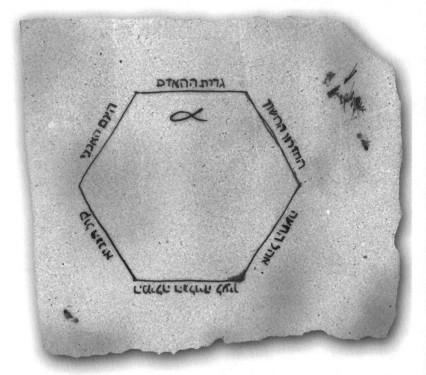

'Mooi, we hebben de zeshoek, die zo belangrijk lijkt te zijn voor het ontdekken van de verstopplek, blijkbaar gevonden. Ik moet zeggen dat u dat mooi voor elkaar hebt, Bourke! Ere wie ere toekomt!' zei Alistair goedgehumeurd terwijl hij met zijn whiskyglas naar hem toostte. 'We houden dus hoop op de 4000 pond.'

'Dit eerste raadsel was gemakkelijk op te lossen. Strikt genomen was het niet meer dan kinderspel,' zei Byron. 'Ik verdenk Mortimer Pembroke ervan dat hij dat wist en het expres zo eenvoudig heeft gemaakt. Ik geloof niet dat de andere codes net zo gemakkelijk te ontcijferen zijn. We moeten deze Mortimer niet alleen als een krankzinnige beschouwen, maar mogen niet vergeten dat hij een bijzonder intelligente man was die veel talen beheerste, waaronder zelfs het Aramees, en we moeten beseffen dat hij ook op andere terreinen opmerkelijk veel kennis verworven kan hebben.'

'Het kan zijn dat de volgende raadsels aanzienlijk moeilijker zijn op te lossen, maar we doen ze gewoon een voor een,' zei Horatio vrolijk. 'Nu moeten we waarschijnlijk eerst het hexagoon bestuderen om te achterhalen wat de schrifttekens te betekenen hebben.'

'Is het Aramees?' vroeg Harriet.

Byron schudde zijn hoofd. 'Nee, het is duidelijk Hebreeuws. Die twee talen zijn echter nauw verwant aan elkaar. Aramees was al honderden jaren voor de geboorte van Christus wijd verspreid, in het Perzische rijk was het zelfs de voertaal en het werd van Klein-Azië tot aan de Indus gesproken. Het Hebreeuws heeft de tweeëntwintig tekens van het Aramees overgenomen, het zogenaamde kwadraatschrift.'

'En wat vertelt het kwadraatschrift rondom het hexagoon?' wilde Alistair weten.

'Het zijn zes tamelijk raadselachtig zinnen,' zei Byron. Hij begon ze voor hen te vertalen. 'Op de bovenste lijn van het hexagoon staat het begrip gadot ha-hades, wat "de oever van de Hades" betekent.'

'Dat is volgens de Griekse mythologie het rijk van de doden,' zei Horatio terwijl hij een gezicht trok. 'Dat klinkt niet alleen raadselachtig, maar ook weinig uitnodigend.'

'Daarna komt ha-jom ha-awni, "de versteende dag",' ging Byron verder. 'Gevolgd door kol ha-nami en ha-milah ha-glujah la-ajin, wat "de stem van de profeet" en "het zichtbare woord" betekent.'

'Het wordt steeds gekker,' zei Harriet met een bezorgde trek op haar gezicht.

'En op de beide opgaande lijnen staan de zinnen ohel ha-ro'eh, "de tent van de herder", en ha-chadron ha-chaschuch, "de donkere kamer",' vertaalde Byron. Hij schreef de zes zinnen onder elkaar in zijn notitieboekje.

De oever van de Hades
De versteende dag
De stem van de profeet
Het zichtbare woord
De tent van de herder
De donkere kamer

Alistair lachte kort, maar het klonk absoluut niet vrolijk. 'Nu hebben we het raadsel eindelijk opgelost en wat gebeurt er? Als oplossing krijgen we zes nieuwe raadsels, terwijl we geen enkele aanwijzing hebben hoe we ze moeten oplossen. De versteende dag! De stem van de profeet! De tent van de herder! Wat moeten we daarmee? We hebben helemaal geen aanknopingspunt waar ons dat naartoe moet leiden, of wel soms?'

'Ik geloof niet dat het er zo somber uitziet, meneer McLean,' zei Byron. 'Deze zes begrippen zijn me niet helemaal onbekend. Ik weet zeker dat ik ze op een andere plek in dit notitieboekje al ben tegengekomen. Mortimer Pembroke heeft op bijna elke bladzijde een aantal Hebreeuwse en Aramese zinnen, en op zijn minst een paar woorden geschreven. Het is heel goed mogelijk dat de andere teksten alleen als dekmantel voor deze zes aanwijzingen zijn bedoeld.'

'Dan moeten we in Mortimers boekje zoeken waar "de oever van de Hades" nog meer voorkomt,' zei Harriet. 'En dat heeft dan uiteraard iets met Wenen te maken.'

'Inderdaad,' viel Byron haar bij.

'Wacht eens! Een hexagoon heeft toch net als een cirkel geen begin en geen eind! Hoe moeten we dan weten dat de eerste aanwijzing "de oever van de Hades" is en de laatste "de donkere kamer", Bourke?' vroeg Alistair met een gefronst voorhoofd. 'Alleen omdat "de donkere kamer" goed bij een verstopplek past?'

'Nee, omdat Mortimer Pembroke een teken heeft achtergelaten waar de reeks begint, namelijk deze alfa,' antwoordde Byron. Hij tikte op het gewelfde teken dat onder de bovenste horizontale lijn in het hexagoon stond en de eerste letter van het Griekse alfabet voorstelde. 'En omdat je Hebreeuwse teksten niet van links naar rechts leest, zoals wij gewend zijn, maar van rechts naar links, waar een man als Mortimer Pembroke zeker aan heeft gedacht bij het bedenken en opschrijven van dit hexagoon, moeten we de begrippen niet met de wijzers van de klok mee lezen, maar in omgekeerde volgorde.'

'O,' zei Alistair verrast. 'Is dat een alfa? Ik dacht dat dat het christelijke teken voor de vis was.' Hij grijnsde enigszins verlegen naar de anderen en haalde daarna zijn schouders op. 'Tja, Grieks stond niet op het karige leerplan in de weeshuizen en scholen waar ze me doorheen geslagen hebben.'

'Nou en? Wat is daar erg aan? Ik heb me ook nooit verdiept in de Griekse grammatica,' zei Harriet kordaat, waarna ze er enigszins laatdunkend aan toevoegde: 'Daarvoor hebben we tenslotte onze hoogbegaafde meneer Bourke.'

Byron was veel te prettig opgewonden om zich te ergeren aan de vinnige opmerking en erop te reageren. Bovendien had hij de indruk dat het eerder haar bedoeling was om Alistair van zijn verlegenheid af te helpen dan dat ze hem wilde kwetsen. Hij reageerde daarom alleen met een zelfbewust lachje, pakte Mortimer Pembrokes notitieboekje en begon de bladzijden een voor een te doorzoeken naar een van de zes begrippen. Het verraste hem niet dat hij al snel iets vond. Hij had erop gerekend dat hij niet lang hoefde te zoeken.

'Uw vermoeden dat het begrip "de oever van de Hades" in het deel over Wenen zou opduiken was helemaal correct, miss Chamberlain,' verkondigde hij. 'Daar staat het inderdaad ook, tussen de bladzijde met de tekeningen van het Beethoven-gedenkteken en de Maria-Stiegenkerk en de bladzijde die voor een groot deel wordt bepaald door schuin over het blad geschreven, lange stukken Aramese tekst en schetsen van gruwelijke maskers, schedels en stapels botten. Hij wees naar de Hebreeuwse schrifttekens, die Mortimer Pembroke had genoteerd onder de tekening van een piramide met een stralend oog, een karakteristiek symbool van de Vrijmetselaars.

'Lieve hemel!' riep Horatio toen hij naar de bladzijde keek die Byron had opengeslagen. 'Dat zijn die krankzinnige anderhalve bladzijden, die die idioot van een Mortimer van boven naar beneden heeft volgeschreven met Bijbelse namen.'

'Wat zijn het voor namen?' wilde Alistair weten.

'Byron bekeek de regels vluchtig en las een aantal namen voor: 'Kenaz ... Erech ... Nehemia ... Melchizedek ... Lamech ... Hadad ...'

'Hoewel ik in mijn leven regelmatig een kerkdienst heb bijgewoond en veel verhalen uit de Bijbel ken, heb ik de meeste van deze namen nog nooit gehoord,' bekende Harriet.

'Ik ook niet,' zei Horatio. 'De namen Kenaz, Lamech en Hadad ken ik in elk geval niet.'

'Kenaz is een nakomeling van Ezau, de zoon van Elifaz. Lamech is een nakomeling van Seth, de zoon van Eva en Adam, die ter wereld kwam nadat Kain zijn broer Abel had vermoord,' legde Byron uit. En Hadad is de zoon van Bedad, die Midiam versloeg in het veld van Moab.'

'En dat moet een gecodeerde boodschap zijn?' vroeg Alistair sceptisch. Hij trok het notitieboekje met de opengeslagen bladzijde vol achter elkaar geschreven namen naar zich toe en schudde ongelovig zijn hoofd. 'Het zijn in totaal dertig tot veertig regels vol namen, die voortdurend herhaald worden.'

De aanblik van de gecodeerde tekst was inderdaad niet bemoedigend.

Kenaz Erech Nehemia Pichol Jered Erech
Melchizedek Kenaz Erech Hadad Hadad Kain Lamech
Hagar Erech Erech Esther Dison Kenaz Kain Jered
Erech Esther Dison Elon Elon Jered Dison Erech
Hadad Adam Nehemia Lamech Adam Hadad Ajja Kain
Sobal Melchizedek Adam Nehemia Kenaz Kain
Melchizedek Erech Jakob Erech Esther Erech Kenaz
Erech Samuel Kenaz Erech Nehemia Pichol Jered Erech
Melchizedek Kenaz Erech Hadad Hadad Kain Lamech
Hagar Erech Erech Esther Dison Kenaz Kain Jered Erech
Esther Dison Elon Elon Jered Dison Erech Hadad Adam
Nehemia Lamech Adam Hadad Ajja Kain Sobal Melchizedek
Adam Nehemia Kenaz Kain Melchizedek Erech Jakob Erech
Esther Erech Kenaz Erech Samuel Kenaz Erech Nehemia
Pichol Jered Erech Melchizedek Kenaz Erech Hadad
Hadad Kain Lamech Hagar Erech Erech Esther Dison
Kenaz Kain Jered Erech Esther Dison Elon ELon Jered
Dison Erech Hadad Adam Nehemia Lamech Adam Hadad
Ajja Kain Sobal Melchizedek Adam Nehemia Kenaz Kain
Melchizedek Erech Jakob Erech Esther Erech Kenaz
Erech Samuel Kenaz Erech Nehemia Pichol Jered Erech
Melchizedek Kenaz Erech Hadad Hadad Kain Lamech Hagar
Erech Erech Esther Dison Kenaz Kain Jered Erech Esther
Dison Elon Elon Jered Dison Erech Hadad Adam Nehemia
Lamech Adam Hadad Ajja Kain Sobal Melchizedek Adam
Nehemia Kenaz Kain Melchizedek Erech Jakob Erech Esther
Erech Kenaz Erech Samuel Kenaz Erech Nehemia
Pichol Jered Erech Melchizedek Kenaz Erech Hadad
Hadad Kain Lamech Hagar Erech Erech Esther Dison
Kenaz Kain Jered Erech Esther Dison Elon Elon Jered Dison
Erech Hadad Adam Nehemia Lamech Adam Hadad Ajja Kain
Sobal Melchizedek Adam Nehemia Kenaz Kain Melchizedek

Alistair schudde nog een keer zijn hoofd. 'Het is me een raadsel hoe u dat wilt ontcijferen, Bourke.'

Byron wist het ook niet. Wat hij echter wel wist, was dat ze in deze schijnbaar zinloze opeenvolging van Bijbelse namen de eerste aanwijzing moesten vinden voor de verstopplaats van het Judas-evangelie.

4

De Oostende-Wenen-expres arriveerde volgens de dienstregeling vroeg in de avond van de volgende dag in station Noord aan de Praterstern, die enkele straten ten noorden van het centrum van Wenen in de wijk Leopoldstadt lag.

De hoofdstad van de keizerlijke en koninklijke monarchie Oostenrijk-Hongarije, onder regentschap van Franz Joseph I, begroette de vier reizigers uit Engeland met nog slechter weer dan ze tijdens de overtocht van Dover naar Oostende hadden meegemaakt. Het regende pijpenstelen.

Byrons voelde zich neerslachtig toen hij uit de trein stapte. Dat lag niet aan het erbarmelijke weer in Wenen, maar aan de gecodeerde boodschap. Tot nu toe had hij de code voor de ontcijfering nog niet gekraakt. Hij had tijdens de lange treinrit gezocht naar het systeem dat Mortimer Pembroke had gebruikt, maar het voortdurende schokken van de trein had er niet toe bijgedragen dat hij geconcentreerd kon werken. Bovendien hadden al zijn pogingen om lijsten in zijn notitieboek te noteren en wiskundige berekeningen te maken, alleen geleid tot irritant geknoei en een onbeholpen handschrift, waardoor hij al heel snel geen zin meer had in de klus en hij had besloten om zich pas in het hotel in Wenen weer met de code bezig te houden.

Toen ze zich in de stroom passagiers van het onbehaaglijk tochtige perron naar de hoge stationshal haastten, viel het Byron op dat Horatio af en toe heimelijk om zich heen keek. Zijn blikken konden nauwelijks bedoeld zijn voor hun besnorde, geüniformeerde kruier, die hem op het perron met overdreven respect had aangesproken met 'herr Kommerzienrat' en die hen nu met hun koffers en tassen op zijn kar volgde.

'Is er iets niet in orde, meneer Slade?' vroeg Byron zachtjes zodat Harriet en Alistair, die voor hen uit liepen, zijn vraag niet hoorden.

Horatio aarzelde. 'Ik weet het niet zeker,' antwoordde hij net zo zachtjes. 'Het kan zijn dat ik spoken zie, maar laten we het daar straks over hebben.'

Byron knikte naar hem. 'Goed.'

'Wat een rotweer,' zuchtte Harriet toen ze vlak daarna de stationshal uit liepen en in de hevige regen terechtkwamen. Ze ging meteen weer onder de luifel staan en de drie mannen volgden haar voorbeeld. Ook de kruier bleef achter hen staan. Hij keek met een diepe zucht naar de door regen verduisterde hemel.

'Had lord Pembroke ons niet in september op reis kunnen sturen of tot volgend voorjaar kunnen wachten?' mopperde Alistair, die weer eens niet in overeenstemming met het slechte weer was gekleed.

'Laten we ervoor zogen dat we in de eerstvolgende fiaker naar hotel Bristol komen!' riep Harriet.

'En wat is een fiaker?' wilde Horatio weten.

'Een tweespan,' legde Harriet uit terwijl ze naar de zwart gelakte huurrijtuigen wees die, alsof het een rouwstoet was, in een rij op klanten stonden te wachten. 'Die rekenen weliswaar tachtig heller meer voor een rit naar het centrum, maar ze zijn sneller en ruimer.'

'Wat tachtig heller ook mag zijn, op dit moment vind ik elk bedrag prima, als we maar zo snel mogelijk uit dit smerige weer en in hotel Bristol komen,' zei Alistair. 'Hopelijk deugt het hotel waar die oude Pembroke kamers voor ons heeft laten reserveren.'

Harriet lachte. 'Het Bristol is het beste wat er te krijgen is, Alistair. Exclusiever is er niet. En wat de valuta betreft, honderd heller is een kroon, maar ze hebben hier ook guldens en kreuzers. Je moet oppassen voor vergissingen, want een gulden is maar een halve kroon waard en een kreuzer maar een halve heller.'

Alistair verdraaide zijn ogen. 'Wat een gedoe. Waarom kan de wereld het niet eens worden over één munteenheid – namelijk het Engelse pond, dat twintig shilling waard is, en de shilling, waar je twaalf pence voor krijgt.'

Ik denk dat de Duitser dat van zijn mark, de Fransman van zijn franc en de Amerikaan van zijn dollar zegt,' hield Byron hem voor.

'Wat kan ons dat schelen? Het Britse imperium regeert de wereld tenslotte,' antwoordde Alistair terwijl hij de kraag van zijn jas omhoog sloeg.

'Hoeveel kronen krijg je voor een Engels pond, miss Chamberlain? Wat is de wisselkoers?' vroeg Horatio. Lord Pembroke had hen weliswaar uit voorzorg wat vreemde valuta meegegeven, maar ze hadden het tot nu toe allemaal niet nodig gevonden om na te denken over de waarde van de verschillende bankbiljetten.

'Voor een pond krijg je ongeveer vierentwintig kronen, dat was in elk geval de koers die ik vorig jaar heb gekregen toen onze groep optrad in het bekende Jantsch-theater in het Prater,' zei Harriet.

'Dan stel ik voor dat jij met de kruier en de koetsier in de clinch gaat voor wat hun beloning betreft,' stelde Alistair voor. 'Zo, en nu zo snel mogelijk naar de dichtstbijzijnde fiaker.'

Voordat Horatio in het rijtuig stapte, bleef hij even op de trede staan om een lange blik op de mensen te werpen die achter hen de stationshal uit kwamen. 'Krijg nou wat,' mompelde hij zachtjes voordat hij zich weer omdraaide en maakte dat hij ook uit de regen kwam.

Byron hoorde het, maar zei er niets over. Horatio Slade zou het hem straks vertellen. Nu moesten ze eerst de kruier belonen en een bedrag met de koetsier van het rijtuig afspreken. Hij vond het namelijk vanzelfsprekend dat Harriet, die in begeleiding van drie mannen was, de betaling van de kruier en de koetsier niet hoefde te regelen, en dat ook nog in de stromende regen. Dat zou alles behalve gentlemanlike zijn. Hij was trouwens ondanks de harde regen vast van plan om zich er met eigen ogen van te vergewissen dat de koetsier zijn volumineuze kastkoffer en de bagage van zijn reisgenoten op het rijtuig laadde, met een zeil afdekte en met stevige riemen vastsjorde.

'Ja, ik weet het. Ik heb de kruier en de koetsier beslist te veel gegeven, miss Chamberlain,' ze Byron toen hij tenslotte met een drijfnatte mantel en hoed bij de anderen in het rijtuig stapte en Harriet hem ernaar vroeg.

'En wat dan nog?' zei Horatio met een afwerend gebaar. 'Als onze reiskosten een paar kronen hoger komen te liggen dan misschien noodzakelijk is, zal dat lord Pembroke beslist niet aan de bedelstaf brengen.'

Even later voegde het rijtuig zich tussen het verkeer op de drukke rotonde met de granieten zuil met bronzen versiering en het bronzen standbeeld van een zeeoorlogheld in het midden. De fiaker verliet de rotonde bij de derde uitrit en reed in snelle draf door de brede Praterstraat in de richting van de Donau.

Byron en Horatio keken uit het raam om een eerste indruk van Wenen te krijgen. Het enige wat ze in de avondschemering en de regen konden onderscheiden, was het schijnsel van de gaslampen, die als uitgerafelde gele lampionnen tussen de kale bomen van de laan leken te zweven, af en toe een duidelijk witter schijnsel van een elektrische lamp, en de voorbijvliegende donkere schaduwen van rijtuigen, koetsen en bussen.

'Wat jammer dat het al donker is en dat het regent,' zei Harriet spijtig toen de fiaker de Donau via de Aspernbrug overstak. 'Wenen is zo'n fantastische stad, met heel veel prachtige gebouwen, pleinen en parken. En vanaf de Aspernbrug heb je een fantastisch uitzicht over de Donau, de Franz-Josephkade en de rivier de Wien, die meteen daarna in de Donau uitmondt.'

'Misschien blijven we hier voorlopig en hebben we tijd genoeg om de stad in alle rust en onder een heldere hemel te bezichtigen,' zei Alistair terwijl hij naar Byron keek. 'Of hebt u al achterhaald wat onze fantasievolle krankzinnige in de namenchaos heeft verstopt, Bourke?'

'Helaas niet, meneer McLean,' zei Byron, die zich inmiddels niet meer zo druk maakte om de kleine hatelijkheden van de speler als aan het begin van hun onvrijwillige kennismaking. Hij had zich er eveneens bij neergelegd dat hij door hem met 'Bourke' werd aangesproken.

Op de rechteroever van de Donau reden ze door de Stubenring en de Parkring, brede flaneerstraten die langs het stadspark liepen, en daarna door de korte Kolwatring, die aan het eind scherp naar rechts boog en in de Kärntnerring overging.

'Zo, we zijn er al,' zei Harriet toen de koets bij de volgende kruising een bocht naar rechts maakte en even later van weghelft wisselde. 'Het hoge gebouw van zes verdiepingen met de twee korte hoektorens daar in de verte is hotel Bristol. Hotel Imperial en het Grand Hotel, de twee andere exclusieve hotels, liggen ook in deze straat, en daarnaast een aantal banken. Dit is de plek waar de elite van de stad zich ophoudt.'

'Nou, dan zijn we hier uitstekend op onze plek,' zei Alistair met een opgewonden schittering in zijn ogen.

Deze schittering beviel Byron helemaal niet en hij vroeg zich af of Alistair misschien van plan was om, totdat de code ontcijferd was, een deel van hun verblijf in Wenen aan de een of andere speeltafel door te brengen. Hoewel deze gedachte hem tegenstond, had hij niet het recht om Alistair de wet voor te schrijven. Het enige wat hij kon doen was erop staan dat ze allemaal probeerden een bijdrage aan de oplossing te leveren, voordat ze hier in Wenen hun eigen weg gingen en de ontcijfering aan hem overlieten. Daarom zei hij: 'Ik stel voor dat we meteen bij elkaar komen en nog een keer samen proberen om de namencode te ontcijferen. Bovendien hebben we het een en ander te bespreken.'

Horatio knikte. 'Ja, dat moeten we doen. Zullen we elkaar na het avondeten ontmoeten? Of had u iets anders in gedachten, meneer Bourke?'

De fiaker kwam tot stilstand en de hotelportier in livrei, een man met een rijzig postuur en grijs gemêleerd haar die een indrukwekkend, op een rokkostuum lijkend fantasie-uniform droeg, kwam haastig naar hen toe. Hij klapte de tree naar beneden, deed de rijtuigdeur open en heette 'de geachte dame en heren' welkom met zijn sonore, melodieuze stem, terwijl hij met een duizend keer geoefende, elegante beweging zijn cilinderhoed optilde.

'Tja ...' begon Byron besluiteloos.

'Waarom komen we niet meteen bij elkaar en laten we iets te eten op onze kamer brengen?' stelde Harriet voor, terwijl ze onder de regenluifel van het hotel uit het rijtuig stapte. 'Ik heb helemaal geen zin om me na die lange treinrit eerst nog te moeten verkleden voor het diner in het restaurant. Bovendien heb ik niet veel honger. Ik heb genoeg aan twee sandwiches en een grote kop thee. Maar natuurlijk serveren ze hier ook warm eten op de kamers – en straffere drankjes zoals koffie met veel melk.' Ze knipoogde naar Alistair.

'Goed idee!' riep Horatio. 'Ik ben het ermee eens.'

'Ik vind het ook prettiger,' sloot Alistair zich bij hen aan en dus spraken ze af om na de afhandeling van de hotelformaliteiten meteen naar Byrons kamer te gaan.

Even later betraden ze de indrukwekkende, ovale hotelfoyer. Dikke tapijten dempten hun voetstappen en in het midden van het met stucwerk versierde plafond hing een adembenemende kristallen kroonluchter met elektrische kaarsen. De kroonluchter met veel lagen leek op een omgekeerde piramide, die bestond uit ontelbare fonkelende diamanten. Een stuk of tien veel kleinere, glinsterende piramiden omringden het middenstuk als manen die om een zon cirkelden. Ook ontbrak het niet aan donker hout, prachtige landschapsschilderijen aan de muren, elegante zitmeubelen en goudgerande spiegels, waarin weelderige en kunstig geschikte bloemstukken weerspiegelden.

Harriet, die heel nodig naar het toilet moest, sprak de eerste de beste bediende aan en liet zich door hem de weg naar de toiletten wijzen, terwijl Byron en Horatio de hal doorkruisten en naar de receptie liepen.

Plotseling merkte Byron dat Alistair niet naast hen liep. Hij bleef staan, keek om en ontdekte hem aan de zijkant van de hotelingang naast een marmeren zuil, waar hij in gesprek was met de portier. Hij zag nog net dat Alistair met een glimlach naar de hotelbediende knikte en tegelijkertijd enkele munten in zijn hand drukte. Byron vroeg zich meteen af waarvoor hij hem bedankte.

'U mag drie keer raden waarvoor hij hem daarnet heeft bedankt,' zei Horatio spottend, die eveneens was blijven staan en Byrons blikken had gevolgd.

'Hij heeft natuurlijk naar een speelclub geïnformeerd of een andere plek waar vannacht wordt gepokerd,' bromde Byron afkeurend. 'Een betere informatiepost dan de portier van een dergelijk hotel zal er nauwelijks te vinden zijn.'

'Ja, Alistair brengt vannacht niet veel tijd in zijn kamer door, daar durf ik mijn 1000 pond onder te verwedden als ik zo stom zou zijn om me met weddenschappen in te laten. Maar goed, hij zet zijn eigen geld op het spel. Of ziet u dat anders?'

Byron vertrok zijn gezicht. 'Het bevalt me niet, daar wil ik geen geheim van maken. En natuurlijk zou ik liever zien dat hij voor de duur van ons gezamenlijke onderneming zou afzien van dergelijke fratsen. Maar ik ben zijn voogd niet en ook niet zijn meerdere, die het recht heeft hem de wet voor te schrijven. Daarom zal ik er ook niets over zeggen. Ik wil geen ruzie.'

'Wat heel verstandig is,' viel Horatio hem droog bij.

Nadat ze de formaliteiten bij de receptie hadden afgehandeld en hun bestelling hadden opgegeven voor het eten dat op de kamer moest worden gebracht, gingen ze met de lift naar de derde verdieping. De liftbediende, een jongeman met bolle wangen die de met donker mahoniehout beklede lift door middel van een messing hendel in werking zette, vertelde op Alistairs vraag vol trots dat de lift met zijn getraliede schacht vorig jaar pas was gebouwd. En dat hotel Bristol met deze buitengewone technische aanwinst ook in dit opzicht verreweg het meest prominente gebouw aan het plein was.

Hun vier kamers lagen naast elkaar en beschikten over dubbele tussendeuren, zodat ze als dat nodig was toegang tot elkaar gaven. Byrons kamer lag tussen de kamers van Harriet en Horatio in. Vlak nadat een hotelbediende zijn volumineuze, ruim tot borsthoogte reikende kastkoffer had gebracht, kwamen zijn drie reisgenoten al binnen.

'Allemachtig, hebt u uw hele huishouding meegenomen, Bourke?' vroeg Alistair toen zijn oog op de opengeklapte kastkoffer viel. 'U hebt kleding voor een heel balseizoen meegenomen en sleept daarbij ook nog een halve bibliotheek mee.'

Bij zijn vertrek had Byron zijn bagage eigenlijk nogal bescheiden gevonden. Maar vergeleken met de bagage van Harriet en Horatio stak zijn diepe kastkoffer behoorlijk extravagant en buitensporig af, om maar te zwijgen van Alistairs twee armzalige reistassen. Eigenlijk had ook Horatio niet veel kleding mee, hoewel hij twee koffers bij zich had. Een daarvan bevatte namelijk voornamelijk metalen voorwerpen. Toen Byron hem in Dover hij het inschepen had gevraagd naar het onmiskenbaar metaalachtige gerinkel, had Horatio enigszins vaag geantwoord: 'Dat is gewoon een deel van mijn normale uitrusting, waarop ik bij bepaalde nachtelijke ondernemingen ben aangewezen. Wie weet, waarvoor deze spullen op onze reis nog van pas zullen komen.'

Byron nam zich voor om Horatio, als de gelegenheid zich voordeed, te vragen of hij mocht zien waaruit deze 'normale uitrusting' bestond. Hij keerde zich naar Alistair. 'Een heer moet nu eenmaal op alle gelegenheden voorbereid zijn en reist niet zonder een kleine reisbibliotheek,' antwoordde hij kalm, maar stiekem voelde hij zich toch wat verlegen. Dat was een heel nieuwe ervaring voor hem, want tot de dag waarop James Fitzroy hem over zijn financiële situatie had geïnformeerd, had hij er nooit over nagedacht hoe mooi en zorgeloos zijn leven tot dat moment was geweest. 'Bovendien hoop ik dat mijn wereldatlas en een aantal naslagwerken hulp bieden bij het ontcijferen van de code.'

'Waarmee we bij ons uitgangspunt zijn,' zei Harriet. Ze liet zich op een stoel vallen en legde haar benen weinig damesachtig over een van de leuningen. 'Waar beginnen we, meneer Bourke?'

De mannen maakten het zich gemakkelijk in de zithoek onder het erkerraam met de zware fluwelen gordijnen, en terwijl Horatio zijn pijp stopte en Alistair naar zijn Gold Flakes greep, legde Byron het notitieboekje opengeslagen in het midden van de tafel.

'Alleen de eerste regels tot de eerste keer dat de naam Samuel voorkomt, zijn voor ons van belang,' zei hij terwijl hij de naam in de zevende regel aanwees.

'En de rest dan?' vroeg Horatio terwijl hij zijn pijp aanstak.

'Dat zijn alleen herhalingen van deze rij namen, een vorm van oppervlakkig boerenbedrog,' zei Byron. 'De code voor Wenen bestaat uit de eerste 52 namen, die meerdere keren en zonder verandering in de volgorde worden herhaald. Binnen deze volgorde duiken 18 bijbelse namen op. Erech komt het vaakst voor, namelijk elf keer.'

'Misschien staat elke naam voor een letter van het alfabet,' vermoedde Harriet. 'Dus bijvoorbeeld Erech voor de E, Kenaz voor de K en Pichol voor de P.'

Alistair knikte. 'Dat zou kunnen kloppen. Het alfabet bestaat uit 26 letters. En omdat de letters x, y en z heel weinig in een tekst voorkomen, en de j voor i en de v voor u kunnen staan, zijn 18 verschillende letters ruim voldoende.'

'Dat is in theorie niet helemaal verkeerd,' zei Byron. 'Maar in dit geval is het heel zeker niet de sleutel waarnaar we op zoek zijn.'

Alistair fronste zijn voorhoofd. 'En waarom niet?'

'Een alfabet is een lineair geordende voorraad tekens, waarvan de omvang afhankelijk is van tijdperk en taal,' zei Byron. 'Ons alfabet is in de loop der eeuwen gegroeid. In de middeleeuwen, toen het Latijn de geschreven taal domineerde, waren 20 letters voldoende. Rond 1600 groeide het Europese alfabet naar 24 tekens. De u kwam er in de achttiende eeuw bij en de z zelfs pas in de negentiende eeuw. De cyrillische taal kent maar liefst 32 tekens. De Ierse taal gebruikt daarentegen de j, k, q, v, w, x, y en z niet en op Hawaï spreekt men een taal die genoeg heeft aan maar twaalf tekens, om maar een paar voorbeelden te noemen.'

'Dat is heel interessant, maar wat heeft dat met onze code voor Wenen te maken?' vroeg Horatio.

'Veelzeggend is bijvoorbeeld de frequentie waarmee bepaalde letters in een taal voorkomen,' antwoordde Byron. 'De e vormt in onze taal bijna een vijfde deel van de tekst. De daaropvolgende letter is de n. Op de derde plek staat de i.'

'Maar dat wijst toch op de theorie van Harriet en mij, Bourke!' zei Alistair in de ijdele hoop dat hij de code had gekraakt. 'Erech komt met elf herhalingen het vaakst voor, zoals u hebt gezegd. Dat wijst er toch duidelijk op dat die naam voor de letter e staat.'

Byron schudde zijn hoofd. 'Dat lijkt maar zo. Want de naam die het op een na vaakst voorkomt in de namenreeks is Kenaz en geen naam die met een n begint. En een tekst van 52 letters, waarin de n met de naam Nehemia maar drie keer voorkomt is heel onwaarschijnlijk. Er is trouwens nog een reden waarom dit de sleutel niet is: Adam, Erech, Ajja, Elon en Esther zijn de enige namen die met een klinker beginnen. De o, u en i komen helemaal niet voor als beginletters, en dat terwijl de i de letter is die op twee na het meest voorkomt. Dat deze ontbreekt, vertelt me dat we hoogstwaarschijnlijk op het verkeerde spoor zitten.'

Alistair keek verbouwereerd naar de namen en zei toen enigszins beteuterd: 'Verdorie, u hebt gelijk. Namen met een i ontbreken.'

'Maar kan de j van Jakob en Jered dan niet voor de i staan?' wierp Harriet tegen terwijl ze achter haar hand gaapte.

'Waarom zou Mortimer Pembroke dat hebben gedaan?' vroeg Byron. 'Als hij het ons zo gemakkelijk had willen maken dat de boodschap uit de beginletters van de namen bestaat, had hij waarschijnlijk niet afgezien van zulke prachtige bijbelse namen als Isaac, Ijon en Ismael.'

'Dat is ook weer waar,' mompelde Alistair teleurgesteld.

'Maar wat kan de sleutel van de namencode dan zijn?' zei Horatio terwijl hij zich al piekerend in blauwe tabakswolken hulde.

'Misschien moeten we de Bijbel doornemen en noteren waar deze namen het eerst voorkomen en in welk verband ze zijn gebruikt,' stelde Harriet voor. 'Misschien is de sleutel in de bijbelverzen te vinden.'

Byron trok een sceptisch gezicht. 'Er is veel mogelijk en dat onder andere ook, miss Chamberlain, maar mijn gevoel zegt me dat Mortimer Pembroke bij deze code een wiskundig component heeft gebruikt.'

'En dat is?' wilde Alistair weten.

Byron haalde zijn schouders op. 'Dat moeten we uitzoeken.'

Het volgende moment werd er aan de deur geklopt. Een ober bracht de bestelde sandwiches en drankjes. Toen ze weer alleen waren, gingen ze verder met de oplossing van het raadsel.

Anderhalf uur later, toen ze nog geen stap verder waren gekomen, wierp Harriet de handdoek in de ring.

'Het spijt me, maar ik vind het genoeg voor vandaag,' zei ze. Ze kwam gapend overeind en rekte haar tengere lichaam uit. 'Ik heb de afgelopen nachten abominabel slecht geslapen en ik wil nu niets liever dan naar bed. Laten we morgen verder gaan, dan gaat het denken me een stuk gemakkelijker af.'

Alistair, die al een paar keer stiekem op zijn zakhorloge had gekeken, sloot zich onmiddellijk bij haar aan. 'Ja, dat zou het verstandigst zijn. We staan tenslotte niet onder tijdsdruk. Op een paar uur of dagen meer of minder komt het niet aan.'

'Goed, dan stoppen we voor vandaag,' zei Horatio met enige tegenzin. 'Maar er is nog iets waarover we moeten praten voordat we naar onze eigen kamers gaan.'

'En dat is?' vroeg Alistair, die zichtbaar haast had om uit Byrons kamer te komen.

'Ik heb de indruk dat we een schaduw hebben,' deelde Horatio hen mee. 'Iemand die ons volgt. En weliswaar al vanaf het moment dat we in Dover aan boord van de veerboot zijn gegaan.'

In tegenstelling tot Harriet en Alistair leek Byron niet bijzonder verrast door deze mededeling. Horatio's gedrag en zijn korte opmerking op het station hadden hem op iets dergelijks voorbereid.

'Worden we gevolgd? Weet u dat zeker?' vroeg Harriet, die meteen weer klaarwakker was.

'Absoluut zeker weet ik het niet,' bond Horatio in. 'Dat kan natuurlijk ook niet. Maar ik heb daarstraks op het station een man gezien, die met ons van Dover naar Oostende is gereisd en die blijkbaar dezelfde trein naar Wenen heeft genomen. Toen ik hem strak aankeek, is hij snel in de mensenmenigte ondergedoken. Dat vond ik heel vreemd.'

'Dat kan toeval zijn geweest en hoeft niet te betekenen dat we worden gevolgd,' zei Harriet. 'Er zijn beslist nog andere passagiers van de veerboot op de trein naar Wenen gestapt. De veerboot sluit tenslotte aan op de verbinding Oostende-Wenen.'

Horatio knikte. 'Inderdaad, maar het lijkt me verstandig als we de mogelijkheid dat we worden gevolgd niet uitsluiten, alleen omdat deze route door veel reizigers wordt gebruikt.'

'Hoe zag die man eruit?' wilde Alistair weten.

'Gemiddelde lengte, behoorlijk breed gebouwd, borstelige snor en ongeveer midden veertig,' zei Horatio. 'Hij droeg een wijde donkerbruine schoudermantel, een platte wollen pet met klep in een donkere Schotse ruit en een bril in de vorm van een monocle, dus zonder poten.'

'Goed, we zullen in de gaten houden of we deze man nog een keer tegenkomen,' zei Byron. 'Het kan geen kwaad om voorzichtig en op onze hoede te zijn. We kunnen niet uitsluiten dat Mortimer Pembroke inderdaad is achtervolgd door een van de leden van een geheim genootschap zoals de Illuminaten of de mysterieuze Wachters. En als mannen zoals Abbot en Martikon, die Mortimer Pembroke de papyri afhandig wilden maken, inderdaad bestaan, dan kunnen wij op een bepaald moment ook met een van hen te maken krijgen.'

Met deze verontrustende gedachte trok iedereen zich terug. Toen Byron alleen in zijn kamer was, kon hij echter nog niet naar bed. De onverklaarbare rangschikking van de bijbelse namen liet hem niet los. Zijn eerzucht om de code te kraken was sterker dan zijn vermoeidheid.

Byron liet een pak gelinieerd schrijfpapier naar zijn kamer brengen en vulde de ene na de andere bladzijde met allerlei combinaties en berekeningen. Maar wat hij ook probeerde, hij vond de sleutel niet. De 52 namen wilden hun geheim niet prijsgeven.

Gefrustreerd door uren vol mislukkingen veegde hij de vellen papier in een aanval van woede over zijn onvermogen van het blad van de secretaire. De moeheid, die hij zo lang had onderdrukt, overviel hem ineens en beroofde hem van het laatste restje drang om nog een poging te wagen om de code te ontcijferen.

Op weg naar zijn bed stuitte hij op twee gelinieerde vellen papier, die op de grond waren gefladderd en nu voor zijn voeten op het tapijt lagen. Het bovenste blad lag met de rechterrand op het onderste blad en doorsneed de drie lange kolommen, waarin hij de 52 namen onder elkaar had geschreven, loodrecht.

Toen hij zich naar de twee vellen bukte, viel zijn oog op iets waardoor hij verbaasd opkeek. Hij volgde de lijn die de rand van het bovenste blad over het eronder liggende blad trok van onder naar boven, en het volgende moment wist hij dat hij de sleutel had gevonden.

Byron lachte opgelucht. 'Mijn God, heb ik mijn ogen in mijn zak gehad?'

Hij pakte het onderste blad snel op en liep weer naar de secretaire terug. Daar pakte hij een leeg vel papier en schreef de namen nog een keer onder elkaar in drie kolommen, maar in een andere volgorde dan Mortimer

Pembroke ze in zijn notitieboekje had opgeschreven. In omgekeerde volgorde. Toen hij dat had gedaan, trok Byron drie lange loodrechte lijnen door de kolommen en nu kon hij de boodschap probleemloos lezen.

Uit blijdschap dat hij het eerste gecodeerde bericht uit Mortimer Pembrokes dagboek had ontcijferd, rende hij meteen zijn kamer uit om zijn reisgenoten daarvan op de hoogte te stellen. Hij stond al voor de deur van Harriets kamer en had zijn hand opgeheven om aan te kloppen, toen hij bedacht dat Harriet al lang in bed lag en hij haar waarschijnlijk wakker zou maken met zijn geklop.

Hij liet zijn hand zakken, maar bleef nog een tijd voor haar deur staan. Daarna draaide hij zich met een merkwaardig teleurgesteld gevoel om en ging naar zijn kamer terug.

Wat gedachteloos en dom van hem dat hij er niet meteen aan had gedacht dat het al zo laat was. Horatio sliep natuurlijk ook al, terwijl Alistair waarschijnlijk alleen met behulp van de portier te vinden was. En waarom had hij spontaan bij Harriet Chamberlain aan willen kloppen om haar het prettige nieuws het eerst mee te delen?

5

'**M**aak het niet zo spannend en vertel, Bourke!' drong Alistair aan, die deze ochtend een behoorlijk doorwaakte indruk maakte en dezelfde gekreukte kleren droeg die hij gisteravond bij hun aankomst in hotel Bristol had gedragen. Hij dronk zijn sterke koffie zwart met veel suiker, blijkbaar had hij de versterking nodig om wakker te blijven. 'Ik ben namelijk net pas in het hotel teruggekomen en zou heel goed een paar uur slaap kunnen gebruiken.'

'Dat u de nacht ergens in een speelclub hebt doorgebracht, die de portier u heeft genoemd, is ons niet ontgaan, ook al hebt u geprobeerd dat voor ons geheim te houden. Maar tenslotte is dat een privé-aangelegenheid, meneer McLean,' zei Horatio koel. 'In elk geval voorzover het u niet belemmert om uw aandeel te leveren in het succes van onze onderneming.'

'Dat met de portier hebt u dus gezien?' Alistair grijnsde, maar achter deze grijns stak een zweem van verlegenheid, omdat zijn nachtelijke uitstapje niet onopgemerkt was gebleven. 'Daar heb ik respect voor. U hebt inderdaad scherpe ogen, Slade.'

'We hebben het allebei gemerkt en er meteen het onze van gedacht,' zei Horatio terwijl hij naar Byron knikte, die er vanochtend vroeg al voor had gezorgd dat ze het gezamenlijke ontbijt in een apart vertrek konden gebruiken zodat ze niet werden gestoord.

'Hoe is het gegaan?' vroeg Harriet. 'Heb je gewonnen of heb je je 1000 pond al verspeeld?'

Kenaz	Dison	Hadad
Erech	Kenaz	Ajja
Nehemia	Kain	Kain
Pichol	Jered	Sobal
Jered	Erech	Melchizedek
Erech	Esther	Adam
Melchizedek	Dison	Nehemia
Kenaz	Elon	Kenaz
Erech	Elon	Kain
Hadad	Jered	Melchizedek
Hadad	Dison	Erech
Kain	Erech	Jakob
Lamech	Hadad	Erech
Hagar	Adam	Esther
Erech	Nehemia	Erech
Erech	Lamech	Kenaz
Esther	Adam	Erech
		Samuel

'Laten we zeggen dat ik in staat ben geweest om lord Pembrokes geld aardig te vermeerderen,' zei Alistair terwijl hij met een bundel bankbiljetten zwaaide.

'Hoe veelzeggend,' zei Horatio vinnig. 'Nu dat ook opgehelderd is, moeten we meneer Bourke eindelijk laten uitpraten en hem niet voortdurend onderbreken. Ook al interesseert het u niet, ik wil graag horen hoe hij vannacht de code heeft gekraakt terwijl u zich aan de speeltafel amuseerde, McLean!'

Harriet knikte en Alistair was zo verstandig om zijn mond te houden en zijn gezicht in de plooi te houden.

'Eerlijk gezegd ben ik niet door een ingenieuze inval op de oplossing gestuit,' bekende Byron, die niet wilde opscheppen. 'Het was handig dat ik de namen in drie kolommen onder elkaar had geschreven.' Hij legde het gelinieerde vel papier met de drie verticale kolommen met namen op de ontbijttafel. Daarna legde hij een ander vel papier er precies zo op als hij de twee bladzijden op het tapijt had gevonden, wat het volgende beeld gaf:

'Zo lagen de twee vellen voor me op de grond. Ik kon maar een deel van de namen in de derde kolom zien, en toen viel me plotseling iets op.'

'Wat kan iemand daarbij opgevallen zijn?' vroeg Harriet verbaasd. 'Mij valt in elk geval niets op.'

'Mij ook niet,' mompelde Alistair. 'Ik zie alleen onherkenbare namen.'

Ook Horatio schudde zijn hoofd.

'Misschien ligt het eraan dat ik schuin van boven naar het blad keek en dat mijn blik van onder naar boven over de afgekapte kolom gleed,' zei Byron. 'In elk geval heb ik de eerste letters van beneden naar boven gelezen. En dat gaf ...'

'm-e-n-e-t-e-k-e-l-i-n-h-a-l-b-i-j-d-a-m,' spelde Harriet, voordat Byron het eerste deel van de gecodeerde test kon uitspreken, waarna ze verrast naar hem keek. 'Mijn God, u hebt echt een verbazingwekkend scherp verstand, meneer Bourke! Geen wonder dat lord Pembrokes keus op u is gevallen.'

Haar compliment streelde hem en maakte hem tegelijkertijd verlegen. 'Nu ja, zoals ik al zei, het toeval heeft me meer geholpen dan mijn verstand, miss Chamberlain,' zei hij om zijn verdienste te bagatelliseren.

'Respect, Bourke, respect,' zei Alistair nu ook instemmend. 'Daarop was ík in elk geval niet gekomen.'

Horatio fronste zijn voorhoofd. 'Menetekel? Was dat niet de spookachtige tekst die tijdens een feestmaal op de muur van het paleis van koning Belsassar verscheen en die de ondergang van zijn rijk voorspelde?'

Byron knikte. 'Ja, dat staat in het Oude Testament, in het vijfde hoofdstuk van het boek Daniel,' bevestigde hij. 'De hele tekst van het gecodeerde bericht, dat uit de derde letters van elke naam bestaat en van achteren naar voren moet worden gelezen, luidt dus: "menetekelinhalbijdamhadesroosterinsteegmiddenlerchen." Dit ellenlange woord kan in een zinnige volgorde van afzonderlijke woorden worden verdeeld en dan ontstaat er: "Menetekel in hal bij dam Hades rooster in steeg midden lerchen".'

Alistair kreunde gekweld. 'Dat klinkt alweer als een raadsel en niet als de exacte aanduiding van een plek.'

'Maar het woord Hades uit het begrip "de oever van de Hades" duikt hier ook weer in op,' zei Harriet. 'En het woord "menetekel" wijst op een tekst die zich ergens in een hal bij een dam bevindt.'

'De vraag is alleen waar we deze hal moeten zoeken en wat er wordt bedoeld met 'midden lerchen' en "Hades",' zei Horatio met volle mond.

Byron knikte. 'Ja, daarover heb ik al nagedacht. En ik geloof dat ik een antwoord heb gevonden.'

'Vertel het ons, Bourke!' spoorde Alistair hem verwachtingsvol aan.

'In de Griekse mythologie is Hades de plaats van de doden, maar tegelijkertijd ook de heerser over deze onderwereld, waarbij we de laatste waarschijnlijk buiten beschouwing kunnen laten,' begon Byron uit te leggen. 'Het lijkt namelijk veel belangrijker dat de Hades is omgeven door meerdere rivieren, namelijk door de Acheron, de Phelegeton, de Styx en de Kokytos. De ingang van deze onderwereld bevindt zich volgens de mythe aan het eind van de wereld, aan de oever van de Okeanos. Daar storten twee zwarte rivieren, de woeste Phlegeton en de Kokytos, in een diep ravijn.'

'En wat helpt ons deze kennis over de Griekse mythologie, meneer Bourke?' vroeg Harriet niet-begrijpend.

'Rond en door Wenen stromen ook meerdere rivieren,' antwoordde Byron. 'De Donau, de Wien en nog andere, kleinere rivieren. En ook hier is een labyrintachtige onderwereld, namelijk het rioleringssysteem.'

'O,' antwoordde Harriet verbaasd.

'Ik herinner me dat ik een lang wetenschappelijk artikel over dat onderwerp heb gelezen,' ging Byron verder. 'Daarin stond dat de gemeenteraad van Wenen na een rampzalige cholera-epidemie in het jaar 1830 een begin heeft gemaakt met het overkappen en kanaliseren van de belangrijke rivieren. Dat is ook met een deel van de Wien en de Donau gebeurd. Onder de stad bestaat inmiddels een flink vertakt, kilometers lang netwerk van verzamelkanalen, die ondergronds in de Wien en de Donau uitmonden en zo bovengrondse overstromingen voorkomen.'

Horatio knikte heftig. 'Dat is het, meneer Bourke. Met de Hades wordt het kanalisatiesysteem bedoeld. Het kan niet anders. En denk eraan wat lord Pembroke ons over de brede interesse van zijn broer heeft verteld. Mortimer interesseerde zich niet alleen voor vreemde culturen, maar ook voor bruggenbouw en kanalisatie. Dat heeft hij letterlijk gezegd.'

'Dat klopt,' bevestigde Alistair met een verbaasde uitdrukking op zijn gezicht.

'Zo zie ik het ook, meneer Slade,' antwoordde Byron. 'En met "Hades rooster in steeg midden lerchen" kan alleen de toegang tot een bepaald deel van het rioleringssysteem worden bedoeld. Daarom heb ik vanochtend vroeg een kaart van Wenen laten brengen. En op deze kaart heb ik inderdaad in het achtste district, Josefstadt, een Lerchengasse gevonden, met ongeveer in het midden een steeg.'

'En dat hebt u allemaal ontdekt terwijl wij sliepen en Alistair aan de speeltafel zat?' vroeg Horatio zichtbaar onder de indruk. 'Alle respect.'

'Betekent dat, dat we ... naar beneden moeten in het stinkende, met ratten vergeven rioleringssysteem en daar in het donker naar een hal bij een dam moeten zoeken, waar dan een tekst van deze krankzinnige op ons wacht?' vroeg Alistair ongelovig.

'Ja, dat betekent het, meneer McLean,' bevestigde Byron. 'Daarvoor, en waarschijnlijk voor nog veel meer waarvan we op dit moment nog niets weten, betaalt lord Pembroke ons een klein vermogen. En nu moeten we eerst de noodzakelijke uitrusting voor onze afdaling in de onderwereld aanschaffen.'

6

'Het spijt me, meneer Bourke,' zei de zilverharige receptionist achter de balie met een zacht Weens accent, toen Byron vroeg in de middag met een in vetvrij papier gewikkelde rol van zijn bezoek aan de overheid in hotel Bristol terugkeerde en naar zijn reisgenoten informeerde. 'Miss Chamberlain en meneer McLean zijn nog niet terug. Maar meneer Slade was bijna een uur geleden hier en wilde weten of de schilderijengalerie in de Academie der Beeldende Kunsten open was. Ik heb dat bevestigd en daarna heb ik hem uitgelegd hoe hij er moest komen.'

'Wilt u mij dat ook uitleggen?' vroeg Byron.

'Met genoegen, meneer Bourke. De keizerlijk-koninklijke Academie der

Beeldende Kunsten ligt aan de Schillerplatz, meteen om de hoek dus,' antwoordde de receptionist, waarna hij de korte route aan hem beschreef. 'Als u aanbelt bij nummer 152, doet de suppoost open. En als u me een opmerking toestaat: een kleine fooi ter hoogte van twintig tot dertig heller is gebruikelijk voor het opendoen.'

Byron bedankte en liep de waterkoude regen weer in, die al dagenlang boven Wenen viel, zoals hij van een van de medewerkers van de rioleringdienst had gehoord. Het rijtuig waarmee hij was gekomen, reed net ratelend weg met een andere hotelgast. Weliswaar greep de portier naar zijn fluitje en verzekerde hij hem dat hij snel een ander huurrijtuig voor hem zou regelen, maar Byron wilde niet wachten en besloot te lopen, vooral omdat het niet meer stroomde van de regen maar alleen nog motregende. Gewapend met een paraplu en de goed ingepakte papierrol liep hij snel over de Kärntnerring in de richting van de Operngasse. Gelukkig had de receptionist niet overdreven en was het inderdaad niet ver naar de Academie der Beeldende Kunsten.

Een paar minuten later stond Byron voor het prachtige gebouw dat iets meer dan twintig jaar geleden in Italiaanse renaissancestijl was gebouwd. Hij belde aan bij de deur met nummer 152, werd binnengelaten door de suppoost, gaf hem een fooi van dertig heller en liet zich de weg wijzen naar Horatio Slade, die zich op de eerste verdieping bevond, waar de keizerlijk-koninklijke schilderijengalerie was ondergebracht.

Hij vond Horatio in zaal V, waar verschillende schilderijen en schetsen van Rubens aan de muren hingen. De meestervervalser zat tegenover het Rubens-schilderij *Boreas ontvoert Orithya* op een bank, had een tekenblok op zijn schoot en leidde het potlood in zijn hand met snelle bewegingen. Hij leek volkomen in zijn werk verdiept.

Toen Byron over zijn schouder op het tekenblok keek, was hij nogal verbaasd. Hij had aangenomen dat Horatio het Rubens-schilderij kopieerde, maar de meestervervalser tekende een heel eigen, fascinerende, moderne versie van de mythologische ontvoering.

Byron trok zijn aandacht door zijn keel te schrapen. 'U lijkt aanzienlijk meer te kunnen dan alleen de werken van beroemde schilders te kopiëren, meneer Slade,' zei hij terwijl hij om de bank heen liep.

Horatio kromp in elkaar en keek naar hem op. 'O, bent u het, meneer Bourke.' Hij sloeg het tekenblok dicht en stopte het potlood weg. 'Ik neem aan dat men in het hotel heeft verteld waar ik te vinden was.'

Byron knikte. 'Het spijt me als ik u bij uw werk stoor. Dat was niet mijn bedoeling. Zeg het vooral als u nog een tijdje ongestoord wilt werken. Dan wacht ik in het hotel op u en de anderen.'

Horatio maakte een afwijzend gebaar. 'Het was alleen tijdverdrijf, om me af te leiden van andere dingen.'

'Ik geloof dat ik voldoende van kunst begrijp om te kunnen zeggen dat dit niet op tijdverdrijf lijkt,' antwoordde Byron. Hij aarzelde even. 'U hebt zonder enige twijfel het talent om naam te maken in de kunstwereld, als u het maar graag genoeg wilt,' ging hij verder.

Horatio lachte droog. 'Ja, misschien als ik in mijn graf lig, maar niet tijdens mijn leven. De roem in de beeldende kunst komt bijna altijd post mortem, meneer Bourke. En ik leen me niet voor de genreschilderkunst, die op dit moment in de mode is en waarvoor de rijke koopmannen van de maatschappij goed betalen.'

'En daarom kopieert u liever vreemde meesterwerken, steelt de originelen en brengt jaren in de gevangenis door?' vroeg Byron terwijl hij naast hem op de bank ging zitten.

Horatio keek even zwijgend naar hem, voordat hij antwoord gaf. 'Mijn vader was een getalenteerde meubelmaker, die volledig in zijn beroep opging, vooral na de vroege dood van mijn moeder. Hij was een van de beste van zijn gilde en werd daarom vaak naar de herenhuizen van de rijken geroepen voor het uitvoeren van moeilijk restauratiewerk, het veredelen van fantasieloze wandbetimmering of het vervaardigen van bijzondere meubelstukken. Hij leerde me tekenen, maakte me vertrouwd met de wetten van perspectief en ruimtelijke dimensie en zorgde ervoor dat ik een goede opleiding kreeg. Hij drong er nooit op aan dat ik in zijn voetsporen zou treden. En toen hij zeker wist dat mijn passie voor het schilderen geen bevlieging was, deinsde hij er niet voor terug om aanbevelingsbrieven voor mij te vragen aan zijn voormalige werkgevers uit de adellijke kringen en de gegoede burgerij.

'Uw vader moet een buitengewoon mens zijn geweest, en hield beslist heel veel van u.'

Er gleed een pijnlijke trek over Horatio's gezicht. 'Ja, dat was hij, meneer Bourke. Ik zal nooit vergeten dat hij negentien zware en vaak vernederende bedeltochten naar deze heren heeft ondernomen om ervoor te zorgen dat ik een kunstbeurs voor de universiteit kreeg. Elf keer is hij niet eens ontvangen en kwam hij niet verder dan de drempel van de dienstingang. Acht keer mocht hij zijn verzoek uiten. Drie keer is hij uitgescholden en als een bedelaar uit huis gegooid. Vijf van deze voorname heren beloofden hem op een neerbuigende manier een aanbevelingsbrief te schrijven, maar slechts een hield zich aan zijn belofte. Dank zij deze aanbeveling kreeg ik een volledige beurs op de Slade School of Fine Art.

'Slade als in Horatio Slade?' vroeg Byron verrast.

Horatio lachte kort. 'Ja, die overeenkomst in namen, die mijn vader voor een goed omen hield, heeft me in het enige jaar dat me op de kunstschool was gegund, nogal op de zenuwen gewerkt. Natuurlijk vroegen de andere studenten en de professoren telkens of ik familie was van Felix Joseph Slade, die deze Londense kunstschool in 1871 als een stichting in het leven had geroepen.

'Waarom was u maar een jaar gegund?'

'Omdat mijn vader aan het begin van mijn tweede studiejaar tot vijftien jaar tuchthuis werd veroordeeld en ik als zoon van een bewezen misdadiger op school niet meer te handhaven was,' zei Horatio verbitterd. 'Het had nauwelijks erger kunnen zijn als ik melaats was geweest. In elk geval was ik van het ene moment op het andere mijn beurs kwijt.'

'Ja, maar ...' begon Byron.

'Ik weet het, u wilt weten hoe mijn vader op het verkeerde pad is terechtgekomen en een misdadiger is geworden,' viel Horatio hem in de rede. 'Dat is echter helemaal niet aan de orde. Mijn vader had de pech om op het verkeerde moment op de verkeerde plek te zijn en is het slachtoffer van een complot geworden.'

'En om welke redenen is het complot tegen uw vader gesmeed?'

'Twee stelende zussen, die in het huis van lord Shelby als kamermeisje werkten zochten een uitweg voor hun dagelijkse geploeter en vonden deze ook – op kosten van mijn vader,' vertelde Horatio. 'Toen mijn vader een opdracht kreeg om werk in het herenhuis van lord Shelby uit te voeren, stalen de twee zussen kostbare sieraden uit de kamer van lady Shelby. Een van de minder waardevolle stukken, een parelring, verstopten ze in een doek gewikkeld helemaal onderin de gereedschapskist van mijn vader. Toen lady Shelby de diefstal merkte, vertelden de twee zussen dat ze mijn vader uit de kleedkamer van hun bazin hadden zien komen. En toen de politie de ring in de gereedschapskist van mijn vader vond, hielpen al zijn betuigingen van onschuld niet. Hij werd als schuldig beschouwd. En omdat hij tijdens het proces volhield dat hij onschuldig was en weigerde te vertellen waar hij de rest van de gestolen sieraden had verstopt, werd hij veroordeeld tot vijftien jaar extra zware arbeid in het tuchthuis.' Hij zweeg even en ging daarna verder. 'Hij stierf in het derde jaar aan een longontsteking, maar vanbinnen was hij op dat moment al lang dood. Daarom was de dodelijke ziekte eigenlijk een bevrijding voor hem.'

Byron wist eerst niet wat hij moest zeggen. Ook al kon hij dat soort wraak niet rechtvaardigen, toch begreep hij nu beter waarom Horatio zijn slachtoffers uitsluitend onder de adel en de rijke kooplieden zocht.

'Hoe weet u zo zeker dat de twee zussen achter het complot tegen uw vader zaten?' vroeg hij tenslotte. 'En waarom zijn die twee ermee weggekomen?'

'Omdat ze doortrapt waren, na een jarenlange betrekking bij lady Shelby als eerlijk en betrouwbaar bekend stonden en de zogenaamde bewijzen unaniem tegen mijn vader spraken. Ze waren zelfs zo slim om de gestolen sieraden niet naar de eerste de beste heler te brengen, en ze gaven hun baan ook niet meteen op. Pas tweeënhalf jaar na de diefstal namen ze ontslag bij lady Shelby. Ze hadden zogenaamd van een familielid, die in Australië woonde en een pension in Sydney dreef, het aanbod gekregen om na de dood van haar man naar haar toe te komen, haar te helpen bij het bestieren van het pension en dat dan later over te nemen. In werkelijkheid was dat één grote leugen, want het schip waarop ze stapten zette geen koers naar

Australië, maar had New York als bestemming.'

'Het lijkt erop dat u die twee niet uit het oog bent verloren,' zei Byron met een vragende ondertoon.

'Inderdaad, dat heeft me veel tijd en geld gekost,' bevestigde Horatio. 'De eerste jaren heb ik telkens weer geprobeerd om wraak op die twee te nemen en ... ze te vermoorden. God zij dank waren mijn verstand en het restant rechtschapenheid dat ik nog bezat groter dan mijn haat. Tja, en toen verloor ik hen toch uit het oog, want op het moment dat ze op de boot naar Amerika stapten, waar ze nu waarschijnlijk onder een valse naam een prettig leven leiden met de opbrengst van de gestolen sieraden, zat ik net voor het eerst voor twee jaar in de gevangenis. Inmiddels ben ik gestopt met het zoeken naar een spoor van hen in Amerika. Waarom ook?'

Ze zaten even zwijgend naast elkaar, elk in zijn eigen gedachten verdiept.

Byron vermoedde dat Horatio Slade het niet gemakkelijk had gevonden om hem het hele verhaal te vertellen en hem daarmee een intense blik in zijn persoonlijke lot te geven. Hij moest ineens denken aan het gezegde *Iedereen zwijgt over iets anders*. Hoe waar dat was! En hij voelde plotseling schaamte en spijt, omdat hij had gedacht dat hij een oordeel over deze man kon vellen. Hij herinnerde zich maar al te goed wat hij tijdens de koetsrit naar Pembroke Manor en later in lord Pembrokes blauwe salon over hem had gedacht. Hij had het recht niet gehad om zich superieur aan hem te voelen, ook al had Horatio Slade als kunstvervalser en inbreker meerdere jaren in de gevangenis doorgebracht. Hij nam zich voor om in de toekomst te waken voor dergelijke vooroordelen en voortijdige veroordelingen. Hij wist tenslotte niet wat hij in Horatio Slades plaats had gedaan.

'Bedankt dat u me in vertrouwen hebt genomen, meneer Slade,' zei hij. 'En u hebt mijn woord dat ik dat vertrouwen niet zal beschamen. Wat echter niets verandert aan mijn overtuiging dat u de wereld meer te bieden hebt dan meesterlijke kopieën van beroemde schilderijen.'

Horatio lachte zachtjes. 'Misschien is dat wel zo, en wie weet wat er gebeurt als we de verstopplek van de Judas-papyri vinden. Met 5000 pond kun je een heleboel doen,' zei hij terwijl hij opstond. 'Maar er is later nog tijd genoeg om daarover na te denken. En nu kunnen we beter naar het hotel teruggaan. De anderen wachten beslist al op ons. Bovendien wil ik graag van u weten of uw bezoek aan de rioleringsdienst een groter succes is geweest dan mijn pogingen om inlichtingen te krijgen over het kanalisatienetwerk. De rol onder uw arm wijst daar volgens mij wel op.'

'Ik kom in elk geval niet helemaal met lege handen terug van mijn bezoek aan de directeur van de rioleringsdienst,' zei Byron terwijl hij met Horatio de zaal uit liep.

Op weg naar het hotel vertelde hij hoe hij zich tegenover de directeur van de Weense rioleringsdienst had uitgegeven voor een wetenschappelijk journalist van de Londense Times, die zogenaamd een lang artikel over de moderne riolering van Wenen wilde schrijven, en dat hij op die manier inzicht had gekregen in het benodigde kaartmateriaal.

'Helaas kon ik me niet alleen beperken tot het maken van aantekeningen over het rioleringennetwerk van Josefstadt, maar moest ik interesse voor het hele systeem tonen en heb ik daarom urenlang een stroom informatie aangehoord die helemaal geen nut heeft voor ons plan. Dat was echter niet te voorkomen, anders had ik wantrouwen gewekt. In elk geval geloof ik dat ik de onderwereld rondom de Lerchenstrasse nu goed genoeg ken om daar beneden niet te verdwalen.'

'Staat niets ons uitstapje naar de riolering meer in de weg?' vroeg Horatio.

'Nee,' zei Byron. 'En als miss Chamberlain en meneer McLean hun deel van de taken met succes hebben afgehandeld, dalen we vannacht af in de Hades van Wenen om daar naar de hal met Mortimer Pembrokes menetekel te zoeken.'

7

Anton Tenkrad huiverde toen het onrustig flakkerende licht van de fakkel op de gemetselde doorgang naar de aangrenzende grafkelder viel. Verrotte houten doodskisten en gebarsten rondhouten versperden een groot deel van de opening. De stellage van drie verdiepingen van ooit solide balken was bij het instorten van de twee onderste delen zijn morbide vracht voor de ingang kwijtgeraakt. Het bovenste deel van de stellage, die een diepe nis van de catacombe vulde, stond er echter nog. Daar stonden de doodskisten van de overledenen nog steeds in het gelid, hoewel dreigend scheef.

Van de naar beneden gevallen doodskisten waren er meerdere opengebroken. Overal lagen de botten en schedels van de doden tussen de verrotte balken. Aan sommige armbotten en beenbotten hingen nog flarden van de kleding, waarin de doden in de uitgestrekte catacomben onder de Stephansdom waren bijgezet. Een knokige hand zag er bijzonder huiveringwekkend uit. Deze doorboorde een verrott deksel en leek zich als een klauw met wijd gespreide vingers naar hem uit te strekken, alsof de hand hem met dit zwijgende gebaar vroeg hem uit het rijk van de doden te redden, of naar hem wilde grijpen om zich aan hem vast te klampen.

Anton Tenkrad vervloekte de luie koster, die geen tijd had gehad om hem naar de grafkelder te brengen waar de perfectus op hem wachtte. Met de bedaarde woorden 'U vindt de heer uit Engeland in de laatste grafkelder aan het eind van de gang,' had hij rechtsomkeert gemaakt en hem op deze gruwelijke plek aan zijn lot overgelaten. Maar Anton Tenkrad koesterde ook wrok tegen de Engelse perfectus, die hem uitgerekend naar deze plek had laten komen om verslag uit te brengen.

Hij hoorde vermolmd hout en botten onder zijn schoenen breken en dwong zichzelf om door de doorgang te lopen. In de rondboog erachter lagen de botten en schedels tot aan het plafond opgestapeld. Deze grafkelder onder de dom bestond sinds 1486, en was tot het midden van de achttiende eeuw gebruikt voor het bijzetten van overledenen uit de rijkere families. Later, toen de begrafenisstoeten naar het rijk der doden waren verboden, had men de doodskisten op een glijplank, die aan de buitenkant van de Dom was geïnstalleerd, gewoon in de diepte laten glijden.

Met snelle passen liep Anton Tenkrad in de richting van het licht, dat uit de achterste catacombe tot hem doordrong. Hij slikte heftig en moest zichzelf dwingen om verder te lopen toen hij langs een muur kwam, waartegen meerdere met kledingflarden behangen lijken leunden of met ingetrokken knieën hurkten, alsof ze hier voor een rustpauze waren neergezet. De doden leken met hun lege oogholten naar hem te staren.

Hij draaide zijn hoofd weg, liep door de ronde gemetselde doorgang en stond even later in het licht van de lamp, die perfectus Graham Baynard op een stenen sarcofaag had gezet. De perfectus was op een naburige stenen doodskist gaan zitten en las in een dun, in leer gebonden boekje. Bij zijn binnenkomst sloeg hij het boek dicht, zodat Anton Tenkard de grote gouden M in reliëf op het omslag kon zien. Het was het teken dat elk exemplaar van het heilige boek van de orde sierde.

'Ik hoop dat je ze niet uit het oog bent verloren, en dat je goede berichten hebt, Tenkrad,' zei de Engelse perfectus tegen hem. Daarbij schommelde de gouden ketting met de hanger die een gespleten schedel voorstelde zachtjes voor zijn borstkas heen en weer.

Anton Tenkrad droeg, net als elk lid van de Ordo Novi Templi, ook een ketting met zo'n hanger. Terwijl die van hem helemaal van zilver was, had de Engelsman een hanger waarvan de wig die de schedel spleet van goud was. Dat bewees dat hij een van de hoogsten in rang was bij de geheime orde. Hierboven stond alleen nog hun bisschop Mertikon.

'Ik denk inderdaad dat u tevreden zult zijn over ons werk, perfectus,' antwoordde Anton Tenkrad, waarna hij begon te vertellen wat hun observatie had opgeleverd.

De Engelsman luisterde aandachtig. Toen Anton Tenkrad klaar was met vertellen, knikte de perfectus zichtbaar tevreden. 'Deze Bourke is dus geïnteresseerd in het rioleringssysteem. Interessant,' zei hij. 'Ik neem aan dat jij ook beschikt over de informatie die deze kerel zo graag wilde hebben?' De dichte wenkbrauwen van de prefectus gingen licht vragend omhoog.

'Ja, perfectus,' bevestigde Anton Tenkrad trots. 'Ik heb de kaart van het onderaardse rioleringssysteem exact zo gekopieerd als meneer Bourke dat heeft gedaan. Hier is hij.' Hij greep in zijn jaszak en gaf zijn meerdere in de orde een meermaals opgevouwen vel papier.

De perfectus bestudeerde de tekening even. 'Goed. Ze zijn dus van plan om in het rioleringssysteem af te dalen, en ik weet zeker dat ze daar niet lang mee wachten. Waarschijnlijk doen ze het vannacht al.'

'Wat zijn uw volgende instructies, perfectus? vroeg Anton Tenkrad.

'De kwestie met het riool handel ik af,' antwoordde Graham Baynard. 'Jij gaat met Emil Strohmaier en Hannes Wilke een andere opdracht uitvoeren.' Daarna vertelde hij welke taak ze moesten afhandelen op het moment dat Bourke en zijn reisgenoten in het onderaardse kanalisatienetwerk van Wenen waren afgedaald.

Hij besloot zijn instructies met de woorden: 'En zorg ervoor dat jullie geen sporen achterlaten. Alles moet achteraf net zo zijn als jullie het gevonden hebben. Misschien nemen ze het notitieboekje mee als ze in het riool afdalen, maar we moeten er ook rekening mee houden dat ze het in de hotelkluis bewaren of ergens anders hebben verstopt. Dat betekent dat we op een andere gunstige gelegenheid moeten wachten om toe te slaan. Daarom mogen ze in geen geval merken dat ze worden gevolgd.'

'We zullen de opdracht met de grootste zorgvuldigheid uitvoeren, perfectus,' beloofde Anton Tenkrad.

Graham Baynard knikte. 'Ik verwacht ook niet anders van een trouwe ordebroeder. En ga nu! We zien elkaar later. Groet Mertikon!' Tegelijkertijd hief hij zijn vlakke hand en zette die voor de ordegroet loodrecht op zijn schedel.

'Groet Mertikon,' antwoordde Anton Tenkrad. Hij had erop gehoopt dat de perfectus hem niet alleen zou wegsturen, maar samen met hem door de huiveringwekkende grafkelders zou teruglopen. Maar de wereld was nu eenmaal een vervloekt oord van demiurgen, die men net als de scheppende God alleen vanuit het diepst van de ziel kon haten.

8

Het liep tegen middernacht, en de straten van Wenen waren door de klamme kou bij het invallen van de duisternis al verlaten. Inmiddels was er mist opgekomen, die door de stegen dreef en het zicht tot zo'n tien à twintig passen beperkte. Hier en daar glansden de kinderkopjes nat van de regen in het licht van een gaslantaarn.

De fiaker dook op de hoek van de Lerchengasse en de Lerchenfelder als een spookvoertuig op uit de nevel. De koetsdeur zwaaide open en vier uiterst zeldzaam geklede gestalten stapten uit het rijtuig.

Byron, Harriet, Alistair en Horatio hadden alle vier een dunne, geïmpregneerde regencape rond hun schouders geslagen en droegen daaronder dikke gewatteerde hengelaarjacks en zogenaamde waadlaarzen; waterdichte broeken die overgingen in rubberlaarzen, die tot hoog aan hun heupen reikten. Brede bretels, die gekruist onder de mouwloze jacks werden gedragen, zorgden ervoor dat de vormeloze beschermende kleding bleef hangen. Goedkope sportpetten completeerden hun zeldzame verschijning.

Byron hing een van de twee kleine rugzakken over zijn linkerschouder, terwijl Alistair de tweede nam, en richtte zich daarna tot de koetsier. 'Je wacht aan het eind van de Nibelungengasse op ons, zoals we hebben afgesproken, Max,' droeg hij hem nog een keer op. 'En word niet ongeduldig. Het kan een tijd duren. Maar daarvoor word je dan ook vorstelijk beloond.'

Maximilian Speckl, de koetsier en een zwager van de hotelportier, trok een verbijsterd gezicht toen hij hen zag, want deze vier gestalten leken absoluut niet op de drie mannen en de jonge vrouw die even na elf uur voor hotel Bristol in zijn fiaker waren gestapt en die zich blijkbaar tijdens de rit naar Josefstadt in zijn koets hadden omgekleed.

'Let goed op onze spullen, Max! Anders krijg je in plaats van de tien kronen extra, die we je hebben beloofd, ruzie met ons én met je zwager,' voegde Byron eraan toe.

Maximilian Speckl vermande zich en verzekerde haastig dat 'de jonge heer' op hem kon rekenen. Daarna pakte hij de teugels en klakte met zijn tong, waarop het span paarden weg draafde. De fiaker was al snel opgeslokt door de mist. Heel even was de hoefslag en het gedempte geratel van de wegrijdende koets nog te horen, maar de mist verstikte de geluiden snel. Daarna waren ze omringd door een onwerkelijke stilte.

'De Hades wacht,' zei Horatio in de nachtelijke stilte, die in combinatie met de geluidloos bewegende mistflarden in de uitgestorven straten en het schaarse licht van de gaslantaarns nogal beklemmend was.

Alistair trok een gezicht. 'Had Mortimer Pembroke geen minder morbide en onaantrekkelijke plek kunnen bedenken? Moest het uitgerekend het riool van Wenen zijn?

'De waanzin laat nu eenmaal raadselachtige bloemen groeien,' antwoordde Horatio schouderophalend.

'Zo erg zal het waarschijnlijk niet worden,' zei Byron. 'Door de riolering stroomt gelukkig niet alleen rioolwater, maar ook veel regenwater, en het water van de rivieren dat door zijkanalen van de grotere verzamelkanalen wordt aangevoerd. En we dalen heel dicht in de buurt van de overdekte Ottakringer Bach af.'

'Aha, daar spreekt onze rioleringsexpert,' zei Harriet spottend.

Ze liepen de Lerchengasse in. Het licht van de lantaarn op de straathoek wierp heel even lange schaduwen van hun lichamen op de muur van het gebouw aan hun rechterkant. Daarna bereikte het gaslicht hen niet meer. Meer op de tast dan dat ze iets zagen bereikten ze de korte doodlopende steeg, die ongeveer in het midden van de Lerchengasse lag.

Ondanks de mistflarden liep Alistair trefzeker naar het putdeksel. Hij had de exacte ligging 's ochtends samen met Harriet bekeken, voordat ze inkopen gingen doen bij een speciaalzaak voor hengeluitrustingen.

'Hier is het Hadesrooster van Mortimer Pembroke, waarmee we kunnen afdalen naar de Weense onderwereld!' riep hij zachtjes tegen zijn reisgenoten terwijl hij zijn rugzak neerzette.

Byron deed hetzelfde. Terwijl hij twee gewone petroleumlampen uit zijn rugzak haalde, die in doeken waren gewikkeld om de glazen cilinders te beschermen, pakte Alistair een klein houten kistje, dat ongeveer net zo groot was als een sigarenkistje. Aan de bovenkant was een messing handgreep bevestigd. Uit de voorkant stak een handgrote, spiegelende blikken trechter met een glazen schijf ervoor en aan de achterkant bevond zich een klein metalen opzetstuk met een ronde drukknop in het midden.

Byron stak de pitten van de petroleumlampen aan en bond aan elke draagbeugel een ruim manslang koord, terwijl Alistair aan het kleine houten kastje frunnikte.

'Wat wilt u met dat komische ding, McLean?' vroeg Horatio zachtjes, die inmiddels tussen het traliewerk van het putdeksel had gegrepen en deze aan de ijzeren ring omhoog had getild.

'Een gloednieuwe uitvinding van de firma Ever Ready! Het wordt een *flashlight* genoemd,' zei Alistair met een brede grijns, richtte het houten kastje met de spiegelende blikken trechter op Horatio en drukte op de knop aan de achterkant. Een fel flitslicht vlamde op in de trechter achter de glazen schijf en hulde Horatio voor een tot twee seconden in een verbazingwekkend fel licht.

Met een onderdrukte vloek sloeg Horatio een hand voor zijn ogen en draaide zich verblind af.

Alistair lachte. 'Dit is de toekomst van de draagbare lamp, vrienden. Elektrisch licht, dat door een batterij wordt gevoed en met een druk op de knop oplicht,' legde hij uit. 'Deze dingen zullen al snel in staat zijn om zelfs duurzaam licht te geven. Dan is het afgelopen met de stinkende olie- en petroleumlampen.'

'Tot dat moment geef ik echter de voorkeur aan een petroleumlamp boven dit stompzinnige, alleen kort opflitsende houten kastje,' snauwde Horatio geïrriteerd. 'En kom niet nog een keer op het idee om met dat kastje naar me te flitsen, McLean. Anders word ik boos.'

Alistair glimlachte vrolijk. 'Hetzelfde bed, verschillende dromen, zouden de Chinezen hierover zeggen.'

'Wat gaan we doen?' vroeg Harriet ongeduldig. 'Blijven we hier nog langer staan zodat we misschien de aandacht trekken? Laten we zorgen dat we het snel achter de rug hebben.'

Byron knikte naar haar, duwde een van de twee petroleumlampen in Horatio's hand en scheen met zijn lamp in de afdaalschacht. Het lichtschijnsel viel op oude rode bakstenen en geroeste ijzeren treden, die naar de diepte leidden. Van boven af was niet te zien tot hoe ver de ijzeren treden reikten.

Zonder lang aarzelen of praten zette hij zijn lamp naast de opening op de grond, schoof zijn benen over de rand en tastte naar de eerste trede. Toen alleen zijn hoofd nog boven de straat uitstak, pakte hij het eind van het touw stevig tussen zijn tanden en liet de petroleumlamp langzaam langs zich naar de diepte zakken tot de lijn strak stond. Op deze manier had hij twee handen vrij voor de afdaling en toch licht in de schacht, zonder dat hij zich aan de hete glazen cilinder brandde.

Een rottende, onaangenaam zoetige lucht steeg vanuit de diepte omhoog. Hij vergat bij het afdalen de treden te tellen, maar toen hij op de bodem van het nauwe, buisvormige riool was aangekomen en naar boven keek, schatte hij dat hij zich zo'n tien tot twaalf meter onder de straat bevond. De dunne stroom donkerbruin rioolwater die rond zijn voeten stroomde kwam tot boven zijn enkels. Het rioolwater was afkomstig uit een hoefijzervormige buis achter hem en verdween voor hem in een net zo smalle en lage rioolbuis.

Het werd erg krap toen eerst Harriet en daarna Alistair naast hem stonden. Horatio daalde als laatste af, nadat hij de putdeksel weer boven de opening had getrokken.

'Waarom moeten we midden in de nacht naar zo'n afgrijselijke plek afdalen?,' zei Alistair walgend toen zijn blik op de smerige, stinkende brij rond zijn voeten viel.

Harriet lachte. 'Lieve Alistair, het is hier beneden toch altijd nacht. Ook als boven de zon schijnt.'

'Bovendien komen we op dit tijdstip geen rioolwerkers tegen, hoogstens een eventuele struiner,' zei Byron, waarna hij de kaart tevoorschijn haalde die hij had gemaakt.

'Struiner?' vroeg Alistair meteen. 'Wat of wie moet dat zijn?'

'Vanochtend is me verteld dat dit de allerarmste stumpers van Wenen zijn, die in hun bittere armoede 's nachts door de riolen dwalen en in rioolwater naar bruikbare voorwerpen zoeken,' legde Byron uit. 'Ze vissen met magneten, met aan stokken bevestigde netten en zeven of met provisorisch gemaakte kleine stuwdammen. De vetvissers en de struiners zoeken vooral naar botten, vleesresten en stukken vet, die ze boven de grond drogen en dan voor een paar heller per kilo aan de zeepindustrie verkopen.'

Harriet trok een ongelovig gezicht. 'Wat? Leven er in dit stinkende rijk van de duisternis mensen die nacht na nacht hun levensonderhoud in het rioolwater bij elkaar zoeken?'

'Ja, maar ik weet niet of je dat nog een leven kunt noemen,' zei Byron, die inmiddels zijn schets had gepakt en zich had georiënteerd. 'En laten we nu gaan. Als het goed is brengt deze rioolbuis ons naar het Ottakringer

Bachkanaal en daarna via een groter verzamelkanaal naar de hal bij de overloopdam, waar Mortimer Pembroke de eerste aanwijzing voor de verstopplek van de papyri heeft achtergelaten.'

'Hopelijk hebben we wat aan de tekening,' zei Alistair. 'Ik krijg al claustrofobie als ik alleen maar kijk naar die nauwe, stinkende buis, en ik wil er al helemaal niet aan denken wat ons hier beneden te wachten staat als we verdwalen.'

Byron gaf geen antwoord. Hij vond het ook niet gemakkelijk om zich in deze onbekende en bedreigend aandoende wereld van de riolering te wagen. Ze moesten echter wel als ze de verstopplek van de Judas-papyri wilden vinden. Hij pakte de beugel van zijn lamp stevig vast, bukte zich en begon met een kloppend hart via de lage bakstenen boog de donkere, stinkende buis in te lopen.

Geen van hen had de gestalte gezien, die hen in de bescherming van de mistige nacht was gevolgd en die nog een paar momenten wachtte voordat hij zich uit de duisternis van het gebouw losmaakte, naar het putdeksel rende, dat voorzichtig optilde en eerst een tijd luisterde voordat ook hij aan de afdaling begon.

9

Het was vermoeiend en kostte steeds meer overwinning om in diep gebukte houding en met gebogen knieën door de rioolbuis te lopen. Naast de onzekerheid over wat hen in dit afgrijselijke rijk der duisternis nog te wachten stond, vochten ze tegen de stank van de walgelijke brij waar ze doorheen waadden. Het stonk naar uitwerpselen, verrotting en ontbinding en ze konden alleen aan de smerige stank ontsnappen als ze door hun mond ademhaalden.

Na twintig passen stroomde het zweet uit al Byrons poriën. De drang om ter plekke om te draaien en zo snel mogelijk weer naar de vrijheid boven hem te klimmen werd steeds sterker. Hij beet zijn tanden echter op elkaar en onderdrukte het verlangen om op de vlucht te slaan en te ontsnappen aan deze claustrofobische wereld. Hij wilde zichzelf voor geen prijs belachelijk maken bij de anderen, vooral niet bij Alistair, en nog minder bij Harriet!

Hij hijgde van inspanning en de petroleumlamp, waarvan het flakkerende schijnsel over de natte, glibberige rioolwanden danste, zwaaide heen en weer in zijn trillende hand. Af en toe flitste achter hem een fel, elektrisch licht op uit de glazen trechter van Alistairs houten kastje. Meerdere keren lieten ze met hun lampen ratten schrikken, die als schaduwen weg schoten.

Niemand zei iets. Byron hoorde alleen het geplas van hun rubberlaarzen door het rioolwater en de zware, snelle ademhaling van zijn metgezellen. Hij nam aan dat ze tegen dezelfde angsten en beklemmingen vochten als hij, terwijl ze de langzaam dalende rioolbuis volgden.

In de verte klonk een donkere, zeldzaam zingende en monotone melodie. Het was een luguber, vreemd geluid.

Plotseling voelde Byron een zwakke, aangename tocht. Het licht van zijn lamp viel op een gemetselde rondboog in de duisternis voor hem.

'We hebben het eind van de buis bereikt! Zo meteen hebben we het ergste achter de rug. Dan kunnen we rechtop staan,' riep hij.

Ze kwamen uit in een rioolbuis die een paar passen breed en iets hoger was. Nu kwam het water bijna tot hun knieën. Bij Harriet kwam het stromende rioolwater, dat na de regenval van de afgelopen dagen een behoorlijke kracht had, zelfs tot haar dijbenen. Smerig schuim en allerlei afval, waaronder kadavers van meerdere ratten, dreven in het schijnsel van hun lampen. Ze bleven dicht bij de muur, waar de stroming niet zo sterk aan hen trok.

'Als de stroming nog sterker wordt en we door nog dieper water moeten waden, kan het gevaarlijk worden,' zei Horatio bezorgd. 'En we moeten de hele weg naar de Lerchengasse ook weer terug. We moeten onze krachten dus sparen.'

'Maak je geen zorgen,' zei Byron. 'In de hal is een uitgang naar boven.'

'En waarom heeft Mortimer Pembroke die dan niet meteen als afdaling genoemd?' mopperde Harriet.

'Vraag een krankzinnige naar de reden van zijn gedrag en je zult waarschijnlijk geen verstandig antwoord krijgen,' zei Horatio.

'Verdomme, Bourke,' riep Alistair. 'Waar blijft het hoofdkanaal waarover je het had, en die verdomde hal met de menetekel?'

Byron hield zijn schets bij het licht van de petroleumlamp. 'Het kan niet ver meer zijn.' Hij gaf zijn stem een vaste, betrouwbare klank, maar stiekem vroeg hij zich ook angstig af of ze inderdaad de juiste weg namen.

Alistair lachte sarcastisch. 'Niet ver meer? Dat antwoord kan van alles betekenen.'

'Laten we het afwachten. Meneer Bourke heeft beslist geen fout gemaakt,' zei Horatio sussend.

Een paar dozijn stappen later maakte de rioolgang een brede bocht naar rechts en mondde uit in een aanzienlijk bredere en hogere rioolbuis.

'Ik heb het toch gezegd. We zitten helemaal goed!' riep Byron opgelucht. 'Dat moet het Ottakringer Bachkanaal zijn, die in het verzamelkanaal in Wenen uitmondt. En daar vooraan leiden treden naar een pad. Dat betekent dat we het rioolwater uit kunnen.'

'Lieve God, laat het inderdaad zo zijn. Ik wil niet meer door deze troep waden,' riep Harriet.

Even later stonden ze met van zweet glimmende gezichten en naar adem snakkend op het smalle asfaltpad langs het Ottakringer Bachkanaal. Aan beide kanten van de iets meer dan vier stappen brede afvoergoot liep een looppad langs de muur, die pas een flink stuk boven ooghoogte begon te welven.

'Niemand krijgt me nog een keer in zo'n verdomd riool,' kreunde Alistair, terwijl hij op zijn hurken ging zitten en met zijn rug tegen de muur leunde.

'Ook niet voor 5000 pond.' Zijn donkerblonde krullen kleefden kletsnat aan zijn voorhoofd en zijn hand beefde zichtbaar toen hij zijn pakje Gold Flake pakte en een sigaret opstak.

'Gelukkig ruikt het hier al veel beter,' zei Horatio, die naar het langsstromende water keek dat nu voor het grootste deel uit het heldere water van de Ottakringer Bach bestond. Overal in de inktzwarte duisternis klonk het bruisen en donderen van de dalende rivier. Het was een lugubere, angstaanjagende melodie, die hen omsloot in deze vochtige koude onderwereld, waar de temperatuur in de zomer net als in de winter op ongeveer tien graden Celsius lag.

Ze gunden zich een adempauze van twee tot drie minuten, waarna Byron het teken gaf om verder te gaan. Ze liepen in hun waadlaarzen over smalle houten paden en metalen roosters die over buisvormige zijrivieren lagen. Water druppelde van het gewelfde plafond en sijpelde uit het metselwerk, en het monotone geruis in de verte werd sterker naarmate ze dichter bij de plek kwamen waar de Ottakringer Bach uitmondde in het verzamelkanaal van Wenen.

Toen het licht van Byrons lamp op een overloopstroom links van hen viel, kromp hij het eerste moment geschrokken in elkaar, want in de donkere welving glansden de ogen van tientallen ratten.

'Hemel, het wemelt hier van die beesten,' riep Harriet, die achter hem liep.

Even later passeerden ze een smal, manshoog zijkanaal met een scherpe bocht, zodat ze vanaf het kanaal niet ver naar binnen kon kijken.

Ze waren er nauwelijks voorbij toen Alistair, die achteraan liep, een scherp sissend geluid maakte.

Byron bleef staan en draaide zich naar hem om. 'Wat is er?'

'Hebben jullie dat gehoord?' fluisterde Alistair.

'Wat?' vroeg Harriet zachtjes.

'Het was net alsof ik een verdacht geluid achter me hoorde,' fluisterde Alistair terwijl hij zijn peuk in het water gooide, waar de gloed met een zacht gesis doofde. 'Een merkwaardig krassen en schuren en iets wat als voetstappen in het water klonk.'

'Denk je dat we worden gevolgd?' vroeg Horatio gealarmeerd. Hij verlichtte met zijn lamp de buis waardoor ze waren gekomen.

Ze dachten allemaal meteen aan de man met de monocle, die Horatio op de veerboot en op het station in Wenen verdacht had gevonden.

'Hadden we dan geen licht moeten zien?' vroeg Harriet fluisterend.

'In deze inktzwarte duisternis kan iemand maar tien, twaalf stappen achter ons lichtschijnsel lopen zonder dat we hem kunnen zien, maar toch zouden we met onze lampen de weg voor hem verlichten,' antwoordde Alistair.

Het volgende moment viel het licht van Horatio's petroleumlamp op een haveloze gestalte, die uit het zijkanaal kwam lopen. Het was een magere man, die een lange stok met een zeef aan het eind vasthield, een smerige buidel over zijn schouder droeg en met een openhangende, tandeloze mond naar hen staarde. Lang, vettig haar kleefde aan het uitgemergelde gezicht.

'Wie ben je, vlegel?' riep Horatio scherp. 'Volg je ons misschien?'

'B-b-bij alle heiligen, n-n-nee,' stamelde de man haastig terwijl hij zijn vrije hand afwerend ophief. 'Ik b-b-ben Sch-sch-schindler Josef en v-v-vetvisser. D-d-dit hier is m-m-mijn jachtgebied, heer.'

Byron en zijn metgezellen ademden opgelucht uit. Ze werden niet gevolgd, maar waren alleen een rioolstruiner tegengekomen, die in het afval van de grote stad naar stukken vet zocht. Zijn lantaarn had hij waarschijnlijk uitgeblazen toen hij hun lampen zag. Misschien brandde deze echter ook met een ver naar beneden gedraaide pit achter de bocht van het zijkanaal en hadden ze het vreemde licht niet gezien door het schijnsel van hun eigen lampen.

'Dat wil niemand je ook betwisten. Maar toch is het een goed advies om ons niet te volgen als je geen problemen wilt, Schindler Josef!' riep Horatio waarschuwend naar hem.

'J-j-ja, heer ... Ik b-b-bedoel, nee, heer,' verzekerde de struiner angstig en hij verdween onmiddellijk weer in het zijkanaal waaruit hij was opgedoken.

Ze zetten hun koude, tochtige wandeling voort tot ze eindelijk voor zich zagen waarnaar ze hadden gezocht: de hal met de overloopdam.

10

Achter de monding waar de Ottakringer Bach in het verzamelkanaal van de Wien uitmondde, verbreedde het onderaardse gewelf tot een hal met een aanzienlijke plafondhoogte. Verschillende waterstromen kwamen op deze plek bij elkaar. Boven de brede, rond gemetselde dam, die links achter de rivieringang lag, stortte schuimend water twee tot drie meter in de kolkende diepte. Rastertreden met ijzeren leuningen liepen over de zijrivieren en verbonden de afzonderlijke delen van de rondlopende galerij.

'Heeft iemand een idee naar wat voor menetekel we op zoek zijn?' vroeg Alistair.

'Het moet een soort tekst zijn,' riep Byron naar hem. 'Het kan echter ook om getallen, symbolen of andere tekens gaan. De Bijbelse menetekel moest namelijk ook eerst ontcijferd worden voordat men de boodschap kon lezen. Maar we zullen hem ongetwijfeld vinden.'

Ze verdeelden zich en begonnen de muren van de hal af te zoeken naar de menetekel.

Byron was degene die al na een paar passen op de aanwijzing van Mortimer stuitte.

'Hier is het!' riep hij naar zijn metgezellen. 'Hij heeft een lange rij getallen van twee cijfers in het metselwerk gekrast.'

'Opnieuw een raadsel dus!' riep Horatio terug. 'Wat een tegenvaller!'

'Maar een die niet al te moeilijk te ontcijferen is, als mijn eerste indruk me niet bedriegt,' antwoordde Byron. Hij zette zijn lamp op de grond en haalde zijn groene notitieboekje en een potlood uit de binnenzak van zijn jack.

Alistair en Horatio liepen meteen naar hem toe, maar Harriet keek rond op zoek naar een uitgang.

Byron noteerde de getallen snel. Toen hij nog een keer nakeek wat hij had opgeschreven, klonk er ineens een korte, schelle schreeuw van Harriet. De drie mannen krompen in elkaar en draaiden zich geschrokken om.

Op hetzelfde moment riep een mannenstem: 'Niemand komt van zijn plaats, anders snij ik haar keel door!'

Ontzet staarden Byron, Horatio en Alistair naar Harriet. Ze stond aan de andere kant van de rasterbrug die een van de bredere zijrivieren overspande. Een gedrongen man en met een pet met klep had zijn linkerhand in haar haar geklauwd, haar hoofd ver naar achteren getrokken en de kling van zijn knipmes op haar keel gezet.

'Dat is de kerel die ik op de veerboot en op het station heb gezien!' riep

Horatio woedend. 'Maar dan zonder monocle en snor! Dat was natuurlijk een vermomming.'

'Verdomme,' vloekte Alistair. 'We hadden dus allebei gelijk dat we werden gevolgd. Die vent met die pet zat ons de hele tijd achterna.'

'Geef het groene notitieboekje van Mortimer Pembroke en dan zal dit kleintje niets gebeuren,' beval de vreemdeling. 'Vooruit, jij daar met het notitieboekje in je hand. Kom naar de rasterbrug en gooi het boekje op het looppad! En de twee anderen doen een paar stappen naar achteren! Nou, vooruit, beweeg!'

'Geef het niet!' riep Harriet dapper tegen hen, hoewel haar stem hoorbaar trilde. 'Die klootzak durft me niets te doen. Hij moet een idioot zijn als hij denkt dat hij aan jullie kan ontkomen.'

'Je vergist je. En nu hier met dat notitieboek!' riep de vreemdeling terwijl hij een dreigende beweging met het mes maakte.

'Doe wat hij zegt,' zei Byron tegen Horatio en Alistair. Hij sloeg het notitieboekje dicht en liep langzaam naar de ijzeren brug. 'De Judas-papyri zijn het niet waard dat Harriet daarvoor met haar leven betaalt.'

Er stond machteloze woede te lezen op de gezichten van Horatio en Alistair terwijl ze gehoor gaven aan het bevel en bij de brug wegliepen.

'Stop, dat is dichtbij genoeg,' beval de man met de pet toen Byron het midden van de ijzeren rasterbrug had bereikt en nog maar twee meter van het looppad verwijderd was. 'En haal het niet in je hoofd om het boekje in het riool te gooien. Ik zweer je dat dit kleintje dan in haar eigen bloed verdrinkt.'

Byron had geen seconde met die gedachte gespeeld. Hij boog naar voren en gooide het boekje op het asfaltpad. Het gleed een stuk over de grond en bleef liggen bij de gemetselde muur.

'Heel goed. En nu terug naar de anderen. En probeer niet om me te volgen. Dan loopt het namelijk slecht met jullie af!'

Byron stapte zwijgend van de smalle brug af en liep naar Horatio en Alistair toe.

Hij was nauwelijks bij hen, toen de man Harriet met een gemene ruk omver trok en haar in haar val met zijn linkervuist een pijnlijke stoot tegen haar hoofd gaf, waardoor ze een gil gaf. Daarna sprong hij naar voren, bukte zich naar het groene leren notitieboekje en rende de duisternis van het zijkanaal in.

Als de man geloofde dat hij Harriet met de klap had verdoofd en uitgeschakeld, vergiste hij zich. Nog in haar val draaide ze soepel als een kat om, brak haar val met haar handen en sprong een moment later overeind om de achtervolging in te zetten. Alistair lichtte haar bij met zijn Ever Ready-lamp, waarvan de lichtkegel aanzienlijk verder reikte dan het schijnsel van de petroleumlampen.

Wat er daarna gebeurde speelde zich in minder dan tien seconden af, maar leek hen allemaal aanzienlijk langer.

Toen Byron zag dat Harriet de man achternaging, rende hij achter haar aan en riep haar smekend toe: 'Doe het niet, Harriet! Je brengt jezelf alleen onnodig in gevaar!' Alistair rende vlak achter hem en liet zijn lamp telkens aanflitsen.

Als Harriets bretel niet was losgegaan, was ze ondanks de handicap van de waadlaarzen toch snel gevaarlijk dicht bij hun overvaller gekomen. Maar toen de waterdichte broek naar beneden gleed, struikelde ze. Ze tuimelde tegen de muur, kon nog net voorkomen dat ze viel en probeerde al struikelend haar broek omhoog te trekken. Daarbij verloor ze de man met de pet voor haar uit het oog.

Byron zag in de korte flits van Alistairs flashlight echter wat Harriet op dit kritieke moment ontging, namelijk dat de man een wapen in zijn hand had; geen mes dit keer, maar een revolver.

'Een vuurwapen! Bukken, Harriet! Bukken!' brulde Byron, die haar inmiddels bijna had ingehaald. Hij deed een enorme sprong naar voren, wierp zich van achteren met uitgestrekte armen op haar en trok haar mee naar de grond. De val was voor allebei hard en pijnlijk.

Op hetzelfde moment schoot een vurige flits uit de mond van het wapen, vergezeld van een oorverdovende detonatie, die als kanongebulder door het riool rolde. De kogel snorde rakelings over Byron heen – meteen gevolgd door een tweede kogel en een nieuwe detonatie.

Byron hief zijn hoofd op en zag in het licht van weer een flitslicht hoe de

vreemdeling achter een bocht in het riool verdween. Hij dacht dat het gevaar was geweken, kwam met een onderdrukt gekreun overeind en wilde
Harriet op de been helpen. 'Mijn God, ik hoop dat u geen ...'

Verder kwam hij niet, want op dat moment kwam de man met de pet terug
en vuurde een derde schot in hun richting af, waarschijnlijk om er zeker
van te zijn dat ze de achtervolging ook echt opgaven.

Hij schoot schuin naar boven en wilde hen waarschijnlijk niet raken, maar
het schot ketste af tegen het gewelfde stenen plafond en raakte Byron.

Hij voelde een scherpe, stekende pijn in zijn linkerdijbeen toen de kogel zijn
waadlaars doorboorde. Meteen knikte zijn been naar links weg. Hij probeerde zijn evenwicht te bewaren en zwaaide met zijn armen in de lucht.
Zijn handen vonden nergens houvast en hij viel zijdelings in het kanaal,
waarbij zijn hoofd ongelukkig tegen de rand van het looppad sloeg.

Voordat het water zich boven hem sloot en de sterke stroming hem meetrok
naar de overloopdam met zijn schuimende draaikolken, was hij al bewusteloos.

11

'**K**erel, Bourke! ... Haal geen flauwekul uit! Kom bij, verdomme!'
De vertrouwde stem van Alistair drong vanuit de verte in Byrons oren
door toen hij weer bijkwam. Hij voelde een brandende pijn in zijn linkerbeen, en het leek alsof hij op een bed van ijs lag. Daarna kreeg hij links en
rechts twee krachtige klappen in zijn gezicht en iemand schudde hem door
elkaar.

Hij deed zijn ogen open.

'Hè, hè, eindelijk!' riep Alistair, die net als Byron tot op zijn huid nat was.
'Ik wist het toch! Onkruid vergaat niet, ook al is het nog zo geleerd.'

'Hemel, u hebt ons doodsbang gemaakt,' stamelde Horatio. 'Als Alistair u
niet nagesprongen was en u niet voor de dam te pakken had gekregen, had
ik geen cent voor uw leven gegeven.'

Byron kwam versuft overeind en het duurde even voordat hij de boodschap had verwerkt. 'Bedankt … bedankt dat u mijn leven hebt gered, meneer McLean,' mompelde hij.

Alistair lachte. 'Ik ben zonder erover na te denken in het kanaal gesprongen, anders was het misschien slecht met u afgelopen, Bourke.'

'Dan bedank ik u er bij uitzondering voor dat u zónder na te denken hebt gereageerd,' antwoordde Byron terwijl hij naar zijn wond tastte. Hij kromp in elkaar, maar voelde dat het afgeketste schot alleen een oppervlakkige wond had veroorzaakt, want hij kon zijn been bewegen en buigen.

'En ik bedank u dat u me hebt beschermd, zodat ik niet ben neergeschoten door die kerel,' zei Harriet tegen Byron. 'Als ik had geweten dat hij een revolver had, was ik hem waarschijnlijk niet achterna gerend.'

'Dan zijn we vannacht allebei heel dapper geweest, Bourke,' zei Alistair. 'Ik wilde alleen dat we Mortimer Pembrokes notitieboek niet waren kwijtgeraakt. Nu is het afgelopen met de zoektocht naar het Judas-evangelie en de resterende 4000 pond kunnen we op onze buik schrijven.'

'Natuurlijk niet,' zei Byron gesmoord terwijl hij met behulp van Horatio overeind kwam. 'Ik heb Mortimer Pembrokes notitieboekje namelijk niet naar die kerel toe gegooid, maar dat van mezelf.'

Horatio lachte. 'Nu breekt mijn klomp!' riep hij enthousiast. 'Hebt u die vent erin geluisd met uw waardeloze notitieboekje?'

'Inderdaad.'

Alistairs sombere gezichtsuitdrukking veranderde onmiddellijk in een brede grijns. 'Verduiveld, dat is het beste bericht dat ik in lange tijd heb gehoord. We zijn dus nog volop in de race, Bourke?'

Byron knikte, greep in zijn rechter binnenzak en haalde Mortimers notitieboekje tevoorschijn, dat goed verpakt was. 'Ik dacht dat het geen kwaad kon om het in vetvrij papier te verpakken. Ik wist namelijk dat het hier beneden vochtig is en dat we misschien door het rioolwater moesten waden. Ik wilde op alles voorbereid zijn,' legde hij uit. Hij overtuigde zich ervan dat het dagboek tijdens zijn korte bad in het kanaal niet beschadigd was geraakt. Het bleek dat er geen druppel water door de lagen vetvrij papier was gedrongen.

'Hoe zit het met uw wond?' vroeg Harriet bezorgd. 'Kunt u nog lopen, meneer Bourke?'

Byron knikte. 'Het brandt flink, maar het is vol te houden. Gelukkig is het maar een schampschot.'

Toch moeten we ervoor zorgen dat we u zo snel mogelijk naar het hotel krijgen. De wond moet schoongemaakt, gedesinfecteerd en verbonden worden,' drong Horatio aan. 'Bovendien moeten meneer McLean en u zo snel mogelijk die natte spullen uit, anders wordt het jullie dood nog.'

'Maar eerst moeten we de getallen nog een keer opschrijven,' zei Byron.

'Verdorie, dat waren we bijna vergeten!' riep Alistair. 'En ik ga niet nog een keer naar beneden.'

Horatio noteerde de getallen op een van de lege bladzijden in Mortimers boekje, en daarna zocht Alistair samen met Harriet naar de dichtstbijzijnde uitgang, terwijl Byron op Horatio steunde.

Ze hadden de schacht snel gevonden, want deze bevond zich maar twintig stappen de hal in. Het was dit keer een schacht met een ijzeren wenteltrap. Met klapperende tanden en een brandende wond klom Byron achter Alistair aan, die bovenaan de trap het deksel optilde en hem naar buiten hielp.

Ze stelden vast dat de uitgang ten zuiden van de Karlsplatz lag. Terwijl Alistair en Byron met Harriet bescherming tegen de wind zochten, liep Horatio de Nibelungengasse in om hun huurrijtuig te halen.

Maximilian Speckl zette grote ogen op toen hij vlak daarna met zijn rijtuig bij hen stopte en de twee drijfnatte mannen zag die snel in de koets stapten.

Byron en Alistair trokken de rolgordijnen voor de ramen naar beneden en rukten de natte spullen van hun lijf, trokken hun broek en schoenen aan en sloegen een warme mantel om, waarbij Alistair die van Horatio leende.

'Ik denk dat het tijd wordt dat u iets van uw geld aan behoorlijke kleding uitgeeft, meneer McLean,' zei Byron klappertandend van de kou.

Alistair glimlachte krampachtig. 'Geen slecht voorstel, dat moet ik toegeven, Bourke! Ik zal het ter harte nemen en morgen meteen de beste herenmodezaak van Wenen met een bezoek vereren,' antwoordde hij net zo klappertandend. Daarna deed hij het portier open, zodat Horatio en

Harriet ook konden instappen. 'Maar eerst moet u de getallencode kraken van Mortimers Pembrokes vervloekte menetekel uit het riool, die bijna onze ondergang is geworden. En u moet het tweede raadsel in zijn dagboek ook nog oplossen, zodat ik weet waar de reis van hieruit naartoe gaat en wat voor soort kleding ik daarvoor nodig heb. Laten we hopen dat de volgende etappe ons niet naar een plaats in Rusland brengt!'

12

Ruim een uur nadat ze terug waren in hotel Bristol kwamen ze in Byrons kamer bij elkaar. Het was niet nodig geweest om een dokter te laten komen. In het licht bleek zijn schotwond inderdaad onbeduidend te zijn. Byron had een heet bad genomen om schoon en warm te worden, en had de wond zorgvuldig met jodium uit zijn reisapotheek behandeld en goed verbonden. Daarna had hij naar roomservice gebeld en voor vier personen hete darjeeling en een karaf scotch besteld. Een paar minuten later bracht de ober de bestelling op een kleine rolkar.

Het bleek dat de anderen ook eerst een heet bad hadden genomen, en ze stelden nog een overeenkomst vast.

'Iemand heeft tijdens onze afwezigheid mijn kamer doorzocht,' zei Horatio grimmig.

'Bij mij ook,' zei Byron terwijl hij zijn theekop neerzetten. 'Wie het ook was, hij is heel behendig te werk gegaan en heeft niets verplaatst. Maar ik heb het toch gemerkt. De volgorde van mijn boeken klopte niet en drie kleerhangers hingen andersom aan de stang.

Alistair fronste zijn voorhoofd. 'Dan heeft mijn gevoel me dus toch niet bedrogen. Ik had namelijk het idee dat niet alles meer op dezelfde plek lag, maar ik dacht dat het kamermeisje dat had gedaan.' Toen Alistair de thee en de karaf scotch zag, lichtte zijn gezicht op, en hij pakte van beide.

Harriet knikte. 'Ik had precies dezelfde indruk. Maar omdat er niets ontbrak, heb ik er verder niet bij stilgestaan.

Ze stelden vast dat er blijkbaar bij geen van hen iets was gestolen.

'Natuurlijk niet,' zei Horatio. 'Er zijn experts aan het werk geweest, dat zag ik meteen. En ze wisten heel precies waarnaar ze op zoek waren, namelijk naar het notitieboekje van Mortimer Pembroke.'

'Wat twee dingen betekent, ten eerste dat Mortimer Pembrokes achtervolgingsangst in elk geval niet op een waanvoorstelling berustte,' concludeerde Harriet meteen. 'En ten tweede dat we met meer dan één tegenstander te maken hebben. Het doorzoeken van onze kamers heeft plaatsgevonden terwijl de man met de pet ons in het riool achtervolgde.'

'Het zouden die Wachters kunnen zijn,' zei Alistair.

Horatio haalde zijn schouders op. 'We weten niet of het de Illuminaten, de Wachters, Abbot of Martikon zijn die ons achtervolgen en waarom ze jacht maken op de Judas-papyri. Wat we echter wel weten en waar we vanaf nu altijd aan moeten denken, is dat onze tegenstanders gevaarlijk zijn en duidelijk niet terugschrikken voor grof geweld.'

'Inderdaad, maar dankzij Bourkes slimheid hebben ze hun kans verprutst om ons te overrompelen,' zei Alistair. 'Ze weten dat we gewaarschuwd zijn en vanaf nu op onze hoede zullen zijn. Een tweede keer overkomt ons dat niet.'

Byron schraapte zijn keel. 'Het spijt me als ik even een ander onderwerp aansnijd, maar zou het u iets uitmaken van dat "Bourke" af te zien en me gewoon met mijn voornaam aan te spreken?' vroeg hij Alistair enigszins verlegen. Hij was niet vergeten dat deze man, die hij als een onverantwoordelijke fortuinzoeker had beschouwd, zonder aarzelen in het ijzige rioolwater was gesprongen en zijn leven had gewaagd om hem, Byron Bourke, van de verdrinkingsdood te redden.

Alistair grijnsde op zijn zorgeloze manier. 'Byron, dat is een aanbod dat ik alleen kan aannemen als jij je ertoe kunt zetten om het 'meneer McLean' achterwege te laten en me voortaan Alistair te noemen,' antwoordde hij, stak zijn hand uit en knipoogde naar hem. 'Nou, wat vind je daarvan, ouwe jongen?'

Byron lachte verlegen en pakte de aangeboden hand. 'Ik denk dat dat gaat lukken … Alistair,' antwoordde hij terwijl hij een krachtige handdruk met hem uitwisselde. 'Jouw vereerde Nietzsche zou daarover zeggen: Valse liefde voor het verleden is een beroving van de toekomst. En we moeten de toekomst niet door onze ... eh ... onze wederzijdse vooroordelen laten bederven.'

Alistair lachte. 'Goed gesproken, Byron! Zo zie ik het ook. We hebben een gevaarlijke tegenstander en de wind die in ons gezicht blaast wordt krachtiger. Dan is het belangrijk om de rijen gesloten te houden.'

Harriet knikte. 'Daarmee geef je me een mooie insteek, Alistair,' zei ze, waarna ze naar Byron keek. 'Het was heel dapper en onzelfzuchtig van u om me met uw lichaam tegen de schoten te beschermen. En ik zou het fijn vinden als u me voortaan "Harriet" wilt noemen ... en ik u met "Byron" mag aanspreken.' Terwijl ze dat zei kleurden haar wangen licht rood.

'O, dat zal ik graag doen. Heel graag, miss Cham ... ik bedoel Harriet,' verzekerde Byron haar. Hij voelde zijn gezicht gloeien.

Horatio, die zijn pijp tevoorschijn haalde, stopte midden in zijn beweging. 'Omdat we allemaal beginnen te begrijpen dat we de verstopplek van het Judas-evangelie waarschijnlijk alleen vinden als we een eenheid vormen en zonder voorbehoud op elkaar vertrouwen als er gevaar dreigt,' zei hij op zijn droge, rechtstreekse manier, 'stel ik als de oudste aanwezige voor dat we elkaar van nu af aan alleen nog met de voornaam aanspreken en dat we, zoals Byron al zei, onze oude onenigheden vergeten. Laten we het beste maken van het wonderlijke lot dat ons bij elkaar heeft gebracht. En voor wie het vergeten is, mijn voornaam is Horatio.'

Ze waren het allemaal roerend met hem eens en Byron kwam terug op de gebeurtenissen van de afgelopen uren.

'Met de aantekeningen in mijn boek kunnen de man met de pet en zijn handlangers niet veel beginnen,' verzekerde hij hen. 'Weliswaar kennen ze de vertaling van de zes Hebreeuwse begrippen in het hexagoon en de rij getallen uit de hal bij de dam nu, maar dat brengt hen beslist geen stap verder. Alleen met Mortimers notitieboekje is het mogelijk om te achterhalen waar de verstopplek zich bevindt. Het verlies is dus helemaal niet belangrijk voor ons.'

'Dat is een geruststelling,' zei Horatio.

'Je zei in het rioolsysteem al dat Mortimers menetekel gemakkelijk te ontcijferen is, Byron,' zei Alistair. 'Waarom was je daar op het eerste gezicht zo zeker van?'

Byron pakte Mortimers dagboek, waarin ze op een van de achterste lege bladzijden de getallen nog een keer hadden genoteerd. 'Omdat in deze 31 tweedelige combinaties alleen getallen van 1 tot 5 voorkomen,' legde hij uit terwijl hij de bewuste bladzijde opensloeg. Hij wees naar de vier rijen cijfers.

'Daarom lijkt het me heel waarschijnlijk dat het om een eenvoudige bilaterale substitutie gaat, dus om een quinaire codering die Polybios al kende.' ging Byron verder.

'O, deze getallenchaos is gewoon een simpele bilaterale substitutie van een quinaire codering, die Polybios al kende,' zei Alistair spottend terwijl hij om zich heen keek. 'Nou, dat had ik ook kunnen bedenken, of niet soms?'

Byron lachte. 'Polibyos was een Griekse historicus, die ruim honderd jaar v.Chr. leefde en getuige is geweest van de definitieve ondergang van Carthago. En het woord quinair komt uit het Latijn en wijst hier op een 5x5-vierkant als code. Ik zal twee van de meest gebruikte quinaire coderingen opschrijven, dan zie je zelf dat Mortimer het ons relatief gemakkelijk heeft gemaakt om de eerste aanwijzing voor de verstopplek te ontcijferen.'

'Wat na onze belevenissen in het riool waarschijnlijk niet meer dan billijk is,' bromde Horatio. Hij gebaarde naar Alistair dat hij voor hem ook een glas scotch moest inschenken. Alistair keek vragend naar Harriet, maar zij wilde niet. Op dit nachtelijke uur vond ze de warme thee voldoende.

Byron pakte een potlood en schreef datgene wat hij een quinaire codering had genoemd onder de vier getallenrijen, waarmee het volgende beeld ontstond:

23-15-44-24-45-14-11-43

15-51-11-33-22-15-31-24-15

42-45-43-44-34-33-14-15-42

42-45-24-33-15

	1	2	3	4	5
1	a	b	c	d	e
2	f	g	h	i	k
3	l	m	n	o	p
4	q	r	s	t	u
5	v	w	x	y	z

	1	2	3	4	5
1	a	f	l	q	v
2	b	g	m	r	w
3	c	h	n	s	x
4	d	i	o	t	y
5	e	k	p	u	z

'De letters van het alfabet zijn in een dergelijke quinaire codering horizontaal geschreven, zoals in het linker vierkant, of verticaal, zoals in het rechter vierkant. Daarbij heeft de i de functie van de j,' legde Byron uit. 'In de gevangenissen van het tsarenrijk gebruiken ze deze code als klopcode. En omdat hij vaak door Russische anarchisten wordt gebruikt, wordt hij tegenwoordig ook wel de "anarchistencode" genoemd.

'Dan staat het eerste getal, de 23, dus voor de h of de m,' zei Harriet.

Byron knikte. 'Inderdaad. Natuurlijk kan het alfabet in zo'n vierkant ook veel ingewikkelder gerangschikt worden, namelijk door elkaar of als een 6x6- of een 7x7-vierkant, waarbij ook nog getallen kunnen worden toegevoegd als blender, dus om verwarring te stichten. De Franse revolutionaire graaf Mirabeau heeft in zijn brieven aan markies De Monnier een 6x6-vierkant als code gebruikt, maar heeft daarbij de getallen op de horizontale en de verticale assen door letters vervangen. Maar ik ben bang dat ik nu te ver ga en dat dat jullie niet interesseert.'

Alistair glimlachte veelzeggend boven zijn glas whisky.

'Laten we maar eens kijken hoever we met onze getallen met deze simpele quinaire codering komen, Byron,' zei Horatio.

Mortimers menetekel, dat uit 31 tweecijferige getallen bestond, was snel ontcijferd. Deze vormden de zin:

Het Judas-evangelie rust
onder ruïne

'Nou, veel wijzer worden we niet van dat menetekel,' zei Alistair teleurgesteld. 'Dat de papyri ergens rusten, hebben we vanaf het begin geweten en er zijn ontelbare ruïnen in alle landen op aarde. Hij had best een beetje nauwkeuriger mogen zijn.'

'We mogen niet ondankbaar zijn. We begrijpen de tweede aanwijzing vast en zeker niet zonder de eerste,' zei Harriet. 'Als we de tweede aanwijzing hebben gevonden, weten we beslist al veel meer. En dat betekent dat we eerst moeten achterhalen wat de volgende etappe van onze reis is. Daarvoor moeten we het tweede raadsel in Mortimers notitieboek oplossen, degene met de tekeningen van labyrinten, burchten en bergkloven.'

'Daaraan begin ik vandaag niet meer,' zei Byron. Het was inmiddels bijna twee uur.

'Dat verwacht ook niemand van je, Byron,' zei Harriet met een dankbaar lachje in haar ogen.

'Heb je er iets op tegen als ik eens naar de tekeningen van de labyrinten kijk, Byron?' vroeg Alistair. 'Ik heb een behoorlijk goede kijk op dat soort aardigheidjes en heb vroeger zelf voor de lol zulke doolhoven en labyrinten getekend.'

'Nee, helemaal niet,' verzekerde Byron hem en hij stond het dagboek bereidwillig af. Hij was blij dat een ander zich voor de verandering eens het hoofd brak.

'Na wat we vannacht in de Weense Hades hebben meegemaakt, weten we dat de zoektocht naar het Judas-evangelie niet zo ongevaarlijk is als we allemaal dachten,' zei Horatio. 'En dat we voor die 5000 pond misschien ons leven op het spel moeten zetten.'

'Wat wil je daarmee zeggen, Horatio?' vroeg Alistair.

'Dat we Mortimers notitieboek voortaan beter moeten beschermen en dat we voorbereid moeten zijn op onaangename verrassingen, ook in het hotel. Daarom moeten we de verbindingsdeuren tussen onze kamers 's nachts niet afsluiten, zodat we elkaar als dat nodig is te hulp te kunnen komen.'

'Een goed idee,' was Byron het met hem eens en ook Harriet en Alistair knikten instemmend. 'Jullie kunnen het beste allemaal een stoel voor de deur naar de gang zetten. Als iemand naar binnen wil sluipen, worden we op tijd gewekt doordat de stoel omvalt.'

'Ik denk dat we het voor vandaag hierbij moeten laten,' zei Horatio, nadat ze nog een tijdje over de verdere aanpak hadden nagedacht en hij zijn pijp in de asbak had uitgeklopt. Het volgende moment zou echter blijken dat ze deze nacht voorlopig nog niet in bed zouden belanden.

13

Harriet, Alistair en Horatio wilden net opstaan om naar hun kamers te gaan toen er iemand op de deur klopte. Gealarmeerd sprongen ze overeind. Alistair stopte het notitieboek haastig weg, terwijl Byron naar de deur liep en hem voorzichtig op een kier opendeed.

In de hotelgang stond een bediende van het Bristol in livrei, die een klein dichtgebonden pakje in zijn hand hield. 'Vergeef me de storing op dit late tijdstip, meneer Bourke,' verontschuldigde hij zich. 'Maar men heeft tegen me gezegd dat u nog niet naar bed bent. En toen ik licht onder de deur zag, dacht ik dat ik het kon wagen om bij u aan te kloppen. De bode zei namelijk dat het haast heeft.'

'Welke bode?' vroeg Byron. 'En wat heeft er zoveel haast?'

'Dit pakje, dat voor u bestemd is,' zei de hotelbediende terwijl hij het aan hem gaf. 'Over de bode kan ik helaas geen informatie geven, omdat onze nachtportier het pakje in ontvangst heeft genomen. Een prettige nacht, meneer.' De bediende boog en verdween.

Byron deed de deur dicht, draaide hem op slot en vroeg verbaasd: 'Heeft een van jullie iets besteld?'

Iedereen ontkende.

'Vreemd,' mompelde Byron, die plotseling een onaangenaam gevoel kreeg. Hij liep naar zijn reisgenoten, maakte het touw los en trok het bruine pakpapier eraf.

Er kwam een klein, kleurig gemarmerd kartonnen doosje tevoorschijn en toen hij het deksel optilde geloofde hij het eerst moment zijn ogen niet. In het doosje lagen een kleine rol stof met de lengte en dubbele dikte van een vulpen, een soort visitekaartje, onbedrukt maar met een paar regels tekst in een keurig handschrift, en het groenleren notitieboekje waarmee de vreemdeling, in de overtuiging dat hij de agenda van Mortimer Pembroke had veroverd, in het rioleringsysteem op de vlucht was geslagen.

'Nu breekt mijn klomp!' riep Horatio ongelovig. 'Moet dat een grap zijn? Of wil die misdadiger ons iets duidelijk maken? Bijvoorbeeld dat hij zeker weet dat hij het juiste notitieboekje nog vroeg genoeg te pakken kan krijgen en dat hij de verstopplek eerder zal vinden dan wij?'

Alistair schudde zijn hoofd. 'Dat is toch idioot!'

'Ik ben bang dat het nog idioter wordt,' zei Byron, die het kaartje had gepakt. 'Degene die het notitieboekje in zijn bezit heeft gekregen en het naar ons heeft teruggestuurd, heeft niets met de man met de pet te maken.'

'Wat zeg je?' vroeg Harriet. 'Wie heeft het dan teruggestuurd?'

'Geen idee,' antwoordde Byron. 'Luister wat er op het kaartje staat: Wat van u werd gestolen moet weer in uw bezit terugkeren, ook al heeft de dief zich met het verkeerde notitieboekje laten beetnemen en heeft hij daarom goddank geen grote schade aangericht. De man heeft zijn verdiende straf gekregen, zoals u zult merken. Wees echter op uw hoede voor de louche figuren van de Ordo Novi Templi! Er staat geen handtekening onder, maar onder de tekst staan de letters h.a.g.d.w. en de datum 7 november 364 a.d.w.'

'Belachelijk,' zei Alistair. 'Onze achtervolger is dus blijkbaar zelf de hele tijd door iemand gevolgd. Door iemand die blijkbaar aan onze kant staat, hoe waanzinnig dat ook mag klinken.'

'Ordo Novi Templi? De Orde van de Nieuwe Tempel? Wat zou dat zijn?' opperde Horatio. 'Een nieuwe tempelorde waarbij de man met de pet blijkbaar hoort?'

Byron schudde zijn hoofd. 'Dat lijkt me heel onwaarschijnlijk. Een christelijk gezinde orde die zich beschouwt als navolgers van de legendarische tempelridders, zou bij een datum heel zeker de christelijke tijdrekening gebruiken of de tijdrekening beginnen met de stichting van de tempelorde in 1118. In het laatste geval leven we niet in het jaar 364, maar zou de boodschap op 7 november 781 gedateerd zijn.'

'Dat klinkt logisch,' zei Harriet.

'Maar ook als ze een bepaald jaar nemen in de tijd tussen 1307 en 1314, toen de Franse koning de tempelorde uit machtspolitieke berekening verpletterde en hij de ordeoverste vanwege zogenaamde ketterij naar de brandstapel stuurde, en dat jaar als het jaar nul voor deze Ordo Novi Templi gebruiken, komt er nog steeds een heel ander getal uit dan 364,' zei Byron, waarna hij de rol stof uit het doosje haalde.

Zodra hij de eerste drie lagen had losgewikkeld, zag hij dat de onderste lagen met bloed doordrenkt waren. Hij trok aan het eind van de linnen reep en het volgende moment rolde er een bloederige duim in het doosje, die met een scherpe snee meteen achter het gewricht van de rechter handbal was afgesneden.

'Allemachtig!' riep Harriet ontzet.

Ook Byron, Horatio en Alistair moesten even slikken bij de aanblik van de bloederige duim en werden bleek.

'Wie hier verantwoordelijk voor is, heeft de man met de pet een draconische straf gegeven,' zei Horatio. 'Zonder duim is zijn rechterhand zo goed als nutteloos. Probeer maar eens zonder duim iets te pakken of een knoop dicht te maken.'

'Een harde straf,' zei Harriet. 'Maar hij vond het geen probleem om op ons te schieten en daarbij heeft hij bewust het risico genomen dat we misschien dodelijk werden getroffen. De eerste twee schoten waren in elk geval op ons gericht.'

'Wie doet trouwens zoiets, een duim van iemands hand afsnijden?,' vroeg Horatio.

'In vroegere eeuwen sneed men 's nachts stiekem de duimen af van de mensen die waren terechtgesteld, waarvoor veel moed nodig was omdat de executieplaats buiten de stadsmuren 's nachts als een vervloekt gebied werd beschouwd, waar je allerlei lugubere dingen konden overkomen,' vertelde Byron. 'Vooral aan op die manier gestolen duimen werd in die tijden van duister bijgeloof een magische werking toegeschreven. Zo'n duim, bewaard in een geldbuidel of onder de huisdrempel begraven, bracht voorspoed en voortdurende rijkdom.'

Horatio huiverde. 'Ik geloof niet dat de afzender dat soort gelukwensen in gedachten heeft gehad.'

'Nee, dat zal wel niet,' viel Byron hem bij. Hij gooide de bloederige reep stof snel bij de afgehakte duim, deed het deksel op het doosje en schoof het onder zijn stoel om er niet voortdurend naar te hoeven kijken.

'Laten we de duim vergeten,' zei Alistair. 'Het is waarschijnlijk belangrijker om uit te vinden wie achter deze raadselachtige actie steekt en wat de afkorting en de zeldzame datum te betekenen hebben.'

'De Ordo Novi Templi is blijkbaar een geheim genootschap dat het Judasevangelie dolgraag in zijn bezit wil hebben,' zei Harriet.

Byron knikte en trok een gezicht. 'Ja, maar waarom? Aan geheime genootschappen is er in de wereld geen gebrek. Ik kan jullie voor de vuist weg wel tien van dergelijke geheime organisaties noemen, zoals de beruchte Chinese Triade, de Russische Tschornye Sotn en Narodniki, de Siciliaanse Beati Paoli en Decisi, de Rozenkruisers, de Illuminaten, de Vrijmetselaars en het Achtenswaardige Genootschap der Wachters, waarvan ik nog nooit had gehoord. Het is duidelijk dat de mysterieuze Wachters degene zijn geweest die ons het notitieboek en de duim hebben gestuurd.'

Horatio knikte. 'Natuurlijk! De afkorting h.a.g.d.w. staat voor het Achtenswaardige Genootschap der Wachters!'

'En dan staat de merkwaardige datum a.d.w. natuurlijk voor 7 november 364 anno de Wacht,' combineerde Harriet. 'Wat waarschijnlijk betekent dat dit geheime genootschap sinds 364 jaar bestaat en al die jaren iets heeft bewaakt.'

'Ja, maar wat?' piekerde Horatio.

'Het zogenaamd evangelie van Judas kan het in elk geval niet zijn geweest,' zei Byron. 'Dan hadden ze ons de man met de pet niet van het lijf gehouden en gewaarschuwd voor de Ordo Novi Templi. Voor mij zijn dat tekenen dat ze ons niet vijandig gezind zijn en ook niet van plan zijn onze zoektocht naar het Judas-evangelie te saboteren.'

'Het kan echter ook een truc zijn om ons te laten denken dat we veilig zijn,' zei Harriet. 'Misschien hebben ze de Judas-papyri wel bewaakt tot Mortimer Pembroke ze in zijn bezit heeft gekregen. Misschien was het helemaal geen verrassende vondst bij een archeologische opgraving, zoals hij beweerde, maar heeft hij ze gestolen! En nu liggen ze op de loer en wachten ze met toeslaan tot we de verstopplek hebben gevonden en al het werk voor hen hebben gedaan.'

'Dat is inderdaad niet uit te sluiten,' gaf Byron toe. 'Maar als ze dat van plan zijn, was het dan niet verstandiger geweest ons dit doosje niét te sturen, ons niét voor de mannen van de Ordo Novi Templi te waarschuwen en niét de aandacht op zich te vestigen?

'Dat is ook weer waar,' mompelde Harriet, waarna ze haar onderlip nadenkend tussen haar tanden trok.

Alistair schraapte zijn keel. 'Vlieg me niet meteen naar mijn keel, Byron, voor wat ik nu zeg. Maar kan het misschien zo zijn dat het bij deze Wachters of de Ordo Novi Templi gaat om een genootschap van geestelijken en fanatici zonder priestergewaad, die het Vaticaan een warm hart toedragen en tegen elke prijs willen verhinderen dat de wereld te horen krijgt wat er in het evangelie van Judas staat?'

'Een samenzwering van geestelijken of fanatieke christenen?' Byron dacht er even over na. 'Nee, er spreekt meer tegen die theorie dan ervoor. Een fanatieke christen zou bij het dateren alleen de christelijke tijdrekening gebruiken. En wat hebben de Rooms-Katholieke kerk of elke andere christelijke geloofsgemeenschap van een Judas-evangelie te vrezen?'

'Misschien de waarheid over wat er destijds echt is gebeurd?' antwoordde Alistair op vragende toon. 'Dus wie Jezus echt was en of de opstanding echt heeft plaatsgevonden en al dat soort dingen?'

'Volgens christelijke normen is deze zogenaamde waarheid van Judas Iskariot nog steeds het woord van een verrader die Jezus aan de hogepriester heeft uitgeleverd,' wierp Byron tegen. 'Ik geloof niet dat een dergelijke tekst het christendom aan het wankelen brengt, laat staan dat daardoor de kernuitspraken van het Nieuwe Testament in twijfel worden getrokken.'

'Nu ja, het was maar een idee,' zei Alistair. 'Maar wie kan er anders achter de Ordo Novi Templi en het geheime genootschap der Wachters steken?'

'De hele situatie wordt steeds ondoorzichtiger, hoe langer je over alle mogelijkheden nadenkt,' bromde Horatio.

'Misschien komen we dit geheime genootschap van Wachters en de Orde van de Nieuwe Tempel eerder op het spoor als we weten wat er aan de hand is met deze merkwaardige datum 364 anno de Wacht,' zei Byron. 'Er zijn nog andere geheime genootschappen die een eigen tijdrekening gebruiken, zoals een aantal loges van de Vrijmetselaars.'

Harriet voorhoofd vertoonde rimpels onder de brutale pony. 'Die Vrijmetselaars vormen toch ook een genootschap van duistere figuren?'

'Helemaal niet. Dat is weliswaar lange tijd over hen gezegd vanwege hun geheimzinnige en deels erg buitenissige rituelen. Maar de theorie dat de Vrijmetselaars een wereldsamenzwering nastreven, die ook vandaag nog in veel kringen leeft, is volkomen uit de lucht gegrepen. Veel beroemde mannen waren Vrijmetselaars, zoals Goethe, Mozart, Voltaire, de hertogen van Sussex en Kent, koning Friedrich II van Pruisen, Benjamin Franklin, George Washington en nog heel veel andere belangrijke persoonlijkheden,' zei Byron. 'En hoewel er ook tegenwoordig nog veel geheimzinnigdoenerij in de loges bestaat, zijn de Vrijmetselaars in principe alleen geïnteresseerd in geestelijke en ethische volmaaktheid. Vrijheid, gelijkheid, broederschap, tolerantie en menselijkheid zijn de basisidealen, en daarnaast zijn ze actief op charitatief gebied.'

'En wat heeft dat met de tijdrekening van de Vrijmetselaars te maken?' vroeg Alistair.

Byron lachte verlegen. 'Het spijt me dat ik soms wat breedsprakig ben. Dat schijnt in mijn bloed te zitten.'

Horatio wimpelde het af. 'Dat is helemaal niet belangrijk. De nacht is toch bijna voorbij.'

Byron deed zijn best om het af te sluiten. 'Ik zie parallellen met de datum van de Wachters in de tijdrekening van de Vrijmetselaars, waar bijna elke grootloge een andere belangrijke historische gebeurtenis voor hun "jaar nul" heeft gebruikt.'

'Wat kan er belangrijker zijn dan de geboorte van Christus om een eigen tijdrekening te rechtvaardigen?' vroeg Harriet. Dat ze daarbij haar hand op de gouden hanger met het kruisje legde, gebeurde eerder onbewust dan bewust. 'Of ben je het christendom vijandig gezind?'

'Helemaal niet, ook al heeft de kerk van haar kant problemen met de Vrijmetselaars en beschouwt ze het lidmaatschap van dat genootschap als een zware zonde. Dat is echter een ander verhaal,' zei Byron. 'Om begrip te hebben voor hun manier van tijdrekening is het belangrijk om te beseffen dat de Vrijmetselaars ervan uitgaan dat hun wortels liggen in de kringen van de bijbelse bouwmeesters en architecten, met hun duizenden jaren gekoesterde geheime kennis over evenwichtsleer en andere essentiële bouwkennis. Niet voor niets zijn twee van hun bekendste symbolen de winkelhaak en de passer van de bouwmeester. Daarom begint voor de meeste Vrijmetselaars de tijdrekening met het ontstaan van de wereld, dat ze op 4000 v.Chr. hebben vastgesteld.'

'En waar hebben ze dat jaartal vandaan?' wilde Alistair weten. 'Heeft de

Almachtige hen dat misschien ingefluisterd?'

Byron haalde zijn schouders op. 'Ze hebben de datum op de een of andere manier via het Oude Testament berekend. Vraag me niet waarop deze berekening is gebaseerd. Als de Ierse grootloge bijvoorbeeld op dit moment een document van een datum voorziet, gebruiken ze het jaartal 5899, een getal dat is samengesteld uit de 4000 jaar v.Chr. en de 1899 jaar van onze christelijke tijdrekening. Achter deze datum komt de aanvulling a.l.'

'En wat betekent dat?'

'A.l. is de afkorting van anno lucis – in het jaar van het licht. Bij andere loges begint de tijdrekening met het einde van de bouw van de tempel van Salomon in het jaar 1000, waarbij ze het betreffende jaar optellen. Deze loges voegen aan het jaartal a.dep. toe, wat staat voor anno depositiones, in het jaar van de bewaargeving,' ging Byron verder. 'Voor weer andere loges, zoals de Royal Arch, begint de jaarrekening daarentegen in het jaar waarin Zerubbabel met de bouw van de tweede tempel begon. Deze tellen maar 530 jaar bij ons huidige jaartal en voegen er a.i. aan toe, anno inventionis, in het jaar van de ontdekking.'

'Nogal een idiote manier van tijdrekening, als je het mij vraagt,' zei Alistair hoofdschuddend.

'Maar toch veel gebruikelijker dan de meesten denken, en het is absoluut geen uitvinding van de vrijmetselaars,' zei Byron. 'Ook de Tempelridders kenden hun eigen datering. Hun tijdrekening begon met de stichting van hun orde, het huidige jaar min 1118 en als toevoeging a.o., anno ordinis, in het jaar van de orde. Als de orde van de tempelridders nog bestond, was het voor hen nu het jaar 781 a.o.'

'Goed, zulke dateringen zijn bij orden en geheime genootschappen dus niet ongewoon,' vatte Horatio samen. 'Wat ons bij de vraag brengt wat er in het jaar 1535, blijkbaar het stichtingsjaar van het Genootschap der Wachters, in de wereldgeschiedenis is gebeurd dat zo belangrijk was dat een geheim genootschap deze datum als zijn jaar nul heeft aangenomen. Heeft iemand een idee wat dat kan zijn?'

Alistair stak met een gebaar van capitulatie zijn handen in de lucht. 'Ik heb geen flauw idee, vrienden. In de weeshuizen waar ik doorheen ben gesluisd, is het woord 'wereldgeschiedenis' niet eens gevallen. Ik denk dat dit een vraag is voor ons geleerde Byron.'

Deze haalde echter ook hulpeloos zijn schouders op. 'Mij schiet bij dat jaartal ook niet veel te binnen,' bekende hij. 'Ik weet alleen dat Michelangelo in 1535 van Paus Paul III de opdracht heeft gekregen om een fresco in de Sixtijnse kapel te maken en dat in de Lutherse stad Wittenberg voor het eerst hofgerechten met opgeleide juristen werden ingesteld, die niet meer mochten vonnissen volgens plaatselijk rechtsgebruik of het nationale recht, maar volgens de regels van het Romeinse recht. Maar noch het een noch het ander kan iets met dit genootschap der Wachters te maken hebben. Een bezoek aan een van de uitstekende bibliotheken van Wenen morgen zal ons beslist meer informatie over dat jaartal geven.'

Harriet knikte. 'Ja, morgen is er weer een dag. Laten we naar bed gaan. Op dit moment kunnen we toch niets doen en draaien we alleen in kringetjes rond. Bovendien is het belangrijker om zo snel mogelijk de volgende aanwijzing te vinden dan dat we het ontstaan van deze orde met louche figuren achterhalen.'

'Vergeet niet wat we bij wijze van veiligheidsmaatregelen hebben afgesproken,' zei Horatio voordat ze uit elkaar gingen. 'Een stoel voor de deur naar de gang. En de verbindingsdeuren van het slot.'

Byron sliep deze nacht onrustig. Elk geluid haalde hem uit zijn slaap. Toen hij weer eens opschrok en met een luid bonkend hart in de duisternis van zijn kamer naar geluiden luisterde, hoorde hij een onderdrukte stem die van de andere kant van de deur tot hem doordrong en die hakkelende woorden uitstootte.

Hij sprong meteen uit bed en het laatste restje slaperige verdoving verdween. Het volgende moment besefte hij echter dat de hakkelende stem niet aan de andere kant van de deur naar de hotelgang klonk, maar dat het Harriets stem uit de kamer naast hem was, die hem had gewekt.

Zachtjes deed hij zijn verbindingsdeur open, waarachter na een voetbrede tussenruimte de tegenoverliggende verbindingsdeur lag, die niet afgesloten zou zijn. In Harriets kamer brandde licht, zoals het schijnsel onder de deur verried.

Hij hoorde haar stem nu veel duidelijker. Het was een onverstaanbaar gestamel, dat ineens in een angstig gejammer overging. Het klonk alsof ze een nachtmerrie had en in haar slaap praatte.

Maar stel dat het geen nachtmerrie was? Stel dat ze in nood verkeerde, dat ze in levensgevaar was en hulp nodig had?

Byron aarzelde even, daarna legde hij zijn hand op de deurkruk en deed de verbindingsdeur heel langzaam open. Door een smalle kier gluurde hij de kamer in en zag tot zijn opluchting dat ze niet in gevaar was omdat er een indringer in haar kamer was, maar dat ze in bed lag, in haar slaap praatte en jammerde en waarschijnlijk vergeten was om de lamp op het nachtkastje uit te doen.

Harriet had de deken tot haar heupen weggeschopt, maar Byrons blik bleef maar even hangen op haar slanke lichaam, dat verleidelijk door de dunne stof van haar seringenpaarse nachthemd schemerde. Hij werd veel meer geraakt door de gekwelde uitdrukking op haar van transpiratie glanzende gezicht. Onrustig draaide ze van de ene naar de andere kant, terwijl ze in haar slaap met de demonen van haar nachtmerrie vocht. Haar ogen rolden onder de trillende oogleden.

Een paar seconden lang stond hij besluiteloos in de tussendeur en keek naar haar. Hij vocht tegen het verlangen om naar het bed te lopen, haar voorzichtig uit de nachtmerrie te wekken en haar in zijn armen te nemen.

Wanneer had hij voor het laatst zo'n brandend verlangen gevoeld? Dat was met Constance geweest.

Dat was inmiddels echter jaren geleden, en hij had destijds toch gezworen om voortaan altijd zijn verstand te laten zegevieren over dergelijke opwellingen van zijn hart en zich niet nog een keer bloot te stellen aan zo'n storm van gevoelens en verlangens? Wat een verwoestende gevolgen het voor het geestelijke evenwicht kon hebben als de vervulling van die verlangens uitbleef, was hij ondanks de jaren die er inmiddels waren verstreken niet vergeten. Al dat geestelijke en lichamelijke lijden!

Bovendien was Harriet Chamberlain een trotse en eigenzinnige vrouw, die er niet van hield als men haar behandelde als een onmondig meisje dat bescherming nodig had. Ook paste ze waarschijnlijke beter bij een onconventionele man zoals Alistair, met wie ze vanaf het begin het beste overweg had gekund. Ze zou vast en zeker woedend zijn als hij haar wakker maakte en ze merkte dat hij haar kamer was binnengekomen en naar haar had gekeken terwijl ze sliep, zonder dat ze in levensgevaar was.

En toch. Misschien ...

Byron weigerde om gehoor te geven aan zijn verlangende gedachten. Met een ruk draaide hij zich om en trok de tussendeur zachtjes achter zich dicht.

De slaap wilde echter niet meer komen, en dus lag hij wakker en luisterde met een brandend hart naar Harriets verstikte angstige kreten en gejammer, tot de nachtmerrie haar eindelijk losliet en hij alleen nog zijn snelle hartslag in de duisternis hoorde.

14

Alistair en Harriet zaten, omgeven door varens en kuippalmen, in de glazen wintertuin van hotel Bristol over een schaakbord gebogen, toen Byron en Horatio de volgende dag aan het eind van de ochtend van hun zoektocht in de leeszaal van de universiteitsbibliotheek terugkeerden.

Byron had Horatio om negen uur in de ontbijtzaal getroffen en omdat Alistair en Harriet wilden uitslapen, hadden ze afgesproken om hun tijd nuttig te besteden en in de naburige universiteitsbibliotheek op zoek te gaan naar de gebeurtenissen in het jaar 1535. Ze hadden eveneens een sprankje hoop gehad dat ze de begrippen Ordo Novi Templi en het Achtenswaardige Genootschap der Wachters in de trefwoordenregisters zouden vinden. Het was een hoop die ondanks intensief zoeken niet in vervulling was gegaan.

'Daar zijn jullie eindelijk!' riep Harriet terwijl ze het schaakbord met een ruk van zich af schoof, zodat er een paar stukken omvielen, waar ze zich echter niets van aantrok. 'Hij wilde niets zeggen. Hij wilde per se wachten tot jullie terug waren.'

'Waarmee wachten?' vroeg Horatio terwijl hij bij hen ging zitten. Byron volgde zijn voorbeeld.

'Met zijn coup!' antwoordde Harriet opgewonden. 'Kijk die zelfgenoeg-
zame grijns eens. Het zou me niet verbazen als hij zo meteen uit elkaar
barst van trots.'

Byron trok een ongelovig gezicht. 'Zeg niet dat je Mortimers code echt in
die tekeningen hebt gevonden!'

Harriet had niet overdreven. Alistair grijnsde inderdaad van oor tot oor.

'Ja, het heeft me de hele nacht gekost, maar ik heb de harde noot gekraakt,'
bevestigde Alistair vrolijk. 'Voordat ik echter verraad wat dat heeft opgeleverd, zijn jullie aan de beurt met vertellen. Hebben jullie iets bruikbaars
ontdekt over de Wachters en de Orde van de Nieuwe Tempel?'

Horatio schudde zijn hoofd. 'We hebben alle trefwoordenregisters doorzocht, maar hebben geen enkele aanwijzing gevonden. We hebben letterlijk
met een geheim genootschap te maken.'

'Uit het feit dat beide namen zelfs niet worden vermeld in de omvangrijke
vakliteratuur over geheime genootschappen, niet eens als voetnoot, kunnen we concluderen dat het om een heel kleine, heel jonge of heel gedisci-
plineerde organisatie gaat, waarvan de leden een strikt stilzwijgen bewaren,' zei Byron.

'En wat hebben jullie over het jaar 1535 uitgevonden, dat voor deze Achtenswaardige Wachters blijkbaar het jaar nul van hun tijdrekening is?' wilde Harriet weten. 'En hou het alsjeblieft kort, zodat Alistair eindelijk gaat
vertellen waar we na Wenen naartoe reizen.'

'Eigenlijk niets wat duidelijkheid brengt,' bekende Byron enigszins terneergeslagen.

Horatio trok een spottend gezicht. 'Nu ja, we weten nu in elk geval dat
Lima in 1535 door de Spanjaarden is gesticht en dat in dat jaar de eerste
goed functionerende duikerklok is uitgevonden en dat Keizer Karel V vanuit Tunis een krijgstocht tegen de piraten leidde en daarbij blijkbaar 20.000
christelijke slaven heeft bevrijd.'

'Het enige interessante in dat jaar was de terechtstelling van kardinaal John
Fisher, bisschop van Rochester, en de legendarische sir Thomas More,
kanselier van de koning, die beide door Cromwell naar het schavot werden
gestuurd, wat me gisteren helemaal ontschoten was,' voegde Byron eraan

toe. 'Ze hadden namelijk geweigerd om koning Henry VIII als leider van de kerk van Engeland te accepteren en in deze functie de eed van trouw aan hem te zweren. Voor kardinaal Fisher en sir Thomas More was en bleef de Paus de enige gelegitimeerde leider van de katholieke kerk.'

Harriet fronste haar voorhoofd. 'Was dat niet de koning Henry die zes echtgenoten had en over wie dat lugubere aftelrijm gaat? Gescheiden, onthoofd, gestorven, gescheiden, onthoofd, overleefd?'

Alistair lachte. 'Dat is ook een manier om onsterfelijkheid te bereiken.'

Byron knikte. 'Ja, die Henry VIII bedoelde ik. Omdat Paus Clemens VII weigerde om de scheiding van zijn echtgenote Katharina van Aragon uit te spreken, brak hij met de rooms-katholieke kerk, belastte Cromwell met de opbouw van de anglicaanse kerk en benoemde zichzelf tot leider. Maar hoe dramatisch het destijds ook was dat de kerk van Engeland zich van Rome had afgescheiden en vooraanstaande mannen zoals de bisschop van Rochester en sir Thomas More omwille van hun geloof naar het schavot gingen, toch weet ik niet wat dat, of een andere gebeurtenis in dat jaar, met het geheime genootschap van de Wachters te maken kan hebben.'

Harriet haalde haar schouders op. 'En wat dat nog? Dat is toch helemaal niet belangrijk? Het is voldoende dat we van hun bestaan weten en dat we voor hen net zo op onze hoede zijn als voor de duistere figuren van de Ordo Novi Templi. Zo, en nu wil ik eindelijk horen wat Alistair te vertellen heeft.'

Ze keken allemaal gespannen naar Alistair.

Deze keek eerst om zich heen om zich ervan te overtuigen dat er niemand in de buurt was die hen kon afluisteren. Daarna haalde hij het notitieboekje uit zijn jaszak, hield het tussen duim en wijsvinger en liet het in zijn opgeheven hand heen en weer schommelen.

'Als ik niet al lang had geweten dat Mortimer Pembroke slimmer was dan hij eruitzag, had ik op zijn laatst na vannacht mijn hoed voor hem afgenomen,' verzekerde hij hen. 'Die vent had behoorlijk wat in zijn mars, zo veel is zeker.'

'Draai er niet omheen, Alistair,' drong Harriet aan.

'Goed dan,' begon Alistair. 'Nadat ik de bladzijden van het tweede deel meerdere keren heb bestudeerd, viel het me op dat Mortimer tussen alle schetsen van bloeddorstige wolven, woeste bergkloven, burchten met kantelen en alle andere krabbels weliswaar zes labyrinten had getekend, maar dat maar een daarvan een doolhof was.'

'Is dat niet hetzelfde?' vroeg Harriet.

'Nee, in een labyrint kun je niet verdwalen, hoe de paden ook kronkelen, omdat er maar één manier is om naar het midden te komen, en je alleen dezelfde weg naar de uitgang kunt nemen,' zei Alistair. 'Daarentegen bevat een doolhof talrijke kruisingen en vertakkingen, waar je telkens opnieuw een richting uit verschillende mogelijkheden moet kiezen en waar veel paden doodlopen of in een kring lopen. In zo'n doolhof kun je, als deze groot en ingewikkeld genoeg is, regelrecht verdwalen. Tja, en wat Mortimer hier heeft getekend is een doolhof.' Hij sloeg de betreffende bladzijde op en wees naar de tekening.

'Alles goed en wel, Alistair,' zei Horatio met een licht gefronst voorhoofd.

'Maar waar bevindt zich de geheime boodschap in deze doolhof dan?'

'Dat heb ik me ook afgevraagd,' antwoordde Alistair. 'En plotseling viel het me op dat Mortimer achter de bladzijde met de tekening van de doolhof twee bladzijden heeft uitgescheurd. Byron heeft ons laten zien hoe je dat kunt vaststellen als je goed kijkt. Daaruit heb ik de conclusie getrokken dat de informatie die na de bladzijde met de doolhof volgt, heel belangrijk is. Zo belangrijk dat Mortimer bij zijn eerste twee pogingen niet tevreden was met het resultaat. Anders had hij de bladzijden erin gelaten, zoals hij dat ook in het eerste deel met al het verwarrende gekrabbel heeft gedaan.'

'Na de doolhof komt de bladzijde met de honderden getallen en letters toch?' vroeg Byron.

'Inderdaad,' bevestigde Alistair terwijl hij de bladzijde met de doolhof omsloeg, zodat de volgende bladzijde zichtbaar werd.

'Dat is me een chaos van letters en getallen,' zei Horatio hoofdschuddend. 'Ja, zo ziet het er in eerste instantie uit. Maar in deze chaos is Mortimers aanwijzing voor ons volgende reisdoel verstopt, en niet eens gecodeerd,' ging Alistair met een vrolijke glinstering in zijn ogen verder. 'Ik ben zijn truc op het spoor gekomen nadat ik de weg door de doolhof had gevonden en op papier had getekend.' Hij trok een blad uit het achterste deel van het dagboek en vouwde het uit.

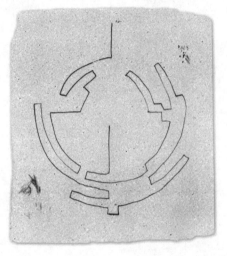

'De tekening is een beetje scheef geworden, waarschijnlijk omdat mijn tekentalent nogal te wensen overlaat,' gekscheerde Alistair. 'Horatio had hem natuurlijk veel beter gemaakt.'
'Nou ja, elke kunstenaar begint bescheiden. En wie weet hoe ver je het op een dag nog als tekenaar schopt als je tien tot twintig jaar flink oefent,' zei Horatio terwijl hij met zijn duim en wijsvinger over zijn zorgvuldig geknipte snor streek.
'Terug naar de doolhof,' zei Alistair vrolijk. 'Ik voelde instinctief aan dat deze op de een of andere manier bij de getallen- en letterbrij op de volgende bladzijde hoort. Ik heb het blad met de doolhof achter de bladzijde met cijfers en letters gelegd, beide voor een fel licht gehouden, zodat de achterste bladzijde met de rode lijnen zichtbaar werd, deze een beetje heen en weer geschoven en daarmee dit beeld gekregen.'

Na deze woorden hield hij beide bladzijden tegen het felle licht van de koepel boven hen, waarachter een kraakheldere, maar ijzig koude winterhemel zichtbaar was. Het hotelpersoneel had verteld dat de plotseling invallende vorst na de dagenlange regen niets goeds voorspelde en dat er rekening werd gehouden met sneeuw.

Harriet, Byron en Horatio bogen zich naar voren en rekten hun nek uit om zelf te achterhalen waar de oplossing van het raadsel verstopt zat.

'Mij zegt het niets,' gaf Harriet onomwonden toe. 'Waar zit die boodschap dan?'

174

'Hij zit verstopt in de knikken, die de rode lijn op zijn weg door de doolhof maakt. Als je het beginpunt en het eindpunt meetelt, raakt de lijn bij alle 46 veranderingen van richting precies 46 letters, die bijna altijd rechts en links door getallen zijn ingesloten, wat waarschijnlijk een verwisseling met andere letters moet voorkomen,' legde Alistair uit. 'De boodschap begint bovenaan met de i tussen de getallen 222 en 656, op de plek waar de rode lijn begint. De volgende letter is de n tussen 343 en 434, waar de lijn haar eerste knik maakt. Onderaan bij de bocht zien we de d tussen 894 en 23 en de e meteen daarna, voordat de lijn naar boven gaat en daar voor de afdaling de n en de e raakt. En zo gaat het telkens verder.'

Harriet glimlachte bewonderend naar hem. 'Ik vind het ongelofelijk dat je daarop bent gekomen.'

Ook Byron betuigde zijn waardering, maar hij kon het niet helpen dat hij in stilte wenste dat hij dit raadsel had opgelost en dat Harriet zo bewonderend naar hem keek.

'Fantastische prestatie,' zei Horatio kort en droog. 'En wat ontstaat er als je alle letters achter elkaar zet?'

'Een nieuw raadsel,' zei Alistair. 'De serie letters heeft de volgende zin als resultaat: In de nek van de dode tempelier graaf Kovat burcht Negoi. Jullie kunnen me geloven, ik heb alle mogelijke combinaties geprobeerd, maar dit is de enige zin die mogelijk is. Dat verandert er echter niets aan dat ik nog nooit van een graaf Kovat of van een burcht Negoi heb gehoord. Kun jij iets met die naam beginnen, Byron?'

'Niet meteen. In elk geval niet met de naam van de edelman. Maar Negoi is me niet helemaal onbekend,' zei Byron nadat hij even had nagedacht. 'Ik weet zeker dat ik deze naam nog niet zo lang geleden ben tegengekomen in een historisch artikel over de Balkan. Waar dit Negoi precies ligt kan ik gemakkelijk vaststellen met behulp van mijn atlas. Ik ga snel naar mijn kamer en haal hem.'

Toen hij even later terug kwam, had hij al een vinger tussen de bladzijden van de kaart met de Donaulanden, het rijk van de Oostenrijkse-Hongaarse monarchie, het aangrenzende koninkrijk Roemenië alsmede de andere Balkanlanden en een deel van het Ottomaanse rijk.

'Negoi is de naam van de hoogste berg in de Karpaten,' vertelde hij terwijl hij de atlas opengeslagen op tafel legde en met zijn wijsvinger naar de bewuste plek wees. 'Dat is de hoekige bergketen die Siebenbürgen scheidt van de Roemeense Moldau en de Walachei. De burcht Negoi van deze graaf Kovat ligt waarschijnlijk in de buurt van de gelijknamige berg. De dichtstbijzijnde grote stad is Boekarest, dat op een afstand van ongeveer 170 kilometer van dit deel van de Karpaten ligt.'

Alistair knikte. 'Mortimers tekeningen van wolven met blikkerende tanden en steile ravijnen passen inderdaad heel goed bij de Karpaten.'

Horatio trok een gezicht. 'We gaan dus naar Boekarest in de Balkan en dan ook nog naar dit berglandschap met zijn woeste kloven? In dit jaargetijde moeten we rekening houden met sneeuw,' kreunde hij. 'Wat een heerlijk vooruitzicht.'

'Het wordt gelukkig beter,' zei Alistair. 'Als we de dode tempelier met de volgende aanwijzing in zijn nek in de Karpatenburcht hebben gevonden, gaat de volgende etappe naar warmere gebieden. Dat is toch een troost, Horatio.'

'Heb je de code van het derde deel ook gekraakt?' riep Harriet ongelovig.

Alistair grijnsde van oor tot oor en genoot zichtbaar van de situatie. 'Dat lag voor de hand. Omdat deel drie vol staat met tekeningen van speelkaarten heb ik daar ook meteen naar gekeken.'

Harriet wierp hem een opgewekte blik toe. 'Je bent een echte slimmerik, Alistair!'

'En wat is je daarbij opgevallen?' vroeg Byron enigszins zuur, omdat Alistair hem helemaal overschaduwde met zijn talent om te ontcijferen.

'Ik weet niet hoeveel jullie van kaarten begrijpen, vooral van de verschillende vormen van pokeren,' zei Alistiar. 'Sinds enkele jaren wordt poker, vooral de uit Amerika afkomstige variant Texas Hold'em, gespeeld met een spel van 52 kaarten, dus vier keer dertien kaarten, die van de twee tot de aas lopen, met een oplopende waarde van klaver, ruiten, harten naar schoppen. De hoogste kaart is dus de schoppenaas en de laagste de klavertwee.'

'Zover kunnen we je nog volgen, ook al hebben wij niet ons halve leven aan de speeltafel doorgebracht,' zei Horatio met droge spot.

'Byron had de code waarschijnlijk nog sneller gekraakt dan ik,' ging Alistair verder. 'Waarschijnlijk was me helemaal niets aan deze bladzijden opgevallen als hij ons niets had verteld over de substituties en de 5x5-vierkanten. Daardoor werd ik achterdochtig toen ik de kaarten bekeek en zag dat Mortimer alleen kaarten in schoppen en harten had getekend.'

Byron begreep het meteen. 'En omdat er in zo'n spel dertien kaarten van elke kleur zijn, geven schoppen en harten samen zesentwintig verschillende waarden; het aantal letters van het alfabet.'

'Precies,' bevestigde Alistair. 'Met dat idee in mijn hoofd heb ik nageteld welke kaart het vaakst op deze bladzijden voorkwam. Dat was schoppentien, gevolgd door schoppenzes en hartenaas. En omdat we van Byron hebben geleerd dat de e het vaakst in een tekst voorkomt, gevolgd door de n en de i, lag de conclusie voor de hand dat Mortimer het alfabet en de waarden van de kaarten heeft verdeeld – en dat schoppentien voor de e, hartenaas voor de n en schoppenzes voor de i staat. Daarna was het een koud kunstje om de code op dit briefje te schrijven.'

♠	♥
Schoppenaas = a	Hartenaas = n
Schoppenkoning = b	Hartenkoning = o
Schoppenvrouw = c	Hartenvrouw = p
Schoppenboer = d	Hartenboer = q
Schoppen 10 = e	Harten 10 = r
Schoppen 9 = f	Harten 9 = s
Schoppen 8 = g	Harten 8 = t
Schoppen 7 = h	Harten 7 = u
Schoppen 6 = i	Harten 6 = v
Schoppen 5 = j	Harten 5 = w
Schoopen 4 = k	Harten 4 = x
Schoppen 3 = l	Harten 3 = y
Schoppen 2 = m	Harten 2 = z

'En welk raadsel ontstond bij het ontcijferen?' wilde Harriet vol verwachting weten.

Alistair draaide het briefje met het kaartenalfabet om. 'Het volgende bericht: zoek in de keel van de stem van de profeet, die tussen skutari en galata in ahmet murats sans mekani tot rust kwam. Zo, en nu ben jij aan de beurt om de rest van het raadsel op te lossen, Byron. Heb je enig idee wat er met sans mekani, galata en skutari wordt bedoeld en naar welke plek deze omschrijving verwijst?'

'Meer dan alleen een idee,' zei Byron. 'Ik weet zelfs precies wat ermee wordt bedoeld. Sans mekani is Turks en betekent zoveel als 'huis van geluk'. Galata is een overwegend door Europeanen bewoond stadsdeel van Constantinopel, en Skutari ligt op de tegenoverliggende Aziatische oever van de Bosporus. Ik heb er alleen geen idee van waar dat huis van geluk zou moeten liggen. Galata en Skutari worden namelijk gescheiden door de brede zee-engte die de Zwarte Zee met de Zee van Marmara verbindt. Tussen deze twee plaatsen bevindt zich alleen water. En volgens mij zijn er daar behalve een rots met een vuurtoren geen eilanden die groot genoeg zijn om een huis op te kunnen bouwen.'

'Wat er ook met deze aanwijzing wordt bedoeld, het betekent in elk geval dat we na het bezoek aan graaf Kovak naar Constantinopel moeten, het vroegere Byzantium aan de Gouden Hoorn,' concludeerde Horatio.

Byron knikte. 'En omdat de enige aanvaardbare route naar burcht Negoi in de Karpaten automatisch via Boekarest gaat en lord Arthur ons een ruime reiskostenvergoeding heeft gegeven, is het misschien het verstandigst als we voor de etappe Wenen-Boekarest-Constantinopel op de Orient-Express stappen.'

15

Op de draaitafel van de grammofoon met de glanzend gepoetste, wijd uitlopende geluidshoorn draaide een op schellak geperste opname van Giuseppe Verdi's opera Aida. De muziek vulde het vertrek dat naar wapenolie, poetskatoen en koud staal rook.

Op de werkbank van de wapenkamer van Pembroke Manor lagen een zwaar Engels jachtgeweer met dubbele loop en een Duits repeteergeweer van Sauer & Sauer op oude doeken. Het jachtgeweer van de Duitse wapensmeden, met een loop die was vervaardigd uit Siemens-Martin-staal en waarmee de nieuwste patronen met rookzwart buskruit werden afgevuurd, was ongetwijfeld het modernere en betere jachtwapen. Toch had Arthur Pembroke voor geen enkel geweer uit zijn omvangrijke wapenarsenaal meer waardering dan het jachtgeweer met de bruine dubbele loop van de firma Anson & Deeley, die over een gladde loop beschikte en al heel wat wild had gedood.

Het jachtgeweer was het lievelingswapen van hun vader geweest en was na zijn dood in het bezit van Arthurs oudste broer Wilbur gekomen. Die had hem echter niet in ere gehouden en daarom was het niet meer dan terecht geweest dat het laatste wat Wilbur in zijn leven had gezien, de dubbele loop van dit geweer was geweest. Arthur Pembroke zou nooit vergeten hoe verbijsterd zijn broer de laatste seconde voor zijn plotselinge dood in de mond van het geweer had gekeken.

Lord Arthur streek bijna teder met de geoliede doek over de tweelingloop. Hij was zo in gedachten verzonken dat hij zijn butler ook niet had horen kloppen als de hartstochtelijke aria van Amonasro, de gevangen koning van de Ethiopiërs en Aida's vader, niet op vol volume uit de trechter van de grammofoon was geschald.

Dat hij niet langer alleen was in de ruime wapenkamer merkte hij pas toen de aria, waarin Amonasro de Egyptische koning om de vrijlating van de gevangenen smeekt, plotseling stopte. Verrast draaide hij zich om in zijn rolstoel, fronste zijn voorhoofd en vroeg enigszins humeurig: 'Wat is er zo belangrijk dat je Amonasro en daarmee de geniale Verdi durft te onderbreken, Trevor?'

'Het spijt me, mylord, maar ik dacht dat u dit meteen zou willen weten,' antwoordde de ascetisch magere butler, die een klein zilveren blad in zijn wit gehandschoende hand hield. 'Het eerste telegram is aangekomen – uit Wenen, mylord.'

De verstoorde uitdrukking verdween meteen van lord Arthurs gezicht. 'Prachtig! Onze waakzame ogen en oren melden zich eindelijk!' riep hij. 'Maak het open en lees voor, Trevor! Je ziet toch dat ik olie aan mijn handen heb!'

'Heel goed, mylord.' De butler zette het blad neer, pakte het in drieën gevouwen telegram, scheurde het open en las de boodschap voor.

Arthur Pembroke lachte tevreden. 'De eerste aanwijzing voor de verstopplek luidt dus: Het Judas-evangelie rust onder ruïne. Goed, veel is het niet, maar dat was ook niet te verwachten. Het volgende telegram brengt vast meer duidelijkheid en zal me een aanwijzing geven of ik gelijk heb met mijn vermoeden. En omdat de twee volgende reisdoelen de Karpatenburcht van graaf Kovat en Ahmet Murats huis van geluk in Constantinopel zijn, zullen we het volgende telegram waarschijnlijk pas vanuit Boekarest of Constantinopel krijgen'

'Waarschijnlijk wel, sir,' antwoordde Trevor Seymour, waarna hij informeerde wat hij met het telegram moest doen.

'Wat dacht je, Trevor? Gooi het in het vuur! En leg de naald weer op de plaat voordat je verdwijnt,' zei lord Pembroke terwijl hij zijn aandacht weer op het dubbelloops geweer richtte.

Gedurende de nacht van diezelfde dag ging de telefoon weer in een statig herenhuis in de Londense wijk Kensington, en de bekende stem meldde zich opnieuw met het wachtwoord.

'Similitudo …'

'… Dei,' antwoordde degene die werd gebeld.

'Ze zetten hun reis voort, Abbot. Eerst met de Orient-Express naar Boekarest, waar ze een bezoek gaan brengen aan een zekere graaf Kovat in burcht Negoi in de Karpaten en daarna naar Constantinopel.'

'En wanneer gaan ze precies aan boord van de Orient-Express?'

'Morgenavond al, Abbot. Ik weet dat de je mededeling laat krijgt. Maar het telegram is aan het eind van de middag pas op Pembroke Manor binnengekomen.'

'Maak je geen zorgen. We zullen doen wat in onze macht ligt om ze net als de wolven op hun hielen te zitten!'

Deel vier

De versteende dag

1

De witte koets met laadruimte, waarop in groen geschilderde goud-omrande letters hotelwasserij *Döbling & Stiegel* stond, hobbelde over de kin-derkopjes van de Tannengasse.

Koetsier Julius Höpfner was op deze vroege avond afgeweken van de route die hij gewoonlijk nam vanaf de laadplaats van hotel Bristol naar de was-serij in de wijk Mariahilf. De omweg had hem door de wijk Josefstadt en tot vlakbij de Radetzkykazerne in Ottakring gevoerd. Daarna was hij met zijn span langs de Schmelzer begraafplaats en door de Rütteldorfer Straße langs het keizerlijk-koninklijke exercitieplein gerateld, voordat hij linksaf naar de korte Tannengasse was afgeslagen.

Byron en zijn reisgenoten trokken zich niets aan van het gehots, omdat ze heel zacht zaten op de dikke zakken die waren gevuld met hotelwas. Minder aangenaam was de muffe lucht in de vrachtkoets en dat ze elkaar nauwelijks konden zien. Behalve een klein kijkluik in de deur achter in de koets, was er namelijk geen opening die licht en frisse lucht kon binnen-laten.

'Niet te geloven! Het sneeuwt, zoals ze al hadden voorspeld,' zei Harriet, die dicht bij het kijkluik zat en de sneeuwvlokken langs het raam zag jagen.

Horatio haalde zijn schouders op. 'En wat dan nog? De Orient-Express is een paleis op wielen, die beslist ook goed verwarmd wordt.'

'Ja, maar we moeten op weg naar Boekarest een aantal berggebieden doorkruisen,' zei Byron nadenkend. 'En als er op deze hoogten bij heftige sneeuwval opgewaaide sneeuw ontstaat, kunnen ook de wielen van een dergelijke luxe trein blijven steken.'

'Ach wat. Een paar vroege sneeuwvlokken zijn toch geen reden om meteen het ergste te vrezen,' zei Alistair in het halfdonker. 'En nu moeten we langzamerhand beslissen wie van ons het genoegen heeft om een coupé met Harriet te delen.'

'Hoezo, wé moeten beslissen. Dat is alleen Harriets beslissing,' maakte Byron meteen duidelijk. Toen hij in het agentschap van Thomas Cook & Son aan de Stephansplatz de tickets voor hun reis met de Orient-Express via Boekarest naar Constantinopel had gekocht, waren er alleen nog twee tweepersoonscoupés vrij geweest. Ze hadden allemaal geen zin gehad om nog langer in Wenen te blijven en op de volgende trein te wachten. De Orient-Express reed deze route namelijk maar twee keer per week.

'Inderdaad,' zei Harriet met nadruk.

'Nou, vertel ons dan op wie je keus valt, lieftallige Harriet,' vroeg Alistair half spottend, half uitnodigend. 'Het zal me een genoegen zijn om met je te pronken als mijn pasgetrouwde vrouw, zodat we voldoen aan de regels van gepastheid. Ik denk dat wij een mooi paar vormen. Nou, wat vind je ervan? Ik beloof je dat je het beste bed mag uitzoeken en altijd het eerst in de wascabine mag. En natuurlijk zal ik de deugdelijkheid in eigen persoon zijn.'

Horatio lachte droog. 'Weet je eigenlijk wel hoe deugdelijkheid wordt gespeld?' vroeg hij spottend.

'Voorzichtig, meneer de kopieerder,' protesteerde Alistair. 'Je waagt je op dun ijs.'

'Bedankt voor het aantrekkelijke aanbod, Alistair,' zei Harriet. 'Maar ik wil toch liever afzien van de pikante rol die jij voor me in gedachten hebt. Ik deel een coupé met Byron.'

Byron voelde een steek van vreugde omdat Harriet voor hem had gekozen. Ergens had hij stiekem gehoopt dat haar keus op hem zou vallen, maar hij had verwacht dat ze de voorkeur zou geven aan Alistair. Toch was zijn vreugde meteen vermengd met een gevoel van onbehagen. Tot nu toe was het hem namelijk goed bevallen om zijn hart op slot te houden voor vrouwen en een zekere afstand te bewaren.

'Ik vermoedde al dat die bittere kelk niet aan me voorbij zou gaan en dat ik Alistair als bedgenoot zou krijgen,' zei Horatio met een diepe zucht.

'Overigens zal ik niet als Byrons echtgenote reizen, maar als zijn zus,' voegde Harriet eraan toe.

'En waarom Byron?' vroeg Alistair chagrijnig.

'Om dezelfde reden dat lord Pembroke hem de totale som al voor het begin van de reis heeft betaald, liefje,' zei Harriet kordaat. 'Omdat hij een heer is en weet hoe hij zich moet gedragen tegenover een vrouw die gedwongen is een coupé te delen met een man met wie ze niet is getrouwd.'

'Wat wil je daarmee zeggen? Dat ik geen heer ben en niet weet hoe ...,' begon Alistair verontwaardigd te protesteren.

'Daarmee wil ik zeggen dat ik bij jou niet zeker weet of je je behendige vingers ook echt thuishoudt,' viel ze hem in de rede.

Horatio begon hard te lachen. 'Dat noem ik nog eens onverbloemd!'

Alistair kwam er niet meer aan toe om nog langer verontwaardigd te zijn over Harriets insinuatie. De vrachtkoets van de hotelwasserij was inmiddels linksaf geslagen en was het korte stuk door de Felberstraße naar de noordelijke ingang van Station West gerateld. Julius Höpfner trok de ijzeren stang van de rem aan, wikkelde de teugels om de greep, sprong van de bok en deed de achterdeur open.

'We zijn er, dame en heren. Nog net op tijd voordat Wenen in de eerste sneeuwjacht van deze winter verdwijnt,' riep hij amicaal, hielp met het uitladen van de bagage en haastte zich daarna de prachtige hal van Station West in, om een paar kruiers in hun nootbruine livrei te halen, die uitsluitend klaarstonden om voor de gasten van de Orient-Express te zorgen.

Even later arriveerden Byron en zijn reisgenoten op het perron, dat was gereserveerd voor de luxe trein die zowel de 'koning van de treinen' als de 'trein van de koningen' werd genoemd.

'Mijn hemel!' liet Horatio zich ontvallen toen hij de Orient-Express zag staan. 'De buitenkant maakt al een spectaculaire indruk. God zij dank heb ik in Wenen nog twee fatsoenlijke kostuums en overhemden gekocht.'

Alistair knikte. 'Ja, niet slecht ... Ik wed dat een aantal gefortuneerde passagiers niet afkering is van een spelletje,' zei hij. Hij lachte over zijn hele gezicht terwijl hij taxerend naar de elegant geklede heren en de in bont gehulde en met juwelen behangen dames keek die op het perron heen en weer liepen.

Ook Byron was onder de indruk. Aan de kop van de trein stond de in stoomwolken gehulde, indrukwekkende locomotief. Sissend ontsnapten machtige stoomflarden uit het zwarte, kolenverslindende monster, en er klonken metaalachtige geluiden. Meteen achter de locomotief en de tender kwamen de twee slaapwagons, de restauratiewagon en de salonwagon. Ze waren met elkaar verbonden door moderne harmonicaverbindingen. Daarachter kwamen de goederenwagons voor postzakken, de volumineuze bagage van de passagiers en de ontelbare containers met voortreffelijke levensmiddelen. De buitenkant van de wagons was versierd met teakhouten lijsten, waaraan de trein haar karakteristieke, voorname uiterlijk ontleende. Op de ramen prijkte de bedrijfsnaam *Compagnie Internationale des Wagons-Lits et des Grands Express Européens* in gouden letters. En achter de brede ramen van de fel verlichte restauratiewagon waren de tafels al gedekt met sneeuwwitte tafelkleden en tot piramiden gevouwen servetten, glinsterende kristallen glazen en zwaar zilveren bestek.

Terwijl de hoofdconducteur, een indrukwekkende man met een zorgvuldig geknipte baard, een chique snor en gouden tressen op zijn elegante uniform, vooraan bij de locomotief stond en een zichtbaar ongeduldige blik op zijn gouden horloge wierp, werden de vier reisgenoten door een niet minder elegante in livrei geklede conducteur opgevangen en naar hun coupé gebracht.

Zodra ze de trein betraden, werden ze omgeven door een behaaglijke warmte en een decente geur van hout, was en leer. In de gangen dempten dikke tapijten hun voetstappen. De handlijsten waren van gepoetst messing. Wagondeuren en coupéwanden hadden een teak- en mahoniehouten lambrisering, die was versierd met inlegwerk van rozenhout. De coupés, verrassend ruim voor een trein en voorzien van brede zitbanken, hadden rolgordijnen met een veermechanisme voor de ramen, alsmede gebloemde damasten gordijnen, die overdag met zijden touwen met kwasten van gouddraad opzij werden gehouden. De ramen konden als in een koets met een leren riem worden geopend.

De conducteur vertelde uiterst vriendelijk over de bediening van de bel en de spreekbuis, die hen rechtstreeks verbond met de bedienden, die de taak hadden om elke wens van hen te vervullen. Naast de restauratiewagon bezat de trein nog een rooksalon met een bar voor de mannelijke passagiers, een boudoir voor de dames en een kleine bibliotheek. Toen het treinpersoneel de zitbanken voor de nacht in boven elkaar liggende bedden veranderde, hoorden ze dat de lakens van zijde en de dekens van de fijnste wol waren, en dat de dekbedden waren gevuld met het lichtste dons.

'Als de dame en heren dat wensen, kunnen beide coupés door het openen van deze deur in een privé-salon worden veranderd,' legde hij uit.

Ze bleven zich verbazen over de luxe die elk detail van het interieur kenmerkte. Harriet was gefascineerd door de badkamer, die *cabinet de toilette* werd genoemd. Deze bevond zich in een hoek achter een gewelfde deur en bezat een ovale wastafel van rood marmer. Een rij geurende flacons met crèmes en dure zeep vulde de plank onder de geslepen kristallen spiegel. De nachtspiegel van kunstig beschilderd porselein was onder de wastafel verborgen.

Alistair ontdekte nog een detail toen de conducteur zijn instructie had beëindigd, hun tafelreservering voor de restauratiewagon had opgenomen en zich had teruggetrokken. 'Kijk toch eens! Aan het hoofdeind van elk bed bevindt zich een klein, fluwelen vierkant met een haakje om je horloge aan op te hangen,' riep hij verbaasd. 'Die kerels hebben echt overal aan gedacht. Vrienden, hier houden we het wel een tijdje uit. Wat mij betreft mag de reis een hele week duren.'

Even later klonk de stoomfluit van de locomotief. Er ging een zachte ruk door de trein. De Orient-Express zette zich in beweging en rolde stipt om 18.50 uur het Weense Station West uit en stoomde de compacte, besneeuwde duisternis in.

2

Toen de Maître d'Hotel, de eerste kelner, de reizigers voor het diner kwam halen en Byron met zijn reisgenoten de restauratiewagon betrad, vond zelfs hij de luxueuze inrichting adembenemend. Deze weerspiegelde de praalzieke smaak van het victoriaanse tijdperk. Kleine kristallen kroonluchters hingen aan het gewelfde, wit geschilderde en met bladgouden ornamenten versierde plafond en verspreidden een gedempt, maar feestelijk fonkelend licht. De muren waren bekleed met fluweel en gobelins van geperst Cordoba-leer. Tussen de ramen hingen originele aquarellen en gravures van de beroemdste kunstenaars uit de negentiende eeuw, zoals Delacroix, Decamps en Meryon.

Ook in de restauratiewagon bevonden zich geraffineerde kleine details, die verrieden dat men aan alles had gedacht om het de gasten zo comfortabel en aangenaam mogelijk te maken. Zo was er bijvoorbeeld een plank, waarop de reizigers kleine voorwerpen zoals een boek, een veldkijker, een sigarettenetui of een tabaksbuidel konden neerleggen. Deze liep over de hele lengte van de wagon onder de ramen en rustte op vergulde, met weelderige patronen versierde steunen.

De restauratiewagon bood plaats aan veertig passagiers en ieder had voor de duur van de reis een voor hem gereserveerde plaats. Aan de ene kant van het rijdende restaurant stonden zeven tafels voor vier personen achter elkaar, aan de andere kant zeven tafels voor twee personen. Bij de laatste tafel, waarachter de doorgang naar de salon was, stond echter een tafel met één stoel. Daarop zat een forse, gedrongen man met donker kroeshaar, een rozig rond gezicht en de licht gekleurde huid van een oosterling. De alleen reizende vreemdeling, die een opvallend jasje van wijnrood fluweel en een brede vlinderdas van zonnebloemgele zijde droeg, genoot blijkbaar het bijzondere privilege dat hij zijn tafel niet met een andere reiziger hoefde te delen.

Een kelner bracht hen naar hun tafel voor vier, die in het achterste deel van de restauratiewagon stond en maar twee tot drie stappen verwijderd was van de eenpersoonstafel. Ze namen plaats op de met fluweel beklede stoelen met de hoge, eveneens gestoffeerde rugleuningen en op hetzelfde moment werd er champagne in de slanke kristallen kelken geschonken.

Alistair pakte zijn glas. 'Laten we een toost uitbrengen op lord Pembroke, omdat hij de vooruitziende blik heeft gehad ons met een goed gevulde reiskas op deze krankzinnige jacht naar oude Bijbelse rommel te sturen,' zei hij opgewekt, waarna hij naar Byron knipoogde.

'Aan jouw toosten kan nog het een en ander verbeterd worden, Alistair,' antwoordde Harriet bits. Ze zag er in haar zwartzijden avondjurk met fijne kanten kraag fantastisch uit.

'Als er gelegenheid voor is zal ik je vragen me daar bijles in te geven, waarde vriendin,' antwoordde Alistair, nam een flinke slok, om daarna met een gedempte stem verder te gaan. 'Ik heb me laten vertellen dat het publiek in de Orient-Express niet alleen uit diplomaten, edelen en mannen uit de geldaristocratie, de politiek en de kunstwereld bestaat, maar ook uit duistere figuren zoals spionnen, geheime koeriers en wapenhandelaars.' Tegelijkertijd keek hij om zich heen alsof hij wilde vaststellen wie van de passagiers tot welke twee groepen behoorden.

'Zo lang geen van hen bij de Ordo Novi Templi hoort, interesseert het me niet wie er met ons meereist naar Boekarest,' mompelde Horatio.

'Ik denk dat we die duistere figuren in Wenen hebben afgeschud,' zei Harriet optimistisch. 'Het was een goed idee om vier acteurs in te huren die een paar dagen onze rollen spelen. Ook al moest je daarvoor je monumentale kastkoffer opofferen, Byron.'

Byron trok zwijgend een spijtig gezicht. Hij had met heel veel moeite afscheid genomen van zijn koffer en had zijn spullen in nieuw gekochte koffers ondergebracht.

'Ja, het moet wel heel raar lopen als onze achtervolgers ondanks onze afleidingsmanoeuvres hebben gemerkt dat we tickets voor de Orient-Express hebben gekocht en op weg zijn naar Boekarest,' was Horatio het met hem eens.

'Dat mag ik hopen,' zei Byron terwijl hij de gevouwen menukaart pakte, die in het Frans op zwaar geschept papier was gedrukt.

De eerste gerechten werden al snel geserveerd en hun gesprek draaide weer om Mortimers notitieboekje en om de volgende etappe, die hen tot hoog in de bergen van de Karpaten zou leiden. Ze bespraken wat ze moesten doen en welke plausibele reden ze zouden aanvoeren om toegang te krijgen tot de burcht van graaf Kovat om daar stiekem naar de 'dode tempelier' te zoeken, in wiens 'nek' zich de volgende aanwijzing voor de verstopplek van de papyri zou bevinden – wat Mortimer daar ook mee bedoeld kon hebben.

Het chique diner, met bij elk gerecht een andere wijn, begon. De trein wiegde zacht over de rails en het gedempte ritmische geratel van de wielen was als een beschaafd, egaal basisgeluid, waarop de gedempte gesprekken van de passagiers, de onderdrukte stemmen van de kelners en het incidentele heldere gerinkel van kristallen glazen, porselein en bestek de eigenlijke melodie vormden. Een melodie die af en toe een bijzonder accent kreeg, als een van de passagiers iets luider dan de anderen uit de symfonie van zachte gesprekken en geluiden klonk.

'Ik herinner me de eerste reis naar Constantinopel nog heel goed,' zei een lange man in rokkostuum aan een van de zeven tafels voor twee personen, die recht tegenover de tafel van de vier reisgenoten stond. Na die eerste reis hebben ze de pruiken meteen afgeschaft, omdat er bij het serveren regelmatig poeder in de soep van de gasten dwarrelde, en daar werd niet goed op gereageerd, dat kunt u van me aannemen!'

Zijn overbuurman, een slanke man met een monocle met gouden rand, lachte even. 'Nu ja, een beetje poeder is waarschijnlijk het minst erge wat je tijdens een reis door de Oriënt te vrezen hebt, baron. Ik heb me laten vertellen dat het op een reis door de Balkan verstandig is om een wapen bij je te dragen, omdat je altijd rekening moet houden met overvallen op de trein. Daarom heb ik ook een revolver aangeschaft en die een paar uur geleden op de schietstand gezet.'

De baron knikte. 'Een verstandige voorzorgsmaatregel, meneer Von Zittwitz, ook al zijn dergelijke incidenten een uitzondering. Aan de andere kant, de overval op de trein van mei 1891 staat me nog levendig voor de geest.'

De monocle van zijn overbuurman viel van schrik bijna in de soep. 'Allemachtig, hebt u zelf al eens een overval meegemaakt?'

De baron knikte. 'Inderdaad. Het gebeurde ongeveer honderd kilometer voor Constantinopel. Een met pistolen en messen gewapende bende, die werd geleid door een man met de naam Anasthatos, had de trein tot stilstand gebracht door rails weg te halen. De kerels verzamelden alle waardevolle voorwerpen en namen enkele gasten in gijzeling, onder andere vijf Duitse bankiers en de zaakgelastigde van de Engelse ambassade in Pera. Voor de laatste eisten ze een losgeld van 8000 goudpond. Het losgeld werd negen dagen later betaald en de gegijzelden werden vrijgelaten. De bendeleider Anasthatos gaf elk van hen zelfs vijf goudstukken, zodat ze hun reis konden voortzetten.'

'En u ... is u bij deze overval niets overkomen?' vroeg de slanke meneer Von Zittwitz, die nu heel bleek zag.

'Net zo weinig als deze Anasthatos,' zei de baron. 'Die bandiet ontsnapte met het afgeperste geld en is nooit aangehouden om zijn rechtmatige straf te krijgen. Maar de overval leidde bijna tot een diplomatiek incident. Keizer Wilhelm wilde namelijk een eenheid soldaten en politieagenten afvaardigen om de bendeleden te arresteren die het hadden gewaagd om vijf hoge Duitse staatsburgers te ontvoeren. Maar de sultan in Constantinopel beschouwde dat als een belediging en verbood de inmenging nadrukkelijk.'

'Ongelofelijk,' mompelde meneer Von Zittwitz, klemde zijn monocle weer voor zijn rechteroog en schoof het nog halfvolle bord soep weg alsof hij plotseling geen trek meer had.

'Ja, de Balkan is en blijft nu eenmaal 'de zieke man van de Orient', en in de landen achter de Oostenrijks-Hongaarse grens weet je nooit wat je aan nare verrassingen te wachten staat. De mensen zijn er wild en bandeloos en de machthebbers praalziek en zwak, en ze liggen verbitterd met elkaar overhoop,' zei de baron geringschattend. 'En wat de corrupte overheid betreft, die tiert soms nog weliger dan de roversbenden en de opstandelingen, die zo talrijk zijn als vlooien op een zwerfhond. De hele regio is een ellendig kruitvat dat regelmatig explodeert. Ik geef toe dat ik niet kan wachten tot ik eindelijk van mijn ambassadeurspost in Roemenië wordt verlost en een post in een enigszins beschaafd land krijg.'

Byron, Harriet, Horatio en Alistair, die het gesprek van de twee even hadden gevolgd en elkaar zwijgend blikken hadden toegeworpen, schonken geen aandacht meer aan de rest van het gesprek, omdat de diplomaat zich alleen te buiten ging aan omslachtige uiteenzettingen over de rampzalige politiek en economie van het Osmaanse Rijk.

Toen er na het visgerecht reepjes filet in Stroganoffsaus werd geserveerd, trok het gesprek van de gasten achter hen hun aandacht. Twee oudere echtparen, Amerikanen als je op hun accent afging, praatten over de man in het wijnrode fluwelen jasje, die alleen aan de laatste tafel voor twee personen zat. Tijdens het eten bladerde de merkwaardige reiziger onophoudelijk in een dikke stapel papieren, die hij uit een sjofele leren tas aan zijn voeten had gehaald, en tussendoor schreef hij telkens weer iets in een dik beduimeld notitieboek. Hij was zo in zijn werk verdiept dat hij niet een keer opkeek en nauwelijks besefte wat de kelner hem aan wijn en gerechten voorschotelde. Hij at alsof hij een automaat was, vermaalde alles achteloos tussen zijn krachtige kaken en spoelde het eten net zo gedachteloos met wijn weg alsof hij water dronk.

'Ik zeg je, Maggie, dat hij het is,' beweerde een hoge vrouwenstem achter Byrons rug. 'Dat is de man uit coupé 7, die altijd voor hem is gereserveerd als hij de Orient-Express neemt. Er wordt gezegd dat hij meer tijd in deze trein doorbrengt dan ergens anders. Hij schijnt zelfs geen eigen huis te hebben, als het klopt wat ik over hem heb gelezen.'

Bedoel je dat dat echt die halve Armeniër Basil Sahar is?' vroeg de andere Amerikaanse met een van opwinding ademloze stem.

'Dat zeg ik toch, Maggie. Ik weet het van onze treinconducteur. Hij is de beruchte wapenhandelaar die overal opduikt waar twee landen oorlog met elkaar voeren.'

'Mijn god, Jane! Bespaar ons je piëtistische moraal. Die hoort hier echt niet thuis,' zei een verveelde mannenstem. 'Die man is een zakenman, net als Edgar en ik. Wapenhandel is handel, net als alle andere handel. Een product komt alleen op de markt als er behoefte aan is. Dat geldt net zo goed voor wapens en oorlogsmaterieel als voor het staal dat ons bedrijf produceert.'

De met Jane aangesproken vrouw kon er niet op ingaan, want Maggie vroeg meteen nieuwsgierig: 'Geloof je dat hij tijdens deze reis weer een beeldschone reisgenote in zijn coupé heeft? Hij schijnt een vrouwenjager en een casanova te zijn, die met al zijn affaires al voor heel wat schandalen heeft gezorgd. En hij schijnt in Wenen steeds dames en prostituees in zijn coupé te laten instappen. Hoewel ik me dat helemaal niet kan voortellen. Hij ziet er zo ... zo gewoontjes uit. Wat zien de vrouwen in hem?'

'Een onuitputtelijke geldbron, als het echt Basil Sahar is,' zei de andere man aan de tafel droog. 'Dan wordt zelfs een lelijke kikker een stralende, verleidelijke prins – voor zover ik de vrouwen ken!'

'Is dat zo, Edgar?' Maggies stem kreeg de scherpe klank van een jaloerse vrouw. 'Jij kent de vrouwen dus? Zou je me alsjeblieft willen uitleggen hoe ik dat moet opvatten?

Alistair vertrok zijn gezicht in een brede glimlach.

'Hij had nauwelijks een slechtere kaart kunnen treffen in dit spel,' fluisterde hij. 'Het huwelijk met een vrouw die niet zeker is van zichzelf herbergt meer gevaren dan menig mijnenveld.'

'Pas dan maar op als iemand jou ooit de haven van het huwelijk inlokt, Alistair,' zei Harriet spottend.

Alistair lachte. 'Maak je geen zorgen. Ik weet al precies welke mooie vrouw fantastisch bij me zou passen, zusje van Bourke,' zei hij. Hij schonk haar een stralende, ontwapenende glimlach. 'Ik heb daar heel nauwkeurige, nogal aanschouwelijke ideeën over. Als je zin hebt kunnen we daar een keer over praten.'

'Je bent echt onverbeterlijk,' zei Harriet hoofdschuddend, maar met een geamuseerd lachje.

Byron, die aan het gangpad tegenover haar zat, zag het lachje. Hij wilde dat ze Alistair zonder dit vergenoegde lachje op zijn nummer had gezet. Maar nauwelijks was hij zich daarvan bewust, of hij vroeg zich bezorgd af waarom uitgerekend deze vrouw, die niet van zijn maatschappelijke niveau was en die als artieste overal ter wereld optrad, hem na al die jaren van ijzeren onaantastbaarheid innerlijk zo in beroering bracht.

Even later werden de filetrepen geserveerd en verscheen er een man in de restauratiewagon, die niemand van de reizigers nog had gezien en die vastbesloten was om zo meteen voor de ogen van iedereen een moord te plegen.

3

Niemand schonk veel aandacht aan de ongeveer dertigjarige man met het inktzwarte haar met pommade, die uit de doorgang van de tweede slaapwagon kwam, de restauratiewagon met gebogen hoofd betrad en aan de knopen van zijn te groot uitgevallen jasje frunnikte. Hij was op weg naar het achterste deel van de wagon en bleef achter de met borden beladen kelner lopen.

Zijn gezicht was rood aangelopen, alsof hij onder een gevaarlijk hoge bloeddruk leed, en zijn op elkaar geperste lippen trilden onophoudelijk. Zweet glom op zijn voorhoofd en er lag een starre blik in de donkere ogen die vlak boven de grote neus lagen. Dat niemand hem opmerkte had er waarschijnlijk mee te maken dat hij, net als de andere bedienden in het restaurant, de witte kleding van een treinkelner droeg.

Anderhalve pas achter Byron moest hij even blijven staan omdat een kelner het stroganoffgerecht serveerde aan de tafel van de baron en zijn tafelgenoot met de monocle. Toen de kelner de weg had vrijgemaakt, verdween de hand van de vreemde man terwijl hij verder liep onder zijn jas. Het volgende moment klonk er een zacht, metaalachtig scherp geluid. Toen zijn rechterhand even later weer tevoorschijn kwam, had hij een stiletto met een lange, aan twee kanten geslepen kling in zijn hand.

'Sterf en stik in je eigen bloed, hoerenzoon!' brulde hij met een schrille overslaande stem, waarna hij zich met het mes, waarvan het staal in het licht van de kristallen kroonluchters blauwachtig fonkelde, in zijn nu hoog opgeheven hand op Basil Sahar stortte.

De wapenhandelaar had net met zijn linkerhand filetrepen aan zijn vork geprikt en in zijn mond gestopt, terwijl hij met zijn rechterhand een telegram uit de stapel papieren had getrokken.

Als Harriet er niet was geweest, was het gelukt. Er stond niemand in zijn buurt die op tijd had kunnen ingrijpen.

Harriet had alleen vluchtig naar de man gekeken, toen deze achter de serverende kelner moest wachten. Ze bedacht onwillekeurig dat het vreemd was dat deze kelner een jasje droeg dat duidelijk te groot was. Dat paste niet bij het hoge niveau dat in deze luxetrein tot in het kleinste detail was doorgevoerd. De gedachte wekte het onaangename gevoel in haar dat er iets niet klopte aan deze man. Ze raakte echter pas gealarmeerd door de korte metalen klik, die ze onder zijn jasje hoorde, omdat ze alle soorten messen maar al te goed kende. Op dat moment was de man haar tafel echter al gepasseerd.

Met een kleine vertraging sprong ze razendsnel van haar stoel op, vloog het gangpad in en kreeg het jasje van de overvaller te pakken op het moment dat hij een schelle kreet uitstootte, op de wapenhandelaar afrende en de stiletto in zijn borstkas wilde stoten.

Met al haar kracht trok ze half vallend aan het oberjasje en trok de man daarmee omver. De kling stak een halve armlengte naast Basil Sahars linkerschouder in de leegte. In zijn val veegde de namaakkelner met zijn linkerarm het wijnglas en een paar papieren van tafel.

Voordat hij overeind kon krabbelen en een tweede moordpoging kon doen, stond Harriet al boven hem.

'Je blijft voorlopig liggen, knaap!' riep ze, terwijl ze met haar rechter veterlaars de stiletto uit zijn hand schopte en hem daarna bewusteloos trapte.

Na een kort moment van stilte brak er chaos uit in de restauratiewagon. De mannen sprongen van hun stoelen, waarbij veel glas en porselein brak en damasten tafelkleden en avondjurken doordrenkt raakten van wijn. Er werd gebaard en druk door elkaar gepraat. Iedereen stond elkaar in de weg. Sommigen, die erg geschrokken waren, begonnen ontzet te roepen. 'Een aanslag! Er is aanslag gepleegd!' Anderen verdrongen zich nieuwsgierig in het gangpad en wilden naar de plek waar bijna een moord had plaatsgevonden. Twee bijzonder gevoelige vrouwen vielen flauw van angst en hadden een flinke snuif reukzout nodig om weer bij te komen.

Basil Sahar was waarschijnlijk de enige die in het tumult nog aan zijn tafel zat, al was dat met een zichtbaar bleek gezicht. Hij was duidelijk verbijsterd, niet vanwege het feit dat hij maar nauwelijks aan de dood was ontsnapt, maar omdat de moordaanslag was verijdeld door een vrouw.

Byron en Alistair stonden het volgende moment naast Harriet en verzekerden zich ervan dat de man op de grond geen gevaar meer opleverde.

Mijn god, dat was op het nippertje,' riep Alistair.

Harriet haalde haar schouders op. 'Op het nippertje gelukt is god zij dank ook gelukt,' antwoordde ze terwijl ze haar haren in model bracht.

Byron keek haar bewonderend aan. 'Alle respect, dat was een schitterend staaltje van snelheid en tegenwoordigheid van geest. Hoe wist je wat die kerel van plan was?'

'Het geluid van de uitspringende stilettokling alarmeerde me.'

Vanuit de verte kwam de stem van een Frans sprekende man. 'Laat me door, heren! Ik heb beroepsmatig met de donkere afgronden van de misdaad te maken. Ik weet zeker dat ik van dienst kan zijn. Wees dus alstublieft zo vriendelijk om me door te laten.'

Basil Sahar kwam heel langzaam van zijn stoel overeind, pakte Harriets rechterhand en bracht die voor een volmaakte handkus naar zijn lippen.

'Wat kan een mooier cadeau zijn dan door een betoverende jonge vrouw van een gewelddadige dood te worden gered?' zei hij met een donkere, welluidende stem. Zijn Engels was onberispelijk, maar had een licht oosters accent. 'U hebt me in elk opzicht overweldigd, geachte levensredster. Nu sta ik voor eeuwig bij u in de schuld, miss of mevrouw …

'Miss Chamberlain-Bourke,' stelde Harriet zich voor. 'En ik kan u geruststellen voor wat betreft uw "schuld" meneer Sahar. Ik heb het met plezier gedaan.'

De wapenhandelaar lachte ingehouden. 'Heel charmant, miss Chamberlain-Bourke.' Daarna verscheen er een nadenkende rimpel op zijn voorhoofd. 'Vertel, hebben wij elkaar al eens ontmoet?'

'Niet dat ik weet.'

'Merkwaardig, want op de een of andere manier komen uw naam en gezicht me bekend voor. Het is net alsof ik u al eens heb ontmoet. En ik zou kunnen zweren dat dat in Wenen is geweest. U moet weten dat ik een uitstekend geheugen voor namen en gezichten heb.

'Misschien hebt u in Wenen een van mijn varieté-voorstellingen gezien,' zei Harriet.

Het ronde gezicht van de wapenhandelaar lichtte op als de maan in het schijnsel van de zon. 'Natuurlijk! Dat is de oplossing van het raadsel. U bent koorddanseres en messenwerpster. Ik wist gewoon dat ik al eens het genoegen had gehad om u te bewonderen!'

'Verdomde slijmjurk!' siste Alistair. 'Die kerel is op een haar na neergestoken als een varken, en even later probeert hij Harriet in zijn netten te verstrikken.'

De eerste kelner, die bleek was van ontzetting over de moordaanslag op een van zijn belangrijkste stamgasten, worstelde zich naar hen toe. Hij werd gevolgd door een kleine, nog jonge maar al heel gezette man met een dunne snor en een op maat gemaakte rokkostuum, die zich snel als monsieur Poirot uit België voorstelde en zich daarna meteen tot de op de grond liggende misdadiger richtte, die met een langgerekt gekreun aan het bijkomen was.

'*Mon dieu*, u hebt hem een flinke huidwond bezorgd,' zei hij tegen Harriet, terwijl hij de handen van de nog steeds versufte man op zijn rug draaide. 'Ik ga er echter van uit dat het feit dat een koelbloedige jongedame de uitvoering van zijn schandelijke daad heeft voorkomen en hem in Orpheus' armen heeft gestuurd, hem aanzienlijk langer pijn zal doen dan zijn hoofdwond. En nu moeten we hem goed boeien en daarna aan een verhoor onderwerpen. En ik hoop dat monsieur Sahar misschien ook iets kan bijdragen aan de oplossing van deze moordaanslag op hem.'

De wapenhandelaar knikte. 'Ja, die man is inderdaad geen onbekende van me. Zijn naam is Francisco Alvarez Juan y Azcarte, een Spaanse edelman met wel heel slechte omgangsvormen ...'

4

Iets meer dan een uur later zaten ze met Basil Sahar in de rooksalon. De wapenhandelaar had erop gestaan dat Harriet hen daar gezelschap hield, hoewel dit deel van de salonwagon was voorbehouden aan de mannelijke passagiers en de vrouwen hun koffie of sherry na het diner in het boudoir dronken.

De mannen hadden brandy voor zich staan en hadden behalve Alistair, die alleen Gold Flakes wilde roken, een sigaar opgestoken, terwijl Harriet een glas Tokay had besteld en ongegeneerd van Alistairs sigaretten pakte.

'Ik geloof dat ik u een verklaring schuldig ben over het voorval in de restauratiewagon,' zei Basil Sahar. 'Het lijkt me alleen maar rechtvaardig, nadat die kleine Belgische politieagent de Spaanse edelman Francisco y Azcarte en mij ten overstaan van iedereen heeft meegenomen voor een verhoor.'

'U bent ons geen verklaring schuldig,' zei Byron. 'Maar natuurlijk willen we graag weten wat deze man ertoe heeft gebracht om u naar het leven te staan.'

'Als ik me een vermoeden mag veroorloven,' voegde Alistair eraan toe, 'dan zou ik er iets onder verwedden dat er bepaalde hartstochtelijke motieven aan de daad van deze moordlustige Spanjaard ten grondslag liggen, die te maken hebben met uw reputatie als vrouwenverleider.

Harriets mondhoeken trilden geamuseerd.

Basil Sahar accepteerde de niet bepaald vleiende insinuatie gelaten en knikte. 'Daarmee slaat u de spijker op de kop, meneer McLean. Francisco y Azcarte heeft zich blindgestaard op het idee dat ik zijn jonge vrouw een paar jaar geleden … nu ja, dat ik haar van hem heb afgepakt.'

'Een zware beschuldiging die natuurlijk helemaal niet waar is,' antwoordde Alistair.

De wapenhandelaar accepteerde ook deze hatelijkheid zonder irritatie en gaf met een zelfbewust lachje antwoord. 'Er wordt zoveel over me geroddeld. Soms komt het overeen met de waarheid, maar meestal heeft het daar niets mee te maken. Wat Francisco en zijn vrouw Alvira betreft, hoef ik mezelf te verwijten omdat ik destijds heb ingegrepen en Alvira van een geestelijk gestoorde man heb gered.'

Daarna vertelde hij wat er tijdens de huwelijksreis van Alvira en Francisco y Azcarte vlak voor Salzburg in de Orient-Expres had plaatsgevonden. Hij was gealarmeerd door de kreet van een vrouw in een naburige coupé en was samen met zijn lijfwacht het slaapvertrek in gestormd.

'Toen we de coupédeur openduwden, zagen we een jonge vrouw op de grond liggen. Haar nachthemd was gescheurd en doordrenkt met bloed. Ze had een gapende wond in haar hals en ze jammerde: "Mijn man wil me doden! Help me!" We beseften nauwelijks wat er aan de hand was toen Francisco met een scheermes in zijn hand opdook. Het lukte mijn lijfwacht nog net op tijd om hem het wapen afhandig te maken en hem te overmeesteren.'

Horatio trok zijn wenkbrauwen op. 'Dat werpt natuurlijk een heel ander licht op de zaak,' zei hij terwijl hij Alistair waarschuwend aankeek.

'Het was onvergeeflijk van Francisco's familie om zijn krankzinnigheid te verzwijgen voor Alvira en haar ouders en het huwelijk te arrangeren,' ging Basil Sahar verder. 'Alvira weigerde na het voorval natuurlijk om bij hem te blijven, maar we zijn pas veel later bevriend geraakt. Van een verleiding van mijn kant is daarom ook geen sprake. Francisco is onder doktersbehandeling gesteld, maar hij is helaas niet in een gesloten inrichting opgeborgen.'

'Hoe komt het dat uw lijfwacht vandaag niet op zijn post was?' wilde Byron weten.

'De arme man moest nauwelijks een uur voor vertrek naar een Weens ziekenhuis. Hij had een nierkoliek. Ik hoop dat men hem daar heeft kunnen helpen en dat hij goede pijnstillers heeft gekregen,' zei Basil Sahar bedroefd. 'Hij zal ontroostbaar zijn als hij hoort dat Francisco y Azcarte me bijna heeft doodgestoken. God zij dank heeft de hemel me een reddende engel in de gedaante van u gestuurd, miss Chamberlain-Bourke.' Hij boog. 'Ik ben u voor eeuwig ...'

'... dankbaar, ik weet het,' viel Harriet hem lachend in de rede.

Het gesprek ging over op andere onderwerpen en kwam op een bepaald moment onvermijdelijk op Basil Sahars beroep als wapenhandelaar, waarvoor hij onvermoeibaar over de wereld reisde en op alle brandhaarden van politieke conflicten zaken deed. Vooral Horatio en Alistair waren geïnteresseerd hoe hij daartoe was gekomen, en Basil Sahar bleek uitermate bereid om informatie te verstrekken.

'Dat ik dit beroep ooit zou uitoefenen stond waarschijnlijk niet in de sterren,' vertelde hij. 'U moet weten dat ik van Grieks-Armeense afkomst ben. Het is in Turkije een groot probleem om een Griek of een Armeniër te zijn. Maar beide in één persoon verenigd is twee keer zo erg. De Turken haten de Grieken en zouden de Armeniërs het liefst tot het laatst kind verdrijven of nog erger. Ze doen in elk geval heel erg hun best om dat doel te bereiken. Maar laten we het daarover niet hebben.' Hij zweeg even, nam een slok brandy en ging daarna verder. 'Ik heb dus de handicap dat ik van Grieks-Armeense afkomst ben, en ik ben opgegroeid in Tatvla, een krottenwijk in Constantinopel. Daar verdiende ik mijn eerste geld als gids.'

'U hebt toeristen de bezienswaardigheden van de stad laten zien?' Alistair trok een ongelovig gezicht.

Basil Sahar lachte even. 'Nu ja, ik moet erbij vertellen dat de naam "gids" in die jaren – en ook vandaag nog – in Constantinopel een enigszins andere betekenis had dan normaal gesproken het geval is. In mijn jeugd waren de meeste toeristen zeelieden en handelaars, die geen belangstelling hadden voor de blauwe moskee of de Romeinse ruïnes. Ze hadden veel meer behoefte aan datgene, wat ik uit consideratie met de jongedame in ons gezelschap discreet oriëntaalse liefdesvreugde zou willen noemen.'

Alistair grijnsde. 'Zo kan ik me het begin van uw loopbaan beter voorstellen.'

Basil Sahar lachte. 'Bittere armoede kent weinig moraal, als ik dat tot mijn bescheiden verdediging mag aanvoeren. Toen ik twintig was, lukte het me om me in het gilde van de brandweerlieden in te kopen.'

Byron fronste zijn voorhoofd. 'Inkopen?' herhaalde hij geïrriteerd. 'Bij de brandweerlieden die hun leven op het spel zetten voor het welzijn van hun medeburgers?'

'De brandweerlieden van Constantinopel hebben nooit het welzijn van hun medeburgers voor ogen, maar alleen dat van henzelf. Bij de brandweer horen stond gelijk aan het vooruitzicht op een vette buit,' vertelde Basil Sahar tot hun verbazing. 'Elke brand was een gelegenheid om geredde voorwerpen buit te maken. En als iemand niet bereid was om beschermingsgeld aan de brandweer te betalen, ging zijn woning of winkel vroeg of laat in vlammen op zonder dat de brandweerlieden een hand uitstaken om het vuur te doven.'

'Ik zou zeggen dat uw carrière blijkbaar vanaf uw jeugd al een heel recht-lijnig verloop heeft gekend,' stelde Horatio droog vast. 'Van gids via brand-weerman naar wapenhandelaar.'

Basil Sahar haalde kalm zijn schouders op en nam een trekje van zijn si-gaar. 'Het is niets voor mij om de jaren van mijn bewogen jeugd mooier te willen voorstellen dan ze waren. Maar zoals ik al vertelde, gaat moraal meestal samen met een volle maag en een dak boven het hoofd. Toch neem ik het mezelf niet kwalijk dat ik later de sprong naar het achtenswaardige beroep van handelaar heb gewaagd.'

De verbijstering op Byrons gezicht was ook op de gezichten van Horatio, Harriet en Alistair te lezen.

'Mag ik vragen wat er volgens u achtenswaardig is aan de handel in wa-pens?' vroeg Byron zo beleefd mogelijk.

'Maakt u zich geen zorgen dat ik uw vraag als misplaatst zal beschouwen,' antwoordde Basil Sahar. 'De wapenhandelaars zijn niet degenen die oor-logen beramen, dat zijn de op macht beluste koningen, keizers en andere machthebbers. En of ze nu alleen knuppels en zwaarden of geweren en tanks tot hun beschikking hebben, ze hitsen de volkeren tegen elkaar op en sturen ze de oorlog in. Dat is altijd zo geweest en daar zal helaas ook in de toekomst niets aan veranderen.'

'Een heel realistische kijk op de wereld, die uitstekend geschikt is om als wapenhandelaar 's nachts nog lekker te kunnen slapen,' meende Horatio vinnig.

'Ja, zo kun je het noemen,' gaf Basil Sahar toe. 'Ik wil daar echter nog aan toevoegen dat ik nooit partij kies bij militaire conflicten en dat ik er altijd voor zorg dat de ene partij ongeveer net zoveel wapens geleverd krijgt als ik voor de tegenpartij in mijn bestelboek heb geschreven. Dat zorgt meestal voor een evenwichtige machtsverhouding en soms aarzelen beide partijen daardoor of ze echt een oorlog moeten beginnen. Ik noem dat het even-wicht van de vijandige machten.'

'Werkelijk heel interessant,' mompelde Alistair, die al lang geen belangstel-ling meer had voor het gesprek. Zijn blik ging telkens weer naar de drie mannen, die aan een van de achterste tafels waren gaan zitten en zich door de barkeeper een spel kaarten lieten brengen.

'En nu reist u naar Boekarest om zaken te doen met de Roemeense koning, zodat deze straks nog meer wapens heeft,' ging Horatio verder.

Basil Sahar maakte een afwerend gebaar. 'Ach, dat is alleen een tussenstation op mijn reis naar Constantinopel. De echt lucratieve zaken vinden sinds de Turks-Russische oorlog van 1878 in Turkije en Rusland en natuurlijk in Macedonië en Griekenland plaats. Iedereen wil tot elke prijs datgene hebben, wat de ander net aan oorlogswapens heeft aangeschaft.'

'En wat is op dit moment de knaller op uw aanbiedingenlijst?' vroeg Horatio.

'Onderzeeboten,' zei Basil Sahar onmiddellijk. 'Die dingen hebben weliswaar met talrijke kinderziektes te kampen en kunnen nog geen grote strijdkracht ontwikkelen, maar ik zweer dat de onderzeeboot de toekomst heeft. De sultan in Constantinopel wil absoluut enkele van deze nieuw ontwikkelde onderzeeboten in zijn arsenaal hebben. En dat garandeert me dat Griekenland onmiddellijk volgt en ook een paar van de Holland-VI-duikboten zal bestellen, die ik op dit moment in de aanbieding heb.'

Alistair hield het niet langer uit. Hij pakte zijn glas en stond op. 'Het was heel leerzaam, meneer Sahar. Maar op dit moment heb ik voldoende informatie over de huidige stand van de wapenhandel. Ik denk dat ik de mannen daar verderop gezelschap ga houden, die voor een kaartspel bij elkaar zijn gaan zitten. Ze zullen zeker niet afkerig zijn om nog een speler te verwelkomen die de pot vetter maakt, voor zover ze poker spelen natuurlijk.'

'Een schitterend idee, meneer McLean,' was de wapenhandelaar het meteen met hem eens. 'Ik heb ook een zwak voor dat opwindende spel. Laten we bij hen gaan zitten. En omdat ik baron Von Graven aan tafel zie, weet ik zeker dat er gepokerd wordt, want hij heeft een hartgrondige hekel aan elk ander kaartspel. Laten we maar eens zien wie de kaarten vanavond welgezind zijn.' Hij kwam overeind en maakte een buiging voor Harriet. 'Miss Chamberlain-Bourke ... heren.' En daarmee liep hij met Alistair naar de kaartspelers in het achterste deel van de rooksalon.

'Wat een type,' mompelde Horatio hoofdschuddend. 'Ik weet niet goed of ik bewondering heb voor zijn gevoelloosheid en gewetenloosheid of dat ik hem verafschuw. Je kunt hem in elk geval geen gebrek aan openhartigheid verwijten.'

Byron knikte nadenkend. 'Hij heeft inderdaad geen ondoorzichtig karakter. Nu ja, *ex ungue leonem* – aan de klauw kent men de leeuw.'

Harriet keek Alistair intussen na. 'Ik hoop dat hij weet met wie hij aan de pokertafel gaat zitten,' zei ze bezorgd. 'Hij denkt misschien dat hij rijk is met zijn 1000 pond, maar voor Sahar en de andere spelers is dat niet bepaald een indrukwekkend bedrag.'

'Alistair is oud genoeg om te weten waarmee hij zich inlaat,' zei Byron.

Ze zaten nog ruim een half uur bij elkaar. Daarna begon Harriet achter haar hand te gapen. 'Ik denk dat ik naar de coupé ga en me klaarmaak voor de nacht. Het is een lange dag geweest en het diner was veel te machtig.'

Byron knikte naar haar, maar ontweek haar ogen. 'Neem de tijd, Harriet. Mijn sigaar houdt me hier nog wel een tijdje vast,' zei hij. Onwillekeurig stelde hij zich voor hoe ze zich samen uitkleedden in de coupé en in hun nachtkleding glipten.

Hij liet de sigaar langzaam in de kristallen asbak uitdoven, en toen hij dacht dat Harriet voldoende tijd had gehad om zich om te kleden en te wassen, ging hij naar zijn coupé. Een blik op het voorbijschietende nachtelijke landschap van Hongarije vertelde hem dat het nog steeds sneeuwde. De witte deken, die de sneeuw geluidloos op het land had gelegd, lichtte op in het schijnsel van de maan, die in zijn derde kwartier stond. Het was een aanblik van pure schoonheid en stille vredigheid.

Langzaam deed hij de coupédeur open. Harriet had het nachtlicht boven de deur van de badkamer laten branden. Voorzichtig deed hij de deur achter zich dicht. Harriet had zoals verwacht het onderste bed gekozen. Het zijdeachtige, rijkelijk geborduurde gordijn ervoor was dichtgetrokken.

'Je hoeft niet op je tenen te lopen, Byron,' zei Harriet achter het gordijn. 'Ik slaap nog niet. Maak je geen zorgen.'

'Dank je,' mompelde hij merkwaardig verlegen. 'Dat maakt de zaak natuurlijk iets minder inspannend.' Hij dacht er even over na of hij zich in de badkamer zou uitkleden, maar besloot om zijn schoenen en avondkostuum in de coupé uit te trekken en zijn kostuum in de kast te hangen. Hoewel het een ondoorzichtig gordijn was, voelde Byron zich merkwaardig verlegen toen hij alleen in sokken, ondergoed en overhemd zo vlak bij haar bed stond.

Snel trok hij zijn ochtendjas aan en verdween in de badkamer. Hij was blij dat hij daarnet in de restauratiewagon naar het toilet was gegaan. Hij had het vreselijk vervelend gevonden als hij nu aandrang had gehad en de nachtspiegel had moeten gebruiken.

'Vind je het erg als we het nachtlicht laten branden?' vroeg Harriet smekend, toen ze hem uit de badkamer hoorde komen en in het bovenbed hoorde klimmen.

'Nee, absoluut niet,' zei hij, hoewel hij het eigenlijk heel prettig vond om tijdens het slapen diepe duisternis om zich heen te hebben. Dan kon hij zijn gedachten het best de vrije loop laten.

'Dank je, Byron.'

'Niets te danken, Harriet.'

'Wat een dag.'

'Inderdaad. Het heeft ons niet ontbroken aan opwinding.'

'Wat zou ons in de Karpaten en op de burcht van graaf Kovat te wachten staat?' vroeg ze met een slaperige stem.

'Ik denk een heleboel sneeuw – en hopelijk een dode tempelier die ons zijn geheim verraadt. Als we hem tenminste vinden.'

Ze lachte zachtjes. 'Dat doen we. En jij kraakt de code. Dat is net zo zeker als het feit dat Alistair zijn handen niet van het geluksspel kan houden.'

'Ik voel me vereerd door je vertrouwen.'

'Ik bewonder mensen die een grote ontwikkeling hebben en die op elk niveau en in elk gezelschap zeker van zichzelf zijn,' klonk het zachtjes van beneden.

Haar verrassende woorden bezorgden Byron een warm gevoel van diepe genegenheid. Hij had even tijd nodig om zijn verlegenheid te overwinnen en een geschikt antwoord te vinden.

'Ik wil graag toegeven dat die bewondering wederzijds is,' zei hij tenslotte enigszins stijfjes, in een poging om aan de ene kant niets verkeerd te zeggen, maar haar aan de andere kant te laten beseffen hoezeer hij haar bewonderde. 'En dat is niet pas sinds je heldendaad in de restauratiewagon. Bovendien is ontwikkeling niet iets waar je bewondering voor hoeft te hebben. Het komt er veel meer op aan hoe en voor welk doel je daar gebruik van maakt.'

'Dat is helemaal waar,' antwoordde ze en ze voegde er meteen heel ontnuchterend aan toe: 'Soms werk je ons namelijk flink op onze zenuwen met je veelzijdige kennis, Byron.'

Byron slikte. 'O, dat … dat spijt me natuurlijk,' mompelde hij.

'Maar laat je nachtrust daardoor niet bederven. Je bent bij lange na niet zo onuitstaanbaar als ik in het begin dacht,' zei ze met een geamuseerde klank in haar stem. 'Inmiddels ben ik heel blij dat je ook van de partij bent. En nu welterusten. Slaap lekker.'

'Ja, jij ook,' antwoordde Byron enigszins neerslachtig, want het was hem plotseling duidelijk geworden dat dit 'heel blij' alles was wat ze voor hem voelde. Maar ondanks deze nogal teleurstellende gedachte viel hij al snel in slaap.

Midden in de nacht, toen Boedapest al uren achter hen lag, werd hij wakker. Eerst drong alleen het gedempte geluid van de wielen tot hem door, wat hem het gevoel gaf van het hypnotiserende ritme van een monotoon wiegenliedje. Daarna hoorde hij het stamelen en jammeren, dat van Harriet afkomstig was. Het leek erop dat ze weer een nachtmerrie had.

Hij lag klaarwakker in bed, luisterde naar de geluiden en bedacht wat hij moest doen. Tenslotte kwam hij overeind, schoof het gordijn opzij en klom voorzichtig naar beneden. Hij bleef een tijdlang roerloos voor haar bed staan, voordat hij voldoende moed had verzameld om haar gordijn een stuk open te trekken. Het licht van de nachtlamp scheen op haar. Net als een paar dagen geleden in hotel Bristol had ze zich in haar onrustige slaap half bloot gewoeld.

Hij wachtte weer een paar seconden terwijl hij naar haar keek. Niet met de wellustige blik van een voyeur, die genoot van de nauwelijks bedekte naaktheid van haar mooie lichaam, maar met de blik van een geliefde, die het vreselijk vond dat ze zo gekweld werd.

Tenslotte vermande hij zich, ging heel voorzichtig op de rand van het bed zitten en streelde met zijn vlakke hand zacht als een veertje over haar naakte arm. 'Sst,' fluisterde hij daarbij. 'Kalm maar ... Niemand kan je iets doen ... Het is alleen een droom ... Kalm, Harriet ... Rustig maar.' Tegelijkertijd gleed zijn hand voortdurend zachtjes over haar huid.

Zo zat hij een hele tijd op haar bed, fluisterde kalmerende woorden tegen haar en streelde haar arm. Plotseling zuchtte ze diep. Het gejammer en onbegrijpelijke gestamel stierf weg. Tegelijkertijd verloor haar gezicht de gekwelde uitdrukking, ontspande en werd glad. Hij leek zelfs bijna of hij een stil, in zichzelf gekeerd lachje zag. Haar adem was weer rustig en gelijkmatig. De nachtmerrie was voorbij.

Byron vond het moeilijk om zich van haar aanblik los te maken, voorzichtig van haar bed overeind te komen en het gordijn te sluiten.

Toen hij weer in zijn bed lag en hij vanbinnen gloeide, vroeg hij zich af hoe sterk de macht was, die de laatste tijd bezit had genomen van zijn diepste gevoelens en die hem zo'n tweestrijd tussen verlangen en ontzeggen bezorgde.

5

'Zit je iets dwars?' vroeg Horatio de volgende ochtend bij het ontbijt aan Harriet, die ongewoon stil en in zichzelf gekeerd bij hen aan tafel zat. 'Je maakt vandaag een afwezige indruk.'

Harriet keek verward op. 'Wat zeg je? Nee, er zit me niets dwars,' verzekerde ze hem. 'Ik moest alleen denken aan de ... de merkwaardige droom die ik vannacht heb gehad.'

Byron verslikte zich in een stukje versgebakken croissant en greep haastig naar zijn servet om het hoesten te smoren.

'En wat was er zo merkwaardig aan die droom?' wilde Alistair weten. Hij had donkere schaduwen onder zijn ogen en had vanochtend de beste reden van allemaal om neerslachtig te zijn. Hij had met pokeren namelijk het enorme bedrag van meer dan negenhonderd pond verloren. 'Misschien vrolijk ik er een beetje van op en vergeet ik daardoor dat de dure heren me gisteravond bijna al mijn geld afhandig hebben gemaakt. Ik vermoed zelfs dat ik vanochtend vreselijk in de problemen had gezeten als die wapenhandelaar in de laatste ronde zijn kaarten niet heel verrassend op tafel had gegooid, toen alleen wij nog om de pot speelden. Ik had namelijk helemaal niets in mijn handen. Voor de dag ermee dus, Harriet. Het interesseert me waarvan een eenzame jonge vrouw droomt.' Hij keek haar met een onbeschaamde, dubbelzinnige glimlach aan.

Harriet maakte verlegen een afwijzend gebaar, terwijl haar wangen rood werden. 'Ach, het is niets ... in elk geval niets wat ik uitgerekend jou aan je neus wil hangen,' zei ze kordaat. 'En dat ze je bij het pokeren min of meer uitgekleed hebben, is je verdiende loon. Dat komt ervan als je met zulke rijke mensen aan één speeltafel gaat zitten.'

Alistair grijnsde. 'Het vette spek vind ik nu eenmaal aantrekkelijker dan het magere. En ik krijg mijn geld wel terug. Daar kun je op rekenen,' zei het met het onverstoorbare optimisme van de hartstochtelijke speler.

Byron hield zijn ogen op zijn bord gericht en deed net alsof al zijn aandacht op het overvloedige ontbijt was gericht en hij het gesprek van daarnet niet had gehoord. Intussen vroeg hij zich in stilte af of Harriets merkwaardige droom misschien iets te maken had met hem en zijn liefdevolle nachtelijke hulp.

Op deze korte, gespannen toestand na, die alleen Byron en Harriet als zodanig hadden beleefd, verliep de rest van de dag zonder bijzondere gebeurtenissen. Met een rustige gelijkmatigheid trokken de uitgestrekte, bijna boomloze vlakten van de poesta langs de ramen. De verlaten streek strekte zich schijnbaar eindeloos uit. Af en toe dook een armoedig dorp, een eenzame boerderij of een rijtuig in de steppe op. De blauwachtig oplichtende sneeuw vloeide over in het blauw van de hemel en alles wat hoekig was loste op in zachte, vage contouren. Eén keer zagen ze een groep ruiters in de verte, die op woeste Noniuspaarden galoppeerden en waardoor Byron het gevoel kreeg dat hij naar een trillende fata morgana keek. Al deze onbekende beelden verdwenen echter weer net zo snel en geluidloos uit het blikveld van de treinreizigers als ze waren verschenen. Sommige passagiers praatten erover dat de trein nu door de woeste Balkan reed, waar men altijd voorbereid moest zijn op onaangename verrassingen.

'Het dieventuig in dit gebied weet namelijk maar al te goed hoeveel rijkdom er met maar net 60 kilometer per uur over hun gammele rails rijdt,' hoorde Byron in het voorbijgaan een dikke man zeggen, die meer gouden ringen aan zijn vingers droeg dan veel aan juwelen verslaafde vrouwen.

Waarop zijn gesprekspartner antwoordde: 'Apropos dieventuig. Ik heb gehoord dat we niet alleen een sabelbonthandelaar uit Leipzig en een bemiddelaar voor Russische staatsleningen aan boord hebben, maar ook een specialist op het gebied van statistieken. Een oosterse regering die in een benarde positie verkeert, heeft hem gevraagd om de officiële cijfers van hun rampzalige begroting te flatteren.'

'Dat verbaast me helemaal niets. Ik zeg het telkens weer: deze landen met hun spilzucht en corruptie hebben een strakke koloniale hand nodig die orde op zaken stelt.'

Na een zonnige heldere ochtend verschenen er tegen de middag grauwe laaghangende wolken en vlak daarna begon het weer hevig te sneeuwen; een wit wervelend gordijn waarachter het landschap tot een vormeloos beeld vervaagde.

Vroeg in de middag openden ze de verbindingsdeur tussen de coupés en veranderden deze in een kleine, maar heel gezellige privé-salon, waarin Byron en Horatio zich terugtrokken. Ze hadden behoefte aan een paar rustige uren zonder het illustere gezelschap dat de restauratiewagon en de beide salons bevolkte. Alistair had de speeltafel weer opgezocht, terwijl Harriet bij de vrouwen in het boudoir zat.

Horatio en Byron hadden allebei geen zin om een gesprek op gang te houden. Ze hielden zich op een andere manier bezig; Horatio maakte een landschapsschets en Byron bestudeerde Mortimers notitieboekje. Het wederzijdse zwijgen beviel hen goed en verbond hen meer dan woorden zouden doen.

Na een tijdje kwamen ook Harriet en Alistair, die vrolijk over zijn winstgevende dag vertelde, bij hen zitten.

'Ben je al weer bezig met het ontcijferen van de code?' vroeg Harriet toen ze Mortimers opengeslagen notitieboekje op de klaptafel zag liggen en ze Byron iets in een van zijn eigen notitieboekjes zag schrijven.

Nee, dat heb ik naar een later tijdstip verschoven. Hoe verder ik in Mortimers dagboek kom, des te lastiger en vermoeiender is het om de rotzooi van het goud te scheiden. Eerlijk gezegd wil ik me daar nu niet mee kwellen. Op het moment heb ik meer belangstelling voor de Aramese krabbels die Mortimer over alle bladzijden heeft verdeeld,' zei Byron. 'Ik vermoed namelijk dat hij stukken tekst uit de Judas-papyri in zijn notitieboek heeft opgeschreven.'

Horatio spitste zijn oren en liet zijn schetsblok zakken. 'En waarop baseer je dat vermoeden?' vroeg hij geïnteresseerd.

'Op stukken zoals deze,' antwoordde Byron, waarna hij een stukje voorlas uit wat hij de afgelopen anderhalf uur moeizaam had ontcijferd en vertaald. *Ik weet wie u bent en waar u vandaan komt. U komt uit het onsterfelijke rijk van Barbelo. En ik ben het niet waard om de naam uit te spreken van wie u gezonden heeft.* Hier lijkt Judas tegen Jezus te praten en de auteur laat hem in deze bekentenis heel Johannesachtig overkomen. Want in Johannes, hoofdstuk 8, vers 28, zegt Jezus nogal ironisch tegen zijn discipelen: *'U kent mij en u weet waar ik vandaan kom. Maar ik ben niet namens mezelf gekomen; ik ben gezonden door iemand die betrouwbaar is, en hem kent u niet.'*

Alistair, die tegen de tussendeur leunde, fronste zijn voorhoofd. 'Ik begrijp de zogenaamde ironie van het Johannesvers niet, en ik heb er geen flauw idee van waarover Judas het heeft. Over het onsterfelijke rijk van Barbelo weet ik niets. Jij wel, Harriet?'

Ze schudde haar hoofd.

'Barbelo is de weerspiegeling van het onzichtbare, de volmaakte glans van het licht, en staat voor de vrouwelijke component van het goddelijke,' legde Byron uit.

'Vrouwelijke component van het goddelijke? Het is heel verheugend dat Judas dat noemt,' zei Harriet. 'Ik vind hem ineens sympathiek worden.'

'Over het onsterfelijke rijk van Barbelo is natuurlijk meer te vertellen, maar dat is te ingewikkeld om even snel uit te leggen,' zei Byron. 'Maar ik heb hier een Aramees citaat dat lang niet zo dubbelzinnig is. Ongetwijfeld praat

Jezus hier tegen Judas en hij voorspelt hem het volgende: *'Verwijder je van de anderen en ik zal je de geheimen van het koninkrijk vertellen. Jij bent in staat om dat te bereiken, maar je zult veel lijden. Want een ander zal jou vervangen, zodat de twaalf weer aangevuld worden met hun God.* Daarmee zei Jezus ondubbelzinnig dat Judas degene van de twaalf discipelen is die de ontvanger van de onverdeelde waarheid is, terwijl de anderen in hun dwaling volharden.'

'Heb je nog zo'n ... eh, aparte passage gevonden?' vroeg Horatio.

Byron knikte. 'Inderdaad, dat heb ik. Die zat verstopt tussen de tekeningen van de doolhoven en labyrinten, en het is de meest verbazingwekkende en geheimzinnigste passage, voor zover ik hem goed heb ontcijferd en vertaald. *Jij wordt de dertiende, en je zult vervloekt worden door andere geslachten – en je zult heersen over hen. In het laatste der dagen zullen ze het vervloeken dat je bent opgestegen tot het heilige geslacht.* En dat met "de dertiende" alleen Judas wordt bedoeld staat waarschijnlijk buiten kijf, omdat hij na zijn daad immers uit de kring van discipelen werd verstoten en door een nieuwe twaalfde discipel werd vervangen.'

'Is Judas Iskariot de uitverkorene van Jezus? Een heilige die komt om te heersen?' vroeg Alistair ongelovig. 'Dat is toch je reinste onzin!'

'Dat Jezus uitgerekend Judas kiest en hem tot het heilige geslacht heeft verheven, kan ik ook niet geloven,' viel Harriet hem bij.

'In de evangeliën staat heel duidelijk dat hij een schoft en een verrader was, die zich goed voor zijn verraad liet betalen!' voegde Alistair eraan toe. 'Ik ben niet bijbelvast en heb ook niet veel op met het Nieuwe Testament, maar zoveel van de blijde boodschap hebben ze er in de weeshuizen toch in geslagen.'

'Kalm aan, vrienden. Zo eenvoudig als je zou denken als je de evangeliën leest, is de positie van Judas Iskariot in de evangeliën helemaal niet,' zei Byron.

'En hoe is zijn positie dan wel?' vroeg Alistair sceptisch.

'Ten eerst wordt Judas in de evangeliën op maar heel weinig plekken vermeld, en als hij vermeld wordt, is dat altijd als laatste van de discipelen,' legde Byron uit. 'Lucas is de enige, en daarin verschilt hij van de drie synoptische evangeliën Mattëus, Marcus en Johannes, die Judas Iskariot in hoofdstuk 6, vers 16, ondubbelzinnig als verrader bestempelt. Mattëus en Marcus schrijven alleen dat hij hem uitleverde.'

'Daar zie ik geen noemenswaardig verschil in,' wierp Alistair meteen tegen. 'Of er nu uitleveren of verraden staat, dat is toch allemaal hetzelfde.'

'Absoluut niet,' antwoordde Byron. 'Een uitlevering is nu eenmaal niet hetzelfde als verraad uit eigenbelang. Bovendien kun je alleen van verraad spreken als degene om wie het gaat niets van dat verraad weet. Maar alle drie de synoptische evangeliën vermelden bij het laatste avondmaal de bijzonder scherp geformuleerde passage, waarin Jezus helder en duidelijk zegt dat een van de twaalf hem zal uitleveren. Het woord verraad gebruikt hij niet. Hij weet dus van de op handen zijnde gebeurtenis die met zijn kruisiging zal eindigen.'

'Het zal wel,' bromde Alistair enigszins beteuterd.

'En hoe zit het met Johannes?' wilde Harriet weten. 'Hoe staat hij tegenover de discipel Judas Iskariot? Fris mijn verbleekte kennis van de zondagsschool eens wat op, Byron.'

Byron gaf graag gehoor aan haar verzoek. 'Johannes toont veel meer belangstelling voor Judas. Bij hem verschijnt hij ook niet pas als de lijdensgeschiedenis van Jezus begint, maar al veel eerder, namelijk in hoofdstuk 6, als de groep zich in een crisis bevindt omdat Jezus zegt dat hij het levende brood is dat uit de hemel is neergedaald. In dit hoofdstuk ...'

'Wacht eens,' onderbrak Horatio hem. 'Er schiet me net iets te binnen. Als Jezus de zoon van God is, dan beschikt hij toch ook over de alwetendheid van God en wist hij alles wat hem op aarde zou overkomen toch al van te voren?'

Byron knikte goedkeurend naar hem. 'Daarmee leg je je vinger op een van de neteligste kwesties in de theologie. Als Jezus echt alwetend was, zou zijn dood zijn heilbrengende kracht verliezen. Want wie voor zijn dood al weet dat hij drie dagen na zijn kruisiging zal opstaan, die sterft nu eenmaal geen normale menselijke dood met het geloof in de macht en de barmhartigheid van God, die hem tot leven wekt en naar het hemelrijk haalt.'

'Daar heb je het al,' zei Alistair met hoorbare voldoening.

'Ik weet zeker dat Byron daar ook een antwoord op heeft dat je minder goed zal bevallen,' zei Harriet. 'Vertel, waarmee hak je deze gordiaanse knoop van de theologie door?'

Byron glimlachte dankbaar naar haar om het vertrouwen dat uit haar woorden sprak. 'Met de verklaring van het concilie van Chalcedon in het jaar 451 n.Chr. Men hield zich destijds al bezig met dit dogmatische probleem. De vroege theologen stelden dat er twee volledige wezens in Jezus verenigd zijn, namelijk de goddelijke en de menselijke. En deze zijn "niet vermengd", zoals in de verklaring nadrukkelijk wordt gesteld. De puur goddelijke alwetendheid is uitgeschakeld tijdens zijn aardse leven, omdat een allesomvattende kennis niet verenigbaar is met de menselijke natuur, die in alles nu eenmaal beperkt is. Het is daarom altijd de overtuiging van de grote theologen en kerkvaders geweest, dat Jezus met de beperkte kennis van elk mens het wereldbeeld van zijn tijd beleefde. We mogen in dit verband ook niet vergeten dat Jezus niet naar Jeruzalem ging omdat hij erop aandrong eindelijk gekruisigd te worden, maar omdat hij het woord van God daar wilde verkondigen. Pas na de vijandige reacties van de hogepriesters op zijn zuivering van de tempel kreeg hij waarschijnlijk het vermoeden dat men hem naar het leven stond en dat hij rekening moest houden met het ergste. Wie weet, misschien komen er in het tot nu toe spoorloos verdwenen evangelie nieuwe feiten over de rol van Judas bij deze gebeurtenissen aan het licht. Voor zover dit tenminste inderdaad is geschreven door de discipel Judas Iskariot.'

Alistair zag er niet bepaald overtuigd uit. 'Wat je daarnet zei over het onvermengde karakter van Jezus vind ik toch te veel klinken als theologische muggenzifterij en niet als een plausibele verklaring.'

Byron haalde zijn schouders op. 'Ik voel me op dit gebied absoluut geen missionaris die je wil bekeren, Alistair. En trouwens, als we het over God hebben, dan is in principe alles wat we daarover weten en kunnen zeggen maar heel magertjes. Geestelijke krukken als het ware, waarmee we alleen kunnen hinken en die ons niet ver brengen. God en zijn wezen zijn voor de mensen niet tastbaar of verklaarbaar, anders zou het tenslotte geen God zijn, maar een goedkoop afgodsbeeld. Alle nog zo eerzuchtige pogingen om God met ons verstand te benaderen stranden vroeg of laat, lang voordat we het goddelijke zijn genaderd. God openbaart zich alleen in geloof en gebed aan iemand en de voorwaarde daarvoor is een hart dat bereidwillig openstaat voor God. In een hand, die afwerend tot een vuist is gebald, kun je niets stoppen. Dat geldt ook voor het geloof, anders zouden we het ook geen geloof noemen maar kennis die verifieerbaar en altijd weer opnieuw te bewijzen is.'

'Amen,' mompelde Harriet. Het klonk niet spottend, maar eerder nadenkend.

Alistair fronste zijn voorhoofd. 'Nou, veel plezier nog met het ontcijferen van Mortimers Aramese krabbels,' zei hij, waarna hij weer uit de coupé verdween.

Buiten de coupé hoorden ze een vrouwenstem, die in de gang van de slaapwagon opgewonden naar iemand anders riep: 'Daar is het, James! De Karpaten! Nu is het niet ver meer naar de IJzeren Poort!'

6

De Orient-Express stoomde op volle kracht door de uitlopers van de Transsylvanische Alpen, zoals het gebergte tussen Siebenbürgen en Roemenië ook wel werd genoemd. De hevige sneeuwval verminderde op tijd, zodat de reizigers een blik konden werpen op het met sneeuw bedekte gebergte met zijn woeste kloven.

Hoe hoger de trein kwam, des te langzamer reed hij. Al snel kroop hij in een gezapig wandeltempo over de kronkelende rails de berghellingen op. Ongeveer twee uur voor Boekarest bereikten ze uiteindelijk de bergpas met de beroemde IJzeren Poort; het donkere, smalle ravijn tussen het zuidelijke deel van de Karpaten en de uitlopers van het Balkangebergte. De smalle doorgang had zijn naam te danken aan de massieve rotsblokken, die van ijzer leken en die soms ver uit de snelstromende Donau staken.

Met een combinatie van fascinatie en beklemming stonden de treinreizigers bij de ramen, veel van de mannen met een glas slibowitz in de hand, om de woeste en romantische aanblik in zich op te nemen. Op de gezichten van veel vrouwen lag een angstige uitdrukking, als ze zagen hoe dicht de trein langs het water reed en dat de rails soms alleen op rotspijlers rustte, die met behulp van dynamiet uit de steil oprijzende wand waren gevormd. Ook het schokken en wankelen van de wagons, als de trein over plekken denderde waar de rails gevaarlijk ondermijnd en haastig gerepareerd was, was angstaanjagend. De trein stopte zelfs meerdere keren, als de treinmachinist bang was dat het stuk rails voor hem was verzakt of de uitlopers van een steenlawine de trein met ontsporing bedreigden.

Toen het gevaarlijke traject achter hen lag en de trein snelheid maakte en over de Walachei-vlakte koers zette naar Boekarest, werd in de restauratiewagon een vroeg diner geserveerd.

Intussen rolde de Orient-Express met het inmiddels vertrouwde, gedempte geratel door de avondschemering. Flakkerende pekvuren, die op regelmatige afstand van elkaar in gedeukte ijzeren tonnen langs de spoorrails brandden, begeleidden de etappe naar de Roemeense hoofdstad.

Een paar uur na het invallen van de duisternis reed de trein het station van Boekarest binnen, waar hij precies tien minuten stilhield. Het Centraal Station lag in een trieste voorstad en weerspiegelde ondanks de gedecoreerde gevel en koepels het provinciale karakter van de stad, die Basil Sahar een verzameling armoedige huizen, armoedige winkels en met afval bezaaide armoedige straten noemde.

De wapenhandelaar bedankte Harriet op het tochtige perron nog een keer uitvoerig voor haar dappere en alerte ingrijpen.

'Neem kamers in Grand Hotel Boulevard en laat u geen ander onderkomen aanpraten door doortrapte ronselaars,' raadde hij hen nadrukkelijk aan. 'De hoogdravende naam staat weliswaar in geen enkele verhouding tot wat het hotel te bieden heeft, maar een beter hotel is er helaas niet in Boekarest. En het ligt centraal in het centrum aan de boulevard Elisabeta. Het restaurant van het hotel kunnen jullie echter het beste vermijden. Ik raad jullie Jordache in de Strada Covaci nr. 3 of Enache in de Strada Academiei nr. 21 aan.'

'Hartelijk bedankt,' zei Byron. 'We waarderen de aanbevelingen bijzonder en geven er graag gehoor aan.'

'Jullie maag zal jullie er dankbaar voor zijn,' verzekerde Basil Sahar hen. 'En als jullie binnenkort in Constantinopel komen, neem dan absoluut kamers in het Pera Palace. Dat is van het bedrijf dat de Orient-Express ook exploiteert, wat een behoorlijke standaard en service garandeert. Daar neem ik ook een tijdje mijn intrek. En doen jullie me alsjeblieft het genoegen me daar op te zoeken, zodat ik jullie voor een etentje kan uitnodigen. En aarzel ook niet om contact met me te zoeken als ik jullie op de een of andere manier van dienst kan zijn. Jullie weten dat ik de stad heel goed ken.'

'Ja, als gids en brandweerman,' zei Alistair spottend.

Basil Sahar lachte. 'Inderdaad, maar inmiddels ook al heel lang als graag geziene gast van de sultan en zijn hofhouding,' voegde hij eraan toe. Daarna scheidden hun wegen.

De vier reisgenoten lieten zich met een van de ouderwetse huurkoetsen, die voor de stationshal stonden te wachten, naar Grand Hotel Boulevard brengen. Omdat ze in de trein al hadden gedineerd, hadden ze er geen van allen behoefte aan om naar een van de door de wapenhandelaar aanbevolen restaurants te gaan. Ze informeerden bij de receptie hoe ze de volgende dag hun reis naar de zuidelijke Karpaten en het gebied van de Negoi konden voortzetten.

'Dan moet u via Piteschti reizen, een klein stadje dat aan de voet van het gebergte ligt,' deelde de portier hen mee. 'U zult voor dat traject de postkoets moeten nemen en u zult er vanwege het vreselijke weer bijna een hele dag voor nodig hebben. De spoorlijn naar Piteschti is namelijk nog in aanbouw. Hoe u vanaf daar naar de Negoi komt, kan ik u niet vertellen, maar er is beslist een verbinding naar Siebenbürgen. Misschien kan de koetsier van de postkoets u daar morgen meer over vertellen.

Horatio zuchtte. 'Over deze wegen en in dit weer met de postkoets, dat kan nog leuk worden,' mompelde hij met een naar voorgevoel toen ze naar de donkere hotelbar liepen om een slaapmutsje te drinken voordat ze naar bed gingen.

De rit met de streekkoets van de Roemeense post bleek nog vreselijker te zijn dan ze hadden vermoed. Bovendien moesten ze een groot deel van hun omvangrijke bagage in een opslagruimte van het hotel achterlaten, want de twee bagagedragers van de koets, een tegen de achterwand en de andere op het dak, waren bij aankomst in het station voor postkoetsen al volgeladen met kisten, koffers en zakken van de twee reizigers, die veel eerder dan zij plaatsen in de postkoets hadden gereserveerd. Het waren zwijgzame Roemeense handelaars, die met hun in Boekarest gekochte goederen naar hun woonplaats Piteschti terugkeerden.

Moe en met pijnlijke ledematen arriveerden ze kort voor het invallen van de duisternis, geplaagd door een ijzige wind die sneeuw in hun gezicht blies, in het stadje aan de voet van de Transsylvanische Alpen. De rivier de Arges, met een bedding waardoor het ijskoude, heldere bergwater krachtig stroomde, liep midden door het dorp.

'Wat een armzalig gat,' bromde Alistair bij de aanblik van de eenvoudige lemen hutten en huizen, die allemaal een enigszins gedrongen en weggedoken uiterlijk hadden, alsof ze zich klein maakten en bescherming voor de naburige, woeste bergwereld bij elkaar zochten door bij elkaar te kruipen. 'Hierbij vergeleken is het provinciale Boekarest een levendige wereldstad. Het is nauwelijks te geloven dat Mortimer Pembroke in dit godvergeten gebied is beland.'

'Het zal misschien niet zo gemakkelijk zijn om hier vier acceptabele kamers te vinden,' voorspelde Horatio.

Dat was inderdaad zo, maar uiteindelijk vonden ze aan de noordelijke rand van Piteschti een eenvoudig pension met piepkleine ramen en een ver vooruitstekend dak, dat De Gouden Kroon heette en waar plek voor hen was. De kamers op de bovenverdieping waren krap, maar schoon. En het beddengoed zag er niet uit alsof er al tientallen gasten voor hen onder hadden geslapen.

Op de lange en lastige tocht met de postkoets hadden ze tijdens de tussenstops zo weinig mogelijk gegeten. Ze waren allemaal bang geweest dat ze het eten niet binnen zouden kunnen houden door het verschrikkelijke gehobbel. Nu dreef de honger hen echter naar de ruime gelagkamer met het lage balkenplafond, dat zwart zag van de rook van tabak en de open haard.

Het viel Byron op dat er aan meerdere steunbalken ijzeren crucifixen hingen, en hij keek verbaasd naar de dikke strengen knoflook die rond de kruispunten van de balken waren gewikkeld.

De gelagkamer was nagenoeg leeg. Er zaten maar vijf gasten. Vier daarvan waren krachtige plaatselijke boeren of knechten met grote zwarte snorren, die traditionele boerenkleding droegen. Hun hemden en broeken waren van vilt, en waren geborduurd met rode en zwarte motieven. Hun schoenen hadden gebogen punten, hun jassen waren van geitenhuid gemaakt en op hun hoofd droegen ze een rode muts. Ze zaten op driepotige krukjes aan de brede houten tafel van de gelagkamer en lieten luidruchtig een dobbelbeker in het rond gaan.

De vijfde gast was een magere man met een knokig gezicht en dof, roodblond haar, die in een hoek naast de steile trap naar de bovenverdieping zat. Afgaand op zijn stadskleding, die uit een donker wollen kostuum, een stijve witte stakraag en een duifgrijze das met een parel als dasspeld bestond, kwam hij uit een West-Europees land.

'Kijk eens aan, een Engelsman,' dacht Byron toen zijn oog in het voorbijlopen op de krant viel, die samen met een brief en een zwart kladboek op de tafel van de vreemdeling lag. Het was een exemplaar van de Londense Times. Afgaand op de kop, die in grote letters het uitbreken van de oorlog tussen de Filippijnen en Amerika verkondigde, was deze krant echter al maanden oud, omdat de strijd op deze eilandengroep in het begin van het jaar, namelijk op 4 februari, was begonnen.

De man knikte kort en gereserveerd op Byrons groet, hoestte in een geruite zakdoek en nam een slok uit zijn aardewerken beker. Daarna richtte hij zijn aandacht weer op de verkreukelde brief die voor hem lag.

Byron nam met zijn reisgenoten plaats aan een tafel dicht bij het heerlijk warme, knetterende vuur in de open haard en vergat de vreemdeling achter hem. Ze vermoedden geen van allen dat hun lot al snel nauw met deze landgenoot verbonden zou zijn.

7

De mollige waardin, een oudere vrouw met een goedmoedig uiterlijk en een gekleurd schort, kwam meteen naar hun tafel om naar hun wensen te vragen. Ze sprak heel redelijk Duits, zodat Byron en Harriet zonder problemen in deze taal met haar konden praten. Ze raadde hen de dagschotel aan, die 'roversgebraad' heette en uit stukken rundvlees, spek en uien bestond die, gekruid met veel paprika, aan spiesen boven het open vuur werden gebraden, en daarbij Mediasch, een krachtige witte wijn. Een aanbeveling waarmee ze het allemaal eens waren.

Nadat ze hun bestelling bij de vriendelijke vrouw hadden opgegeven, maakte Byron van de gelegenheid gebruik om bij haar naar graaf Kovat en de burcht Negoi te informeren en te vragen of ze wist hoe ze daar moesten komen. Ze merkten niet dat de Engelsman schuin achter hen in elkaar kromp, naar hen staarde en zijn oren spitste toen de naam graaf Kovat viel. De vreemde reactie van de waardin nam hun aandacht namelijk volledig in beslag.

Byron had nauwelijks de woorden 'graaf Kovat' en 'burcht Negoi' uitgesproken, of haar gedrag veranderde plotseling. Een geschrokken uitdrukking verdreef de vriendelijke lach van de ene seconde op de andere van haar gezicht. Ze sloeg haastig een kruis en begon te stamelen. 'Die … die naam zegt me niets, heer!' Daarna liep ze haastig weg zonder een verklaring voor haar vreemde gedrag te geven.

Byron en Harriet keken elkaar verbaasd aan.

'Weet jij wat er plotseling met die vrouw aan de hand is?' vroeg Harriet verward.

Hij schudde zijn hoofd. 'Ik heb er geen flauw idee van, Harriet.'

'De burcht en de naam van de graaf moeten in deze omgeving toch goed bekend zijn,' zei Horatio. 'Zo ver ligt burcht Negoi niet van Piteschti, zoals we op de kaart hebben gezien.'

Toen de waardin de spiesen en de wijn bracht, ondernam Byron een tweede poging om informatie van haar te krijgen. Nu deed ze echter plotseling alsof ze zijn Duits niet begreep, hoewel hij deze taal na een intensieve studie van de Duitse klassiekers en filosofen in Oxford beter beheerste dan elke andere vreemde taal. En zodra ze de zwaar beladen borden, glazen, bestek en met wijn gevulde aardewerken kroezen op tafel had gezet, haastte ze zich meteen angstig weg.

'Wat? Verstaat ze ineens geen Duits meer? Wat zullen we nu krijgen?' zei Horatio verontwaardigd. 'Dat heb je ervan als je door de Balkan reist.'

'In elk geval zijn dit "roversgebraad" en de wijn net zo lekker als ze ons had beloofd,' antwoordde Alistair met volle mond. Hij had een van zijn spiesen dwars in zijn mond gestoken, had met zijn tanden de helft van de stukken vlees eraf getrokken en had de wijn meteen geprobeerd. 'Straks gaan we gewoon naar de waard ...'

Verder kwam hij niet, want ineens stond de vreemde Engelsman bij hun tafel. 'Het spijt me als ik jullie stoor, maar ik hoorde toevallig dat jullie naar graaf Kovat vroegen,' zei hij met een hese stem, alsof hij aan een zware verkoudheid en verstopping van de luchtwegen had geleden en nog niet volledig was hersteld.

'Inderdaad, dat klopt,' bevestigde Byron. 'U bent Engelsman, vermoed ik?'

De magere man, die niet ouder dan eind dertig kon zijn, knikte. 'Dat klopt. Ik ben Matthew Golding.'

'En wat brengt u in dit jaargetijde naar deze ellendige omgeving?' vroeg Alistair meteen.

'Beroepsmatige belangen. Ik werk als advocaat voor een Londens advocatenkantoor dat is gespecialiseerd in onroerend-goedtransacties en veel klanten in het buitenland heeft, voor wie we als zaakwaarnemer, makelaar en notaris optreden,' vertelde hij. 'Wat graaf Kovat betreft, die naam is me niet helemaal onbekend.'

'Neem toch alstublieft plaats, als het u niet stoort dat we nog aan het eten zijn,' zei Harriet tegen hem. 'We zijn heel benieuwd wat u ons over deze kasteelheer kunt vertellen. De waardin was namelijk vreemd genoeg niet bereid ons informatie te geven.'

Matthew Golding trok een stoel bij en ging tussen Byron en Harriet in zitten. 'Nu ja, dat is waarschijnlijk heel begrijpelijk. Graven hebben nooit op veel sympathie kunnen rekenen onder de eenvoudige plattelandsbevolking. Bovendien heeft het geslacht Kovat zowel in Siebenbürgen als aan deze kant van de Karpaten al eeuwenlang een bijzonder slechte reputatie. Enkele van hen zijn zelfs als bijzonder beruchte massamoordenaars de geschiedenis van de Balkan ingegaan. Een voorvader van de huidige graaf heeft niet alleen gevangen vijanden bij honderden tegelijk laten spietsen, maar hield zo bloeddorstig huis onder de eigen bevolking dat men hem "de spietser" noemde.' Hij aarzelde even voordat hij verderging. 'Dit geslacht heeft altijd naar bloed verlangd.'

'Dat klinkt inderdaad afschrikwekkend en werpt geen goed licht op dit gravengeslacht,' zei Byron. 'Laten we echter niet over de voorvaderen praten, maar over de graaf die de titel nu draagt en in burcht Negoi woont. Wat kunt u ons over deze man vertellen, meneer Golding? En weet u misschien ook hoe we deze burcht kunnen bereiken?'

'Voordat ik daarop antwoord geef, moet u me eerst een tegenvraag toestaan, namelijk waarom u en uw reisgenoten bij hem op bezoek willen,' vroeg Matthew Golding ontwijkend.

Byron vertelde hem het verhaal dat ze in de Orient-Express hadden voorbereid en dat ze aan graaf Kovat wilden vertellen. Volgens dit verhaal had Byron Bourke van lord Pembroke de opdracht gekregen om een uitvoerige biografie te schrijven over zijn reislustige en onlangs gestorven broer, waarvoor hij personen in het buitenland die Mortimer Pembroke goed hadden gekend naar hun herinneringen wilde vragen. Horatio Slade had de eervolle opdracht gekregen om voor deze biografie tekeningen van Mortimers voormalige kennissen en landschapsschetsen te maken, die in het boek afgedrukt zouden worden.

'En wat meneer McLean en mijn zus betreft, zij wilden deze buitengewone reis dolgraag gebruiken voor hun opleiding en bij wijze van aangename verstrooiing,' beëindigde Byron zijn relaas. 'Mijn zus Harriet ...'

'Inderdaad,' viel Alistair hem in de rede, en voordat Byron er iets tegen kon doen ging hij met een vrolijke glimlach verder tegen Matthew Golding. 'Daar kan ik nog aan toevoegen, dat ik het schaamteloze geluk heb dat ik verloofd ben met zijn betoverende zusje. Harriet en ik zijn van plan om na deze reis te trouwen.'

Byron slikte en moest zijn best doen om niet spontaan tegen hem in te gaan. In de trein hadden ze iets heel anders afgesproken, maar nu was het te laat om daar nog iets aan te doen.

Harriets mondhoeken trilden zichtbaar geamuseerd, alsof de verrassende wending die Alistair aan het leugenachtige verhaal gaf haar wel beviel. 'Schaamteloos is inderdaad het juiste woord, mijn lieve Alistair,' zei ze poeslief, waarbij ze als een onsterfelijk verliefde tiener met haar wimpers knipperde. 'Maar wie kan ook weerstand bieden aan jouw buitengewone charme?'

Byrons maag verkrampte. Hij had Alistairs nek op dit moment het liefst omgedraaid, zodat de onbeschaamde lach van zijn gezicht verdween, maar hij moest tegen zijn zin meedoen. Toch kon hij een opmerking niet onderdrukken. 'Zo snel zul je de huwelijksklokken waarschijnlijk niet horen luiden,' zei hij vinnig.

'Mijn gelukswensen,' zei Matthew Golding beleefd tegen Harriet en Alistair. Hij had blijkbaar niets van de korte woordenwisseling gemerkt.

'Ik ben benieuwd of u ons verder kunt helpen, meneer Golding,' zei Byron om de advocaat eraan te herinneren dat ze op zijn antwoord wachtten.

Matthew Golding zweeg een tijdje, alsof hij ingespannen nadacht, draaide zijn hoofd weg en hoestte verscheidene keren in zijn zakdoek.

Eindelijk draaide hij zich weer naar hen om. 'Ja, ik kan jullie inderdaad verder helpen. We kunnen morgen samen naar burcht Negoi reizen. Graaf Kovat verwacht me.

'U meent het!' riep Horatio verrast. 'Is hij een van uw klanten?'

De advocaat knikte. 'Hij zou er in elk geval een kunnen worden, als hij ingaat op een van aanbiedingen die ik voor hem heb. Hij wil onroerend goed kopen in Engeland, bij voorkeur in Londen, Liverpool of Bristol, zoals hij mijn kantoor heeft laten weten. Maar ik wil u niet vervelen met details.'

'Fantastisch,' zei Byron verheugd. 'En hoe komen we naar zijn burcht?'

'Eerst met een postkoets, die morgen aan het eind van de middag uit Piteschti vertrekt en als bestemming Hermannstadt in Siebenbürgen aan de andere kant van de Karpaten heeft, waar deze de volgende ochtend arriveert. Graaf Kovat heeft me vandaag per bode exacte instructies gestuurd, omdat er geen directe postrouteverbinding naar zijn burcht is. En een huurkoets, die bereid is om u helemaal naar de top van de Negoi-berg te brengen, zult u in de wijde omgeving niet vinden.'

'Maar zei u niet dat we morgen de postkoets naar Hermannstadt nemen?' wierp Harriet tegen.

'Dat klopt, maar de route die de postkoets neemt buigt een aantal kilometer voor de Negoi naar het westen af en doorkruist de Transsylvanische Alpen via een pas, die zijn naam heeft te danken aan een daar aanwezige burcht Turnu Rosu, wat Rode Toren betekent,' legde Matthew Golding uit. 'Op deze plek, waar een bergweg, die nog uit de Romeinse tijd stamt, in westelijke en noordoostelijke richting splitst, zal een rijtuig van de graaf op de komst van de postkoets wachten, wat rond middernacht zal zijn.'

Alistair trok een gezicht. ''s Nachts een besneeuwde berg op? Dat wordt vast een bijzonder plezierig tochtje,' orakelde hij somber.

Ze praatten nog een paar minuten met hun landgenoot, die zich daarna met zijn papieren in zijn kamer terugtrok, omdat hij nog het een en ander moest voorbereiden voor zijn zakelijke gesprek met graaf Kovat, zoals hij verontschuldigend tegen hen zei.

Ze volgden zijn voorbeeld al snel omdat ze moe waren en Byron was nog maar net in zijn kamer, toen er zachtjes op de deur werd geklopt. Hij deed open en was verbaasd dat hij de waardin voor zich zag staan.

Haar gezicht straalde grote bezorgdheid uit. 'Heer, moet u echt naar boven, naar … naar hém?' fluisterde ze. 'Ik smeek u, denk er nog een keer over na. De burcht is geen goede plek … En hij is kwaadaardig, heer! … De duivel huist daar! In godsnaam, keer terug naar waar u vandaan bent gekomen!'

Byron wist nu zeker dat hij met een weliswaar goedbedoelende, maar tegelijkertijd uiterst bijgelovige vrouw te maken had. Graaf Kovat was misschien een slechte en harde landheer, wiens familiegeschiedenis droop van het beestachtig vergoten bloed, maar als een nuchtere zakenman zoals advocaat Matthew Golding, die voor het begin van zijn reis naar de Karpaten beslist uitgebreide informatie over hem had ingewonnen, naar hem toe ging, hadden zij ook niets te vrezen – hoogstens een vermoeiende rit en het slechte weer.

Toen Byron haar probeerde te kalmeren en haar verzekerde dat er geen enkele reden was om zich zorgen te maken over hem en zijn reisgenoten, gaf ze haar smeekbede op en gaf hem een kleine ijzeren crucifix aan een leren veter en een dunne streng knoflook en gedroogde knoflookbloemen, die in een fijnmazig net bij elkaar werden gehouden.

'Draag dit dan in elk geval bij u, heer,' stamelde ze. 'Ga nergens naartoe zonder de krans en hang het kruis om uw nek. Het is gewijd, met heilig water besprenkeld en zal u tegen het kwaad beschermen.'

Verbluft nam Byron het zeldzame geschenk aan en beloofde uit beleefdheid te doen wat ze hem had gevraagd. Daarna bedankte hij haar en deed de deur dicht.

De volgende ochtend hoorde hij van de anderen dat de waardin ook bij hen had aangeklopt en hen net zo'n knoflookstreng en crucifix had gegeven.

Alistair schudde zijn hoofd. 'En dat aan mij, terwijl ik een bloedhekel heb aan knoflook en liever nooit meer een spel kaarten in mijn handen neem, dan dat ik een door een priester gezegend kruis om mijn nek hang,' zei hij. 'Vergeleken met het duistere bijgeloof dat hier op ons af komt, is het Nieuwe Testament een uiterst helder en rationalistisch boek.'

'En dat is het tenslotte ook,' merkte Byron droog op, waarna hij zijn eitje met een goed gedoseerde klap van zijn mes onthoofdde.

8

Horatio vloekte achter zijn op elkaar geperste tanden toen de lompe berg-koets, die door vier krachtige paarden werd getrokken, weer eens hard naar links zwaaide en hij tegen de zijwand werd geslingerd.

'Verdomme, voor een ritje door de Karpaten heb je een achterwerk van rubber en botten van staal nodig, als je enigszins heel wilt aankomen,' riep hij woedend.

'En als het even kan ook nog een paar beschermengelen,' mompelde Byron, die uitkeek op het diepe ravijn meteen links van de besneeuwde weg die steeds verder de berg op kronkelde. Hij probeerde zichzelf gerust te stellen met de verzekering van hun koetsier dat de wegen in de Karpaten goed schoongehouden werden en de sneeuw god zij dank niet zo hoog lag dat ze rekening moeten houden met ernstige problemen. De vraag was echter wat deze beer van een man, die deze route regelmatig reed en de indruk wekte dat hij een onverschrokken waaghals was, onder 'ernstige problemen' verstond. Daarover wilde hij echter liever niet nadenken.

Bij elke bocht hadden ze een nieuw uitzicht over de woeste bergwereld van de Transsylvanische Alpen. Soms zagen ze enorme bosgebieden, die zich onder hun eerste sneeuwdek op de berghellingen uitstrekten. Dan weer vertoonde het voorbijglijdende panorama steile klippen, die zich als stenen lansen naar het avondrood van de hemel uitstrekten. Op andere plekken reed de koets langs gekloofde rotswanden, alsof enorme explosies de diepe spleten en scheuren hadden veroorzaakt. Maar waar ze ook keken, overal zagen ze de onherbergzame woestenij van donkere wouden, ravijnen met ijzige rivieren die wit schuimend over klippen stortten, en dicht geformeerde bergen die de indruk wekten dat er daarachter geen andere wereld meer bestond.

Byron probeerde er niet aan te denken dat ze nog uren voor de boeg hadden in de koets, die soms als een schip op zware zee van de ene kant naar de andere zwalkte. De koets was met acht reizigers tot de laatste plaats bezet. Naast hun groep van vier en de advocaat deelden ze de ruimte met een oude boer, zijn vrouw en een timmerman van middelbare leeftijd met een gezicht vol littekens. Op beide nauwelijks beklede banken, die tegen de voor- en achterwand van het rijtuig waren geplaatst, waren drie zitplaatsen. En hoewel ze nogal ongerieflijk zaten, was het niets vergeleken bij de beproeving die Horatio en Byron op de smalle tussenbank in het midden moesten doorstaan. Zij hadden bij wijze van ruggesteun alleen een brede leren riem, die de koetsier links en rechts bij de zijramen had vastgehaakt. De constructie gaf hen geen enkele houvast bij al het zwaaien en schudden.

De drie onbekende passagiers, die de voorbank deelden, praatten zachtjes met elkaar en waren niet bepaald vriendelijk, laat staan dat ze de bereidwilligheid toonden om op de een of andere manier met hen in gesprek te komen. De blikken die ze hen toewierpen, leken Byron een merkwaardige combinatie van wantrouwen, onbegrip en … inderdaad, medelijden. Twee keer dacht hij dat hij hen de naam van de graaf hoorde fluisteren, maar dat wist hij niet helemaal zeker.

Ook de advocaat had er geen behoefte aan om te praten. Hij zat met een afwezige gezichtsuitdrukking in de linkerhoek op de achterbank en werd af en toe door een hevige hoestprikkel uit zijn sombere gepieker gerukt. Dat hij daarbij meteen zijn zakdoek naar zijn mond bracht en er met een afgewend hoofd heimelijk in spuugde, wekte argwaan bij Byron. Het was een argwaan, die hij om beleefdheidsredenen niet kon uitspreken, en bovendien hadden ze het aan hem te danken dat ze zonder vertraging van Piteschti naar graaf Kovat in zijn burcht Negoi reisden.

Het avondlicht stierf langzaam weg en de donkere, nachtelijke schaduwen kropen uit de bossen en de nauwe ravijnen, tot ze het laatste zwakke lichtschijnsel hadden verstikt. Nu kreeg de ijzige kou ook vat op hen.

De uren daarna duurden lang, vooral omdat de route steeds gevaarlijker werd en het span paarden zoveel smalle en steile bochten moest nemen.

Uiteindelijk bereikten ze de splitsing van de weg, die in een klein dal lag. De koetsier bracht zijn logge rijtuig tot stilstand, sprong van de bok en trok de deur open.

'We zijn precies op tijd op de afgesproken plek, meneer,' zei hij merkwaardig gejaagd tegen de advocaat. 'Het rijtuig dat de graaf zou sturen is echter nergens te bekennen. Daarom stel ik voor dat u en uw metgezellen de rit met ons voortzetten en een van de komende dagen weer naar Piteschti terugkeren.'

'Nee, dat doen we niet, koetsier,' antwoordde Matthew Golding verbazingwekkend energiek. 'Het rijtuig komt, dat weet ik zeker.'

Op hetzelfde moment werden de paarden onrustig. Ze begonnen zenuwachtig te snuiven en te steigeren en voordat iemand nog iets kon zeggen, dook vanuit het niets een calèche met vier pikzwarte paarden uit de duisternis op en stopte zo abrupt naast hen dat de sneeuw opstoof. De drie plattelandsbewoners sloegen onmiddellijk een kruis en de boerenvrouw haalde een rozenkrans tevoorschijn en begon trillend te bidden.

Op de bok van de calèche zat een lange man, die een wijde, geplooide schoudermantel van nachtzwarte wol droeg. Zijn gezicht was verborgen onder een hoed met de omvang van een wagenwiel en een ver naar beneden vallende rand.

'Je bent vroeg, vriend!' riep de helemaal in het zwart geklede man naar de koetsier.

'De Engelse heer en zijn gezelschap hadden veel haast, heer,' stamelde de postkoetsier verlegen.

'Je wilde zeker meteen verder rijden en ze meenemen naar Hermannstadt,' zei de in het zwart geklede man. 'Zeg maar niets, ik ken je. Mij neem je niet in de maling. De advocaat uit Engeland heeft dus gezelschap? Goed, de graaf heeft een gastvrij huis waar alle bezoekers welkom zijn. En ik heb voldoende dekens bij me, zodat niemand bang hoeft te zijn dat hij het tijdens de rit koud krijgt. Geef me de bagage, kerel! En haast je, als je het niet bij me wilt verbruien.

Even later zaten ze met zijn vijven in de ruwe, dikke dekens gewikkeld in de open calèche die op ski's rustte. De vier pikzwarte paarden gingen er onmiddellijk vandoor. Toen Byron zich nog een keer omdraaide, ving hij een laatste blik op van de koetsier, die hen nakeek en tegelijkertijd drie keer een kruis sloeg. Heel even besloop hem het onaangename gevoel dat er misschien toch meer dan alleen vaag bijgeloof achter alle angstige bezweringen stak.

In een wilde, nogal roekeloze rit reden ze door de nacht. Door bossen, waar de takken van de bomen rechts en links ver over de weg hingen en een soort tunnel vormden, langs ravijnen die als verstarde slangen tussen de bergen kronkelden en over met sneeuw bedekte bergtoppen.

Ineens klonk er gehuil in de nacht, dat snel luider werd. Het leek op het janken van honden en klonk toch anders, namelijk als de roofzuchtige jagers van de nacht.

'Horen jullie dat?' fluisterde Alistair angstig.

'Wolven,' zei Horatio meteen. 'Een hele roedel, denk ik.'

De calèche schoot door een kleine opening een dicht bos in en even later bereikten ze een brede, door maanlicht beschenen open plek. Daar stonden zeven grijszwarte wolven met een ruige vacht in een halve cirkel, met ontblote tanden en naar buiten hangende tongen, alsof ze wisten dat de calèche op dit moment op deze eenzame plek zou opduiken. Nauwelijks kregen ze het rijtuig in het oog of ze stormden er in vliegende vaart op af.

'Heilige moeder Gods, sta ons bij!' riep Harriet geschrokken.

Ineens gebeurde er iets wat uiterst merkwaardig was. De koetsier bracht de zwarte paarden zo abrupt tot stilstand dat de sneeuw onder hun hoeven in wolken omhoog wervelde en over hen heen waaide. Daarna kwam hij kalm van zijn zitplaats overeind en liet de zweep één keer scherp knallen.

De op hen afstormende wolven stopten bijna net zo plotseling als de zwarte paarden hadden gedaan. Hijgend, met hun tong uit hun bek en een bijna onderdanig gejank bleven ze een paar meter schuin voor de calèche staan. De koetsier stootte een kort sissend geluid uit en maakte een gebiedend gebaar met zijn zweep. Opnieuw stootten de wolven een schril gejank en gehuil uit, dat Byron en zijn metgezellen door merg en been ging en klonk als het dierlijke verzet tegen een bevel dat ze eigenlijk niet wilden opvolgen. Daarna trokken ze hun staart in, draaiden zich grommend om en sjokten terug in de richting waar ze vandaan waren gekomen. Even later had het bos ze verzwolgen.

'Wat was dat in vredesnaam?' vroeg Horatio verbijsterd.

'De wildernis van de Karpaten heeft zijn eigen wetten, meneer,' zei de koetsier met een zacht lachje, waarna hij de paarden weer aanspoorde.

'Ongelofelijk, wat er daarnet gebeurde,' zei Harriet terwijl ze dieper in het berggebied van de Negoi doordrongen. 'Als ik het niet met mijn eigen ogen had gezien, had ik het niet geloofd.'

Er gleed een raadselachtig lachje over het gezicht van de advocaat, die tegenover haar zat. 'Wie Transsylvanië kent, weet dat hier vreemde dingen gebeuren.'

Byron wilde hem vragen wat hij daarmee bedoelde en met wat voor vreemde dingen ze rekening moesten houden. Hij kwam daar echter niet meer aan toe, want de calèche had het bos doorkruist en het open landschap van een bergtop bereikt, waarachter een diep ravijn gaapte.

'Daar is het!' riep Alistair opgewonden, die in de rijrichting zat, terwijl hij voor zich wees. 'Dat moet burcht Negoi zijn!'

'Heilige penseel!' riep Horatio bij de aanblik van de burcht. 'Wat een lompe vesting! En dat hier, midden in Nergensland. Zeg eens, halen mijn ogen een truc met me uit of zweeft die kolos echt in de lucht?'

In het zwakke maanlicht leek het inderdaad of de machtige burcht achter de steil aflopende rotswand zweefde. Een ophaalbrug leidde naar het gebouw dat boven het ravijn hing alsof het betoverd was. Hoge, met kantelen omzoomde muren omsloten de burcht. Twee kleine verdedigingstorens flankeerden het poortgebouw. Twee andere aanzienlijk grotere en bredere woontorens met donkere venstergaten verhieven zich aan de achterkant van het gebouw. Ze waren verbonden door een kleine, hoekige vleugel. De hoge muren bevatten ook allerlei hoeken, die samen een vijfpuntige ster vormden.

Toen de calèche over de ophaalbrug gleed, zagen ze tot hun verbijstering wat de reden was voor de indruk dat de burcht in de lucht zweefde. De vijandige vesting was op een brede rotspunt gebouwd. Deze rotspunt had de vorm van de naar boven gebogen hoorn van een enorme neushoorn, waarvan de punt was afgeslagen door de houw van de machete van een reus.

Uit de diepte drong een afgelegen geluid tot hen door, en toen Byron over de rand van de calèche boog, zag hij een duizelingwekkende afgrond en een wit schuimende rivier, die onder hen door het ravijn kronkelde.

Het volgende moment passeerden ze het voorste poortgebouw en bereikten ze een ruitvormig voorplein, waarvan de zijwanden uitmondden in een tweede stenen poort. Nu zagen ze ook dat grote delen van het gebouw zich in een ruïneachtige toestand bevonden.

Het eigenlijke burchtplein lag achter het voorplein en had een aanzienlijke omvang. Een indruk die nog werd versterkt doordat vanaf het plein meerdere enorme, ronde inrijpoorten voorzien van met ijzer beslagen houten deuren naar verschillende andere, kleinere bijpleinen leidden.

De koetsier stopte voor een van de poorten. Deze was afgesloten met een massieve houten deur met ijzeren punten. Bovendien kon hij worden vergrendeld met een balk, zoals te zien was aan de zware ijzeren houders die links en rechts uit het metselwerk staken.

'Neem uw bagage en wacht hier!' verzocht de koetsier hen. 'De graaf zal u zo meteen persoonlijk begroeten en binnenlaten.'

Ze waren nauwelijks uitgestapt en hadden hun reistassen gepakt, toen de man met de calèche naar de andere kant van het plein reed, waar zich blijkbaar de stallen bevonden. Die moesten een aanzienlijke diepte hebben, want hij spande de paarden niet uit en reed door de dubbele deuren van de stal naar binnen. Even later trok hij de deuren van binnen dicht en vergrendelde ze.

'Ziet iemand hier een bel of een klopper, zodat we onze aanwezigheid kenbaar kunnen maken?' vroeg Alistair ongeduldig toen de minuten verstreken zonder dat er werd opengedaan. 'Niet bepaald elegant om ons hier in de kou te laten wachten.'

Horatio schudde zijn hoofd. 'Nee, ik zie niets wat daarop lijkt. We zullen gewoon geduldig moeten wachten tot de graaf ons binnenlaat.'

'Het is allemaal heel merkwaardig,' mompelde Harriet bedeesd.

De advocaat zweeg.

Eindelijk hoorden ze hoe aan de andere kant van de deur kettingen ratelden, een sleutel in het zware ijzeren slot werd gestoken en twee metalen grendels werden teruggeschoven. Daarna zwaaide de balkendeur krakend naar binnen open en stond er een lange, oudere man voor hen, die behalve een wit overhemd met een stijve stakraag van top tot teen in zwarte wol was gehuld. Een witte snor bedekte zijn bovenlip.

Byron en zijn reisgenoten wisten niet zeker of dit de graaf was of een van zijn bedienden, bijvoorbeeld zijn butler. Dat werd echter duidelijk toen de man een uitnodigend gebaar met zijn hand maakte en in voortreffelijk Engels, maar met een zwaar accent, tegen hen begon te praten.

'Welkom in mijn huis. Kom vrij en vrijwillig binnen,' begroette hij ze op een heel zeldzame manier. En tegen Harriet ging hij verder: 'Ik ben altijd opgetogen als ik een jongedame in de bloei van haar leven tot mijn gasten mag rekenen. Toevallig zijn er een paar dagen geleden twee buitenlandse wandelaarsters in deze omgeving verdwaald, die nu in mijn burcht te gast zijn. Kom binnen, ga gezond weer weg en laat iets van de vreugde achter die u mee naar binnen hebt genomen!' Tegelijkertijd stak hij zijn hand uit.

Byron, die het dichtst bij stond, pakte hem. Hij kromp ineen, want de hand van de graaf was ongewoon koud. 'Graaf Kovat, het is ons een eer ...,' begon hij.

De kasteelheer onderbrak hem lachend. 'Kovat is een naam die ik al heel lang niet meer heb gehoord, jonge vriend. Het is weliswaar een van de namen van mijn ver vertakte geslacht, maar sinds geruime tijd geef ik de voorkeur aan een andere naam, en ik verzoek u die ook te gebruiken.'

'En die is?' vroeg Alistair achter hen.

'Graaf Dracula.'

9

Byron probeerde zich de weg in te prenten die graaf Dracula nam, maar hij gaf het al snel op. Graaf Dracula bracht hen via een wirwar van donkere gangen en wenteltrappen naar een soort ridderzaal. Allerlei soorten wapens, zoals degens, zwaarden, lansen, speren, gruwelijke strijdbijlen en morgensterren bedekten de muren. De wapens waren in een verbazingwekkend goede staat en vertoonden maar weinig roestplekken. In de hoeken stonden complete ridderharnassen als roerloos verstarde wachters.

Byron keek aandachtig om zich heen en zocht op de harnassen naar een teken, zoals het typische kruis van de tempeliers, dat hem de verstopplek van Mortimers aanwijzing zou verraden. Tot zijn teleurstelling kon hij echter nergens in de zaal iets dergelijks ontdekken.

In de open haard, waarin waarschijnlijk een hele os aan het spit gebraden kon worden, brandde een vuur van halve boomstammen, die recht deden aan de afmetingen van het vertrek. In de buurt van het vuur stond een zware tafel, die tot hun verrassing al voor vijf personen was gedekt.

Graaf Dracula lachte toen hij hun verbazing zag. 'Bogan, mijn trouwe dienaar, kan hard werken. Hij zal straks ook jullie bagage aannemen. Op dit moment maakt hij de vier extra kamers voor mijn onverwachte, maar heel welkome gasten in orde,' deelde hij hen mee. 'Daarom is het helaas niet mogelijk dat jullie je voor het eten opfrissen. En omdat ik op het punt sta om mijn bedienden, op Bogan na, door geschikter personeel te vervangen, zorg ik zelf graag voor jullie welbevinden. Ik hoop dat jullie het me niet kwalijk nemen dat ik niet aan de nachtelijke maaltijd deelneem, ik heb namelijk al gegeten.'

Alistair liet het zich niet lang vragen en ging meteen aan tafel zitten. 'Ik geef toe dat ik een flinke versterking goed kan gebruiken,' zei hij op zijn directe manier en met een verwachtingsvolle blik op de dampende schalen en de flessen Tokay, die op hen wachtten.

Na enkele beleefdheden betrok de graaf de advocaat in een eerste gesprek over de onroerend-goedtransacties die hij van plan was af te sluiten. Daardoor hadden de anderen de gelegenheid om hun gastheer grondig te bestuderen, terwijl ze zich te goed deden aan gebraden kip, salade, kaas en wijn.

Graaf Dracula was een man met een bijzonder indrukwekkend voorkomen. Byron vond dat zijn bleke gezicht met de smalle, scherp gebogen neusrug en de ongewoon gevormde neusvleugels wel iets van een roofvogel weg had. Boven het hoge voorhoofd groeide een dikke bos staalgrijs haar, alleen aan de slapen was het heel spaarzaam, zodat de zeldzame vorm van de oren, die kleurloos leken en naar boven toe spits toeliepen, meteen opvielen. De graaf had borstelige wenkbrauwen, die boven zijn neus bijna aan elkaar groeiden, en er lag een harde trek rond zijn mond. Het meest verwarrende waren echter zijn grote en onberispelijk witte hoektanden. Die leken net zo scherp als de puntig gevijlde nagels aan zijn nogal grof ogende vingers.

Nadat de graaf zijn eerste gesprek met Matthew Golding had beëindigd, informeerde hij bij Byron en zijn metgezellen waaraan hij hun bezoek te danken had.

Byron vertelde het verzonnen verhaal over de biografie die hij wilde schrijven.

'U treedt dus in de voetsporen van Mortimer Pembrokes leven!' Er gleed een onderdrukte lach over het gezicht van de graaf. 'Ondanks zijn incidentele bevliegingen en stemmingswisselingen was hij een buitengewone man, die het ongetwijfeld waard is dat zijn leven voor het nageslacht wordt bewaard. Het doet me verdriet om over zijn vroegtijdige dood te horen.'

'Is hij lang bij u te gast geweest?' vroeg Alistair. 'En hoe is hij hier terechtgekomen?'

Graaf Dracula lachte onderdrukt. 'Onze gezamenlijke belangstelling voor de geschiedenis van mijn familie en voor de buitengewone processen van de natuur, waaraan normale mensen zich in het algemeen onttrekken, zou ik zeggen,' antwoordde hij vaag. 'En hoe lang hij hier is geweest? Iets meer dan tien dagen, in de periode dat er omvangrijke bouwwerkzaamheden in de burcht plaatsvonden. Helaas werd zijn jonge vriend en begeleider heel plotseling ziek. Ik geloof dat hij aan een soort bloedarmoede leed, die er tot mijn spijt toe heeft geleid dat hij vrij snel is overleden.' Zijn mondhoeken trilden en zijn tong gleed even tussen zijn tanden door. 'Ik geef toe dat ik nog vaak aan hem heb gedacht. Maar hierover en over veel andere dingen die uw interesse hebben, kunnen we de komende dagen nog uitvoerig praten.'

Matthew Golding, die met een bleek gezicht aan tafel zat, kreeg een hoestbui en greep haastig naar zijn zakdoek.

Byron knikte. 'Zeker, maar misschien kunt u één ding nu al voor ons ophelderen,' zei hij. Hij nam het risico om de ware reden te noemen die hen naar de burcht had gevoerd. 'Bij de helaas bijzonder fragmentarische reisaantekeningen, die Mortimer Pembroke na zijn dood heeft achtergelaten, hoort ook een merkwaardige passage die hij met een serie uitroeptekens heeft gemarkeerd, zodat ik vermoed dat het een belangrijk detail voor hem was.'

'En hoe luidt die passage?' vroeg de graaf geïnteresseerd.

'Het gaat om een korte, onvolledige zin,' corrigeerde Byron zichzelf. 'Deze luidt: "Ik heb de dode tempelier in graaf Kovats burcht gezien", gevolgd door zeven uitroeptekens. Zo staat het in zijn dagboek.'

'En wat heeft de lord verder nog over zijn verblijf bij mij in zijn dagboek vastgelegd?' vroeg de graaf.

'Alleen deze ene zin met de uitroeptekens, verder niets,' vertelde Byron overeenkomstig de waarheid.

Graaf Dracula, die naast de open haard stond, keek nadenkend terwijl hij met zijn puntige nagels aan zijn kin krabde.

'Dat is inderdaad heel merkwaardig. Het is voor mij ook een raadsel, want ik weet niets over een dode tempelier die hij in mijn burcht zou hebben gezien. Als er hier ooit zo iemand is geweest, dan had ik dat zeker geweten.

Burcht Negoi is bij wijze van spreken al eeuwenlang mijn thuis, in elk geval lijkt dat soms zo,' zei hij, waarbij hij weer onderdrukt lachte.

Byron en zijn metgezellen waren zichtbaar teleurgesteld dat ze de dode tempelier niet meteen op het spoor waren.

'Aan de andere kant kan ik niet helemaal uitsluiten dat er een bepaalde waarheid in de zin schuilt,' ging graaf Dracula even later verder. 'Het is heel goed mogelijk dat lord Pembrokes aantekening betrekking heeft op de titel van een boek, dat hij in mijn bibliotheek heeft gevonden. Daar staan duizenden boeken, een groot deel ervan zijn oude exemplaren die mijn voorvaderen verzameld hebben. Ik moet tot mijn schande bekennen dat ik de meeste van deze boeken nog nooit in mijn handen heb gehad en daarom ook niet weet, welke zeldzame bibliofiele schatten zich daaronder bevinden.'

Hun gezichten stonden meteen weer vrolijk en Horatio zei met nieuw ontwaakte hoop: 'Natuurlijk. "De dode tempelier" zou de titel van een boek kunnen zijn!'

'Dan weten jullie meteen waarmee jullie je morgen bezig kunnen houden. Zoek naar hartelust in de bibliotheek naar het boek,' zei graaf Darcula uitnodigend. 'Jullie vinden de bibliotheek op de begane grond, aan het eind van de gang achter de deur tussen de twee ridderharnassen. Ik ben morgen helaas de hele dag afwezig, omdat ik een aantal belangrijke zaken buiten de deur moet afhandelen. Maar vlak na zonsondergang ben ik waarschijnlijk weer terug. En ik verzeker jullie dat de nachten in burcht Negoi ook een heel bijzondere aantrekkingskracht hebben.' Opnieuw gleed er een lachje over zijn gezicht. Daarna draaide hij zijn hoofd om en riep: 'Aha, daar komt Bogan, mijn huisknecht. Jullie kamers zijn dus klaar. Fantastisch.'

Byron draaide zich naar de deur, die geluidloos achter hen was opengegaan, en kromp ontsteld in elkaar bij de aanblik van de man die op vilten pantoffels de ridderzaal inliep. Harriet ademde scherp in. Het klonk alsof ze alleen met ijzeren zelfbeheersing een geschrokken kreet kon binnenhouden.

De huisknecht, Bogan, was een afgrijselijk mismaakte man van onbepaalde leeftijd, die diep gebukt liep, of eigenlijk strompelde. Zijn rug was kromgegroeid en op schouderhoogte zat een bochel, waarboven zijn zwarte, knielange vilten jas zo hoog opbolde dat het was alsof hij een zak aardappelen tussen zijn schouderbladen had gebonden. Zijn korte benen waren kromgegroeid, en alsof dat nog niet genoeg was, bedekte een groot aantal dikke, zwarte wratten zijn gezicht. Tussen deze wratten zat een knolachtige neus, met openingen waaruit dichte bossen haar groeiden. Daaronder zagen ze een paardengebit, met afgrijselijke, naar voren stekende, bruine tanden. En terwijl het linkeroog mat en melkwit als de maan was, puilde het rechter als een schelvisoog uit de oogholte. Ruig, sprietig haar bedekte zijn grote hoofd, dat in geen enkele verhouding stond tot de bescheiden omvang van zijn misvormde lichaam.

Graaf Dracula hoefde geen helderziende te zijn om hun gedachten te lezen. Hij lachte hees.

'Ja ja, de natuur heeft het niet goed met hem voorgehad, zoals jullie zien. En bovendien is zijn tong uitgerukt toen hij een kind was. Wees dus niet verbaasd als hij geen antwoord geeft op jullie vragen. Soms denk ik dat de goede Bogan model heeft gestaan voor het karakter van Quasimodo in de roman *De klokkenluider van de Notre-Dame* van die Franse auteur,' zei hij luchtig. 'Maar Bogan is aanhankelijk en betrouwbaar. Hij is de beste dienaar die ik ooit heb gehad. Niets is hem teveel.' Niemand zei iets. Ze waren allemaal nog niet over de schok heen.

'Goed, de kamers zijn klaar en jullie zullen wel moe zijn. Daarom wil ik jullie niet langer van jullie verdiende nachtrust afhouden,' ging de graaf verder. 'Jullie welzijn is van groot belang voor me en we zullen de komende dagen nog voldoende tijd hebben voor stimulerende gesprekken. Ik verlang ernaar zoveel mogelijk te horen over het land waar ik binnenkort voor langere tijd ga wonen en … nu ja, ook actief wil zijn. Daarom hoop ik heel erg dat ik het genoegen heb om niet alleen meneer Golding, maar ook jullie voor enige tijd te gast te hebben. En nu zal ik jullie de kamers wijzen.'

Byron en de anderen mompelden vage woorden van dank voor zijn gastvrijheid en namen de rest van hun lichte bagage mee, die Bogan niet had kunnen dragen.

Zwijgend volgden ze graaf Dracula, die vooruitliep en hen bijlichtte in de donkere gangen en trapopgangen die naar een van de grote woontorens leidden. Op weg naar hun kamers passeerden ze meerdere zware deuren, die met grendels en balken afgesloten konden worden.

Afgaand op de trappen die ze op liepen, lagen hun kamers op een van de bovenste verdiepingen van een van de hoekige woontorens aan de ravijnkant. Uiteindelijk kwamen ze in een lange gang, die halverwege een rechthoekige knik maakte. Byron telde in totaal acht deuren, die links en rechts van de gang lagen.

Graaf Dracula wees de advocaat zijn onderkomen, dat vlak voor de knik lag. Hij zei dat hij hoopte dat de advocaat daar voldoende ruimte had om zijn documenten ongehinderd uit te spreiden. Voor zijn andere gasten had Bogan kamers in orde gemaakt die achter de knik lagen.

Tot hun verrassing bleken de kamers heel ruim en behaaglijk ingericht. Ze bezaten allemaal een kleine open haard waarin een vuur brandde, een massief, breed bed met vier gedraaide poten die een met grijze zijde bespannen baldakijn droegen, gemakkelijke stoelen, een kast, een dekenkist en een commode waarop een eenvoudige kandelaar, een windlicht, een waskom en een grote kan met water klaarstonden.

Graaf Dracula vertelde ze ook nog aan welk eind van de gang het toilet was, als ze voor bepaalde menselijke behoeften de nachtspiegel, die onder het bed stond, liever niet gebruikten. Daarna nam hij afscheid met de woorden: 'Slaap lekker en droom goed. We zien elkaar morgenavond weer.'

Byron wachtte en luisterde met zijn deur open naar de voetstappen van de graaf en zijn huisknecht, die zich in de lange gang verwijderden en uiteindelijk ergens aan het eind bij een trap wegstierven.

Harriet, Alistair en Horatio hadden net zo gespannen gewacht tot de twee buiten gehoorsafstand waren, want ze liepen alle vier bijna tegelijkertijd hun kamers uit. Alleen de advocaat liet zich niet meer zien.

Byron gebaarde zwijgend dat de anderen in zijn kamer moesten komen en deed de deur snel achter hen dicht.

'Kan iemand me vertellen waar we terechtgekomen zijn?' vroeg Harriet zachtjes. 'Deze graaf Dracula bevalt me helemaal niet.'

'Hoezo? Hij is toch de schoonheid in eigen persoon vergeleken bij die huiveringwekkende huisknecht,' zei Alistair terwijl hij zorgeloos probeerde te grijnzen. De poging mislukte jammerlijk.

'Hij is zo bleek, en dan die vooruitstekende hoektanden en puntige oren,' fluisterde Horatio. 'En hoe zit het met de koetsier, die de wolven op de vlucht heeft gejaagd alsof hij macht over die roofdieren heeft? Dracula vertelde toch dat hij al zijn bedienden met uitzondering van die gebochelde heeft ontslagen? Hij zal toch wel tot twee kunnen tellen?'

Byron knikte. 'Het is allemaal uiterst merkwaardig,' beaamde hij.

'Ja, en behoorlijk griezelig als je het mij vraagt,' zei Harriet terwijl ze over haar armen streek alsof ze het koud had, ondanks de warmte die het open haardvuur uitstraalde. 'Ik wil hier zo snel mogelijk weer weg.'

'Daar ben ik het mee eens,' zei Horatio.

'Natuurlijk, we blijven hier geen minuut langer dan absoluut nodig is. Maar eerst moeten we de dode tempelier vinden, anders eindigt onze zoektocht naar het Judas-evangelie in de Karpaten,' antwoordde Alistair met een somber gezicht. 'En 4000 pond op onze buik te schrijven omdat we een gebochelde eng vinden, lijkt me een beetje overdreven.'

Byron dacht eraan dat hij Arthur Pembroke zijn erewoord had gegeven om alles te doen wat in zijn macht lag om de verstopplek van de papyri te vinden. Daardoor was hij verantwoordelijk en kon hij zich niet door vage, onaangename gevoelens tot een woordbreuk laten verleiden.

'Inderdaad, Alistair,' zei hij daarom terwijl hij zijn stem een nadrukkelijk energieke klank gaf, om zowel zichzelf als de anderen op te monteren. 'Misschien liggen deze eenzame plek en hun bewoners ons niet. Goed, daarover zijn we het allemaal eens. Maar daardoor mogen we niet in de verleiding komen om overhaaste conclusies te trekken en overal gevaar te zien. Ik kan in elk geval niets concreets noemen.'

'Tja, ik weet het niet,' zei Horatio.

'En ik denk dat we alle vier niet bijgelovig zijn en dat we ons door een enigszins huiveringwekkende sfeer niet laten tegenhouden om datgene te doen wat we van plan waren,' ging Byron verder. 'We hebben na Boekarest twee vermoeiende dagen achter de rug en zijn waarschijnlijk gewoon uitgeput en enigszins overprikkeld. Als we een goede nachtrust hebben gehad, denken we beslist kalmer en evenwichtiger over de situatie.

En als "de dode tempelier" de titel van een boek is, zal het ons niet veel tijd kosten om het in te bibliotheek te vinden en daarna kunnen we zo snel mogelijk weer vertrekken.'

Zijn toespraak had het gewenste effect en ze gingen iets kalmer uit elkaar, in de hoop dat ze het boek de volgende ochtend al zouden vinden.

Toen Byron alleen in zijn kamer was en zijn reistas openmaakte om de inhoud ervan in de kast op te bergen, zag hij de knoflookstreng en de ijzeren crucifix liggen.

Hij lachte zachtjes, maar kon zich niet herinneren dat hij die spullen bij hun vertrek uit Piteschti had ingepakt. Ze moesten op de een of andere manier in zijn tas terechtgekomen zijn.

Heel even wist hij niet wat hij ermee moest doen, maar toen viel zijn oog op de kledinghaak naast de deur. Zonder er verder over na te denken hing hij de knoflookkrans daar op. Het stond hem echter tegen om het gewijde kruis ook aan de haak te hangen. Het leek hem onwaardig om het tussen de knoflooktenen te laten bungelen. Daarom legde hij het kruis op de vensterbank.

Die nacht sliep hij van lichamelijke uitputting zo diep en vast als hij al heel lang niet meer had gedaan. Het drong niet tot zijn slaap door dat er midden in de nacht een grote vleermuis naar een kier tussen de smalle ramen van zijn kamer vloog en zich daar vastklampte. Het volgende moment fladderde het beest geschrokken achteruit en sloeg met zijn vleugels tegen het glas.

10

De volgende ochtend werden ze wakker tijdens een hevige sneeuwbui en ze hielden er daarom rekening mee dat graaf Dracula de bezigheden waarover hij het had gehad, door de slechte weersomstandigheden naar een ander tijdstip zou verschuiven. Hij liet zich echter niet zien tijdens het ontbijt, dat beneden in de ridderzaal voor hen klaarstond, of gedurende de rest van de dag.

'Het is me een raadsel hoe je hier in de bergen bij dit hondenweer naar buiten kunt gaan,' zei Horatio. 'Dat grenst toch aan roekeloosheid.'

Alistair haalde zijn schouders op. 'Ik vind het prima dat we hem voorlopig niet zien. Ik vind het meer dan voldoende dat die gebochelde hier op zijn versleten vilten pantoffels zo geluidloos als een geest rondsluipt.'

Harriet mengde zich niet in het gesprek. Ze zat zwijgend aan tafel, kauwde elke hap eindeloos lang alsof ze het was verleerd om te slikken, en was met haar gedachten duidelijk heel ergens anders.

Vlak daarna kwam Matthew Golding bij hen aan tafel zitten. De Londense advocaat zag er gespannen en moe uit, alsof hij door het hoesten de hele nacht geen oog had dichtgedaan. Eetlust had hij ook niet. Hij nam alleen een kop thee en een stuk droog brood.

'U lijkt betere dagen gekend te hebben, meneer Golding,' begon Alistair opgewekt tegen hem. 'Is de graaf misschien niet tevreden over het onroerende goed dat u hem te koop kunt aanbieden? Dat zou na zo'n lange en kostbare reis natuurlijk een bittere teleurstelling zijn.'

Matthew Golding lachte gekweld en schudde zijn hoofd. 'Hij is absoluut niet ontevreden, meneer McLean. Mijn reis zal het succes opleveren dat ik me had voorgenomen. Al het andere zou een ramp zijn.'

Byron trok zijn wenkbrauwen op. 'Een afgeketste transactie is natuurlijk altijd bitter, maar komt in elke branche voor en kan daarom nauwelijks als een ramp worden beschouwd. U zei toch dat uw advocatenkantoor veel rijke klanten in het buitenland vertegenwoordigt?'

'Dat klopt, maar in dit geval zou het een ontstellende mislukking met onoverzichtelijke gevolgen zijn,' ging Matthew Golding tegen hem in. 'Van mijn activiteiten in burcht Negoi hangt meer af dan u zich kunt voorstellen.' Hij begon weer te hoesten en spuugde met een weggedraaid hoofd in zijn zakdoek. Het was een schone van wijnrode stof. 'En als u me nu wilt verontschuldigen. Ik heb een geprikkelde maag en moet bovendien nog het een en ander voorbereiden om alles hier tot een goed einde te brengen.'

'Wat een vreemde vent,' zei Alistair toen ze weer alleen waren. 'Bovendien heb ik het gevoel dat hij liegt. In elk geval over zijn naam.'

De anderen keken hem verbaasd aan. Zelfs Harriet keek op. 'Hoe kom je op dat absurde idee? Wat voor reden zou hij hebben om ons én graaf Dracula een verkeerde naam op te geven? De graaf onderhoudt toch al langere tijd contact met hem en zijn advocatenkantoor door middel van briefwisseling?'

'En wat dan nog? De wereld wordt beslist door meer dan één geniale vervalser bevolkt,' antwoordde Alistair met een zijdelingse blik op Horatio. 'Welke reden hij daarvoor heeft weet ik natuurlijk ook niet, maar ik heb het monogram op zijn zakdoek gezien. Dat is AvH en niet MG. En ik geloof niet dat een Londense advocaat met de zakdoeken van andere mensen over de wereld reist.'

Harriet rolde met haar ogen. 'Mijn god, Alistair! Daarvoor kunnen toch heel veel eenvoudige verklaringen zijn!'

'O ja? Welke dan? Noem er maar een.'

Ze dacht even na. 'Hij kan hem bijvoorbeeld gekregen hebben van de ... de vrouw van wie hij houdt,' zei ze terwijl ze enigszins rood werd. 'Hij draagt immers ook een ring en is misschien verloofd met die vrouw.'

'Nee, die kerel is getrouwd. Dat heeft hij me zelf verteld toen we in Piteschti op de postkoets wachtten. Hij vertelde hoe moeilijk hij het had gevonden om zijn vrouw in Londen achter te laten. En als die zakdoek hem om de een of andere reden dierbaar is en waarde voor hem heeft, zou hij er dan in spugen?' hield Alistair haar voor.

'Daar zit een bepaalde logica in,' was Byron het met hem eens.

'Hemel, wat kan het ons schelen wat dat monogram betekent en waarom hij die zakdoek bij zich heeft,' zei Horatio. 'Meneer Golding kan doen en laten wat hij wil. We hebben belangrijkere dingen te doen dan ons hoofd breken over een monogram. Zijn jullie vergeten dat er een paar duizend boeken in de bibliotheek op wachten tot ze door ons worden opgepakt? Als Mortimer Pembroke namelijk iets in een oud boek heeft achtergelaten, dan staat de titel niet op de boekrug, zoals tegenwoordig vaak het geval is, maar alleen binnenin. Dame en heren, er staat ons een heidens karwei te wachten.'

Horatio had gelijk. Bij de aanblik van de bibliotheek zonk de moed hen in de schoenen. De donkere wandkasten, die van de vloer tot het plafond reikten, stonden propvol boeken. De meeste daarvan waren in leer gebonden exemplaren uit vroegere eeuwen. Bovendien was het licht slecht, omdat er maar twee ramen waren, die zich in de muur aan de kant van het ravijn bevonden. De twee andere ramen in de tegenoverliggende muur, die op de grote binnenplaats uitkeken, waren om een onverklaarbare reden afgesloten met zware granieten blokken. Er was zelfs geen papierdunne kier te zien tussen het oorspronkelijk metselwerk en de aangebrachte rotsblokken.

In het voorste deel stond een zwaar bureau, dat verried hoezeer graaf Dracula zich voor Engeland interesseerde. Deze lag bezaaid met maanden oude Engelse tijdschriften en kranten, met reisgidsen van de belangrijkste Engelse steden, almanakken en dienstregelingen van de spoorwegen en alle grote scheepvaartlijnen. Zelfs de twee adresboeken van Londen, de zogenaamde rode en blauwe, lagen erbij. En in de kast achter het bureau zagen ze tientallen Engelse naslagwerken over elk denkbaar onderwerp. De weetgierigheid van de graaf leek werkelijk geen grenzen te kennen.

Om te beginnen liepen ze meerdere keren langzaam langs de boekenwanden, op zoek naar een teken dat Mortimer misschien op een van de boeken had achtergelaten, zonder dat ze wisten hoe dit teken eruit moest zien. Meerdere keren dachten ze zo'n vingerwijzing gevonden te hebben, maar bij nader onderzoek van het boek werden ze telkens teleurgesteld.

Uiteindelijk gaven ze deze wispelturige manier van zoeken op en besloten ze methodisch te werk te gaan, doordat ze allemaal een verticale rij boeken bekeken. Uur na uur pakten ze boek na boek, sloegen het open, bekeken het titelblad en zochten naar ingelegde bladen, krabbels of andere aanwijzingen.

Het was een vermoeiende klus en bovendien hadden ze last van het stof dat opwervelde en waardoor hun ogen gingen tranen.

Ze hielden telkens pauzes, omdat het anders helemaal niet vol te houden was. Bovendien stond Alistair erop af en toe een sigaret te roken.

In een van deze pauzes merkte Byron dat Harriet zwijgend haar hoofd schudde en daarna zachtjes lachte. Hij liep naar haar toe en keek net als zij naar buiten, naar de gapende afgrond die zich aan de andere kant van de muur bevond. Er wervelden nog steeds dikke sneeuwvlokken rond de burcht.

'Tja, wie destijds heeft besloten om in deze woestenij en dan uitgerekend ook nog op deze rotspunt een burcht te bouwen, moet aan grootheidswaanzin hebben geleden,' zei hij, omdat hij meende te weten waaraan ze net had gedacht. 'Als ik hier jaar in, jaar uit moest wonen, zou ik waarschijnlijk vroeg of laat stapelgek worden.'

'De indruk dat ik stapelgek werd heb ik vanochtend al even gehad,' antwoordde Harriet zachtjes. 'Maar waarschijnlijk is mijn fantasie gewoon met me op de loop gegaan.'

'Waar heb je het over, Harriet?' vroeg Byron verbaasd.

'Ik zal het je vertellen, maar onder voorwaarde dat je me niet uitlacht. En daar wil ik je erewoord op. Anders houd ik die onzin voor mezelf,' zei ze.

'Toe maar, ik zal niet lachen. Je hebt mijn erewoord,' verzekerde hij haar.

Ze aarzelde even. 'Goed dan. Het gebeurde vanochtend in de ochtendschemering. Ik werd wakker en liep snel naar de open haard, om de gloeiende as op te stoken en een paar houtblokken op het vuur te leggen, zodat het later, als ik opstond en me ging wassen, niet zo koud in de kamer zou zijn. Toen ik dat had gedaan, bleef ik nog even bij het raam staan om naar de sneeuw te kijken. Ik keek naar de burchtmuur, die onder onze vleugel een knik maakt en naar de naburige woontoren loopt. En plotseling zag ik … het. In elk geval heb ik het me heel even verbeeld,' verbeterde ze zich snel.

'En wat was dat "het" dat je hebt gezien?'

'Het zag eruit als … als een menselijke, in het zwart geklede gedaante, die … die uit de diepte kwam en … en langs de muur omhoog klom,' vertelde ze stamelend van verlegenheid. 'Snel en zeker als … nou ja, als een hagedis kroop hij langs de burchtmuur omhoog en verdween door een van de bovenste ramen in de toren.'

Byron moest zijn uiterste best doen om niet geamuseerd te lachen. 'Een menselijke gedaante die als een hagedis langs een loodrechte muur omhoog klimt, waaronder naakt, glad rotsgesteente een paar honderd meter bijna loodrecht in de diepte verdwijnt?' Hij kon een licht lachje niet onderdrukken.

'Ja, ik weet dat het idioot klinkt,' zei ze snel terwijl ze bloosde. 'Waarschijnlijk was het gewoon een grote zwarte vogel, die in de hevige sneeuwbui op een menselijke gedaante leek. En bovendien was het nog niet eens echt licht.'

'Het zal inderdaad een grote kraai of misschien een roofvogel zijn geweest, die een nest heeft in een van de lege kamers,' zei Byron. Het was duidelijk dat er in de tegenoverliggende woontoren met alle raamopeningen zonder glas niemand kon wonen, vooral niet in de winter.

Harriet dreigde met haar wijsvinger. 'Waag het niet om het aan de anderen te vertellen, Byron! Dat zou ik je heel erg kwalijk nemen.'

Hij legde zijn hand op zijn hart. 'Ik zal zwijgen als het graf over je visioen van de menselijke hagedis van vanochtend vroeg. Erewoord!'

'Ik wist dat ik het niet had moeten vertellen,' pruilde ze, maar ze moest zelf ook lachen.

Byron vergat het verhaal al snel weer en ze gingen tot het avond werd door met hun zoektocht naar het tempelierboek, maar zonder succes. De advocaat en graaf Dracula lieten zich overdag niet zien. Ze zagen alleen de gebochelde af en toe, maar hij schonk geen aandacht aan hen.

'Als we de pech hebben dat het boek ergens helemaal achteraan staat, duurt het dagen voordat we het eindelijk vinden,' zei Horatio aan het eind van de middag. Op dat moment hadden ze een derde van de boeken in de voorste bibliotheek naar de aanwijzing afgezocht.

Harriet knikte. 'Maar als we eerst het achterste deel doorzoeken, staat dat verwenste boek vast en zeker ergens vooraan.'

'Misschien is "de dode tempelier" helemaal geen titel van een boek, zei Byron.

'Heb je enig idee wat Mortimer er anders mee bedoeld kan hebben?' vroeg Harriet.

'Ja, misschien bedoelt hij het gráf van een dode tempelier.'

Alistair sloeg met zijn hand tegen zijn voorhoofd. 'Natuurlijk! Dat is toch logisch! Wat een stommelingen zijn we! Waarom hebben we daar niet meteen aan gedacht? We moeten naar het kerkhof om te kijken of we daar een tempeliergraf kunnen vinden.'

Horatio keek hem spottend aan. 'Je schijnt te vergeten waar we zijn, Alistair. Rondom de burcht is alleen rotsgesteente en daarom is er geen kerkhof. De doden liggen in de grafkelder van de burcht, waar die ook mag zijn.'

Alistair haalde zijn schouders op. 'Kerkhof of grafkelder, er zijn in elk geval graven. En een daarvan kan dat van een dode tempelier zijn. Dat moeten we eerst grondig onderzoeken, voordat we hier nog dagenlang het ene stoffige boek na het andere uit de kasten trekken.'

'Dat doen we ook,' verzekerde Byron hem. 'Maar eerst moeten we weten waar deze grafkelder zich bevindt, en dat kan alleen graaf Dracula ons vertellen. Bovendien moeten we zijn toestemming hebben, en tot we die aan hem kunnen vragen moeten we doorgaan. Dat Mortimer een graf heeft bedoeld met zijn raadselachtige aanwijzing is alleen een vermoeden. Het kan heel goed zijn dat het toch de titel van een boek is.

De dag verdween net zo grijs en triest als hij was gekomen. Toen het avond werd, haalde Bogan hen van hun werk. De gebochelde gaf hen met behulp van gebarentaal en gorgelende geluiden te kennen dat het eten in de ridderzaal was opgediend.

Graaf Dracula en de advocaat waren al aanwezig. Ze stonden bij een zijtafel gebogen over papieren en een uitgerolde kaart, die leek op een bouwtekening van een vertakt gebouwencomplex. Toen Byron en zijn reisgenoten binnenkwamen, onderbraken ze hun gesprek, dat ongetwijfeld ging over het beschikbare onroerende goed, en voegden zich bij hen.

Graaf Dracula vroeg hen buitengewoon vriendelijk aan de gedekte tafel te gaan zitten. Net als de avond ervoor verontschuldigde hij zich dat hij niet at, omdat hij dat al buiten de deur had gedaan. Daarna vroeg hij hoe ze de dag hadden doorgebracht en of hun zoektocht naar het boek succesvol was geweest.

'Helaas niet,' zei Byron tegen hem. 'Maar we hebben vandaag bedacht dat er misschien een oud tempeliergraf in burcht Negoi zou kunnen zijn, dat de bijzondere interesse van Mortimer Pembroke heeft gewekt.'

Graaf Dracula fronste zijn voorhoofd. 'Een tempeliergraf? Daar weet ik niets van. Maar het staat jullie natuurlijk vrij om zelf in de grafkelder te gaan kijken. Ik zal Bogan straks opdracht geven dat hij de deur naar de gewelven voor jullie van het slot moet doen,' zei hij voorkomend. Daarna legde hij uit hoe ze in de grafcatacomben konden komen.

Byron had het gevoel dat Matthew Golding ineens nauwlettend luisterde. En zag hij een uitdrukking van opluchting op zijn gezicht?

Het gesprek ging daarna over op andere onderwerpen, vooral op de Engelse zeden en gebruiken, waarvoor de graaf een onuitputtelijke interesse toonde. Later kwam het gesprek op de oorlogsgeschiedenis van de Balkan en de familiegeschiedenis van de graaf, die daar nauw mee verbonden was.

Hij bleek een bedreven verteller, die er zichtbaar plezier in had om urenlang met hen te praten. Het was alsof hij geen vermoeiende dag achter de rug had, maar was opgefrist nadat hij urenlang had geslapen en nu zin had om van de nacht een dag te maken.

Op een bepaald moment informeerde Matthew Golding, die verder weinig aan het algemene gesprek bijdroeg, waarom de twee vrouwelijke gasten over wie de graaf het de avond ervoor even had gehad, hen geen gezelschap hielden.

'Ze gebruiken de maaltijd op hun kamer, want ze hebben nog enige tijd strikte bedrust nodig om weer op krachten te komen,' deelde graaf Dracula hen mee. 'Deze twee moedige en ondernemende Amerikaansen, die een voor vrouwen uiterst verwonderlijke hartstocht voor bergbeklimmen bezitten, hebben waarschijnlijk iets te veel van zichzelf gevergd toen ze een paar dagen geleden besloten op eigen houtje de Karpaten te verkennen. Ik heb het gevoel dat de Amerikanen over het algemeen enigszins buitensporig in hun zelfoverschatting zijn en vaak onbehouwen over de weloverwogen conventies van onze tijd heen stappen. Maar hoe dan ook, ze zijn verdwaald in de ravijnen van de Negoi, wat niemand die vertrouwd is met mijn land zal verbazen. Dank zij een gelukkige samenloop van omstandigheden heeft hun dwaaltocht ze nog net op tijd naar mij geleid. Anders waren ze in de bergen van uitputting doodgevroren.'

'Dan mogen ze blij zijn dat ze onder uw dak bescherming en verzorging hebben gevonden,' zei de advocaat met een merkwaardig strakke trek rond zijn mond.

De graaf knikte. 'U zegt het, mijn beste. Ik geef ze inderdaad mijn heel bijzondere zorg,' bevestigde hij, waarna hij het gesprek in een andere richting stuurde.

Byron en zijn reisgenoten deden hun best om net zo levendig en vrolijk te praten als hun gastheer, maar na twee uur waren ze doodmoe, een moeheid waartegen ze al snel met de beste wil van de wereld niet meer konden vechten. Het was de hoogste tijd om naar hun kamers te gaan om te gaan slapen. De advocaat sloot zich bij hen aan toen ze van tafel opstonden.

Het speet graaf Dracula dat hun stimulerende gesprek al ten einde was, maar hij toonde begrip voor hun vermoeidheid en hun verlangen om naar bed te gaan, en hij wenste hen een verkwikkende nacht. 'Ik hoop dat de nacht jullie met nieuwe levensgeesten vervult,' zei hij bij het afscheid.

Byron vond de opmerking niet bijzonder, maar hij vermoedde niet dat hij de ware betekenis ervan een paar uur later al op gruwelijke wijze zou ervaren.

11

Het vuur in de open haar was opgebrand en smeulde zachtjes, toen Byron na bijna twee uur slapen wakker werd omdat hij naar het toilet moest. Toen hij overeind kwam en zijn benen over de hoge bedrand zwaaide, voelde hij zijn darmen ook rommelen. Hij vermoedde dat de scherp gekruide paprikasaus van het wildgebraad daar verantwoordelijk voor was.

Hij had de nachtspiegel al onder zijn bed vandaan getrokken toen hij van mening veranderde. Het idee om zijn behoefte op de oude, beschadigde aardewerken po te doen en de volgende ochtend met een heel smerige lucht in de kamer wakker te worden, trok hem niet aan. Daarom besloot hij om de onaangename tocht door de ijskoude gang naar het toilet te ondernemen. Dat leek hem de minst erge van de twee kwaden.

Snel gleed hij in zijn pantoffels, pakte zijn ochtendjas en sloeg hem om. Hij stak geen kaars aan om mee te nemen.

De ijzige kou overviel hem op de donkere gang. Hij haastte zich naar het toilet en liep daarna met zijn hand tegen de muur op de tast naar zijn kamer terug.

Hoe het kwam dat hij zijn kamer voorbij liep en de hoek van de gang omsloeg, kon hij achteraf niet zeggen. Waarschijnlijk was het een combinatie van slaperigheid en onnadenkendheid. In elk geval had hij niet in de gaten dat hij zijn kamer al voorbij was toen hij aan zijn linkerkant een zwak roodachtig lichtschijnsel zag, dat uit een deuropening in de gang viel.

Onwillekeurig nam hij aan dat het vuur in zijn open haard door de tocht nog een keer was opgeflakkerd, omdat hij de deur had opengelaten.

Hij bereikte de deur en wilde de kamer al in lopen, toen er een vrouwenstem tot hem doordrong, die een merkwaardig verstikt en tegelijkertijd genotvol geluid voortbracht en daarna zachtjes riep: 'Ja, liefste … Alles is van jou, heerser van de nacht! … Ik wil helemaal van jou zijn!'

Byron verstijfde midden in zijn beweging.

Liéfste?

Het eerste moment schoot de ondraaglijke gedachte door zijn hoofd dat het Harriet was, die hij zo genotvol hoorde kreunen terwijl ze zich aan een man gaf. Die man kon alleen Alistair zijn. De gedachte stak als een mes in zijn borstkas.

Het volgende moment merkte hij echter dat het niet Harriets stem was, die hij had gehoord. Het Engels van deze vrouw had een duidelijk Amerikaans accent. Hij begreep meteen dat hij zich in de deur had vergist. Het schaamrood schoot naar zijn gezicht, omdat hij als een voyeur voor de slaapkamer stond van deze vreemde vrouw, die een van de twee Amerikaanse gasten moest zijn, en midden in een uiterst intieme scène bijna naar binnen was gelopen. Het kwam niet bij hem op dat deze twee vrouwen na hun levensgevaarlijke avontuur in de bergen nog te zwak waren om de maaltijden in de ridderzaal te gebruiken, en hij vroeg zich niet af wie de geliefde kon zijn aan wie de vrouw zich overgaf.

Hij wilde al op zijn tenen weglopen, toen hij een bekende mannenstem hoorde: 'Lig nu eindelijk stil en buig je hoofd opzij, mijn hartenbloed.'

Het was de stem van graaf Dracula!

Byron bleef staan en deed daarna iets wat eigenlijk volkomen in tegenspraak was met zijn opvoeding en zijn karakter. Hij gluurde om de deur heen de kamer in. Die werd verlicht door het flakkerende licht van de lage vlammen, die in de open haard aan de pas neergelegde houtblokken likten.

Zijn oog viel op twee vrouwen van misschien dertig jaar, die het brede, met
een baldakijn overkoepelde hemelbed deelden. Beide lagen, alleen gekleed
in dunne nachthemden, op het zijden laken.

De linker vrouw lag erbij alsof ze diep in slaap was, met haar hoofd onnatuurlijk naar links gedraaid en haar mond wijd opengesperd. De met
ruches afgezette kraag van haar nachthemd vertoonde een flinke scheur in
de hals. Donkere vlekken, die Byron op het eerste moment voor gemorste
wijn hield, hadden het dunne weefsel van haar nachthemd bevlekt.

Het gezicht van de andere vrouw, die aan de rechterkant van het bed lag en
wier dunne nachthemd een goed gevormd vrouwenlichaam onthulde, kon
hij niet zien omdat graaf Dracula diep over haar heen gebogen stond.

Hij kuste haar hals en maakte daarbij een merkwaardig zuigend geluid, dat
in Byrons oren zo wellustig klonk alsof het een seksuele daad betrof.

Plotseling knalde er een harsknoop in de open haard en graaf Dracula
schrok en liet de vrouw los. Op het moment dat hij omkeek viel het schijnsel van het vuur op zijn gezicht. Zijn lippen waren met bloed bevlekt en er
hingen lange bloeddraden aan de vlijmscherpe hoektanden.

Byron stond als een zoutpilaar in de diepe slagschaduw van de deur. Hij
huiverde, want hij wist instinctief dat hij getuige was van een verschrikkelijke aanranding. Dat de vrouw de graaf had aangemoedigd, veranderde
niets aan dat feit. Voor Byron stond namelijk vast dat graaf Dracula de
twee vrouwen op de een of andere manier in zijn macht had en dat hij hen
gebruikte voor de bevrediging van zijn buitenissige begeerte. Een begeerte,
die in elk geval met bloed te maken had.

Byron durfde geen adem te halen en was bang dat graaf Dracula hem zou
zien. Hij twijfelde er niet aan dat zijn leven dan gevaar liep.

Plotseling ontsnapte er een diepe zucht aan de vrouw naast graaf Dracula.
De kasteelheer draaide zich meteen weer naar haar toe, lachte zacht, likte
over zijn lippen en zei met een tedere stem: 'Kalm maar, lieftallige schenkster van leven. Er is nog lang niet genoeg bloed uit je lichaam gevloeid. Je
zult al snel weten voor welke edel doel ik jou en je reisgenote heb voorbe

stemd.' Daarna boog hij zich weer naar haar toe.

Byron huiverde toen hij besefte dat graaf Dracula het bloed van de vrouwen dronk, dat hij op de een of andere manier uit hun lichaam zoog. Waarschijnlijk met zijn vlijmscherpe tanden, ook al leek deze gedachte krankzinnig en was dat in tegenstrijd met alles wat de wetenschap over de natuur en het functioneren van het menselijke organisme leerde. Het was alsof hij in een duivelse nachtmerrie was beland.

Versuft als een zwaar aangeslagen bokser in de ring tuimelde hij van de deur terug en wankelde door de donkere, ijskoude gang. Hij had het koud, maar veel meer van binnenuit dan van de winterse kou die zich in het dikke metselwerk had genesteld. Het bloed ruiste in zijn oren en het afgrijselijke beeld van graaf Dracula's met bloed bevlekte gezicht stond hem nog steeds voor ogen.

Als een rietstengel in de wind liep hij zwaaiend door de gang, sloeg de hoek om en liep een donkere gedaante tegen het lijf.

'Verdwijn, satan!' siste een hese stem, waarna de gedaante iets kouds en hards tegen zijn voorhoofd drukte.

Byron kromp geschrokken in elkaar, maar had de stem herkend. 'Meneer Golding?' stamelde hij.

Het koude voorwerp verdween meteen van zijn voorhoofd en de advocaat antwoordde gedempt: 'God zij dank dat u het bent.' Er lag oneindige opluchting in zijn stem. 'Ik was al bang dat ik Dracula tegen het lijf was gelopen.'

'Ik heb hem gezien ... daarnet ... in de kamer van de vrouwen,' stamelde Byron. 'Mijn god, het ... het is zo afgrijselijk!' ... Ik weet helemaal niet hoe ... ik aan u moet uitleggen wat ik daarnet in die kamer ... wat ik daarnet heb gezien!'

'U hoeft me helemaal niets uit te leggen, meneer Bourke,' fluisterde Matthew Golding. 'Ik weet meer over deze duivel dan u waarschijnlijk wilt weten.'

'We moeten praten!' Byron wilde zijn arm pakken, maar zijn hand raakte in de duisternis iets waarvan hij meteen besefte dat het een crucifix was. Nu wist hij ook wat Matthew Golding tegen zijn voorhoofd had geduwd.

Bovendien rook hij de onmiskenbare geur van knoflook.

'Tja, de tijd daarvoor is waarschijnlijk gekomen,' fluisterde de advocaat. 'Maar alstublieft niet hier. Maak uw vrienden wakker en kom samen naar mij toe, maar maak alstublieft geen lawaai, als uw leven en dat van uw reisgenoten u lief is.'

12

In hun badjassen gewikkeld en met bleke gezichten zaten ze in de kleine zitkamer van de advocaat, die door een brede, rond gemetselde doorgang met de slaapkamer was verbonden.

Het had Byron enige moeite gekost om Harriet, Alistair en Horatio zachtjes wakker te maken en ervan te overtuigen dat het nachtelijke gesprek met Matthew Golding bijzonder dringend was. Daarna hadden ze in de kamer van de advocaat met groeiende verbijstering geluisterd naar zijn verhaal over de ongelofelijke gebeurtenis, waarvan hij een paar minuten geleden in de kamer van de twee Amerikaanse vrouwen getuige was geweest.

'Onmogelijk!' riep Alistair zodra Byron alles had verteld. 'De graaf heeft bij beide vrouwen bloed uit hun lichaam gezogen? Je moet een verwarrende droom gehad hebben.'

Horatio knikte. 'Vergeef me mijn ongeloof, Byron. Maar wat je daarnet hebt verteld, klinkt in mijn oren ook heel erg naar de spook- en griezelverhalen, die een schrijver met een te levendige fantasie uit zijn duim heeft gezogen.'

Harriet daarentegen zweeg met een verbijsterde uitdrukking op haar gezicht. Byron wist waaraan ze dacht, namelijk aan wat ze in de ochtendschemering tegen de burchtmuur omhoog had zien klimmen.

'Jullie vergissen je,' begon Matthew Golding. 'Het is allemaal precies zo gegaan als meneer Bourke daarnet heeft verteld.'

Alistair keek hem spottend aan. 'U zegt het. Stond u misschien naast hem?'

'Nee, maar dat was ook niet nodig om te weten dat hij de waarheid vertelt. Graaf Dracula is een vampier, mensen,' deelde de advocaat mee. 'Een zogenaamde ondode, die niet kan sterven. Hij leeft eeuwenlang, als het hem tenminste lukt om telkens weer nieuwe slachtoffers te vinden uit wie hij bloed kan zuigen. En iemand van wie hij vaker bloed heeft gedronken, wordt net als hij een vampier en een ondode.

Alistair lachte geamuseerd. 'Dat is toch allemaal bijgelovige onzin.'

'Is het u niet opgevallen dat Dracula geen hap eet en geen slok drinkt? Dat we hem alleen zien als het donker is? Dat er in de burcht nergens een spiegel is en al helemaal geen kruis, hoewel het land bekend staat om zijn diepe gelovigheid?' vroeg de advocaat. 'Voor dat alles en veel meer zijn goede redenen. Vampiers kunnen het daglicht namelijk niet verdragen en brengen daarom de tijd tussen zonsopgang en zonsondergang in een graf door, ze eten en drinken niets, behalve bloed, ze laten geen beeltenis achter als ze voor een spiegel staan, en ze zijn nergens zo bang voor als voor wijwater, gewijde kruisen en hosties. Ook knoflook kunnen ze niet verdragen.'

Alistair maakte een afwijzend gebaar. 'Ik heb daar wel iets over gehoord, meneer Golding, maar dat zijn toch allemaal griezelige bakerpraatjes om kleine kinderen en eenvoudige mensen de stuipen op het lijf te jagen,' zei hij koppig. 'Geen op aarde levend wezen kan zo lang leven als u en deze griezelauteurs beweren.'

'Schildpadden wel,' gaf Horatio in overweging. 'Die kunnen zoals bekend is eeuwen oud worden. En sommige kleine dieren schijnen daar ook toe in staat te zijn.'

'Tussen hemel en aarde is meer dan het beperkte menselijke verstand kan bevatten en doorgronden, en dat beperkt zich niet alleen tot God,' zei Byron zachtjes. 'Als ik het daarstraks niet met mijn eigen ogen had gezien, dan had ik het ook niet voor mogelijk gehouden. Maar ik heb het niet gedroomd, ik was klaarwakker, Alistair. Dat zweer ik bij alles wat me heilig is.'

Harriet hoestte. 'Vertelt u ons alstublieft waartoe vampiers nog meer in staat zijn, meneer Golding.'

Alistair rolde met zijn ogen, alsof hij niet kon geloven dat Harriet deze onzin nu ook blindelings leek te geloven, en tikte daarna een sigaret uit zijn pakje. 'En voor deze hocuspocus hebben jullie me uit mijn warme bed gehaald?' bromde hij chagrijnig.

'De weinige deskundigen, die zich serieus met het fenomeen van de ondoden bezighouden, hebben over sommige details een andere mening,' begon Matthew Golding.

'Dat verbaast me niets,' bromde Alistair sarcastisch. 'Ik heb beslist ook andere ideeën over het mannetje op de maan en het dagelijkse leven van de zeemeermin dan u.'

De advocaat liet zich niet van de wijs brengen. 'Ze zijn het er echter over eens dat vampiers in andere wezens kunnen veranderen, bijvoorbeeld in een wolf of een vleermuis, als ze maar voldoende bloed te drinken krijgen,' ging hij verder. 'Waarbij ze over het algemeen de voorkeur geven aan de laatste, vooral in steden. Ze zijn ook in staat om langs gladde en steile wanden omhoog te klimmen ...'

Byron zag dat het bloed uit Harriets gezicht wegtrok.

'... en door piepkleine kieren te dringen, die zich bijvoorbeeld in metselwerk of bij een raam bevinden. Ze kunnen de kamer ook weer verlaten door zo'n kier,' ging de advocaat verder met zijn verhaal. 'Aan de andere kant kunnen ze niet ...'

'Dan heb ik dus toch geen hallucinatie gehad,' riep Harriet, waarmee ze Matthew Golding in de rede viel. 'Dan was het toch geen grote vogel, die ik in de eerste ochtendschemering tegen de muur zag klimmen!'

De aandacht was meteen op haar gericht.

'Waar heb je het over?' vroeg Alistair stomverbaasd, waarmee hij de advocaat en Horatio voor was.

Harriet vertelde haar verhaal.

Matthew Golding knikte met een somber gezicht. 'Ja, dat was Dracula. Hij had waarschijnlijk haast om nog voor het eerste daglicht naar de grafkelder en zijn doodskist te komen.'

Horatio keek met open mond naar Harriet, en ook Alistair had inmiddels zijn half verveelde, half spottende gezichtsuitdrukking verloren. Ze kenden Harriet inmiddels goed genoeg om te weten dat ze absoluut geen vrouw was die dromerig door het leven wandelde, een overspannen natuur had en naar fantaseren neigde.

'Ik weet niet wat ik daarop moet zeggen,' mompelde Alistair ontdaan.

'Want denkt u, meneer Golding, zijn die twee Amerikaanse vrouwen nog te redden?' vroeg Byron.

De advocaat schudde zijn hoofd. 'Afgaand op wat u ons hebt verteld, is hun metamorfose tot vampier niet meer te stoppen, ook niet met allerlei bloedtransfusies. Bovendien ligt het dichtstbijzijnde ziekenhuis op een onbereikbare afstand. Nee, ze zijn verloren en zullen zelf ook al snel als ondode naar bloed smachten.'

'Dan stel ik voor dat we ons plan opgeven en morgen in alle vroegte vertrekken,' zei Byron tegen zijn reisgenoten. 'De gevaren die ons hier bedreigen zijn zo groot dat we geen dag langer kunnen blijven. Al het geld te wereld is het niet waard dat we ons leven op het spel zetten voor … voor lord Pembrokes zaak.'

'Jij hebt goed praten,' mopperde Alistair. 'Jij hebt je vette schaapjes tenslotte al op het droge.'

'Ik ben bereid ieder van jullie de helft te betalen van het bedrag dat jullie na het slagen van onze onderneming hadden gekregen,' bood Byron spontaan aan.

'Dat is heel royaal,' zei Horatio goedkeurend, terwijl Matthew Golding weer eens een hoestbui kreeg en naar zijn zakdoek greep. 'Maar dat verandert niets aan het feit dat die oude schoft ons in zijn macht heeft. Hoewel ik liever naar de gevangenis ga dan dat ik te maken heb met die bloedzuiger Dracula. Laten we dus maken dat we hier zo snel mogelijk vandaan komen.'

'Ik weet niet wat de échte reden van jullie bezoek aan graaf Dracula is, en dat interesseert me ook niet,' zei Matthew Golding met een gekweld lachje. 'Wat ik daarentegen wel weet, is dat er morgen niets komt van jullie geplande vertrek.'

'Waarom niet?' vroeg Harriet ongerust.

'Omdat we Dracula's gevangenen zijn.'

Alistair fronste zijn voorhoofd. 'Zo? Daarvan heb ik nog helemaal niets gemerkt. We kunnen ons toch volkomen vrij bewegen? Hoe komt u er dan bij dat we zijn gevangenen zijn?'

'Omdat ik me daar vandaag grondig van heb overtuigd,' deelde de advocaat hem mee. 'Onze gevangenis is alleen iets ruimer dan gewoonlijk het geval is, omdat die bestaat uit deze enorme woontoren en alle ruimten die aan deze vleugel grenzen, zoals de ridderzaal en de bibliotheek. Alle uitgangen die naar het binnenplein of een van de zijpleinen leiden, zijn echter vergrendeld en gebarricadeerd. Aan de buitenkant liggen zware balken voor de met ijzer beslagen deuren. Om die open te breken, heb je zwaar gereedschap en heel veel tijd nodig. En wat de ramen betreft, degene die aan de kant van het binnenplein liggen en een vluchtmogelijkheid hadden kunnen bieden, zijn zonder uitzondering afgesloten met zorgvuldig op maat gehakte granietblokken. Ik weet niet of het jullie is opgevallen, maar alle ramen van de burcht verjongen zich van binnen naar buiten, net als bij schietgaten, maar minder sterk. Dat wil zeggen dat de granietblokken onwrikbaar in de openingen zitten. Daarom kunnen ze ook niet worden opengebroken. De muren van de burcht zijn te dik om alle metsellagen eromheen er gewoon uit te kunnen hakken. Daarvoor heb je speciaal gereedschap nodig, zoals een van die moderne pneumatische hamers. Nee, van jullie vertrek komt niets. Daarvoor heeft Dracula zijn duivelse netwerk te fijn gesponnen. Hij speelt met ons als een kat met een muis en geniet van de nachtelijke gesprekken met zijn slachtoffers, vooral omdat hij denkt dat jullie er geen idee van hebben welk gruwelijke lot hij voor jullie in petto heeft.'

Er stond ontsteltenis en angst op de gezichten van de vier reisgenoten te lezen. Het besef dat ze in de val zaten en vanaf het eerste moment de gevangenen van Dracula waren geweest, was een enorme schok die hen in eerste instantie sprakeloos maakte.

Na een tijdje verbrak Matthew Golding de stilte. 'Er is maar een mogelijkheid om Dracula's plan teniet te doen en het er levend vanaf te brengen.'

'Er is dus toch een weg uit deze val,' riep Byron opgelucht uit. 'En dat is?'

'Ja, vertel,' drong Harriet aan.

'We moeten Dracula overdag in zijn verstopplek vinden en doden.'

Alistair lachte spottend. 'En hoe dood je een vampier, een ondode?'

'Bij zwakke en jonge vampiers is het voldoende om een gewijde hostie tegen hun voorhoofd te duwen of in hun mond te leggen, maar bij Dracula heeft dat geen zin. Om hem te doden moet zijn hoofd worden afgehakt, zijn mond met knoflook worden gevuld en een paal door zijn borst worden geramd,' vertelde Matthew Golding, waarmee hij de ene na de andere rilling door hun lichaam joeg. 'Om die afgrijselijke klus uit te voeren, moet je eerst bij hem in de buurt zijn. We kunnen alleen maar hopen dat zijn lijkkist zich in de grafkelder bevindt die Bogan morgen voor jullie opent. Jullie kunnen er verzekerd van zijn dat ik jullie zal helpen waar ik dat kan.'

Byron keek geïrriteerd naar hem. 'Als u zo'n deskundige bent op het gebied van vampiers en wist dat graaf Dracula een ondode is en zich in deze burcht en waarschijnlijk in het hele gebied uitleeft, waarom bent u dan hier?'

Horatio knikte. 'Ja, dat is een goede vraag die ook al op mijn lippen lag. En waarom hebt u ons in Piteschti niet gewaarschuwd en geprobeerd ons van ons voornemen af te houden?'

'Ik geef toe dat dat niet netjes was,' zei de advocaat. 'Maar ik kon geen weerstand bieden aan de verleiding dat jullie hier bij me in de burcht zouden zijn. Dat garandeerde me namelijk dat Dracula zijn aandacht niet alleen op mij zou richten en dat hij me daarom meer bewegingsruimte zou geven.'

'Dat klinkt in mijn oren naar de rechtvaardiging van een gewetenloze schoft, die anderen uit eigenbelang in levensgevaar brengt,' snoof Horatio. Matthew Golding haalde onverschillig zijn schouders op. 'U kunt me niet van eigenbelang beschuldigen, want ik ben hier om de wereld een belangrijke en dringende dienst te bewijzen,' verdedigde hij zich.

'Misschien kunt u ons van tevoren uw echte naam nog even noemen?' snauwde Alistair. 'Ik geloof namelijk niet dat u Matthew Golding heet! Ik wed dat uw voornaam met een A en uw achternaam met een H begint, zoals op uw zakdoek is geborduurd.'

'U hebt scherpe ogen, meneer McLean,' antwoordde hun landgenoot. 'Ik heet inderdaad niet Matthew Golding, maar Aurelius van Helsing. En ik ben ook geen advocaat van beroep, maar arts.'

'Aurelius van Helsing? Dat klinkt als een Nederlandse naam,' zei Harriet verrast.

De valse advocaat met de valse naam, die net had verteld dat hij arts was, knikte. 'Dat klopt. Ik heb Nederlandse ouders, maar ik ben in Engeland opgegroeid en ik heb daar ook gestudeerd en een praktijk gehad.'

'Maar de papieren en onroerend goeddocumenten dan, die u als zogenaamde advocaat hebt meegenomen voor Dracula? Wat heeft dat bedrog te betekenen?' vroeg Byron. 'Wat heeft u er in godsnaam toe bewogen om u in zo'n levensgevaar te begeven en ons erbij te betrekken?'

'Dat is een heel lang en ingewikkeld verhaal.'

'Aan tijd ontbreekt het ons niet,' mopperde Alistair. 'Want zoals de zaken er nu voor staan, is waarschijnlijk niemand van plan zijn om naar zijn kamer terug te gaan en te gaan slapen. Ik doe vannacht in elk geval geen oog dicht en blijf wakker tot het dag wordt. Dat is net zo zeker als het feit dat de aas meer waard is dan de twee.'

'U moet in eerste instantie weten dat alle advocatendocumenten en brieven, die Dracula heeft gekregen en die ik bij me heb, echt zijn,' vertelde Aurelius van Helsing. 'Ze zijn afkomstig van het advocatenkantoor van mijn beste vriend, die tevens ook mijn zwager is. Maar nu het al genoemde ingewikkelde verhaal, waarin mijn bijzonder gewaardeerde oom, ook arts van beroep en tijdens zijn leven waarschijnlijk de meest vooraanstaande coryfee op het gebied van de vampierologie, verwikkeld was en waarin ik sinds bijna twee jaar eveneens verstrikt ben.'

Hij stopte even, onderbroken door een nieuwe hoestbui, en ging daarna verder. 'Het begon ongeveer een decennium geleden met een jonge Londense advocaat, Jonathan Harker, die de opdracht van zijn advocatenkantoor kreeg om naar graaf Dracula in Transsylvanië te reizen om de aankoop van onroerend goed af te wikkelen.'

'Naar burcht Negoi dus,' zei Alistair.

'Nee, die Dracula leefde destijds in burcht Borgo, een burcht in het noordoostelijke deel van de Karpaten in de buurt van de gelijknamige bergpas. Maar laat me alstublieft zonder onderbrekingen verdergaan. Het verhaal is namelijk te gecompliceerd om in willekeurige volgorde te vertellen,' zei Van Helsing. 'In burcht Borgo werd Jonathan Harker na het sluiten van het koopcontract het slachtoffer van de vampier, maar hij had het zeldzame geluk dat hij het er levend vanaf bracht en niet in een vampier veranderde. Hij keerde na geruime tijd naar Engeland terug, en ook Dracula kwam naar Engeland, aan boord van het zeilschip Demeter. Hij liet zich in een doodskist vervoeren en had kisten vol geboortegrond bij zich. Tijdens de overtocht viel het ene bemanningslid na het andere aan hem ten prooi. Het dodenschip leed tijdens een stormachtige nacht schipbreuk voor de kust van Engeland. Dat maakte Dracula echter niet uit. Hij redde zichzelf door het schip als vleermuis te verlaten en al snel bedreef hij zijn duivelse praktijken in Londen en omgeving. In deze tijd vonden er veel gruwelijke en tragische gebeurtenissen plaats, waarop ik nu niet nader wil ingaan, zoals ik ook andere delen van het verhaal weglaat. Ook noem ik een aantal personen niet die destijds een belangrijke rol hebben gespeeld bij het opsporen van Dracula en die paal en perk hebben gesteld aan zijn bloeddorstige gedrag. Een van die dappere mensen was mijn oom Cornelius van Helsing, die vanuit Amsterdam naar Londen was geroepen om raad en hulp te bieden. Met zijn kennis en onverschrokken daadkracht lukte het de kleine groep, waartoe ook Jonathan Harker behoorde, om Dracula uiteindelijk te pakken te krijgen en te doden op de enige manier waarop een ondode voor altijd naar de hel kan worden verbannen. Als het daarbij was gebleven, was ik vandaag niet hier. Het noodlot wilde echter dat mijn oom daarna nog twee reizen naar burcht Borgo ondernam, een keer met Jonathan Harker, zijn vrouw en kind en de tweede keer alleen, vlak voor zijn dood. Tijdens deze reis stuitte hij in Siebenbürgen aan de voet van de berg Negoi in een winkel vol rommel op een stapel oude stamregisters, papieren en duistere teksten. Daaronder bevond zich ook een stamregister van graaf Dracula, alsmede de familiegeschiedenis, die was beschreven door een plaatselijke historicus, die het dunne boekje in eigen beheer met een kleine oplage had uitgegeven. Uit dit familieverhaal, dat werd bevestigd in het stamregister, concludeerde hij dat de Dracula van burcht Borgo een tweelingbroer had die een paar minuten na hem was geboren, dat deze net zo'n huiveringwekkende reputatie had en dat hij na een hevige ruzie met zijn broer zijn eigen rijk in burcht Negoi had gecreëerd. Dat gebeurde een paar jaar voordat Jonathan Harker naar Borgo kwam. Ik denk dat u zich kunt voorstellen hoe ontzet mijn oom was, toen hij daarachter kwam.' Een hevige hoestbui dwong hem opnieuw zijn verhaal te onderbreken. Hij verborg het bloederige longweefsel dat hij uitspuugde niet meer.

'Tuberculose?' vroeg Byron zachtjes, hoewel hij het antwoord al wist.

Van Helsing knikte kort. 'Ja, in het laatste stadium,' zei hij. Daarna ging hij snel verder. 'Mijn oom wist dat hij niet meer in staat was om de tweelingbroer te pakken te krijgen en te doden. Op zijn sterfbed vertrouwde hij me zijn kennis toe en overhandigde me allerlei aantekeningen uit de tijd van zijn jacht op de Borgo-Dracula. En hij dwong me de belofte af dat ik niet zou rusten voordat ik de tweede Dracula-vampier had gedood.' Er gleed een zwak lachje over zijn ingevallen gezicht. 'Ik was heel andere dingen met mijn leven van plan en wilde helemaal niets te maken hebben met een dergelijke gevaarlijke onderneming, omdat ik destijds pas getrouwd was en de trotse vader van een zoon was. Het lot had echter andere plannen met me. Ik kreeg tuberculose, zoals u hebt gemerkt, meneer Bourke. Als arts werd me al snel duidelijk dat mijn leven onherroepelijk ten einde liep. Toen ik dat besefte heb ik het besluit genomen om zin te geven aan mijn vroege dood en eindelijk uit te voeren wat ik mijn oom had beloofd. Ik speculeerde erop dat de vampier in burcht Negoi zijn broer zou willen nadoen en ook naar Engeland wilde komen. In het boekje van de plaatselijke historicus had ik namelijk gelezen dat de jongste tweelingbroer vanaf zijn jeugd heel dwangmatig bezig was geweest om zijn oudere broer na te doen in alles wat deze deed en hem waar mogelijk te overtroeven. Daarom wijdde ik mijn zwager in het plan in. En omdat ik door mijn praktijk en de bruidsschat van mijn vrouw voldoende kapitaal had, kon ik het me veroorloven om dure advertenties in de Times en andere grote dagbladen te plaatsen, waaruit bleek dat het advocatenkantoor van mijn zwager jarenlange ervaring had met het afwikkelen van onroerend goed-transacties voor bemiddelde klanten uit de Balkan en nieuwe klanten graag van dienst zou zijn. Ik zorgde ervoor dat deze kranten in Piteschti terechtkwamen, en ik liet zelfs een exemplaar van de Times naar graaf Dracula in burcht Negoi sturen. Na bijna een jaar hoop en angst of mijn plan zou slagen, arriveerde er eindelijk een brief van Dracula bij mijn zwager. Vanaf dat moment liep alles volgens plan. De rest weten jullie.'

Er heerste lange tijd een bedrukt zwijgen, tot Byron diep ademhaalde en met een zachte, gespannen stem de stilte verbrak. 'Laten we tot God bidden dat we Dracula's doodskist morgen in de grafkelder vinden en dat we kunnen doen wat er volgens meneer Van Helsing moet worden gedaan om de wereld van een gruwelijk kwaad te bevrijden. En dat we het er levend vanaf brengen.'

13

De nieuwe dag had nauwelijks zijn eerste bleke licht op de kantelen van de burcht geworpen en de vampier naar zijn geheime verstopplek verbannen, toen ze samen naar de ridderzaal liepen.

Ze hadden de lange nacht in de vertrekken van de arts doorgebracht en afwisselend de wacht gehouden. Daarbij was gebleken dat niet alleen Byron de knoflookstreng en het goedkope ijzeren kruis naar burcht Negoi had meegenomen. Zelfs Alistair had de attributen in zijn lichte bagage gestopt.

Toen hij uit zijn kamer kwam en de gang in liep, waar zijn reisgenoten al op hem wachtten, droeg hij het kruis om zijn nek. Hij glimlachte verlegen toen hij Byrons blik opving.

'Op de een of andere manier doet het me denken aan de mop over die huiseigenaar en het hoefijzer,' zei hij.

'Hoe gaat die mop?' vroeg Horatio.

'De huiseigenaar spijkerde een hoefijzer aan zijn voordeur. Toen zijn buurman dat zag, vroeg hij hem verbaasd: "Ik dacht dat je niets moest hebben van die bijgelovige onzin?" Waarop de ander antwoordde: "Dat is ook zo. Maar ik heb me laten vertellen dat het ook dan helpt." Alistair stopte de knoflookstreng met een glimlach in zijn jaszak.

'Zolang het dag is, hebben we niets van Dracula te vrezen,' zei Van Helsing, die net als Horatio en Byron een brandende lantaarn bij zich had. In zijn andere hand droeg hij een dikke, zichtbaar zware, leren tas, zoals artsen die tijdens ziekenbezoeken bij zich hebben. Hij had niet uitgeweid over de inhoud, maar had alleen verteld dat hij alles uit Engeland had meegenomen wat nodig was om Dracula te doden.

Alistair haalde zijn schouders op. 'Dubbel genaaid houdt beter.'

'Goed dan, laten we gaan en gebruikmaken van de uren dat het licht is,' drong Byron aan.

Ze hadden er geen van allen behoefte aan om aan de gedekte tafel te gaan zitten om te ontbijten. Toen ze Bogan in de ridderzaal tegenkwamen, gaven ze hem met behulp van gebarentaal en een paar op een stuk papier getekende doodskisten te kennen dat ze onmiddellijk naar de grafkelder wilden afdalen.

De mismaakte huisknecht begreep na een tijdje wat ze van hem wilden, knikte ijverig en bracht ze via bochtige gangen en een steile trap naar de catacomben. Hij maakte een zware, met ijzer beslagen deur open, gebaarde naar de daarachter liggende duisternis en verdween weer naar boven.

Angstig betraden ze de grafkelder, waaruit de ijzige tocht van de dood hen tegemoet waaide. Het licht van hun lantaarns viel op het ruwe, grof gehouwen rotsgesteente van het plafond. Tegen de wanden van de grafkelder, die uit drie achter elkaar liggende ruimten bestond, stond een rij stenen sarcofagen. Enorme, met stof bedekte spinnenwebben hingen aan de uitsteeksels van het gewelfde plafond en lagen als gescheurde sluiers over de doodskisten. Kleine dieren schoten buiten de lichtcirkels van de lantaarns. Fijn rotsstof en zand bedekten de bodem.

'Wat een lugubere plek,' fluisterde Byron. 'Het lijkt er volgens mij niet op dat hier de afgelopen jaren iemand is geweest. Ik zie in elk geval nergens sporen van laarzen of andere schoenen.'

'We moeten niet vergeten om meteen naar de dode tempelier te zoeken,' fluisterde Alistair. 'Er is tenslotte niets op tegen om twee vliegen in een klap te slaan.'

'Ik betwijfel of dat te vergelijken is, een vlieg doodslaan of een vampier met een paal doorboren en zijn hoofd afhakken,' antwoordde Horatio vinnig.

Harriet slikte. 'We moeten hem eerst vinden,' zei ze. Het klonk alsof ze stiekem hoopte dat Dracula's doodskist niet in deze grafkelder zou staan.

Heel langzaam liep Byron met zijn metgezellen langs de sarcofagen. Ze verlichtten ze en keken bij elke grafplaats naar de in de stenen afdekplaat gebeitelde jaartallen en opschriften. Nergens vonden ze echter een teken dat wees op een bijgezette dode tempelier, hoewel een aantal van de voorste grafplaatsen beslist uit de verre tijd van de tempelierorde afkomstig waren.

Intussen haalde Van Helsing een breekijzer uit zijn tas en begon hoestend de afdekplaten los te maken en opzij te trekken, zodat hij in elke sarcofaag kon kijken.

'Wacht daarmee!' riep Byron toen hij zag hoe uitgeput de aan tering lijdende man raakte. 'We helpen zo meteen, zodra we klaar zijn met onze zoektocht naar het tempeliergraf.'

Omdat ze het graf niet vonden, gingen Horatio en Byron Van Helsing even later helpen bij de zware klus. Alistair wilde echter niet accepteren dat het tempeliergraf zich niet in deze catacomben bevond. Hij zei tegen Harriet dat ze alle grafplaatsen nog een keer voor hem moest verlichten, zodat hij naar een tempelierkruis of een andere ondubbelzinnige aanwijzing kon zoeken.

Byron vermoedde dat het Alistair niet alleen om het tempeliergraf te doen was, maar dat hij niet bij het openen van de graven wilde zijn, zodat hij de aanblik van de doden niet hoefde te verdragen.

Om het laatste hadden ze zich geen zorgen hoeven te maken, want van de doden was na zoveel tijd alleen stof over. Af en toe vonden ze enkele door roest aangevreten, metalen delen van de kleding waarin ze bijgezet waren, zoals ricmgespen, knopen en dergelijke. Alleen in het achterste gewelf stuitten ze een aantal keren op bescheiden resten van schedels en botten.

Hoewel de krachten van de arts afnamen, bleef hij koppig volhouden dat ze elk graf moesten openen. Daarmee ging meer dan een uur voorbij.

'Hoe komt Dracula met die zware afdekplaten zo'n sarcofaag in en weer uit?' vroeg Alistair, die het niet kon afwachten om de afschuwelijke grafkelder achter zich te laten en naar een warm openhaardvuur te gaan. Bovendien knorde zijn maag hoorbaar.

'Heel gemakkelijk,' verzekerde Van Helsing hem. 'Een vampier die genoeg vers bloed heeft om te drinken, beschikt over de kracht van vier sterke mannen. Maar ook als hij maar zelden bloed kan opzuigen, is een piepkleine kier voldoende om zich in zijn koude, met geboortegrond gevulde graf te begeven en er weer uit te glippen.'

'Nu begrijp ik ook de raadselachtige aanwijzing "de versteende dag", zei Harriet zachtjes terwijl Van Helsing aan de slag ging met de volgende sarcofaag. 'Mortimer heeft daarmee ongetwijfeld de tijd tussen het begin en het eind van de dag bedoeld, die Dracula in een stenen graf doorbrengt.'

'Wat een waanzin om een van zijn aanwijzingen in de burcht van een vampier te verstoppen,' fluisterde Alistair terug. 'Hij moet toch geweten hebben dat de zoektocht op die manier voor iedereen een dodelijke val wordt.'

'Wie weet wat hij zich daarbij in zijn hoofd haalde?' antwoordde Byron. 'Wat me echter veel meer bezighoudt is de vraag hoe hij is ontsnapt, terwijl zijn reisgenoot duidelijk het slachtoffer is geworden van Dracula's bloeddorstigheid. De graaf had tenslotte alle vluchtwegen verbouwd en stevig afgesloten.'

'Misschien heeft hij gewoon geluk gehad en heeft hij zijn ontsnapping te danken aan de "omvangrijke bouwwerkzaamheden", waar Dracula het over had toen we met hem praatten over Mortimers bezoek aan deze burcht,' raadde Harriet. 'Het op maat maken van de granietblokken voor de vele ramen zal behoorlijk wat tijd hebben gekost.'

'Dat kan een verklaring zijn,' zei Horatio. 'Maar het helpt ons natuurlijk niet verder, want inmiddels lijken alle ontsnappingsmogelijkheden uitbraakbestendig te zijn.' Hij lachte droog. 'En dat terwijl ik dacht dat er voor mij geen gevangenis bestond waaruit ik geen vluchtweg zou vinden. Een mens kan zich toch aardig vergissen.'

Byron knikte somber. 'Altijd gebeurt het onverwachte, zoals Benjamin Disraeli een keer treffend heeft opgemerkt over de dwalingen en kronkelingen van het leven.'

Koud tot op hun botten en heel ongerust over hoe het nu verder moest, gingen ze tenslotte weer naar boven. Ze verwarmden zich in de ridderzaal en aten iets. Daarna brachten ze uren door met zoeken naar een mogelijkheid om uit de vierkante woontoren te ontsnappen en op het binnenplein te komen.

Het was zoals Van Helsing had gezegd. Alle raamopeningen waren met nauwkeurig passende granietblokken afgesloten en geen van de machtige houten deuren van keihard hout, die bovendien ook nog waren beslagen met brede ijzeren banden, kon open. Het breekijzer en de bijl met de brede, sikkelvormige kling, die Van Helsing in zijn dokterstas had, hielpen daar ook niet bij. Het enige wat ze ermee bereikten was dat er vonken van het ijzer sprongen en dat ze piepkleine splinters tussen het ijzerbeslag uit het harde hout sloegen. De bijl zou lang voordat ze een gat ter grootte van een hoofd uit een van de deuren hadden geslagen stomp en onbruikbaar zijn, laat staan een gat dat groot genoeg was zodat een van hen zich erdoorheen kon wringen.

Daarna onderwierpen ze alle vertrekken op de verdiepingen aan een grondig onderzoek, en ze belandden ook in de logeerkamer van de twee Amerikaanse vrouwen. De kamer was verlaten, wat hen niet verbaasde, maar de bloedvlekken op het laken onderstreepten nog een keer wat Byron hen de afgelopen nacht had verteld over Dracula's bezoek aan de twee vrouwen.

'Als er toch maar een mogelijkheid was om naar de andere toren te komen, waar u Dracula naar boven zag klimmen, miss Chamberlain-Bourke,' zei Van Helsing bedrukt. 'Ik denk dat hij overdag ergens diep onder die toren in een grafkelder ligt, die ook alleen van daaruit toegankelijk is. Geen van de ramen in dit deel is echter hoog genoeg om de kantelen te bereiken, naar de overkant te lopen en de andere toren in te gaan.'

Byron en Horatio overtuigden zich met een blik uit het raam ervan dat het echt uitgesloten was om op de kantelen te komen en naar de andere toren te lopen. Daarvoor zouden ze een lang touw van minstens 8 tot 10 meter met een werpanker aan het eind moeten hebben. En van de stenen trap die ooit naar het dak van hun woontoren had geleid, was alleen het onderste deel over. Het dakluik in het plafond was net zo onbereikbaar als de kantelen. Bovendien was het luik verzegeld met dikke, elkaar kruisende stroken ijzer, die duidelijk jonger waren en dus waarschijnlijk uit de tijd stamden dat Mortimer hier te gast was geweest.

'En wat doen we nu?' vroeg Harriet radeloos toen de schemering als een donkere rivier over de bergen golfde. 'Zo meteen dooft het laatste daglicht en dan komt Dracula uit zijn vervloekte graf!'

14

'We mogen hem niet wantrouwig maken en moeten net doen alsof we niet weten wie hij in werkelijkheid is,' drukte Van Helsing hen op het hart. 'Dat geeft ons wat uitstel. Misschien hebben we morgen meer succes dan vandaag.'

'Een troost met weinig hoop,' antwoordde Alistair.

'Het is de enige troost die we hebben,' zei Byron.

Van Helsing knikte. 'Zolang we onze gewijde kruisen bij ons dragen, durft Dracula niet dichtbij ons te komen.'

'Maar die vervloekte hond kan ons uithongeren en laten verdorsten,' bromde Alistair met een somber gezicht. 'Zo'n ondode heeft natuurlijk tijd genoeg.'

'Inderdaad,' gaf Van Helsing toe, waarna hij nog een keer indringend op hen insprak. 'Daarom is het ook zo belangrijk dat we niets doen of zeggen wat zijn argwaan wekt. Morgen beginnen we ermee stiekem een voorraad eten en water in onze kamers te hamsteren. Maar nu is het belangrijk om vriendelijk te zijn en net te doen alsof we van niets weten, hoe moeilijk dat ook is.'

Ze namen de smekende woorden van de arts ter harte en gingen voor de gebruikelijke avondmaaltijd naar de ridderzaal, waar Dracula met zichtbaar ongeduld op hen wachtte. Alleen Alistair hield zich niet aan de afspraak, zoals al snel zou blijken.

In eerste instantie nam het eten, waaraan de graaf net als de avonden ervoor met een excuus niet deelnam, zijn gewone loop. Dracula was in een uitstekend humeur, sprak zijn medeleven uit omdat ze ook in de grafkelder geen aanwijzingen voor een dode tempelier hadden gevonden, ontkende soepel hun vraag naar een mogelijke andere grafkelder in de burcht en kletste zorgeloos over van alles en nog wat.

'Mag ik nog een paar houtblokken op het vuur leggen?' vroeg Alistair plotseling. Hij kwam snel overeind, om voor Dracula bij de open haard te zijn. 'Na alle uren in die ijskoude grafkelder kan ik wel wat warmte gebruiken.'

'Heb je het koud? Ik vind deze verfrissende kou juist heerlijk. Maar ga je gang, jonge vriend,' zei Dracula.

Byron kreeg het vermoeden dat Alistair meer van plan was dan alleen een houtblok op het vuur leggen. Daarom hield hij hem in de gaten. Zijn vermoeden werd ook meteen bevestigd toen hij zag dat Alistair achter de rug van Dracula zijn scheerspiegel uit de binnenzak van zijn jas haalde en hem zo hield dat de beeltenis van de graaf in de spiegel te zien moest zijn, als hij tenminste geen ondode was maar een mens van vlees en bloed.

Die ongelovige Thomas, schoot het geschrokken door Byrons hoofd. Het plotseling krijtwitte gezicht van zijn reisgenoot, die blijkbaar geen spel, hoe riskant ook, kon laten voor wat het was, vertelde hem dat de scheerspiegel inderdaad geen beeltenis van de graaf vertoonde.

Alistair wilde de spiegel snel weer onder zijn jas laten verdwijnen, maar omdat hij van slag was door de verschrikkelijke ontdekking die hij daarnet had gedaan, miste hij de opening van de binnenzak. De spiegel gleed langs de voering en sloeg met een schel gerinkel op de stenen vloer te pletter.

Dracula draaide zich om, zag de scherven van de spiegel bij Alistairs voeten en begon spottend te lachen. 'Kijk eens aan, een spiegel. Jullie weten dus meer dan ik dacht. En als je niet helemaal zeker was van je zaak, jongeman, dan heb je nu je antwoord. En wat doe je nu met die kennis?'

'Wat een verdomde idioot!' siste Horatio en hij sprong net als alle anderen geschrokken van de tafel overeind.

'Het bederft een deel van het plezier dat ik aan jullie gezelschap beleefde, want ik vond onze nachtelijke gesprekken absoluut heel plezierig. Ze verhoogden mijn voorpret namelijk aanzienlijk,' ging Dracula verder. 'Heel spijtig dat ik dat al zo snel moet missen.' Met die woorden liep hij naar Alistair toe.

Alistair week met een doodsbleek gezicht naar achteren, trok het kruis haastig onder zijn overhemd vandaan en hield het zo ver voor zich als de leren veter toestond. 'Waag het niet dichterbij te komen, duivel!' riep hij met een schrille stem.

Dracula bleef plotseling staan. 'Jij onnozele hals! Dat vervloekte kruis helpt je misschien zolang je het in je hand hebt, omdat het me dan tegenstaat om je aan te raken. Maar wat gebeurt er als je niet meer in staat bent om het naar me uit te strekken?' vroeg hij. Hij was met één sprong bij de muur, waar een deel van de wapenverzameling hing, en trok een degen met een lange, flitsende kling uit de houder. Het volgende moment draaide hij zich met het wapen naar Alistair om. 'Goed, laten we maar eens uitzoeken hoe lang je je aan dat kruis kunt vastklampen!' Speels stootte hij met de punt van de kling tegen het kruis.

Meteen daarna voerde hij een bliksemsnelle beweging uit, en voordat Alistair wist wat er gebeurde had Dracula's kling de leren veter doorgesneden en hem een oppervlakkige snee op de rug van zijn rechter hand bezorgd. Alistair schreeuwde, opende in een reflex zijn gewonde hand en liet het kruis vallen.

Byron wist dat het gedaan was met Alistair als hij hem niet onmiddellijk te hulp schoot. Na een kort, angstig moment stormde hij naar de met wapens bezaaide muur, pakte een degen en schreeuwde: 'Zo gemakkelijk gaan we het je niet maken, beest!'

Het was de vampier niet ontgaan dat Byron zich ook had bewapend en dat hij de kling in zijn zij wilde stoten. Met een soepele beweging ontweek hij de kling en pareerde de stoot.

De wapens sloegen rinkelend tegen elkaar.

Dracula lachte vrolijk. 'Je hebt dus zin in een klein dansje? En ik was al bang dat er een eind was gekomen aan de gezellige uurtjes met jullie,' hoonde hij. 'Kom op, Engelsman. Laat zien hoe goed je met een degen kunt omgaan.'

'Laat je maar verrassen,' antwoordde Byron grimmig, maakte een schijnbeweging en probeerde een steek naar zijn hoofd.

Dracula's degen vloog echter al omhoog en hij weerde de steek handig af. 'Niet slecht, helemaal niet slecht,' zei hij neerbuigend, terwijl de klingen elkaar in een snel ritme kruisten, zonder dat een van hen een serieuze aanval inzette. 'Met zulke schijnstoten maak je geen indruk op me, meneer de biograaf. Ik heb in een tijd geleefd waarin de vechtsport op een heel hoog peil stond, en ik wist mijn eer in het gevecht van man tegen man uitstekend te verdedigen. Daarom ga ik je nu in stukken hakken, Engelsman, wat ik alleen jammer vind van al het nutteloos vergoten bloed.' Met die opmerking ging hij in de aanval.

Byron stond meteen bloot aan een wilde regen slagen en steken, die hij alleen door een snelle terugtocht en haastig pareren wist te af te weren. De geschrokken kreten aan de andere kant van de tafel tijdens Dracula's woedende stormloop nam hij alleen onbewust waar.

Byron had zichzelf altijd als een uitstekende vechter beschouwd, maar hij voelde dat hij al wekenlang geen degen meer had vastgehad en ongetraind was. Hij reageerde niet zo vloeiend en lichtvoetig als hij van zichzelf gewend was. Dat kwam deels doordat het wapen dat hij in zijn hand had veel zwaarder was en een ander zwaartepunt had dan de degen waarmee hij in zijn vechtclub het strijdperk betrad.

Hij had daarom heel veel moeite om niet door Dracula in een hoek van de ridderzaal gedreven te worden, waar hij geen speelruimte meer zou hebben en hij een gemakkelijk doelwit voor een dodelijke steek van dat monster zou zijn.

'Zie ik daar het eerste zweet op je voorhoofd glanzen, Engelsman? Het lijkt erop dat ons kleine dansje je nogal uitput. Ik raad meer beweging aan,' zei Dracula spottend, terwijl hij als een derwisj om hem heen danste en krachtige slagen uitdeelde, die Byrons arm gevoelig raakten en hem pijnscheuten tot aan zijn schouder bezorgden. Hij bedacht dat Van Helsing had verteld dat een vampier over de kracht van vier sterke mannen beschikte. Dat begon hij te voelen. Hij zou deze ongelijke strijd niet lang volhouden.

Toch bleef hij verbeten vechten en hij merkte al snel dat zijn jarenlange training niet voor niets was geweest. Zijn scherminstructeurs hadden hem geleerd om ook als hij in het nauw was gedreven het hoofd koel te houden en met een scherpe blik te registreren aan welk soort schijnbewegingen, steken en aanvallen de tegenstander de voorkeur gaf. Hij had van hen geleerd dat de meeste vechters zich beperkten tot de paar manoeuvres die ze het best beheersten. Het was belangrijk om deze bij het inzetten ervan te herkennen en daaruit het voordeel van een verrassende tegenaanval te halen.

Dracula behoorde ook tot de vechters die zich tot een paar manoeuvres beperkten. Byron merkte al snel dat hij de voorkeur gaf aan schijnbewegingen, waarna een echte aanval op het onderlichaam of hoofd en hals volgde.

'Mijn god, doe toch eindelijk iets, Van Helsing!' riep Harriet, die doodsbang was dat Byron het niet zou overleven.

Op hetzelfde moment zag Byron zijn kans schoon. Hij besefte dat zijn tegenstander opnieuw zou proberen om hem door middel van een schijnbeweging tot een lage steek te verleiden, waarna hij zijn wapen omhoog zou halen en de kling in de zijkant van zijn hals zou steken.

Hij zette alles op één kaart door net te doen alsof hij zijn degen in een reflex naar beneden bracht om de schijnbeweging te pareren. Hij brak de manoeuvre echter met een korte ruk van zijn degen af, richtte de kling bliksemsnel omhoog en maakte met een ver vooruitschietende steekarm een uitvalpas. Op het moment dat Dracula's kling een halve armlengte boven zijn hoofd door de lucht sneed, joeg hij het staal van zijn degen van onderaf schuin in Dracula's borstkas.

Byron rekende erop dat hij op de weerstand van vlees en botten zou stuiten, maar hij stelde tot zijn schrik vast dat dat niet klopte. Zijn kling gleed zo gemakkelijk en zonder enige lichamelijke tegenstand door Dracula heen, alsof hij in een zeepbel prikte.

Het werd door de kracht van zijn eigen stoot naar voren getrokken en uit evenwicht gebracht. Hij viel languit op de grond, hoorde de koude, spottende lach van de vampier boven zich, draaide zich razendsnel om en wist op hetzelfde moment dat hij niet meer kon ontsnappen aan de dodelijke steek van de ondode, die boven hem stond.

'Dwaas,' siste Dracula terwijl zijn ogen triomfantelijk glinsterden. 'Nu ben je uitgedanst!'

Op dat moment vloog er iets lichts en ronds met de omvang van een gouden munt tegen Dracula's borstkas en met een schelle kreet tuimelde hij naar achteren alsof hij een klap met een hamer had gekregen. Tegelijkertijd liet hij het wapen vallen alsof er een gloeiend stuk ijzer in zijn borstkas brandde dat hem ondraaglijke pijn bezorgde. Zijn lichaam schokte wild, alsof hij plotseling een aanval van epilepsie had.

'In naam van God en de gewijde hostie, weg bij hem, satan!' hoorde Byron Van Helsing schreeuwen, terwijl hij haastig overeind sprong en uit Dracula's bereik tuimelde.

Terwijl Byron een tafel tussen Dracula en hem bracht, de nutteloze degen op de grond liet vallen en ter bescherming naar zijn crucifix greep, krijste en jammerde de vampier nog steeds.

'Dat was een redding op het allerlaatste moment!' hijgde hij. Hij kon nauwelijks geloven wat hij daarnet had meegemaakt.

'Ik had moeten vertellen dat je met normale wapens geen vat op vampiers krijgt,' zei Van Helsing doodsbleek en berouwvol. 'Door het lichaam van een ondode kun je grijpen en steken zonder dat hij daarbij gewond raakt.'

Dracula's wilde geschreeuw stierf weg en ook de krampachtige schokken verminderden. Hij had zich inmiddels zo ver mogelijk van de op de grond liggende hostie verwijderd, en er glom een woedend vuur in zijn ogen.

'Goed, deze ronde is voor jullie!' riep hij onderdrukt. 'Maar zorg ervoor dat je geen valse hoop krijgt, Engelsman! Dit was maar een onschuldige schermutseling. En al hebben jullie tassen vol vervloekte hosties, zakken vol kruisen en vaten vol wijwater bij jullie, dat verandert niets aan het feit dat jullie noodlot bepaald is! Jullie zijn van mij! En na wat jullie daarnet hebben geprobeerd, zal jullie bloed extra zoet smaken!'

Het volgende moment losten de scherpe contouren van de vampier tot hun grenzeloze ontsteltenis op en vervaagde hij tot horizontale slierten. Waar net nog een schijnbaar menselijke gestalte had gestaan, ontstond een melkachtige troebele werveling die maar weinig van Dracula's contouren liet vermoeden. Het steeg op naar een luchtkier ter breedte van de rug van een boek en het volgende moment verdween alsof deze door een sterke zuigkracht was verslonden.

Verbijsterd staarden ze naar boven. 'Daarmee zijn we het voordeel dat we

op hem hadden kwijt. God zij ons genadig!' zei Van Helden met een trillende stem.

15

Ze hadden de langste nacht van hun leven voor zich, een nacht vol afmat-
tende angst waarin ze erover nadachten wat Dracula zou doen om hun
weerstand te breken en hen te overmeesteren.

Alistair wist wat hij met zijn spiegel had veroorzaakt. Het schuldgevoel
veranderde hem in een zielig hoopje ellende. Hij zat in elkaar gedoken op
een stoel en durfde niemand aan te kijken terwijl hij zichzelf stamelend
verwijten maakte.

'Ik zal nooit vergeten dat je me meteen te hulp bent geschoten en daarmee
je eigen leven op het spel hebt gezet, Byron,' mompelde hij. 'Ik weet dat …
dat ik het eigenlijk niet heb verdiend.'

'Dat heb je inderdaad niet,' zei Horatio onbarmhartig. 'Met je idioot riskante spiegeltest heb je met het leven van ons allemaal gespeeld.'

'Laat hem met rust, Horatio. Hij weet zelf wat hij heeft veroorzaakt. We
maken allemaal fouten,' greep Byron kalmerend in, hoewel hij van binnen
ook woedend was op Alistair. In hun rampzalige positie konden ze het zich
echter niet veroorloven om onderling ruzie te maken. Daarmee zouden ze
Dracula alleen in de kaart spelen. 'Wat gebeurd is, is gebeurd. We moeten
nu al onze aandacht richten op datgene wat we nog kunnen doen.'

'Dat zal niet veel zijn,' bromde Horatio.

'Maar wel iets,' sprak Harriet hem tegen. 'We kunnen doen waar meneer
Van Helsing het over had en alles wat eetbaar en drinkbaar is verzame-
len en naar onze kamers brengen. Ik geloof namelijk niet dat er morgenochtend een gedekte tafel op ons staat te wachten.'

Van Helsing had zich na Dracula's aftocht meerdere malen bij Byron ver-
ontschuldigd omdat hij de knoop van de kleine leren buidel waarin hij het
kleine metalen doosje met gewijde hosties bewaarde niet snel genoeg open
kon krijgen. Hij vermeldde er nadrukkelijk bij dat hij dispensatie van de

kerk had gekregen voor de hosties.

'Als we morgen nog leven,' bromde Horatio terwijl hij Alistair een woedende blik toewierp.

Ze verzamelden alles wat ze op de tafel aan etenswaren aantroffen. Byron wikkelde het vaste voedsel resoluut in het tafelkleed, terwijl Van Helsing en Horatio de flessen wijn en de waterkan pakten.

Van Helsing stelde voor dat ze zich voor de nacht in zijn twee vertrekken verschansten, omdat ze daar meer plaats hadden dan in de andere slaapkamers, die niet beschikten over een bijvertrek. Daar was iedereen het mee eens.

Ze gristen hun spullen zo snel mogelijk bij elkaar en gingen naar Van Helsing terug. Ter bescherming legden ze de knoflookstrengen en crucifixen op de drempel en op de twee vensterbanken. De arts verzekerde hen dat Dracula dan niet zou proberen het vertrek binnen te dringen.

'Waarom zou hij ook?' zei Horatio, die rusteloos door de kamer heen en weer liep. 'Een vampier heeft alle tijd van de wereld om ons murw te maken, vooral omdat hij krachten kan opdoen door het bloed te drinken van die arme Amerikaanse vrouwen, die hij blijkbaar naar zijn toren heeft meegenomen. In elk geval staat vast dat hij het langer volhoudt dan wij.'

Niemand wist een antwoord dat een vonkje vertrouwen had kunnen ontsteken. Weliswaar deed Van Helsing even een poging om antwoord te geven, maar uiteindelijk schudde hij zijn hoofd en hoestte bloederig slijm in zijn zakdoek.

Ze werden overvallen door een gevoel van hopeloosheid, zaten zwijgend aan tafel of liepen als gekooide dieren in de kamers heen en weer.

Toen Byron 's nachts een keer uit het raam keek, zag hij in het maanlicht een grote vleermuis uit een van de openingen van de naburige toren opstijgen. Hij zette met een gelijkmatige vleugelslag lijnrecht koers naar het zuiden, alsof hij een duidelijk doel voor ogen had. Wat voor een vleermuis ongewoon was, omdat deze nachtdieren voor zover hij dat wist altijd doelloos door de lucht fladderden en niet zo rechtlijnig en bewust vlogen als dit wezen. Hij vermoedde dat het Dracula was en vertelde dat aan zijn lotgenoten. Het gaf echter geen troost dat Dracula was vertrokken voor een nachtelijke vlucht. Het bewees eens te meer dat de vampier zich er geen zorgen over maakte dat ze konden ontsnappen.

Toen het eindelijk licht werd en het opnieuw begon te sneeuwen, verbeterde dat hun stemming nauwelijks. Wat betekenden dagen, weken, maanden en zelfs jaren in het bestaan van een ondode?

Byron weigerde echter zijn noodlot fatalistisch af te wachten en werkeloos toe te zien tot het uur van hun capitulatie was gekomen. Hij stond erop dat ze verdergingen met hun zoektocht naar het boek in de bibliotheek.

'Wat heeft dat nog voor zin?' vroeg Alistair moedeloos. 'Zelfs al vinden we het boek, wat kunnen we daar dan nog mee doen?'

'Het geeft ons iets te doen, Alistair,' antwoordde Byron energiek. 'Laten we dus aan het werk gaan. En als je liever een gezamenlijke poging wilt ondernemen om een van de deuren of ramen open te breken, ben ik daar graag toe bereid. We moeten íéts doen om niet stapelgek te worden.'

Byron heeft gelijk,' zei Harriet. 'Alles is beter dan hier blijven wachten tot ons leven voorbij is.'

Van Helsing en Horatio waren het daarmee eens, terwijl Alistair alleen zijn schouders ophaalde, maar zich zwijgend bij hen aansloot.

Net als de dag ervoor gaven ze hun pogingen om een deur of een raam open te breken al snel weer op. Ze verspilden daarmee alleen nodeloos hun krachten. Uiteindelijk gingen ze naar de bibliotheek om daar afleiding te zoeken van hun sombere gedachten. Ze waren er echter niet met hun aandacht bij. Alistair had natuurlijk gelijk gehad toen hij vraagtekens zette bij het nut van hun zoektocht.

's Middags gingen ze naar hun kamers terug. Ze hadden geen van allen trek in het koude vlees en de andere etensresten, maar ze hadden dorst gekregen.

Ze deelden een fles wijn, die ze met veel water aanlengden. Gelukkig had Bogan de avond ervoor de waterkannen op de wascommodes in hun kamers gevuld, zodat hun voorraad, als ze er zuinig mee omsprongen, voldoende was voor een paar dagen.

Harriet ging met haar glas bij het raam staan en keek naar buiten. De sneeuwbui was veel van zijn kracht verloren en er was een stevige wind opgestoken die de sneeuwvlokken wispelturig alle kanten op waaide.

Plotseling zette Harriet haar glas zo abrupt op de vensterbank dat de voet brak. Ze keek er echter helemaal niet naar, trok het raam open, gooide het gebroken glas in de afgrond en boog zich gevaarlijk ver naar buiten.

'Harriet, wat doe je?' riep Byron bezorgd terwijl hij opsprong.

Harriet draaide zich naar hem om. 'Ik weet hoe we uit onze gevangenis kunnen ontsnappen,' riep ze opgewonden. 'Er is wel degelijk een mogelijkheid om naar Dracula's toren aan de overkant te komen.'

'Waarschijnlijk wel, als je jezelf tenminste in een vleermuis kunt veranderen,' antwoordde Alistair met sombere spot.

'Dat zal niet nodig zijn,' antwoordde Harriet bijna vrolijk en met fonkelende ogen waarin haar nieuw ontwaakte hoop weerspiegelde. 'Je hebt alleen veel evenwichtsgevoel op grote hoogte nodig en god weet dat ik dat heb. Onder het raam loopt namelijk een kleine sierrand over de hele lengte van de muur tot onder het raam van Dracula's toren, en nog verder.'

Toen Byron naar buiten leunde en ze hem de rand aanwees, trok hij een ongelovig gezicht en schrok het volgende moment bij de gedachte dat ze zich daarop wilde wagen. Het leek hem pure zelfmoord.

'Onmogelijk, Harriet,' zei hij. 'Die rand is hoogstens twee vingers breed. Op zo'n smalle rand kun je onmogelijk je evenwicht bewaren, en al helemaal niet met zoveel wind.'

'Je lijkt te vergeten dat ik niet alleen met werpmessen kan omgaan, maar dat ik ook al heel lang koorddanseres ben,' antwoordde Harriet. 'Het wordt moeilijk, dat is absoluut waar, maar het is te doen.'

Horatio, die zich tussen hen drong en ook een blik op de rand wierp, zei dringend: 'Sorry Harriet, maar het lijkt erop dat de wijn naar je hoofd is gestegen. Byron heeft gelijk. Wat jij wilt proberen, eindigt in een zekere val in de diepte. Vergeet het maar.'

'Geen denken aan,' antwoordde Harriet vastbesloten. 'We kunnen het ons niet veroorloven om onze enige kans niet te benutten. Of heeft iemand een beter voorstel hoe we uit deze gevangenis kunnen ontsnappen?'

De mannen zwegen bedremmeld.

Daarna zei Van Helsing tegen Harriet: 'Ik kan me ook niet voorstellen hoe je op zo'n smalle rand in evenwicht wilt blijven. Maar als je acrobate bent, zoals je beweert, en je dit halsbrekende waagstuk aandurft, dan moet je het in godsnaam maar proberen.'

'En dat is precies wat ik ga doen,' zei Harriet zelfverzekerd. Ze trok haar warme colbertjasje uit en bukte zich om de veters van haar laarsjes los te maken. Toen ze deze had uitgetrokken, tilde ze zonder schaamte haar rok op en haakte haar kousen van haar jarretelgordel, rolde ze langs haar benen naar beneden en gooide ze bij de laarsjes. Tot slot trok ze haar jarretelgordel, rok en bloes uit, zodat ze alleen nog haar dunne onderkleding droeg.

De mannen keken meteen verlegen opzij, alleen Alistair nam daar de tijd voor.

'Ik weet dat ik niet bepaald een gepaste aanblik bied,' zei ze droog. 'Maar met zoveel kleding aan mijn lichaam kan ik niet op de rand blijven staan. En omdat ik de dunne acrobatenschoenen, die je op het koord draagt, niet bij me heb moet ik het op blote voeten doen.'

'In vredesnaam, in die flinterdunne kleding vries je daarbuiten dood,' zei Byron terwijl hij haar handen vastpakte alsof hij haar wilde tegenhouden. Aan de ene kant wist hij dat het hun enige kans was, maar aan de andere kant verzette alles in hem zich ertegen dat Harriet dit ging doen. Zijn angst om haar voor zijn ogen dood te zien vallen was te groot.

Harriet lachte gespannen. 'Wat riskeer ik als ons een nog gruwelijker lot dan de dood staat te wachten als ik het niet probeer, Byron?' vroeg ze zachtjes terwijl ze met een gekwelde uitdrukking in haar ogen naar hem keek, alsof zij ook bang was dat ze hem voor het laatst zag.

'Laten we je niet langer ophouden,' drong Van Helsing aan. 'De zon staat al laag boven de bergen in het westen. We hebben geen tijd te verliezen.'

'God sta je bij, Harriet,' fluisterde Byron, die zich nog nooit zo verbonden met haar had gevoeld.

'Jou ook, Byron,' antwoordde ze nauwelijks hoorbaar. Daarna trok ze haar handen met een energieke ruk los, draaide zich om en klom op de vensterbank. Ze schoof op haar buik naar buiten en liet zich langzaam met haar voeten naar houvast tastend naar beneden glijden. Toen haar tenen de rand raakten, waren alleen haar hoofd en schouders nog in het raam te zien.

Ze bleef een paar seconden met gesloten ogen staan, alsof ze zich tot het uiterste concentreerde op datgene wat haar te doen stond. Daarna haalde ze heel voorzichtig haar handen van de vensterbank en strekte ze langs de muur uit, zodat haar lichaam een licht naar de muur gebogen kruis vormde. Weer verstreken er een paar seconden in stille concentratie. Uiteindelijk kwam ze in beweging en schoof langzaam bij het raam weg.

Alistair draaide zich haastig om. 'Ik kan er niet naar kijken, dan word ik kotsmisselijk,' riep hij terwijl hij met trillende handen een sigaret opstak. 'Als ik wist hoe ik moest bidden, zou ik het nu hartstochtelijk doen.'

'Het moet voldoende zijn als wij drieën dat doen,' antwoordde Horatio.

Byron zei niets, maar zijn lippen bewogen in een stille smeekbede terwijl hij uit het raam hing en Harriet geen seconde uit het oog liet. Weliswaar had hij zich ook het liefst omgedraaid om niet te hoeven toekijken als het verschrikkelijke gebeurde, maar hij stond het zichzelf niet toe om zo laf te zijn. Hij was het haar verschuldigd om elke seconde van haar moedige reddingspoging niet alleen met zijn smeekbede, maar ook met zijn ogen te volgen.

Het was een roekeloos waagstuk. De ijskoude wind speelde met haar haren en rukte aan haar onderrok, alsof hij haar van de muurrand wilde rukken om haar daarna in de afgrond te slingeren, waar haar lichaam op de rotsen te pletter zou slaan en in de bergrivier zou storten.

Byron had meerdere keren de indruk dat haar lichaam sidderde en wankelde onder de stoten van de wind, alsof ze zo meteen haar evenwicht zou verliezen en ruggelings haar dood tegemoet zou vallen. Hij hield de hele tijd zijn adem in en de schreeuw van ontzetting zat al in zijn keel.

Maar Harriet viel niet. Op haar tenen, haar lichaam in een gespannen vlakke boog, haar handen tegen de burchtmuur geduwd en met haar vingers tastend naar piepkleine kieren tussen de stenen, schoof ze met een wild waaiende onderrok stap voor stap dichter naar de andere toren toe.

Byron had het ijskoud, hoewel hij warm aangekleed was, en hij durfde er niet eens aan te denken hoe koud Harriet het inmiddels moest hebben. Het was hem een raadsel dat ze in die ijzige wind niet al lang het gevoel in haar handen en voeten kwijt was. Het moest haar een ongelofelijke wilskracht kosten om de kou zo onwrikbaar te trotseren, haar evenwicht op die belachelijk smalle rand te bewaren en stukje bij beetje dichter naar de toren van de vampier te schuiven.

Hij had het gevoel dat de tijd was blijven stilstaan of in elk geval ondraaglijk was vertraagd. Elke seconde die voorbijging was een lichamelijke en geestelijke kwelling voor hem, want elke seconde kon de dood haar inhalen.

Van Helsing, Alistair en Horatio zagen plotseling hoe Byron bij het raam in elkaar zakte en krachteloos langs de muur naar de vloer gleed. Tranen schoten in zijn ogen en liepen over zijn gezicht.

'Nee!' riep Alistair.

'Is ze …?' Van Helsing stopte midden in zijn vraag.

Byron keek naar hen met een opgeluchte glimlach op zijn gezicht. 'Het is haar gelukt!' riep hij in tranen. 'Ze is in Dracula's toren! Harriet heeft het ongelofelijke volbracht en gaat de deur voor ons openen. We zijn gered!'

16

Harriet sidderde als een espenblad toen de mannen haar in de gang van de ridderzaal juichend opwachtten en haar overlaadden met de dank en bewondering die ze verdiende.

Ze hadden meteen na Byrons verlossende mededeling al hun bagage, Harriets kleren, de knoflookstrengen en de kruisen gepakt en hadden de kortste weg naar beneden genomen. Het had echter nog een tijd geduurd voordat Harriet de weg vanuit de andere woontoren had gevonden en de balk voor de tussendeur uit de houders had getild. Byron had die tijd gebruikt om het vuur in de open haard opnieuw op te stoken en een hele stapel houtblokken in de gloeiende as te leggen. Hij wist dat Harriet half bevroren zou zijn als ze eindelijk terug was.

Dat klopte inderdaad. Harriet moest zich eerst bij het vuur opwarmen omdat haar ijskoude handen het onmogelijk maakten om zich meteen weer aan te kleden. Byron had zijn mantel over haar schouders gelegd, zodat ze in haar halfnaakte toestand niet onbeschermd aan de blikken van de mannen was overgeleverd.

'Laten we ervoor zorgen dat we naar de stal komen en de paarden voor de slee spannen,' drong Alistair aan zodra Harriet in staat was om zich weer aan te kleden. 'Horatio en ik kunnen dat doen.'

'Wacht!' riep Van Helsing. 'Dat is het domste wat jullie kunnen doen. Als jullie nu onbezonnen vertrekken, zullen jullie ondanks het wonder dat miss Harriet heeft volbracht niet aan Dracula kunnen ontsnappen.'

'Waarom niet?' vroeg Horatio verbijsterd.

'We hebben nog hoogstens een halfuur voordat de zon ondergaat. Dan komt de vampier uit zijn graf en zet hij de achtervolging in,' zei Van Helsing. 'En een vleermuis vliegt sneller door de winternacht dan een span paarden in deze bergwereld vooruitkomt, al zijn ze nog zo snel. Vergeet niet dat Piteschti zelfs bij goed weer op vele uren afstand ligt.'

'En wat dan nog?' zei Alistair. 'We hebben onze kruisen en knoflookstrengen toch? Wat kan Dracula ons dan nog maken?'

'Dracula kan niet alleen in een vleermuis veranderen, maar heeft ook macht over sommige dieren, vooral over de wolven die in dit gebied heel talrijk zijn,' legde Van Helsing haastig uit, waarmee hij meteen de verklaring leverde waarom de in het zwart geklede koetsier tijdens hun middernachtelijke rit naar de burcht de wolven op de open plek in het bos zo moeiteloos had kunnen wegjagen. De koetsier was niemand anders dan Dracula zelf geweest. 'Hij zal hun hulp inroepen en de hele roedel tegen ons ophitsen. Ze zullen de paarden verscheuren en dat is het begin van ons einde.'

Byrons moed zonk hem in de schoenen toen hij begreep dat het dodelijke gevaar nog lang niet was geweken en dat de gruwelijke daad waarover Van Helsing had verteld voltooid moest worden. 'Dat betekent dus dat we het graf van de vampier moeten vinden en een paal door zijn borstkas moeten rammen.'

Van Helsing knikte. 'Inderdaad. Misschien moeten we dat ook bij de begeleider van Mortimer Pembroke en de twee Amerikaansen doen, hoewel zij waarschijnlijk genoeg hebben aan een hostie, omdat hun metamorfose nog niet ver genoeg gevorderd is. Dan pas zullen jullie uit de Karpaten kunnen vluchten. Ik kan natuurlijk ook in mijn eentje proberen zijn grafkelder te vinden en hem nog voor het begin van de nacht te doden, maar ik ken de vertrekken onder zijn toren niet. De zoektocht kan daarom veel tijd kosten. Als we echter samen naar hem op zoek gaan, hebben we een aanzienlijk grotere kans dat Dracula en zijn ondergeschikten nooit meer uit hun grafkisten komen om hun gruwelijke vampierpraktijken uit te oefenen.'

'Waar wachten we dan nog op?' vroeg Horatio ongeduldig, terwijl Harriet haar schoenen dichtmaakte. 'Laten we de enige kans waaraan Harriet ons heeft geholpen niet verspillen en laten we zo snel mogelijk zorgen dat we achter de rug hebben wat moet worden gedaan.'

'Ja, we hebben blijkbaar geen andere keus,' viel Byron hem bij.

Ze pakten onmiddellijk hun spullen en lieten zich door Harriet naar de woontoren leiden die afgesloten was geweest en waaronder de grafkelder zich moest bevinden waarin Dracula zijn dagen doorbracht. Op weg daarnaartoe kwamen ze de gebochelde tegen, die even verbaasd bleef staan en daarna razendsnel door de lange gang verder liep, alsof hun verrassende opduiken in dit deel van de burcht hem helemaal niets aanging. Waarschijnlijk had hij het al lang geleden afgeleerd om na te denken over wat er in de burcht gebeurde.

De kelderruimten waren uitgestrekter en vertakter dan ze hadden verwacht. Alle ingangen waren voorzien van zware deuren, waarin gelukkig ijzeren sleutels staken. De angst van Van Helsing, dat hij Dracula's verstopplek misschien niet op tijd zou vinden als hij er alleen voor stond, was terecht geweest. Nu konden ze zich verdelen en op meerdere plekken tegelijk naar de ingang van de grafkelder zoeken.

Horatio vond de trap en de ingang uiteindelijk, achter een bocht van de gang die langs een diepe, met water gevulde onderaardse regenput liep.

'Hiernaartoe, mensen,' brulde hij terwijl hij met zijn lantaarn zwaaide. 'Hier is de trap naar de grafkelder!'

De anderen haastten zich naar hem toe en ze liepen snel de stenen trap af. Even later verlichtte het schijnsel van hun lantaarns een groot, achthoekig gewelf, dat in een ijzingwekkend koude duisternis lag.

Meteen rechts van de trap zagen ze een borsthoge berg donkere, zware aarde. Twee scheppen en een houten korf met brede draagriemen leunden tegen de muur. Vlakbij de berg aarde stonden tien eikenhouten doodskisten naast elkaar. Op een van de doodskisten lag een hamer, naast een houten bak met dikke ijzeren nagels. Een andere doodskist was half met aarde gevuld.

'We hebben de juiste plek gevonden!' riep Van Helsing. 'Hier woont hij. En hij is blijkbaar al bezig zijn vertrek naar Engeland voor te bereiden. Deze doodskisten vol geboortegrond laat hij waarschijnlijk naar Engeland verschepen.'

Achter in de grafkelder stonden nog drie houten doodskisten, die op balken steunden, en zes sarcofagen. De stenen kisten stonden bij een muur die honderden jaren oud moest zijn, zoals het gescheurde en afbrokkelende gesteente verraadde. De Latijnse jaartallen en opschriften die in de dekplaten gebeiteld waren, bevatten echter niet het kruis van de tempeliers of een andere aanwijzing dat ze het graf van de tempelridder hadden gevonden. Op de plaat van de sarcofaag, die recht tegenover de drie houten doodskisten stond, vonden ze de naam van de vampier.

Dracula

Dat was alles, alleen deze ene angstaanjagende naam, geen geboortejaar of sterfdatum.

'God zij dank!' riep Van Helsing opgelucht. Hij zette zijn zware tas neer en haalde het breekijzer tevoorschijn. 'Eerst deze! In de drie houten doodskisten liggen de begeleider van Pembroke en de twee vrouwen natuurlijk, maar bij hen is niet zoveel haast geboden.'

De dekplaat kon naar verhouding gemakkelijk van de kist worden geschoven, omdat zowel uit het stenen graf als uit de plaat bij de hoeken wat stukken waren afgebrokkeld.

Even later viel het licht van hun lantaarns op de ondode, die geen geweten en geen ziel bezat en niet in staat was tot menselijke gevoelens.

Dracula lag op zijn bed van aarde als een bloedeloze, uit was gevormde beeltenis van een mens. Zijn mond hing net als bij lijkstijfheid open. De sneeuwwitte hoektanden staken gruwelijk uit het grijze tandvlees en zijn onderlip was bevlekt met gedroogd bloed.

Van Helsing pakte de bijl en een armlange paal, die aan het eind tot een punt was geslepen en boven het vuur was gehard, uit zijn tas en legde ze naast de houten doodskisten. Daarna pakte hij zijn zakhorloge, liet het deksel openspringen en keek haastig naar de wijzerplaat.

'Schiet op, Van Helsing! Doe uw plicht!' riep Horatio.

'Dat doe ik ook! Maar ik moet nog iets belangrijks doen,' antwoordde de arts gejaagd. Hij sprong plotseling overeind, pakte zijn tas in één hand en zijn lantaarn in de andere en haastte zich naar de trap. 'Ik ben zo weer terug!' riep hij over zijn schouder. 'Jullie hoeven je geen zorgen te maken, we hebben tijd genoeg om de wereld van deze bloedzuiger te bevrijden!'

'Kom onmiddellijk terug!' schreeuwde Alistair terwijl hij achter hem aan rende. 'Als je denkt dat wij die bloederige klus voor je klaren, dan hebt je je behoorlijk vergist! Als het nodig is zal ik je eigenhandig ...'

Alistair maakte zijn zin niet af, want op dat moment gleed hij uit over een stapel stenen die onder een dunne laag aarde verborgen lagen. Hij zwaaide wild met zijn armen en viel daarna zijdelings in de berg aarde. Tegelijkertijd zakte zijn linkerhand tot zijn pols in de aarde weg en stootte hij tegen iets hards.

Alistair vloekte toen er een heftige pijnscheut door zijn arm schoot. Hij trok zijn arm terug, krabbelde overeind en zag dat er een stenen rand uit de aarde stak op de plek waar hij was gevallen.

'Verdomme, hier ligt nog een sarcofaag! Eén die met aarde is bedekt!' riep hij terwijl hij met zijn rechterhand nog meer aarde wegveegde. 'Ik word gek als dit het graf van de tempelier is!'

Ze vergaten onmiddellijk de arts, die ze achterna hadden willen gaan. De opwinding dat ze Mortimers volgende aanwijzing misschien toch nog zouden vinden, hield hen in zijn greep. Een snelle zwaai met de lantaarns overtuigde hen ervan dat Alistair zich niet had vergist.

'Als de dode tempelier daar echt ligt, staat je rekening bij mij weer op nul, Alistair,' zei Horatio terwijl hij een van de scheppen pakte. 'Kom op, laten we die berg aarde te lijf gaan! Elke seconde telt! En met de vampier in onze nek schept het twee keer zo snel!'

Byron pakte de andere schep en stak deze net als Horatio tot boven het blad in de aarde om de berg zo snel mogelijk af te graven.

Boven hen klonk even later het gedreun van een zware deur die dichtsloeg, gevolgd door een metaalachtig geluid en twee, drie seconden daarna een kort gespetter. Daarna hoorden ze haastige voetstappen de trap afkomen.

'Bent u dat, Van Helsing?' riep Harriet terwijl ze de trap met haar lantaarn verlichtte.

'Ja, alles is in orde!' riep de arts hoestend. Hij haastte zich langs hen naar het achterste deel van de grafkelder. 'Nu kan er niets meer misgaan.'

'Kunt u ons vertellen wat u daarboven hebt gedaan?' viel Alistair woedend tegen hem uit.

Voordat Van Helsing antwoord kon geven, stootte Horatio een triomfantelijke kreet uit en riep opgewonden: 'Allemachtig, het is inderdaad het graf van de tempelier! … Kijk toch eens! … Dat is absoluut de omtrek van een ridder! … En daar is het kruis! … En er staat een jaartal in Latijn op … 1307! … Dat was toch het jaar waarin de orde van de tempelridders door de Franse koning van ketterij werd beschuldigd en door hem werd vernietigd, omdat hij vond dat de orde te veel macht had gekregen en hij hen teveel geld schuldig was?'

Van Helsing had de losse deksels van de drie houten doodskisten inmiddels met trappen van de kisten geschoven. Hij gaf een schreeuw van opluchting en pakte zijn gewijde hosties. Daarna draaide hij zich om naar Byron en Horatio en staarde naar het reliëf van de ridder met het typische tempelierkruis, dat in het midden van de half van aarde bevrijde sarcofaag prijkte.

'Wat zeg ik, we hebben de royal flush getrokken!' riep Alistair met een brede glimlach. 'Waarvoor een stomme uitglijder soms goed kan zijn!'

'Stop daarmee en ga liever zo snel mogelijk naar boven om de paarden in te spannen!' riep Van Helsing, die inmiddels met de bijl en de paal in zijn handen boven de derde doodskist gebogen stond. 'Jullie hebben niet veel tijd meer!' Meteen daarna gaf hij een klap met de bijl. Er klonk een gruwelijk dof geluid, dat hen kippenvel bezorgde.

'Hoezo?' vroeg Harriet. Ze was blij dat ze niet hoefde te zien hoe Van Helsing de vroegere reisgenoot van Mortimer Pembroke onthoofdde en doorspietste. Ze slikte moeilijk voordat ze verderging: 'Als u Dracula zo meteen op dezelfde manier hebt behandeld, hoeven we toch nergens meer bang voor te zijn?'

'Van de vampiers hebt u niets meer te vrezen, dat is waar,' antwoordde Van Helsing terwijl hij de paal weer oppakte. 'Maar de explosie overleven jullie niet,' riep hij zwaar hijgend. 'Dan blijft er hier namelijk geen steen meer op de andere staan. Burcht Negoi houdt op te bestaan.'

Byron en Horatio hielden meteen op met scheppen en draaiden zich net als Harriet en Alistair met ongelovige ontzetting naar hem om.

'Welke explosie?' vroeg Byron. Het was alsof iemand plotseling een onzichtbare, koude hand rond zijn keel had gelegd.

'Die van de vijftien staven dynamiet, die ik boven in de grootste van de drie gewelven aan drie steunpilaren heb gebonden,' antwoordde Van Helsing. Hij tilde de met bloed bevlekte bijl op en wankelde naar Dracula's doodskist. Daar haalde hij niet alleen een nieuwe paal uit zijn tas, maar ook vijf aan elkaar gebonden staven dynamiet. 'Deze heb ik voor dit gewelf bewaard, als het werk gedaan is.'

'Ben je stapelgek geworden?' riep Alistair. Hij rende naar hem toe en trok de staven met de opgerolde lonten uit zijn hand. 'Je hebt die verdomde tas de hele tijd vol dynamiet gehad en daar heb je niets over gezegd? Daarmee hadden we een weg naar de vrijheid kunnen forceren!'

'En voor wie had dat zin gehad?' vroeg Van Helsing onaangedaan terug.

'Voor ons!' brulde Alistair tegen hem.

'Wat is een leven in vergelijking met de zegen die Dracula's dood voor de wereld zal betekenen?' vroeg Van Helsing.

'Je bent krankzinnig!' Alistair balde zijn vuisten. 'We beslissen altijd nog zelf over ons leven!'

'Je vergist je. De beslissing is al lang gevallen, want de aansteeklonten branden al,' zei de doodzieke arts. 'Het zijn weliswaar heel lange en langzaam brandende lonten, omdat ik niet wist hoe lang het zou duren, maar al te veel tijd hebben jullie niet om de paarden uit de stal te halen en bij de burcht vandaan te komen voordat het dynamiet explodeert en alles hier instort. En jullie hoeven niet te proberen om tot de keldergewelven door te dringen om de lonten uit te trappen. Ik heb de deur afgesloten en de sleutel in de regenput gegooid. En als jullie de deur met dit dynamiet willen forceren, dan ontploffen de andere drie bundels beslist ook. Nu weten jullie het, de tijd loopt door. En laat me nu mijn werk doen, zodat alles niet voor niets is geweest.'

'Hoeveel tijd hebben we nog?' vroeg Byron haastig. 'Zeg het! Dat bent u ons in elk geval verschuldigd.'

Van Helsing haalde zijn schouders op. 'Als het klopt wat de schietmeester me heeft verteld, dan kost het de lonten vijftien minuten om het dynamiet te bereiken. Maar een paar minuten daarvan zijn al verstreken. Het is jullie eigen keus of jullie hier samen met mij sterven of dat jullie liever willen leven. God zij met jullie.' Met die woorden draaide hij zich bedaard om, tilde de bijl op en liet die op Dracula's hals neerkomen.

Byron schatte dat ze nog tien tot elf minuten hadden, voordat een enorme explosie de burcht in stukken zou scheuren. Hij wisselde een snelle vragende blik met Horatio of ze het zouden wagen om alles op één kaart te zetten.

Horatio knikte kort. 'We kunnen het redden, als we het erover eens zijn en ons verdelen,' riep hij haastig terwijl hij meteen verder schepte.

'Ik ben verdomme niet van plan om zo dicht voor het doel als een geslagen hond met mijn staart tussen mijn benen af te druipen,' zei Alistair koppig terwijl hij de vijf staven dynamiet, die hij uit Van Helsings hand had gerukt, voor zijn voeten gooide.

'Ik ook niet,' zei Harriet.

'Goed, dan zoeken Horatio en ik naar de aanwijzing,' besliste Byron. 'Intussen halen jullie de paarden en de slee uit de stal.'

'Doen we,' riep Alistair en het volgende moment rende hij de trap al op.

'Maar als er niet genoeg tijd is, laat het dan in godsnaam en kom op tijd naar boven, Byron,' smeekte Harriet hem, waarna ze Alistair volgde.

'En als jullie niet voldoende tijd hebben om in te spannen, breng de paarden dan naar de bergtop aan de bosrand en trek de slee daar ook naartoe,' riep Byron haar achterna. 'Inspannen kunnen we later altijd nog doen.'

Als bezeten schepten ze de resterende aarde van de plaat. Tegelijkertijd was het alsof ze de tijdontsteker van de springlading, waarvan ze niet precies wisten wanneer die zou exploderen, in hun oren hoorden tikken. Toen Byron een korte blik op Van Helsing riskeerde, zag hij tot zijn ontzetting dat de arts het afgehakte hoofd van de vampier met zijn linkerhand aan zijn haren omhooghield. Dracula's ogen waren wijd opengesperd, alsof hij de afschuwelijke klap met de bijl had zien aankomen. Haastig stopte Van Helsing met zijn rechterhand knoflooktenen in Dracula's mond en gooide het hoofd daarna walgend in de sarcofaag terug. Byron draaide zich snel weer om en schepte verder.

'We hebben het bijna voor elkaar,' hijgde Horatio even later.

'Als de aanwijzing zich in de nek van de dode tempelier bevindt, dan kan Mortimer toch alleen de achterkant van de grafplaat bedoelen,' riep Byron. 'Van de dode zelf is na zoveel eeuwen alleen nog stof over.'

'Waarschijnlijk,' snoof Horatio. 'Haal jij Van Helsings breekijzer. We kunnen de plaat bijna weghalen. Op het moment dat Byron naar Van Helsing toe liep, had deze de puntige paal net op de borstkas van de vampier gezet en de korte handbijl gepakt. Byron was ongewild en van vlakbij getuige van de ceremoniële daad, waarmee er voor altijd een eind kwam aan de bloederige activiteiten van Dracula.

Van Helsing mompelde een bezwerend doodsgebed en liet de bijl met al zijn kracht op de paal terechtkomen, die hij met zijn linkerhand loodrecht hield. Het hout drong in Dracula's borstkas, die begon te sidderen en als een slang begon te kronkelen, alsof hij zich aan de paal wilde ontworstelen. Maar Van Helsing omklemde de paal zo stevig dat de knokkels van zijn hand wit werden, en sloeg nog een keer onverbiddelijk toe.

Wilde krampen trokken door het lichaam van de ondode toen de paal steeds dieper drong. Bloed welde rondom het hout uit zijn borstkas op toen zijn hart werd doorboord, en doordrenkte het witte overhemd. En alsof Dracula's hoofd nog steeds met zijn lijf verbonden was, kwam er plotseling slijmerig schuim tussen de knoflooktenen uit zijn mond tevoorschijn en vormde blaasjes. Een scherpe en tegelijkertijd zoete stank, die naar verrotting rook, steeg uit het graf op.

Byron voelde zich misselijk worden. Nog een tweede en derde slag met de bijl volgden, daarna stopte de borstkas met schokken en kronkelen. Heel even lag Dracula volkomen stil op zijn bed van Karpatenaarde. Daarna verviel hij van het ene moment op het andere tot stof.

Van Helsing zakte uitgeput over de rand van de sarcofaag in elkaar. 'Het is volbracht, heer,' mompelde hij terwijl hij een golf bloed in het stof bij zijn voeten spuugde. 'Voor altijd dank en lof, heer van alle hemelse heren. Nu ben ik bereid om voor u te staan.'

'Byron! Verdomme, waar blijf je?' riep Horatio in een aanval van paniek.

Byron zag nog hoe Van Helsing met een trillende hand naar de vijf dynamietstaven greep, de lantaarn dichter naar zich toe trok en het tochtglas opende.

'Jullie hebben minder dan vijf minuten,' hoestte hij terwijl hij de in elkaar gedraaide lonten in de vlam hield. 'Gebruik ze goed. En bedankt voor jullie hulp.'

Byron rende naar Horatio toe en zette het breekijzer in de kier tussen de afdekplaat en de kist. Horatio schoof zijn hand in de kier en duwde de plaat weg.

Byron liet het breekijzer vallen en hielp hem de stenen plaat verschuiven, terwijl achter hen het dreigende gesis klonk van de lonten, die zich een weg naar het dynamiet vraten – net als de andere vijftien lonten, die Van Helsing aan de steunpilaren had gebonden.

Haastig zetten ze de plaat met de achterkant naar hen toe gekeerd tegen de muur en zagen de raadselachtige tekens meteen, die Mortimer op nekhoogte aan de achterkant van het tempeliersreliëf in de steen had gekerfd.

'Verdraaid nog aan toe, dat moet het zijn!' riep Horatio.

Byron trok een notitieboekje en een stift uit zijn zak en begon de tekens haastig over te schrijven. Het kostte hem enorm veel wilskracht om niet slordig te werken.

'Heer in de hemel, kan het niet wat sneller?' perste Horatio eruit. Voor het eerst klonk hij onomwonden bang dat ze de explosie niet voor zouden zijn en onder de puinhopen werden begraven. 'Dat vervloekte dynamiet kan elk moment exploderen!'

'Nog maar drie tekens!'

'Die ons het leven kunnen kosten,' antwoordde Horatio gekweld. Toch bleef hij bij Byron in plaats van op de vlucht te slaan. Hij was doodsbang, maar een lafaard was hij absoluut niet.

Eindelijk had Byron het laatste symbool opgeschreven. 'Nu moeten we maken dat we het er levend vanaf brengen, Horatio! Ren alsof Dracula persoonlijk op je hielen zit!' riep hij, waarna ze naast elkaar de trap op stormden.

Daarna kwamen de bochtige, lange gangen die ze door moesten om op het grote binnenplein van de burcht te komen.

Bijna namen ze de verkeerde gang, wat onherroepelijk tot hun dood had geleid. Horatio merkte hun fout echter nog net op tijd en brulde: 'Nee, we zitten verkeerd! De andere gang komt uit bij de burchtpoort!' Er lag pure doodsangst in zijn stem, want de vijftien minuten moesten inmiddels voorbij zijn en ze waren nog steeds niet buiten, laat staan aan de andere kant van de ophaalbrug.

'God beware dat je gelijk hebt,' hijgde Byron en rende met hem terug en de andere gang door.

Het was de goede gang. Terwijl ze het plein op stormden kregen ze nieuwe hoop dat ze toch nog op tijd konden ontsnappen aan het inferno dat elke seconde kon ontbranden.

De poort naar het voorplein stond wijd open, maar Harriet en Alistair waren er niet. Ook de gebochelde, die ze daarstraks op weg naar de grafkelder waren tegengekomen, was nergens te bekennen, maar van de andere kant van de ophaalbrug drongen het geschreeuw en de gejaagde kreten van hun metgezellen tot hen door.

'Ik geloof dat we opnieuw aan de dood zijn ontsnapt,' riep Horatio tegen Byron, toen ze het voorplein bereikt hadden en naar het poorthuis en de daarachter liggende ophaalbrug renden.

Op dat moment ontbrandde de eerste dynamietlading. Er ging een heftige schok door de bodem, waardoor de rotspunt waarop de burcht was gebouwd begon te schudden. Er volgde een angstaanjagend gekraak, geknars en gekerm van de torens en de muren, alsof de rotspunt onder de burcht een reus was die uit een eeuwenlange slaap was ontwaakt, zich even uitrekte en de burcht daarmee op zijn grondvesten liet schudden.

Deze eerste explosie, die ongetwijfeld uit de grafkelder van de vampiers afkomstig was, was niets vergeleken bij de tweede detonatie, die drie keer zoveel explosiekracht had, de ingewanden van de burcht uiteenreet en de diepe gewelven liet instorten.

Byron en Horatio hadden het gevoel dat de bodem van het voorplein onder hun voeten steigerde. Ze werden omhoog geslingerd, stortten in de sneeuw, stonden het volgende moment weer op hun voeten en mobiliseerden hun laatste krachten om door het poorthuis en over de ophaalbrug te rennen. Ze wisten dat de torens, die zich boven de opgeblazen gewelven bevonden, zo meteen zouden instorten en er enorme brokstukken uit de muren zouden breken. De vernietiging van de burcht zou volgens het dominoprincipe verlopen. Als er één muur was gevallen, trok deze de andere onstuitbaar mee. En dan hield de ophaalbrug ook niet langer stand tegen de vernietigende krachten; die zou van de rotsrand worden getrokken en in de afgrond storten.

Byron en Horatio vuurden elkaar aan met schelle kreten, terwijl achter hen een oorverdovend krijsen, scheuren en donderen begon, toen de eerste van de twee achterste woontorens wankelde, in verschillende stukken uit elkaar brak en onder het donderende geweld van de uiteenvallende steenmassa's het binnenste burchtplein bedekte.

Toen deze golf, die uit duizenden tonnen enorme brokstukken bestond, vernietigend insloeg, en daarmee de lagere voorste gebouwen net zo moeiteloos verpletterde alsof ze niet van steen, maar van dun hout waren gebouwd, en er tegelijkertijd een enorme wolk van sneeuw, modder en steenschilfers opwervelde, ging er een nog hevigere schok door de rotspunt.

Byron en Horatio hadden op dat moment net de eerste helft van de ophaalbrug achter zich. De balken kromden onder de enorme druk, waardoor ze onmogelijk konden blijven staan.

Byron knalde pijnlijk tegen de zware ijzeren ketting die aan beide kanten als reling fungeerde, en kon zich er nog net op tijd aan vasthouden.

Horatio gleed echter met zijn benen voor zich over de door de sneeuw glad geworden planken en dreigde in de afgrond te storten omdat hij nergens houvast vond.

Byron reageerde zonder na te denken. Hij gooide zich met uitgestrekte armen naar voren, kreeg hem te pakken en hield hem vast. Het volgende moment veegde de vuilwitte wolk als een stormachtige windvlaag over hen heen.

'Verder! Verder!' brulde Byron. Hij hielp Horatio overeind en tuimelde samen met hem over de krakende en zwaaiende brug hun redding tegemoet.

Nauwelijks hadden ze de bergtop bereikt, of de planken achter hen versplinterden en de ijzeren kettingen scheurden. Versuft wankelden ze naar Harriet en Alistair toe, die al naar hen toe kwamen rennen. Achter hen ging het kraken, barsten en instorten door.

'God zij dank dat je leeft, Byron!' riep Harriet opgelucht. 'En jij ook, Horatio!', voegde ze er snel aan toe.

'Verdorie, jullie hebben de spanning werkelijk opgevoerd, vrienden! Dat was verdomd goed getimed!' riep Alistair terwijl hij met een enigszins stijf gebaar goedkeurend op hun schouders sloeg. 'En? Hebben jullie Mortimers aanwijzing gevonden?' vroeg hij het volgende moment.

Horatio snakte naar adem en knikte. 'Alles staat in Byrons notitieboekje. Je hoeft je 4000 pond nog niet af te schrijven.'

Alistair lachte. 'Dan is alles in orde. We hebben de slee en de paarden trouwens in veiligheid gebracht. Bovendien hebben we Dracula's Quasimodo bij ons. Hij heeft ons heel goed geholpen. Ik denk dat de gebochelde erg nuttig kan zijn en ons naar Piteschti kan brengen. Ik weet zeker dat hij de weg kent en met de paarden kan omgaan.'

'Verbazingwekkend vooruitziend van jullie,' antwoordde Horatio met een uitgeput lachje.

Inmiddels waren de wolken stof en sneeuw gaan liggen en werd de volledige omvang van de vernietiging zichtbaar. De burcht was één grote ruïne. De twee achterste woontorens waren volkomen vernietigd, de kleinere verdedigingstorens rechts en links van het poortgebouw staken als verrotte tandstompjes omhoog en in de muren gaapten enorme gaten. Bovendien liep er een diepe scheur door de rotspunt en was het waarschijnlijk alleen een kwestie van tijd voordat de druk van de puinmassa de scheur nog zou verergeren en de rotspunt zou afbreken. Daarna zou bijna niemand, die in dit eenzame gebied terechtkwam, vermoeden dat hier, hoog boven de afgrond, ooit een burcht had getorend.

Byron sprak een stom gebed uit voor Aurelius van Helsing, die ze het een en ander te verwijten hadden, maar aan wie ze ook veel te danken hadden, en keerde de ruïne de rug toe.

'De tocht naar Piteschti wordt lang en moeilijk,' zei hij nog steeds naar adem snakkend. 'Laten we geen tijd meer verliezen.'

17

Alistairs verwachting dat de gebochelde het vierspan nachtzwarte paarden kon mennen, bleek tot hun grote opluchting te kloppen. Bogan kweet zich goed van zijn taak. Bedreven joeg hij de paarden door de besneeuwde bergen naar de Walachei-vlakte.

Half bevroren bereikten ze even na één uur 's nachts de kleine stad aan de Arges. De houten luiken van pension De Gouden Kroon waren al lang gesloten en nergens in het gebouw brandde licht. De waard en waardin lagen al lang in bed, maar daar konden ze in de bittere kou geen rekening mee houden. Daarom hamerden ze net zo lang op de deur tot ze de mopperende en vloekende stem van de waard hoorden en er eindelijk werd opengedaan.

De woedende woordengolf van de man brak plotseling af toen hij zag wie hem zo laat in de nacht uit zijn warme bed haalden. Verbijsterd staarde hij naar hen alsof hij spoken zag of een wonder aanschouwde. Daarna sloeg hij een kruis, deed de deur snel open en liet hen binnen.

Even later brandden er kaarsen in de gelagkamer van het pension en in de open haard gloeide een vuur, waarvoor Harriet en de mannen zich onder veel behaaglijk gezucht opwarmden voordat ze aan tafel gingen zitten.

Inmiddels was de waardin ook beneden gekomen. Ze straalde toen ze de Engelsen herkende, sloeg een kruis en riep in het Duits: 'De almachtige zij geloofd! Jullie zijn behouden van de burcht van de duivel teruggekeerd!'

'Ja, ook dank zij uw behulpzame geschenken, beste vrouw,' zei Byron. 'En voor graaf Kovat, of Dracula zoals hij zichzelf noemde, hoeft u niet langer bang te zijn, want hij is verslonden door de hel.'

'Weten jullie dat zeker?' vroeg ze, zichtbaar heen en weer getrokken tussen twijfel en blijdschap.

'Het is zo waar als wij hier voor jullie zitten,' antwoordde Byron met ernstige nadruk. 'Dat zweer ik bij het kruis van onze verlosser en bij alle heiligen.'

Haar ronde gezicht lichtte op. 'God zegene jullie. Ik hoop dat Dracula voor eeuwig in het vagevuur brandt. En nu haal ik eten voor jullie.'

'Wacht,' hield Byron haar tegen. 'Breng onze koetsier Bogan ook een krachtige versterking, als hij de dieren heeft drooggewreven en uit de stal komt. Zonder hem hadden we de weg door de bergen niet gevonden en waren we in de kou doodgevroren. Die arme, mismaakte man is alleen een werktuig van dat beest geweest. We weten zeker dat jullie niet bang voor hem hoeven te zijn. Leg hem in jullie taal uit dat de paarden en de slee van hem zijn en dat hij ermee kan doen wat hij wil. Misschien krijgt hij daardoor een ander, beter leven dan hij tot nu toe heeft gehad.'

De waardin keek hem verbaasd aan, maar verzekerde hem daarna dat ze alles zo zou regelen als hij het haar had opgedragen en liep haastig weg om even later terug te komen met sterk gekruide bisschopswijn en een groot bord met brood, kaas en koud vlees.

Ze waren allemaal razend nieuwsgierig naar de aanwijzing die verborgen was in de raadselachtige symbolen, die Mortimer op de achterkant van de grafplaat had achtergelaten, dus haalde Byron zijn notitieboekje tevoorschijn en liet Harriet en Alistair zien wat Mortimer aan de onderkant van de dekplaat van de sarcofaag had gekrast.

'Ik kan daar niets mee,' zei Alistair. 'Het is voor mij het betekenisloze gekrabbel van een kind. Wat me ook niet verbaast, want Mortimer moet echt stapelgek zijn geweest als hij uitgerekend de burcht van die weerzinwekkende vampier heeft uitgekozen om zijn aanwijzing voor de verstopplek van het Judas-evangelie achter te laten.'

Harriet viel hem bij. 'Ik vind het ook een raadsel dat hij in de grafkelder is beland en het er toch levend vanaf heeft gebracht.'

'Daar is vast een verklaring voor,' zei Horatio. 'Maar die had alleen Dracula ons kunnen geven. Het is zinloos om ons hoofd daar verder over te breken. Laten we blij zijn dat we de aanwijzing hebben gevonden en dat we het hebben overleefd. Het belangrijkste is nu om het raadsel op te lossen.' Hij draaide zich naar Byron. 'Heb je er al een idee van wat we hier voor ons hebben? Zijn het getekende poppetjes of is het een gecodeerde boodschap?'

'Ik weet tamelijk zeker dat deze tekens Germaanse runen zijn,' zei Byron. 'Waarschijnlijk uit de tijd van de Vikingen.'

'Runen?' vroeg Harriet verbaasd.

Byron knikte. 'Slechts een kleine elite van de Noormannen uit Scandinavië en Duitsland beheersten dit schrift, dat bijna uitsluitend als gegraveerde opschriften op gereedschap en stenen gedenktekens voorkomt,' legde hij uit. 'Het heeft zich nooit tot een schrift in boeken of op documenten ontwikkeld, waarmee de collectieve nalatenschap van deze culturen bewaard had kunnen worden. Het gebruik van runen schijnt in Midden-Europa rond 700 n.Chr. en in Engeland in de tiende eeuw geëindigd te zijn, wat in belangrijke mate te maken heeft met het christelijke zendelingenwerk in deze landen. Het Latijnse schrift heeft de runen al snel verdrongen.'

'Alles goed en wel,' zei Horatio ongeduldig. 'Maar kun je deze runen ook lézen?'

'Dat moet blijken,' antwoordde Byron terughoudend. 'Daarvoor moet ik namelijk eerst het runenalfabet voor mijn geest halen. Het is al een aantal jaren geleden dat ik me in Oxford met runen heb beziggehouden. Bovendien bestaan er verschillende vormen van. Ik heb echter de indruk dat Mortimer de runen van het bekende Futhark-alfabet heeft gebruikt.'

Byron sloeg de volgende lege bladzijde van zijn notitieboekje open, pakte een stift en begon de tekens van het runen-alfabet op te schrijven.

Het ging hem niet zo snel af als zijn metgezellen zouden willen, want hij aarzelde telkens weer en dacht ingespannen na om zich te herinneren hoe hij de volgende rune moest tekenen. Zo vergingen er tien tot vijftien minuten, waarin Alistair vol ongeduld met zijn wijnkroes speelde en de ene sigaret na de andere opstak. Maar eindelijk had Byron alle runen op papier staan.

Futhark runenalfabet

f u th o k g

w h n i j ch p eo s

t b e m l ng oe

d g a oe y ea

'Kom op met Mortimers runen!' riep Alistair verwachtingsvol. 'Ik ben benieuwd wat de tweede aanwijzing voor de verstopplek van het Judas-evangelie is.'

'Niet alleen jij, druktemaker,' zei Harriet.

Byron schreef de runen van Mortimers boodschap onder het alfabet, voegde een volgens hem ontbrekende punt toe en even later hadden ze hun tweede aanwijzing. Die luidde:

In klooster St. Simeon

'In klooster St. Simeon! Kijk, dat bevalt me,' zei Alistair. 'Eindelijk een concrete aanwijzing waarmee we iets kunnen beginnen. De papyri liggen dus onder een bepaalde ruïne in klooster St. Simeon verstopt.'

'Ik zou in jouw plaats niet meteen gaan juichen en denken dat de rest nog maar een kleinigheid is,' dempte Horatio zijn blijdschap meteen. 'Weet je wel hoeveel kloosters met deze naam er op de Balkan, in Rusland, in Griekenland en god weet waar zijn? Het moeten er honderden, zo niet duizenden zijn, die allemaal de naam van de heilige Simeon dragen.'

De domper kwam aan. 'Het zal wel,' bromde Alistair lusteloos. 'Maar hiermee komen we toch een stukje dichter bij de verstopplek. En als we in Constantinopel een blik op de "stem van de profeet" hebben geworpen, wordt het aantal kloosters dat in aanmerking komt beslist aanzienlijk kleiner.'

'Misschien wel,' zei Harriet droog. 'Maar eerst moeten we weten wat deze "stem van de profeet" is, hoe we hem vinden en hoe we Mortimers geheim te pakken kunnen krijgen. Voor zover ik deze krankzinnige inmiddels ken, heeft hij het ons niet gemakkelijk gemaakt.'

18

Het enige licht in de Spartaans kale zolderkamer in de Weense wijk Alsergrund kwam van de twee zwartgeverfde, vuistdikke kaarsen. Onrustig dansten de vlammen in de koude wind die door de wijd geopende vensterluiken in de kamer drong. Steeds weer leken ze te willen doven, richtten zich echter na elke windvlaag koppig op en bleven flakkeren.

Graham Baynard, die met ontbloot bovenlichaam op de grond op een mat uit rijshout knielde, onderging de koude windstoten als slagen met een tot ijs bevroren doek. Maar hij accepteerde ze net zo dankbaar als de slagen op zijn naakte rug, die hij zichzelf toediende met de gesel met korte steel, die was voorzien van leren riemen waaraan tientallen kleine ijshaakjes waren vastgebonden. De wereld was een plaats van verderf en het lichaam diende gekastijd te worden om het dwaze menselijke verlangen uit te drijven. Alleen zo leidde de weg naar het ware inzicht en het licht van de sterren.

De twee kaarsen voor de perfectus stonden aan weerszijden van een constructie van zwart geverfd ijzer, dat in het halfdonker van de kamer op het eerste gezicht op een tafelcrucifix leek. Maar op de plek van de dwarsbalk, waaraan Jezus was vastgenageld, staken twee korte, dikke takken naar links en rechts uit. En in plaats van het lichaam, dat aan elke crucifix hangt, hing er een aan zijn benen opgehangen man aan de takken. Op zijn hoofd droeg hij een soort zegekrans van munten. Het gezicht van de omgekeerd gehangene vertoonde geen kwelling of doodspijn, maar een spottende uitdrukking, alsof hij zijn beul uitlachte.

Voor de ijzeren boom met de ondersteboven hangende man lag het dunne, in zwart leer gebonden boek met de gouden M in reliëf op het omslag opengeslagen. Een lange litanie van aanroepingen en bezweringen in gecentreerde kolommen en in witte drukletters bedekten de twee opengeslagen bladzijden van zwart papier.

Graham Baynard kende de bladzijdenlange litanie al jarenlang uit zijn hoofd, maar het was toch goed deze tijdens het geselen voor zich te hebben. Vooral als de slagen een vurige pijn door zijn lichaam joegen en hem lieten wankelen, kon het gebeuren dat hij het ritme en de vertrouwde volgorde heel even vergat.

In deze litanie wisselden zaligsprekingen en persoonlijke aanroepingen, die de leden van de orde 'hcilzame vervloekingen' noemden, elkaar af. Zijn bovenlichaam volgde de wisseling ervan met lichte pendelbewegingen. Bij elke geselslag op zijn rug, die een 'heilzame vervloeking' begeleidde, deinde het in afwachting van de opkomende pijn een stukje naar achteren. Bij elke daarop volgende zaligspreking richtte zijn bovenlichaam zich weer op.

'Sterf, wereld van rotzooi en bedrog,' kwam het vurig van zijn lippen, terwijl de gesel over zijn linkerschouder vloog en de ijzeren haakjes in zijn huid boorden.

'Zalig ben jij, Judas, de enige verlichter.'

Het lichaam van de perfectus boog weer naar voren.

'Sterf, rottend vlees.'

De gesel kletste op zijn rug en bloed sijpelde uit de kleine wondjes.

'Zalig ben jij, Kain, jij kroon van verhevenheid en ster van de verlorenen.'

Een korte rustpauze.

'Sterf, verdorven verlangen.'

Een bijzonder harde slag scheurde de huid vol littekens open en er ging een siddering door Graham Baynards lichaam. Meteen schaamde hij zich voor zijn zwakte.

'Zalig ben jij, Esau, jij zegevierder over de demiurgen*.'

Hij haalde snel en diep adem en tilde de gesel weer op.

'Sterf, bedrieglijke blijdschap en verworven levenslust.'

Zijn lichaam boog ver naar voren.

'Zalig ben jij, Korach, jij troost van de dwalenden.'

Een korte zucht en opnieuw vloog de gesel tegen de bloederige rug.

'Sterf, dwaze hoop, jij verraderlijk gif van de demiurgen.'

Graham Bayhard had pas de helft van de litanie 'met de gesel gebeden', zoals het in de orde werd genoemd, toen hij voetstappen op de trap naar zijn kamer hoorde. Dat kon alleen Anton Tenkrad zijn, want hij was de enige die een sleutel bezat van de deur waarachter de trap naar zijn zolderkamer lag. Hij moest een belangrijk bericht hebben, anders zou hij

---

294   *Volgens de Catharen is de God uit het Oude Testament de schepper van de (slechte) stoffelijke wereld. Deze schepper is een lagere god of tussengod en wordt demiurg genoemd.*

hem op dit tijdstip niet durven te storen.

Het besef dat hij zijn zelfgeseling moest afbreken, wekte tegen zijn wil een gevoel van opluchting. Zodra hij zich daarvan bewust werd, zwaaide hij de gesel omhoog, hoewel in de volgorde van de litanie nu eigenlijk de zaligspreking van de Sodomieten aan de beurt was geweest, en bestrafte zichzelf voor het korte moment van zwakte met een woedende slag, waardoor er tranen van pijn in zijn ogen schoten. Eigen schuld! Het was een ordeleider onwaardig om met opluchting te reageren op een onderbreking van het gebed.

Zijn hand trilde licht toen hij de met bloed bevlekte gesel voor zich op de mat legde en op Anton Tenkrads kloppen reageerde. 'Kom binnen. De deur is niet vergrendeld.'

Anton Tenkrad liep de zolderkamer in. Hij was de hoogste in rang van de Weense cel de orde, omdat hij het langst lid was in Oostenrijk. Als eenvoudige *credens* stond hij in de hiërarchie van de orde echter op een heel lage rang. Dat zou veranderen als hij de Engelse perfectus en persoonlijke gezant van bisschop Mertikon hielp om de belangrijke onderneming tot een succesvol eind te brengen. Gelukkig was hij niet de pechvogel geweest, die zich in het rioleringssysteem zo onvergeeflijk had laten misleiden en die met een waardeloos notitieboekje was teruggekeerd. De afgehakte duim was een rechtvaardige straf voor Theo Krömers falen geweest, hoewel niemand, ook de perfectus niet, tot nu toe wist wie hun ordebroeder had opgewacht toen hij het rioleringssysteem verliet. Krömer had het notitieboekje nog kunnen bekijken en had kunnen vaststellen dat hij was afgescheept met een uiterlijk identiek, maar zo goed als leeg boekje. Degene die Krömer had geobserveerd, was gevolgd en had verminkt, was dus niet in het bezit van de geheime notities. Nog niet. De kans om de vier Engelsen het boekje bij een tweede poging afhandig te maken, was deze namiddag aanzienlijk gestegen.

'Is er nieuws, Tenkrad?' vroeg Graham Baynard terwijl hij hem scherp observeerde. Zijn geduld met de Oostenrijkse ordebroeder was stevig op de proef gesteld.

'Ja, perfectus, we zijn ze eindelijk op het spoor. Het was hard werken, maar

295

de inval die ik vanmiddag kreeg, heeft ons eindelijk de informatie opgeleverd waarnaar we op zoek waren.' Tenkrad dwong zichzelf niet te laten merken hoe trots hij was, omdat hij bang was voor de straf die op een dergelijke schandelijke misstap volgde.

'Kom terzake, Tenkrad,' drong de perfectus ongeduldig aan.

'Nadat de andere naspeuringen nergens toe hadden geleid, heb ik met een smoes informatie ingewonnen bij de reisbureaus in de stad,' vertelde Tenkrad. 'En bij het Weense filiaal van het Engelse bureau Thomas Cook & Son, dat is gevestigd aan de Stephansplatz, had ik succes.'

'Bij Markion van Sinope, de verlichte profeet, dat hadden jullie toch eerder kunnen bedenken! Maar goed, vertel verder.'

'Ze hebben vier tickets gekocht voor de Orient-Express naar Constantinopel, en ze hebben de route via Boekarest genomen, waar ze waarschijnlijk een tussenstop hebben gepland. Ze hebben hun coupés maar tot daar laten reserveren,' ging Tenkrad snel verder. 'Op naam van Byron Bourke, Harriet Chamberlain-Bourke, Alistair McLean en Horatio Slade.'

'Boekarest en Constantinopel zijn niet bepaald plekken waarnaar ik uitkijk,' zei Graham Baynard ontstemd. 'Maar daar is nu eenmaal niets aan te doen. In elk geval weten we waar we moeten zoeken. Boekarest kunnen we natuurlijk vergeten. Daarvoor is hun voorsprong te groot. Maar in Constantinopel kunnen we ze misschien nog op tijd te pakken krijgen, voordat ze ook daar weer verdwenen zijn. Of de Gouden Hoorn aan de Bosporus moet hun uiteindelijke bestemming zijn. Laten we het hopen.'

'Wat zijn uw verdere aanwijzingen in deze zaak, perfectus?' Tenkrad boog deemoedig zijn hoofd.

'Regel drie tickets voor de volgende trein naar Constantinopel, het liefst voor de trein van morgenavond,' droeg Graham Baynard hem op. 'We nemen Breitenbach mee. Krömer, die sukkel, valt immers af. En wat de ondersteuning in Constantinopel betreft, zullen we noodgedwongen op plaatselijke hulpkrachten moeten teruggrijpen, die niet veel vragen stellen als de beloning maar goed is. We moeten Mortimer Pembrokes aantekeningen namelijk koste wat het kost in handen krijgen.'

19

De wind huilde rond Pembroke Manor en rammelde aan de ramen, alsof hij ze uit hun scharnieren wilde rukken. Bovendien regende het al dagenlang aan een stuk door. Als door de geopende deuren van een stuwmeer stortte de watermassa uit de leigrijze hemel. De zon achter de donkere wolkenvelden was alleen nog een vermoeden.

De zware staande klok in lord Arthurs werkkamer vocht met twaalf donkere klokslagen tegen het kabaal van het stormachtige weer.

Pas twaalf uur 's middags! Terwijl je bij dit halfdonker de indruk zou kunnen krijgen dat de schemering is aangebroken! Wat een verschrikkelijk weer! Puur vergif voor mijn jichtige botten.

Arthur Pembroke keek even op van de foto's en krantenartikelen, die hij op het bureaublad had uitgespreid. Bijna alle merendeels vergeelde artikelen gingen op de een of andere manier over zijn broer Mortimer; over zijn wereldreizen, spectaculaire expedities naar nauwelijks onderzochte gebieden, archeologische ondernemingen en ontmoetingen met buitengewone persoonlijkheden. Ook was er in deze volkomen ongesorteerde verzameling, die Mortimer bij zijn dood in een volle kist had achtergelaten en die hij onlangs pas in handen had gekregen, nauwelijks een foto waarop Mortimer niet in een autoritaire positie te zien was.

Met een grimmige gezichtsuitdrukking boog lord Arthur zich weer over de chaos. Hij zocht foto's en krantenartikelen die uit Mortimers twee laatste levensjaren stamden.

Hij had net twee veelbelovende foto's gepakt toen de butler de kamer in kwam.

'Het spijt me dat ik stoor, mylord, maar een bode heeft dit telegram net gebracht,' deelde Trevor Seymour hem mee. Zoals de etiquette gebood, lag het telegram op het daarvoor bedoelde kleine zilveren blad, dat de butler in zijn wit gehandschoende hand hield. 'Het komt uit Boekarest, sir.'

'Eindelijk! Ik was al bang dat ze waren vergeten wat we hadden afgesproken,' zei Arthur Pembroke chagrijnig. 'Goed, scheur het open en lees het voor, Trevor.'

'Uitstekend, mylord,' zei de butler. Hij opende het telegram. 'Het bericht luidt als volgt, sir: dode tempelier in burcht negoi gevonden + stop + daar zelf bijna het leven gelaten + stop + verwachten passende compensatie vanwege onverwachte risico's + stop + retourtelegram met bevestiging van toezegging per omgaande aan telegraafkantoor in Boekarest + stop + post restante op mijn schuilnaam + stop + anders weigering verdere diensten + stop + tweede aanwijzing als volgt + stop + in klooster st. simeon + stop.' De butler keek op en voegde er nog aan toe: 'Als afzender staat onderaan weer de naam "Janus", mylord.'

Arthur Pembroke lachte droog. 'Ze dreigen verdere diensten te weigeren? Daar moet Janus nog maar eens goed over nadenken. Maar we willen onze ogen en oren in een goed humeur houden. Daarom telegrafeer je een passende toezegging naar Boekarest.' Snel dicteerde hij de korte tekst.

'Heel goed, meneer.'

'En nog iets, Trevor.'

'Mylord?'

'Boek een overtocht naar Rodos voor ons,' droeg Arthur Pembroke hem lachend op. 'Het milde weer daar zal mijn geplaagde botten goed doen.'

Trevor Seymour trok zijn wenkbrauwen licht op. 'Naar Rodos?' vroeg hij verbaasd. 'En u wilt dat ik u begeleid?'

'Ja, dat is precies wat ik wíl, Trevor,' bevestigde Arthur Pembroke sarcastisch, omdat het in werkelijkheid een eis was geweest die opgevolgd diende te worden. 'En let er bij de reservering op dat ze het snelste stoomschip nemen dat morgen koers zet naar de Middellandse Zee. Desnoods laat je verschillende lijnen combineren. Aan het werk dan maar, Trevor. Er is haast bij. Elke halve dag telt.'

'Uitstekend, mylord,' zei de butler met een stoïcijnse gezichtsuitdrukking. Hij maakte een lichte buiging en trok zich terug om de opdracht van de lord uit te voeren.

In de nacht van diezelfde dag werd de bewoner van het statige herenhuis in de Londense wijk Kensington met de naam Abbot opnieuw aan de telefoon geroepen.

Zoals gewoonlijk volgde de uitwisseling van wachtwoorden. Daarna vertelde de beller uit Pembroke Manor met een zachte stem wat er in het telegram uit Boekarest stond en dat ze de volgende dag naar Rodos zouden vertrekken.

Het gesprek tussen de twee mannen duurde iets langer dan de twee eerdere telefoontjes op dit nachtelijke tijdstip.

Geen van hen vermoedde, dat in een andere kamer van het herenhuis een klein lampje op een tweede telefoon was gaan branden op het moment dat de telefooncentrale de verbinding met Londen tot stand had gebracht, en dat iemand voorzichtig de hoorn van het toestel pakte, met zijn andere hand de spreektrechter bedekte en het gesprek met een spottend lachje afluisterde.

Deel vijf

De stem van de profeet

1

Tijdens de rit met de postkoets naar Boekarest sneeuwde het aan een stuk door, en toen ze in de stad aankwamen werd de sneeuwstorm zo hevig dat ze twee volle dagen in de Roemeense hoofdstad vastzaten. De hoofdconducteur van de Orient-Express, die op de avond van hun aankomst het station was binnengereden en overeenkomstig zijn dienstregeling na een oponthoud van tien minuten weer zou vertrekken, moest knarsetandend buigen voor het woeste natuurgeweld en wachten tot de sneeuwstorm ging liggen. Via de telegraaf kreeg hij uur na uur het bericht dat sneeuwverstuivingen het traject onbegaanbaar maakten. Sneeuwruimploegen deden hun uiterste best om de rails vrij te krijgen, maar nauwelijks was de ene hindernis opgeruimd of ze werden naar een andere plek geroepen waar nieuwe sneeuwhopen waren ontstaan. De passagiers van de luxetrein waren gehuisvest in het Boulevard Hotel, dat tot het laatste bed bezet was.

Eindelijk kreeg het hotel het bericht dat de trein zijn tocht naar Constantinopel kon voortzetten. Opgelucht omdat ze konden ontsnappen aan de weinig uitnodigende stad en vooral de strenge winter in dit gebied, begaven de reizigers zich naar het station. Ze namen dankbaar bezit van hun chique coupés en spoelden de verbittering over de verspilde dagen in Boekarest in de restauratiewagon met veel champagne weg, terwijl de Orient-Express Boekarest vroeg in de avond achter zich liet.

'Heel vreemd,' zei Harriet met een dromerige blik op het winterse landschap van Roemenië. 'We zitten weer in deze koninklijke trein en alle afgrijselijke dingen die we pas een paar dagen geleden in burcht Negoi hebben meegemaakt lijken ineens oneindig ver weg, alsof het alleen een nare droom is geweest.'

'Met het kleine verschil dat er geen wond achterblijft als een vampier alleen in een droom je handrug opensnijdt,' antwoordde Alistair gesmoord terwijl hij naar zijn rechterhand wees, waar een korst de wond van de degen inmiddels bedekte. 'Door het litteken zal ik me mijn hele leven blijven herinneren dat het geen nachtmerrie is geweest.'

Horatio knikte. 'Ik denk dat niemand van ons deze belevenis ooit zal vergeten. Ik kan eigenlijk nog altijd niet geloven dat we het er levend vanaf hebben gebracht,' zei hij hoofdschuddend. 'Niemand moet nog zeggen dat er geen wonderen bestaan.'

Alistair glimlachte. 'Wonderen? Ik zou het eerder het geluk noemen van iemand die in staat is om op het juiste tijdstip op de juiste plek zijn kansen te benutten. Ik zie in elk geval geen bewijs voor het bestaan van God in onze wonderbaarlijke redding, als je daarop wilde zinspelen.'

Byron keek naar hem met een blik vol milde spot en zei: 'Een veel knappere kop dan ik ooit zal zijn, heeft gezegd dat een scepticus een filosoof is die geen tijd heeft om christen te worden. Daar schijnt een kern van waarheid in te zitten.'

'Ik ben geen scepticus en ook geen filosoof,' antwoordde Alistair goedgehumeurd. 'Ik ben een nuchtere realist die vertrouwt op zijn verstand en op Nietzsche.'

'Je gelooft dus in natuurlijke selectie en het recht van de sterkste,' zei Harriet.

Alistair knikte, dronk zijn glas leeg en gebaarde naar een kelner om het opnieuw te vullen. 'Zo is het, liefje, in deze wereld krijgt niemand iets cadeau. Wie iets wil bereiken, moet zich laten gelden, zijn ellebogen gebruiken en pakken wat hij wil hebben. Als ik in mijn leven íéts heb geleerd, dan is het dat. Ik heb tenslotte niet veel van de klassieke kennis meegekregen die in verheven universiteitssteden zoals Oxford wordt geleerd. Maar ergens heb ik ooit een zin van de Duitse of Oostenrijkse dichter Schiller opgepikt, die een van zijn karakters in Wilhelm Tell of in Werther laat zeggen: In jouw borstkas bevinden zich de sterren van je lot. En zo zie ik het ook.'

'Dat citaat is afkomstig uit zijn drama Wallenstein,' merkte Byron op. 'En hoewel Tell inderdaad ook is geschreven door Schiller, was het Goethe die voor Werther tekende. Ze waren trouwens allebei Duitsers.'

Alistair haalde onverschillig zijn schouders op. 'Het kan me niet schelen wie wat geschreven heeft. Dat is voor jou anders, Byron, en dat is ook helemaal niet erg,' ging hij snel verder. 'Maar met boekenkennis in het hoofd speel je een slechte hand kaarten niet beter uit en bluf je niet succesvoller, en dat is nu eenmaal het enige waarin ik echt goed ben. In elk geval heeft Schiller de dingen die ik belangrijk vind heel duidelijk samengevat. En het klinkt veel vriendelijker dan het citaat van Nietzsche: Het zich eigen maken van geestelijke grondbeginselen zonder redenen noemt men geloof.'

'Niet slecht geciteerd,' zei Byron waarderend. 'Op zijn gebied is Nietzsche moeilijk te overtreffen, dat moet ik toegeven. En hij heeft zelfs gelijk, voor zover het geloof een waarheid is die niet door proefondervindelijke kennis, maar alleen door de existentiële ervaring van veel details gewonnen kan worden. Hij moet echter niet vergeten dat de scepticus op een hoog paard zit waar hij gemakkelijk vanaf kan vallen als hij vergeet om zijn eigen scepsis af en toe met scepsis tegemoet te treden.'

Alistair glimlachte. 'Scepsis tegenover zijn eigen scepsis? Dat heb je helemaal niet slecht bedacht, Byron. Je lijkt vandaag bijzonder goed op dreef te zijn,' zei hij spottend. 'Ga zo door, dan hebben we een amusante avondmaaltijd voor de boeg. En nu niet passen, maar alles in de pot gooien.'

'Ik ben niet van plan om te passen, ik hoop integendeel nog beter te worden,' zei Byron, die de uitdaging maar al te bereidwillig aannam. 'Laten we op Nietzsche terugkomen. Als je alles wat deze uiterst intelligente en ingenieuze rouwdouwer eruit kraamde zo treffend vindt en tot je eigen geloof hebt verheven, dan had je Dracula eigenlijk een hand moeten geven en hem moeten bewonderen.'

Alistair keek hem verbouwereerd aan. 'Hoe kom je daar nu bij? Wat heeft deze vampier met Nietzsche te maken?'

Ook Harriet en Horatio zagen in eerste instantie geen verband tussen die twee.

Byron legde het maar al te graag uit. 'Luister, je vereerde Duitse filosoof, die zoveel op heeft met het zuurbad van de verlichting en het recht van de sterksten, heeft volmondig verkondigd dat God dood is en dat alles dus onbelangrijk is, als God niet bestaat.'

'Ja, dat klopt,' gaf Alistair toe terwijl hij nog steeds niet wist waar Byron naartoe wilde.

'Goed, als God niet bestaat, dan is er ook nooit een goddelijke scheppingsdaad geweest en dan is alles, het heelal en de mensen op aarde, alleen een toevalligheid van een volkomen zinloze natuur,' ging Byron verder. 'Dat betekent dat er ook geen absolute waarheid is, die onaantastbaar en onveranderlijk boven alle geraffineerde menselijke gedachteconstructies en morele voorstellingen staat. Het leven is daarmee absurd en letterlijk zinloos. En geweten, ethiek en moraal zijn dan zaken die iemand heeft bedacht, omdat hem dat om de een of andere reden goed van pas kwam. En dan heeft iedereen ook het recht om zich niets aan te trekken van wat andere zwakkelingen voor hun samenleven hebben afgesproken, en kan iedereen naar behoefte zijn eigen moraal bepalen. Als hij zin heeft om zijn zwakkere medemens te onderdrukken of er plezier in heeft hem te doden, omdat hij sterker is dan de ander, en hij ongeremd gevolg geeft aan dit verlangen, wie heeft dan een argument om hem dat te ontzeggen?'

'Dat klinkt logisch,' zei Harriet. 'Als er geen absolute waarheid is waarop we ons kunnen beroepen, is er ook geen onderscheid tussen goed en kwaad. En dan heeft niets nog betekenis en heeft iedereen het volste recht, wat dan ook niet meer dan een hol woord zonder betekenis is, om te doen en te laten waarin hij zin heeft, dus ook om als vampier het ene slachtoffer na het andere te maken en hun bloed drinken.'

'Precies,' zei Byron glimlachend. 'En waarom zou hij dat niet doen? Dracula heeft Nietzsches recht van de sterksten aan zijn kant, die hij dan trouwens net zo goed zou hebben belaagd als hij daar de kans voor had gehad. En daarom zei ik dat jij Dracula eigenlijk moest bewonderen vanwege zijn gewetenloosheid, Alistair.'

Alistair keek heel ongemakkelijk. 'Dat lijkt me toch iets te spitsvondig en vergezocht, Byron,' protesteerde hij zwakjes.

'Nee, dat is niet spitsvondig of vergezocht, maar het consequente doordenken op jouw afwijzing van God,' sprak Byron hem tegen.

'Ik heb nooit beweerd dat ik kan bewijzen dat God niet bestaat,' mompelde Alistair. 'En ik ga ervan uit dat het atheïsme ook een geloof op basis van een onbewijsbare hypothese is. Maar zolang God zich niet op de een of andere manier kenbaar aan me heeft gemaakt, geef ik er de voorkeur aan om mijn leven volgens andere ... overtuigingen en grondbeginselen te leven. Ik denk niet dat ik daardoor een tweederangs mens ben.'

'Natuurlijk niet,' was Byron het met hem eens. 'Ik vermoed zelfs dat het aandeel fatsoenlijke en edelmoedige mensen onder atheïsten, christenen en andere gelovigen in evenwicht is. Het belijden van een op God gebaseerde religie maakt een mens helaas nog geen mensenvriend, anders was er al lang geen oorlog en haat meer tussen de volken geweest.'

Alistair verborg zijn opluchting omdat hij redelijk ongeschonden uit de discussie kwam achter een ontwapenende glimlach. 'Dat is mooi,' zei hij nadrukkelijk luchtig terwijl de obers het eten aan de tafels serveerden. 'Daarover zijn we het dan eens, partner. En daarmee is alles uit de weg geruimd wat onze eetlust zou kunnen bederven. Deze runderfilets à la Périgord zien er heerlijk uit, vinden jullie niet?'

'Naar welke hoek van de wereldgeschiedenis denken jullie dat Mortimer ons stuurt als we "de stem van de profeet" in Constantinopel hebben gevonden?' vroeg Harriet een tijd later.

Byron en Horatio keken elkaar onwillekeurig aan.

'Tja, jullie weten dat Horatio en ik in Boekarest de bladzijden van het volgende deel nog een keer hebben doorgenomen,' zei Byron. 'We zijn daarbij geen nieuwe gecodeerde boodschap tegengekomen, maar door de icoonachtige tekeningen waarmee deze bladzijden vol staan hebben we wel een vermoeden.'

'En dat is?' vroeg Alistair met volle mond.

Horatio nam het op zich hem daarop te antwoorden. 'Als je Mortimers iconen als een vingerwijzing voor een land met een orthodoxe kerk beschouwt, zijn aanwijzing over het klooster St. Simeon ernaast legt en bedenkt dat we vanaf Constantinopel verder reizen,' zei hij, 'dan hebben we grote kans dat onze route vanaf de Gouden Hoorn rechtstreeks naar Rusland leidt.

Het is tenslotte niet ver naar het rijk van de tsaren.'

Alistair liet zijn bestek ontdaan zakken. 'Alles, maar niet naar Rusland,' kreunde hij. 'Dan komen we van de regen in de drup. Ik kan geen sneeuw meer zien. Ik hoop dat God deze bittere kelk aan ons voorbij laat gaan.'

Byron, Harriet en Horatio begonnen zo hard te lachen dat de reizigers aan de buurtafels verbaasd of zelfs afkeurend naar hen omkeken.

Alistair keek verbouwereerd naar zijn vrienden. Het eerste moment wist hij niet wat er zo grappig was aan wat hij had gezegd, tot hij zich er bewust van werd wie hij in zijn smeekbede daarnet om bijstand had gevraagd.

Zijn gezicht vertrok tot een brede glimlach. 'Jullie kunnen weer kalmeren. Zo snel gaat mijn bekering niet. Het was gewoon een … verbaal hoefijzer.'

Tijdens de nachtreis naar Constantinopel brachten ze een aantal heel plezierige uren met elkaar door. Ze verstevigden hun nog prille vriendschap en het wederzijdse vertrouwen om ook in groot gevaar op elkaar te kunnen rekenen. Een vertrouwen, dat ze in de stad aan de Bosporus hard nodig zouden hebben.

2

De eerste indruk van Constantinopel – sinds het begin van haar turbulente geschiedenis een smeltkroeg van het Westen en de Oriënt – was niet bepaald geweldig. Vooral de reizigers die voor het eerst naar deze stad aan de Gouden Hoorn reisden, werden teleurgesteld in hun hoge verwachtingen. Na alle schitterende foto's en uitbundige beschrijvingen in diverse reisgidsen hadden ze het beeld van een sprookjesachtige stad als uit duizend-en-een-nacht in gedachten gehad.

In plaats van langs oosterse paleizen en tuinen te rijden, sjokte de Orient-Express vroeg in de middag echter onder een licht bewolkte hemel en in een aangenaam zachte temperatuur door armoedige wijken. Deze strekten zich uit over de zes tot zeven heuvels die Constantinopel tot haar gebied rekende omdat de stad niet voor Rome wilde onderdoen.

Aan beide kanten van de spoorlijn zagen ze een dichte opeenhoping van kleine, smerige, geel of roze gepleisterde huizen met scheve, gesloten raamluiken en platte daken, waarop was te drogen hing, en waarbij aan veel waslijnen de inhoud van een zak vodden leek te hangen. In de smerige straatjes liepen meer uitgemergelde honden dan mensen.

'Vertrouw nooit een reisgids,' zei Alistair toen hij de lange gezichten om zich heen zag. 'Schrijvers van reisverhalen willen altijd iets verkopen en je grijpt natuurlijk minder snel naar een boek over boerengehuchten en paradijzen voor rondscharrelende meutes honden en ongedierte dan naar een boek over betoverende Oosterse steden, waarboven nog een zweem van Aladdin met zijn wonderlamp zweeft.'

'Vervelende klier,' mopperde Harriet, die ook teleurgesteld was.

De stemming in de trein verbeterde echter aanzienlijk toen de Orient-Express de bocht van de rotskust aan de Zee van Marmara bij Stambul volgde en vlak langs het enorme grondgebied van de legendarische Serail reed. Het was alsof er plotseling een enorm theatergordijn was opgetrokken en de reizigers het beeld van het échte Constantinopel te zien kregen.

Iedereen drong naar de ramen aan de linkerkant van de trein. Ze reden langs glooiend aflopende terrassen achter hoge donkere cipressen en kunstig aangelegde parken, waarin heerlijke paviljoens en sprookjesachtige keizerlijke paleizen verscholen lagen. Deze werden door de heersers van het Osmaanse rijk echter al lang niet meer gebruikt als residentie van de 'Verheven Porte', zoals de regering zichzelf noemde. De sultans hadden op andere plekken paleizen laten bouwen die nog veel luisterrijker waren en gebruikten de Serail alleen nog bij een aantal ceremoniële gebeurtenissen. Alleen op zulke momenten was het terrein gesloten voor het publiek.

Even later vielen de hoopvolle blikken op de eerste glanzende koepels van de moskeeën met hun hoge, slanke minaretten, die zich als enorme altaarkaarsen naar de heldere hemel uitstrekten. Nu was iedereen weer verzoend met het reisdoel en de buitensporige vervoerprijs en iedereen had haast om de trein te verlaten en meer van Constantinopel te zien.

Ook Byron en zijn metgezellen konden niet wachten om uit de trein te stappen en met hun bagage naar hotel Pera Palace te vertrekken. Dat was niet omdat de bezienswaardigheden lokten, maar omdat ze eindelijk wilden achterhalen wat 'de stem van de profeet' te betekenen had en hoe ze daar Mortimers derde aanwijzing voor de verstopplaats van de Judas-papyri aan konden ontlokken.

De Osmaanse autoriteiten vergalden het plezier van de reizigers echter met hun paspoort- en douanecontrole, zoals ze bij hun aankomst in station Stambul in de buurt van de Nieuwe Brug vaststelden.

De paspoortformaliteiten waren snel afgehandeld, maar in de douanehal toonden de Turkse autoriteiten hun corrupte gezicht. Niet alleen doorzochten de douanebeambten de bagage van de reizigers bijzonder ruw, alsof ze een berg vieze was voor zich hadden, maar ze belastten elk kledingstuk dat er nieuw uitzag – en welk kledingstuk uit de garderobe van de vermogende clientèle van de Orient-Express zag er niet nieuw uit? – met enorme douaneheffingen.

'Het is toch het toppunt van brutaliteit om ons zo op te lichten,' zei Alistair woedend. Hij was absoluut niet de enige die zich luidruchtig boos maakte over de behandeling. 'Wat hadden die fezdragers dan gedacht? Dat we in afgedankte kleren van het Leger des Heils uit de Orient-Express zouden stappen en niet konden wachten tot we hier kaftans konden kopen?'

'Ten eerste zie ik hier nergens een beambte die een kaftan draagt,' antwoordde Byron kalm, 'en ten tweede verandert alle verontwaardiging niets aan het feit dat we waarschijnlijk door de zure appel heen moeten bijten en een flink bedrag moeten betalen.'

'Wees maar blij dat jullie niet een van die schandalige fouilleringen moeten ondergaan,' zei een man in hun buurt met een veelbetekenende blik op Harriet. 'Dan vlamt de liefde voor de Oriënt pas echt op.' Hij ging op een fluistertoon verder. 'De Oriënt, waar ik helaas wel naartoe moet voor zaken, kent een enorme hebzucht, een onstilbare dorst en een onverwoestbare opdringerigheid die de naam smeergeld draagt, heren. Je kunt doen wat je wilt, maar je ontkomt er niet aan. Daarom kun je er het beste zonder lang jammeren voor zorgen dat je het achter de rug hebt door smeergeld te betalen, vooral hier. Stop de douanebeambte discreet twintig piaster toe en hij vindt plotseling niets meer in jullie bagage waarover jullie invoerrechten moeten betalen.'

Dat deed Byron, en alsof hij over Aladdins wonderlamp had gewreven en een vlotte en voordelige douaneafhandeling had gewenst, werd de beambte plotseling de vriendelijkheid in eigen persoon en liet hij hen zonder verdere heffingen vertrekken.

In de hal achter het douanekantoor wachtten drommen luidruchtige ronselaars, die elkaar probeerden te overstemmen met het aanprijzen van hun uitstekende diensten en prijzen. Gelukkig stonden er ook employés in livrei van de grote hotels, die verhinderden dat de passagiers van de Orient-Express aan deze ronselaars ten prooi vielen.

Alle hotels en accommodatie voor Europeanen, ongeacht de prijsklasse, bevonden zich in Galata en Pera, de twee stadswijken op de heuvelachtige noordoever van de Bosporus. Europeanen, zowel bezoekers als inwoners, woonden uitsluitend in dit deel van de stad, die in het midden van de veertiende eeuw door Genuese handelaars als een zelfstandige nederzetting was gesticht.

Onder leiding van een hotelkoetsier, die door twee stevige kruiers van het Pera Palace werd begeleid, baanden ze zich een weg door het enorme gedrang naar de wachtende hotelkoets. Met het luidruchtige en bonte gekrioel voor het station van mensen van allerlei nationaliteiten kregen ze een eerste indruk van de ongelofelijke chaos en bedrijvige drukte die je de polsslag van Constantinopel zou kunnen noemen. Deze kwam namelijk, net als bij mens en dier, op geen enkel moment, overdag of 's nachts, tot rust.

'Heilige moeder Gods,' mompelde Harriet toen de hotelkoets stapvoets over de brede ijzeren constructie van de Nieuwe Brug naar Galata reed, de wijk met de heuveltop waarop zich een meer dan zestig meter hoge, ronde, stenen toren verhief. Ze kwamen niet sneller dan stapvoets vooruit in de chaos van mensen, koetsen, ruiters, rijtuigen met ossen, ezels en handmatig getrokken karren. Het was een gedrang, dat in twee tegenovergestelde richtingen golfde en elkaar bij de flessenhals van de brug wederzijds in de weg zat. Het was net alsof de duizendkoppige stoet van een verslagen leger niet wist of ze naar Stambul of naar Galata en Pera moesten trekken. Bovendien ontstonden er telkens weer files, omdat er bruggengeld betaald moest worden en het innen van de één en een kwart piaster veel minder snel ging dan de mensenstroom opdrong.

Er golfde een mengeling van culturen en naties op de Galatabrug heen en weer. Er waren zwarte Afrikanen die alleen een open leren wambuis op het verder naakte bovenlichaam droegen, Europese zakenlieden en toeristen met tot in de hals dichtgeknoopte kleding, Arabieren met een tulband en lange kromzwaarden in witte woestijngewaden, chique Turkse kooplieden in kaftan en pofbroek, gesluierde vrouwen in vergulde draagstoelen die door dikke eunuchen werden geëscorteerd, Spaanse joden met lange krullende lokken langs de slapen en nog langere baarden, opgedofte Poolse officieren in dienst van het Turkse leger, magere derwisjen in haveloze kleren, een groep zigeunermuzikanten, Russische pelgrims in zwarte habijten die op weg waren naar Jeruzalem, diepgelovige moslims die naar Mekka gingen of daarvandaan kwamen en daarnaast nog een kleurige schare matrozen uit allerlei landen, bedelaars, pooiers, koppelaarsters en talloze straatkooplieden met hun verkoopplateaus, manden, watersifons en andere reservoirs, die elke grote havenstad bevolkten.

Omdat ze maar langzaam vooruitkwamen, was er voldoende tijd om uitgebreid naar de Gouden Hoorn te kijken – het hoornvormige deel van de Bosporus – die krachtig onder de brug door stroomde en niet veel verder in de Zee van Marmara overging.

Op de rivier ging het er net zo luidruchtig en chaotisch aan toe als voor het station en op de brug. Het wemelde van boten in allerlei soorten en maten. Uit de schoorstenen van de stoomboten stegen rookpluimen naar de hemel op; de schoepen van de raderboten woelden het water om; vissersboten voeren onder okerkleurige, saffraangele en vuurrode zeilen, havenbarkassen en douaneboten kruisten het kielwater van een cruiseschip dat het rederijteken van de Norddeutschen Lloyd op zijn hoge zwarte schoorstenen droeg, en overal schoten de kaiks, door sterke roeiers voortgedreven boten die aan beide uiteinden puntig als een mes toeliepen, als pijlen door het gekrioel.

'Hemel, ik weet niet of dit een stad naar mijn smaak is,' zei Horatio zowel verward als verdoofd.

'Ik weet zeker dat de stad meer te bieden heeft dan alleen moskeeën, paleizen en het gekrioel van een opgeschrikte mierenhoop,' zei Alistair, die bijzonder ingenomen was met de chaotische bedrijvigheid op het land en het water.

'Voor jouw interesses heb je waarschijnlijk een deskundige gids nodig,' zei Harriet hatelijk. 'Waarschijnlijk zo een als de wapenhandelaar is geweest.'

Alistair grijnsde net zo hatelijk terug. 'Inderdaad, dat zou heel wat aantrekkelijke ervaringen kunnen opleveren.'

Eindelijk waren ze de flessenhals gepasseerd en rolde de koets heuvel-opwaarts door Galata en Pera. Ondanks de oosterse sfeer in de straten was het meteen duidelijk dat ze zich in de internationale wijk van de stad bevonden. Statige ambassades, handelskantoren, het beursgebouw, banken, filialen van bekende Europese bedrijven, theaters, cafés en restaurants bepaalden het beeld. Het was niet ver meer naar hun hotel.

Het Pera Palace lag aan het stadspark van Pera en bood dezelfde vlekke-loze chique service als de Orient-Express. De receptionist vond het net zo vervelend als de nieuwe gasten dat ze niet konden volstaan met het tonen van hun pas en het bewijzen van hun kredietwaardigheid, maar dat ze allerlei formulieren moesten invullen waarvan het nut hen bij de beste wil van de wereld ontging.

'Zo is de Oriënt nu eenmaal,' zei hij schouderophalend, alsof daarmee alles was gezegd wat erover te zeggen was.

Op dat moment hoorden ze een donkere, sonore stem achter zich. 'Tja, daarbij vergeleken is een wonderlamp saai. Welkom aan het ziekbed van het Osmaanse Rijk.'

3

Basil Sahar koerste, alsof hij de eigenaar van hotel Pera Palace was, als een stoomboot op volle kracht tussen de hotelgasten door die de foyer bevolkten. Er werd ook onmiddellijk ruim baan voor hem gemaakt, alsof hij het recht had om iedereen die in zijn weg stond te verjagen.

De wapenhandelaar had zich weer gekleed als een Parijse bohémien. Hij droeg een roomwitte flanellen broek met witte slobkousen, een kerriekleurig colbert van dezelfde stof, een geplooid wit overhemd en een vlinderdas van glanzende, blauwe zijde. Daarbij zwaaide hij met een wandelstok van rozenhout met een zilveren handvat, dat bij nadere beschouwing een gestileerde kanonloop op een affuit* bleek te zijn.

In zijn kielzog volgde een lange man, blijkbaar een van zijn nieuwe lijfwachten. De gespierde man stak meer dan twee hoofden boven hen uit, was gekleed in een zwarte pofbroek en een roestrood, wijdvallend hemd met daaroverheen een korte leren wambuis. Aan weerszijden van zijn brede, geborduurde leren riem droeg hij een lang mes en een revolver. Met zijn kleding en uitdrukkingsloze gezicht zag hij eruit als een van de doodsverachtende Janitsaren, die eeuwenlang tijdens de beruchte jaarlijkse 'jongensoogst' in Italiaanse en Griekse dorpen door gewetenloze ronselaars werden gedwongen mee te gaan en die in speciale kazernes werden opgeleid tot de bijzonder loyale en gevreesde gardesoldaten van de Osmaanse heersers.

'Miss Chamberlain-Bourke … heren! Wat heerlijk dat ik jullie hier weer tref,' begroette de wapenhandelaar hen uitbundig. 'Ik was al bang dat we elkaar waren misgelopen. Ik heb het de afgelopen dagen namelijk behoorlijk druk gehad met het technisch op peil brengen van het wapenarsenaal van het Osmaanse Rijk.'

'Wat een enorme verrassing,' zei Byron beleefd.

'Inderdaad, we hadden het daarstraks nog over u,' zei Alistair.

'Ik hoop dat dat alleen goede dingen waren, meneer McLean,' zei Basil Sahar met een vrolijke glinstering in zijn ogen, terwijl de lijfwacht zwijgend achter hem stond en waakzaam in de gaten hield wat er in de hotelfoyer gebeurde.

'U kunt gerust zijn,' antwoordde Horatio droog. 'Er is geen enkel woord gevallen dat u geen recht deed.'

Basil Sahar lachte opgewekt. 'Dat is voortreffelijk gesproken, dubbelzinnig als een diplomaat die weet hoe hij zijn afkeuring als een compliment moet laten klinken.' Daarna vroeg hij naar hun plannen en bood aan om hen de

stad te laten zien. 'Ik ben namelijk van plan om na alle tijdrovende verga-
deringen van de afgelopen dagen een beetje te ontspannen in gezelschap
van Ibrahim Hakki, mijn schaduw. Maar natuurlijk alleen als jullie geen
andere plannen hebben.'

Byron wisselde een korte, vragende blik met zijn vrienden of ze het aanbod
zouden aannemen. De anderen maakten duidelijk dat ze ermee instem-
den. Weliswaar was het gezelschap van de wapenhandelaar niet helemaal
waar ze de voorkeur aan gaven, maar ze dachten allemaal hetzelfde. Basil
Sahar kon hen misschien een grote dienst bewijzen met zijn uitstekende
kennis over de stad en haar bewoners bij hun zoektocht naar de 'stem van
de profeet'. En zoals Alistair later treffend zou zeggen: 'In nood eet de
duivel vliegen.'

'We nemen uw aanbod om ons rond te leiden graag aan, meneer Sahar,'
zei Byron daarom.

'Dat is me een waar genoegen,' antwoordde Basil Sahar vrolijk. 'Dan wacht
ik in de bar op jullie. Neem de tijd om je in alle rust op te frissen als jullie
daar behoefte aan hebben. Ik heb geen haast.'

Na een reis met de Orient-Express was er geen reden om op te frissen of
zelfs andere kleren aan te trekken, dus vertrokken ze al snel met de wapenhandelaar en zijn dreigend overkomende lijfwacht Ibrahim Hakki.

Basil Sahar genoot er zichtbaar van hen Constantinopel te laten zien; zijn
geboortestad waarin hij uit bittere armoede was opgeklommen tot een van
de meest succesvolle wapenhandelaren ter wereld. Terwijl ze door Pera
en Galata slenterden, beperkte hij het sarcasme in zijn opmerkingen over
de zeden en gebruiken niet. Het was te merken dat hij enerzijds van de
stad hield, maar dat deze liefde anderzijds ook was vermengd met een aanzienlijke portie minachting.

'Dit land probeert alles precies tegenovergesteld te doen aan wat bij jullie
en in andere westerse landen gebruikelijk is,' zei hij spottend toen ze langs
de kleine houten tafel van een schrijver liepen, die bij zijn huismuur op
een krukje zat en brieven en andere documenten opstelde voor klanten die
niet konden schrijven. 'Jullie schrijven van links naar rechts, wij van rechts
naar links. Bij ons is het respectvol om het hoofd bedekt te houden en de

schoenen uit te trekken, jullie doen jullie hoed af en houden jullie schoenen aan. In de Oriënt is de benedenverdieping voor de bedienden en de bovenverdieping voor het gezin, bij jullie woont het gezin beneden en het personeel boven. Bij ons getuigt het van een goede opvoeding om aan tafel snel te eten en weinig te zeggen, bij jullie is het precies andersom. Bij jullie moet je een lied staande voordragen, bij ons moet je per se blijven zitten. Bij ons gelden blauwe ogen als een teken van tweedracht en ongeluk, bij jullie worden ze bewonderd omdat jullie geloven dat engelen blauwe ogen hebben. In de westerse talen worden veel letters gebruikt die niet gelezen worden, bij ons worden ze niet geschreven maar gelezen. Enzovoort enzovoort.'

Basil Sahar vertelde de ene anekdote na de andere, terwijl ze door de levendige straten naar de voet van de heuvel liepen waarop Galata was gebouwd. Ze hoefden gelukkig niet nog een keer over de brug naar Stambul. In plaats daarvan nam hij hen mee naar een van de steigers, waar tientallen puntige kaiks erop wachtten om klanten te vervoeren naar de overkant of naar Skutari, dat aan de Aziatische kant van de Zee van Marmara lag. De roeier bracht hen pijlsnel naar de andere Bosporusoever voor een bezoek aan de beroemde Hagia Sophia en de Blauwe Moskee, die iedereen die voor het eerst een bezoek aan de stad bracht gezien moest hebben.

Toen ze in de buurt van de Blauwe Moskee een groep imams tegenkwamen, spuugde Basil Sahar achter hen in het vuil op straat, al was het met enige afstand, zodat niet duidelijk was dat zijn spugen voor hen was bedoeld.

'Ik eerbiedig elke religie die probeert de mensen naar een hoger niveau te tillen,' zei hij grimmig terwijl ze verder liepen. 'Maar wat er van de Islam is geworden! In de tijd van Mohammed hadden de Arabieren talrijke beroemde geleerden op het gebied van meetkunde, algebra, astronomie, geografie en medicijnen. Maar tegenwoordig? Twaalfhonderd jaar na Mohammed is het niveau van de Arabische geleerdheid schrikbarend gedaald. En de schuld daarvan ligt bij onze onkundige voorbidders en theologen, die Gods woorden verdraaien en in schaamteloze en brutale onwetendheid beweren dat met het woord "wetenschap" alleen het lezen van de Koran wordt bedoeld. Bovendien leest geen van hen de werken van Westerse wetenschappers, omdat dat immers "christenhonden" zijn.'

'Dat is niet mis!' zei Horatio.

'Maar het is de treurige waarheid,' ging Basil Sahar verder. 'Tegenwoordig hebben de moslims het niveau van de middeleeuwse monniken, die niet konden lezen of schrijven en die alleen in staat waren om psalmen en Bijbelcitaten uit het hoofd te reciteren. En ze weigeren koppig om eindelijk uit hun blinde geloof te ontwaken en zich open te stellen voor de geestelijke en sociale uitdagingen van de nieuwe tijd. Dan heb ik meer op met Ahmet Riza, die als "vader van de vrijheid" na de revolutie van de Jongturken korte tijd voorzitter van de senaat is geweest en de volgende bittere waarheid heeft uitgesproken: Als ik een vrouw was geweest, had ik me tot het atheïsme bekeerd en was ik geen moslim geweest.'

Alistair glimlachte veelbetekenend naar Byron, terwijl Harriet meteen wilde weten wat de Turkse senaatsvoorzitter tot deze radicale uitspraak had bewogen.

'Dat is gemakkelijk uit te leggen,' antwoordde de wapenhandelaar. 'Ik hoef daarvoor alleen Ahmet Riza nog een keer te citeren: Stel je een religie voor, die alleen voordelen heeft voor mannen, maar die nadelig is voor vrouwen; die het de echtgenoot toestaat om nog drie vrouwen en een onbeperkt aantal maîtresses te nemen; die predikt dat in de hemel maagden wachten, terwijl de vrouw haar hoofd en gezicht moet bedekken als het paard van de molenaar. Daarmee heeft de man het uitstekend verwoord. Wat is dat voor geloof, dat op de drempel naar de twintigste eeuw een dergelijk middeleeuws gedachtegoed predikt en voor de zaligmakende waarheid houdt. En om jullie niet nog meer te vervelen, laat ik het hierbij.'

'Als u iets niet doet, is het ons vervelen, meneer Sahar. En wat de islam betreft, daarbij ontbreekt waarschijnlijk het zuurbad van de verlichting, zoals Byron het ooit heeft genoemd,' merkte Alistair op.

'Inderdaad,' viel Basil Sahar hem bij. 'Maar daarvoor moeten de imams en mullahs, die vanwege het achterblijven van het volk en het ongeluk dat ze over de mensen hebben uitgestort, eerst naar de hel en moeten er in hun plaats bekwamere mensen worden aangesteld.'

Byron was het in stilte eens met veel dingen die de wapenhandelaar had gezegd over de huidige profilering van de islam, maar hij wilde niet doorgaan op het onderwerp. Het leek hem namelijk een gunstige gelegenheid om te beginnen over de reden waarom ze naar Constantinopel waren gekomen.

'Toen u het daarnet over de profeet Mohammed had, kwam er onwillekeurig een vraag bij me op waarop u het antwoord misschien weet. U kent deze stad tenslotte.'

'Ik zal mijn best doen u niet teleur te stellen,' antwoordde Basil Sahar. 'Waarover gaat het?'

'U zult de vraag misschien een beetje vreemd vinden, maar het zit zo: een vriend van ons heeft ons in een brief aangeraden om tijdens ons bezoek aan Constantinopel ook absoluut "de stem van de profeet" te gaan bezichtigen,' zei Byron tegen hem. 'Helaas heeft hij in zijn brief geen nadere uitleg gegeven over deze bijzonder cryptische omschrijving.'

'We vragen ons al een tijd af wat hij daarmee bedoeld kan hebben,' voegde Harriet eraan toe. 'Kunt u dat raadsel voor ons oplossen?'

Basil Sahar fronste zijn voorhoofd. 'De stem van de profeet?' Hij dacht ingespannen na en schudde daarna tot hun teleurstelling zijn hoofd. 'Het spijt me, maar ik weet met de beste wil van de wereld niets te bedenken. Als het om de naam van een restaurant, een rakibar of een andere uitgaansgelegenheid gaat, kan ik daar echter snel achter komen. Veel bezitters van dat soort etablissementen bedenken heel eigenaardige namen om klanten te trekken.'

'Dat zou kunnen kloppen,' zei Horatio. 'Er stond toch nog iets in Mortimers brief, Byron, weet je nog? Was er geen sprake van een zekere Murat?'

Byron knikte. 'Ja, nu je het zegt herinner ik het me weer. Mortimer heeft ook nog geschreven dat deze "stem van de profeet" in Ahmet Murats sans mekani tot rust was gekomen,' voegde hij eraan toe terwijl hij net deed alsof hij niet wist wat de Turkse woorden betekenden.

'In Ahmet Murats huis van geluk?' vroeg Basil Sahar meteen. 'Tja, dat werpt natuurlijk een heel ander licht op de zaak.'

'Kent u Ahmet Murat dan?' vroeg Alistair.

De wapenhandelaar kreeg een verachtelijke uitdrukking op zijn gezicht. 'Zijn naam is me niet onbekend, absoluut niet. Maar ik heb er tot nu toe niet de geringste behoefte aan gehad om een voet in zijn huis van geluk te zetten, om het heel beleefd uit te drukken.'

'En waarom niet?' wilde Harriet weten.

'Omdat die kerel een schoft en een moordenaar is.'

Alistair trok een gezicht. 'Fantastisch,' mompelde hij. 'Er schijnt geen einde te komen aan Mortimers voorliefde voor duistere figuren.'

'Een moordenaar, zegt u?' vroeg Byron. 'Kunt u meer vertellen over hem en dit huis van geluk?'

'Ahmet Murat wekt graag de indruk dat hij via enkele takken verwant is met de vroegere sultanfamilie met dezelfde naam,' legde Basil Sahar uit. 'In werkelijkheid stamt zijn familie af van pooiers en koppelaarsters en dat weet ik omdat ik hem destijds als … gids vaak genoeg ben tegengekomen. Hij wilde dat ik mijn klanten naar het bordeel van zijn familie bracht, maar dat deed ik niet. Als gids had ik mijn principes en ik wilde niet dat mijn klanten smerige ziekten opliepen bij zijn lustknapen. Want de familie van Murat bediende overwegend knapenschenders, die een voorliefde voor mooie, jonge jongens hebben. Constantinopel geniet in dit verband een onovertrefbare reputatie.'

'Een pooier voor knapenschenders, het wordt steeds fraaier,' bromde Horatio. 'Wat is er toch in Mortimer gevaren om ons aan te raden dit huis van geluk op te zoeken, terwijl het blijkbaar om een … een bordeel gaat?'

'Zo ligt het niet helemaal, meneer Slade,' kalmeerde Basil Sahar hem. 'Voor Ahmet Murat zijn de bordeeldagen op armoedige binnenplaatsen al lang voorbij. Hij heeft op zijn manier iets bereikt en is tegenwoordig een rijke zakenman met een arrogante houding en een uitgesproken geldingsdrang. In zijn huis van geluk zijn weliswaar nog steeds een aantal kamers, waar Murats klanten terechtkunnen voor wat hij hen in zijn jeugd verkocht, maar het is voornamelijk een exclusieve club voor vrienden van het gokspel die niet spelen om wat onbenullige piasters, maar om behoorlijke geldsommen in goud. Het is als het ware het Casino Royal van Constantinopel. Je kunt er ook eten en ik heb me laten vertellen dat er af en toe excentrieke voorstellingen zijn om de gasten te vermaken.'

Alistairs ogen lichtten op. 'Een casino? Dat klinkt al beter. Daar moeten we natuurlijk naartoe.' De voorvreugde van het bezoek was hem aan te zien. 'En in welke wijk vinden we Murats speelclub?'

'In geen enkele,' luidde Basil Sahars verbazingwekkende antwoord.

Vier paar ogen keken hem niet-begrijpend aan.

'Nee, jullie hebben het niet verkeerd begrepen,' zei Basil Sahar. 'Het casino drijft namelijk op het water, tussen Stambul en Skutari.'

'Het is niet waar,' zei Alistair verbaasd. 'Gaat het om een schip dat tot casino is omgebouwd?'

'Nee, niet echt. In 1836 is er tijdens het sultanaat van Mahmud II een pontonbrug over de Gouden Hoorn gebouwd, die het verkeer maar veertig jaar aankon,' vertelde de wapenhandelaar. 'In 1872 is de pontonbrug weer afgebroken en werden de enorme pontons en het hout bij opbod verkocht. Destijds heeft Ahmet Murats vader op een veiling een aantal van deze pontons gekocht, maar vraag me niet waarvoor de familie de drijvers destijds heeft gebruikt. Toen de oude Murat een paar jaar geleden is gestorven, heeft zijn oudste zoon Ahmet vier drijvers met elkaar verbonden en zijn casino daarop laten bouwen.'

'Is het niet riskant om een casino op pontons te bouwen en voor de kust te verankeren?' vroeg Harriet.

'Helemaal niet, vooral omdat het casino niet vast verankerd voor de kust ligt. Constantinopel heeft een verhoudingsgewijs mild klimaat. Zware stormen komen uiterst zelden voor. Bovendien zijn de robuuste drijvers waarop het gebouw rust met een stoombarkas verbonden. Bij zware golfslag of storm trekt deze het casino gewoon naar de dichtstbijzijnde beschutte baai, of desnoods naar een van de havens.'

'Dan rest alleen de vraag hoe we bij dit drijvende casino kunnen komen,' zei Byron. 'En of er beperkingen zijn, bijvoorbeeld met betrekking tot vrouwelijke gasten.'

'Dat soort beperkingen zijn er niet. Murat beschouwt zichzelf als een man van de wereld en voor zover ik dat heb gehoord ziet hij heel graag dames aan zijn speeltafel, omdat ze het geld van hun mannelijke begeleiders meestal nog roekelozer inzetten dan zij.'

Alistair knikte met een kennersblik. 'Een aantrekkelijk vrouw aan de speeltafel en het verstand van de meeste mannen zakt onder de gordel.' Voordat

Harriet een vinnige opmerking kon maken, voegde hij er grijnzend aan toe: 'Wat natuurlijk niet geldt voor ervaren gokkers.'

'Natuurlijk, lieveling van me,' zei Harriet. 'Als dat zo was geweest, was mijn wereld ingestort.'

'Het casino wordt bij zonsondergang geopend,' ging Basil Sahar verder. 'Waarschijnlijk een verkapte concessie aan de imams en mullahs en de strenge vastentijden van de ramadan. De rijke spelers komen gewoonlijk met hun eigen boot. Ahmet Murat bezit echter ook een kleine vloot kaiks, die iets comfortabeler zijn dan gewone roeiboten. Ze liggen bij verschillende steigers klaar voor de klanten, die het een bijzondere charme vinden hebben om op deze manier naar zijn etablissement te worden gebracht.'

'Goed, dan weten we wat we vanavond gaan doen,' zei Alistair opgewekt.

'Als jullie er niets op tegen hebben, zou ik me graag bij jullie aansluiten,' zei Basil Sahar. 'Het wordt waarschijnlijk tijd om het goudmijntje van Ahmet Murat een keer met mijn eigen ogen te zien.'

'Ik zou niet weten wat we daar op tegen zouden moeten hebben,' verzekerde Byron hem. Het zou onbeleefd zijn om deze wens van hem te weigeren. Er was ook niets op tegen om hem in hun gezelschap te hebben. Dit eerste bezoek was alleen bedoeld om vertrouwd te raken met de plek en te achterhalen wat 'de stem van de profeet' was en hoe ze Mortimers geheim daaraan konden ontlokken.

'Daar ben ik blij om, meneer Bourke. Ik ben namelijk zelf ook benieuwd wat er met die "stem van de profeet" wordt bedoeld,' bekende Basil Sahar. 'Waarschijnlijk is het een oude kopie van de Koran. Het schijnt dat Ahmet Murat verzot is op dergelijke oude geschriften.' Hij lachte geringschattend. 'Overal ter wereld tooit men zich graag met chique en zeldzame spullen en geeft men zich uit voor kunstkenner, als men zijn rijkdom niet aan dergelijke chique zaken te danken heeft.'

Dat was het sein waarop Horatio had gewacht. 'U zei daarstraks dat hij misschien een moordenaar is. Kunt u ons daar iets meer over vertellen?' vroeg hij. Hoe meer ze over Ahmet Murat wisten, des te beter zouden ze hem kunnen inschatten en een plan kunnen bedenken.

'Er wordt niet alleen beweerd dat hij een moordenaar is, maar hij heeft met absolute zekerheid bloed aan zijn handen,' verzekerde Basil Sahar hen. 'Toen ongeveer een jaar na de opening van zijn casino een ander hem wilde nadoen en met hem wilde concurreren, heeft hij hem op straat ter verantwoording geroepen. Daarbij is het tot een heftige woordenwisseling gekomen, waarbij Ahmet Murat plotseling een mes trok en hem voor de ogen van zes getuigen doodstak. Tijdens het proces hadden een paar getuigen vreemd genoeg niets gezien, terwijl twee anderen bij hoog en bij laag volhielden dat het slachtoffer als eerste een mes had getrokken en dat Murat uit noodweer had gehandeld. Daarom werd de schoft vrijgesproken. Dat het de zes getuigen achteraf financieel aanzienlijk beter ging en dat ze naar fijne woonwijken konden verhuizen, is natuurlijk vanzelfsprekend. Sindsdien durft niemand de concurrentie met hem aan om eveneens een chique casino te beginnen.'

'Dan moeten we deze Murat en zijn drijvende poel van verderf vanavond maar eens in alle rust gaan bekijken,' zei Alistair vrolijk. 'Eens zien of we daarbij ook op de onheilspellende "stem van de profeet" stuiten, wat dat ook mag zijn.'

4

De twee zeer gespierde mannen in hun korte geborduurde vesten hoefden nauwelijks kracht te gebruiken om de grote kaik als een door een boog afgeschoten pijl door de rivier te laten schieten. De sterke stroming van de Bosporus nam een groot deel van het werk uit hun handen. Op de terugweg zou het anders zijn, dan zouden ze krachtig aan de riemen moeten trekken om hun passagiers net zo snel tegen de stroming in naar de steigers van Galata en Stambul terug te brengen.

De Gouden Hoorn deed zijn naam alle eer aan in het verdwijnende licht van de ondergaande zon. Op het zwak bewegende wateroppervlak lag een roodgouden glinstering, en de koepels van de moskeeën van Stambul glansden alsof ze van binnenuit gloeiden. De spitsen van de hemelbestormende minaretten vingen nog een laatste restant fel licht op, maar al snel waren ook die gebedstorens alleen nog in mat avondrood gehuld, terwijl de schaduw van de invallende nacht de gouden glinstering op het water al had gedoofd.

In de stad begonnen de elektrische lampen en gaslantaarns in de welgestelde wijken te branden. In de door het lot minder bevoordeelde delen van Constantinopel werden pekvuren, petroleumlampen en kaarsen aangestoken. De heldere nachthemel leverde een aandeel met de koude glans van de verre sterren.

Het Huis van Geluk lag bijna een halve mijl voor de zuidwestkust van Stambul, ongeveer op de hoogte van de oude Serail. Het was niet gemakkelijk te missen; op lampionnen lijkende lantaarns hingen rondom aan de dakrand van het gebouw van twee verdiepingen. Hun licht verried ondanks het zwakke schijnsel dat er gloeilampen in brandden. Toen ze dichterbij kwamen, hoorden ze het luide geratel van een generator, die op het achterdak van de brede barkas onder een kastachtige ombouw was opgesteld. Dikke kabels verbonden hem met het casino op de pontons.

Het gebouw was van hout en imiteerde de bouwstijl van een oud Osmaans paleis. De zuilen, sierbalken, rondbogen en waterbekkens waren echter alleen een zinspeling en niets meer dan handig geschilderde imitaties, die alleen als het donker was de illusie van een paleisachtig gebouw opriepen. Ook het verstrengelde traliewerk met Arabische motieven voor de ramen was niets meer dan handig figuurzaagwerk dat voor het glas was geplaatst. Een koepel welfde boven het midden van het dak, maar wat 's nachts op blauwe dakpannen leek, bleek overdag het geraffineerde optische bedrog van een handige schilder.

Basil Sahar wees hen daarop en merkte daarna afkeurend op: 'Meer schijn dan zijn, dat is Murats parool altijd al geweest. Ik ben benieuwd hoeveel nep en optische bluf hij binnen te bieden heeft.'

Ze waren bij lange na niet de eersten, die al op dit vroege avonduur bij het Huis van Geluk van boord van een kaik stapten. Voor hen stapten net twee groepen, waaronder zich Europees geklede vrouwen bevonden, uit pendelboten. Er lagen ook al een zestal privé-boten van verschillende afmetingen aangemeerd aan de kant van het casino waar ze arriveerden. Bedienden in

westers aandoende, rokkostuumachtige livreien met een overdadige hoeveelheid gouden knopen hielpen de arriverende gasten veilig uit de boten
stappen. De muziek van bekende operettemelodieën, die afgaand op de
soms krassende bijgeluiden van een platenspeler afkomstig was, drong in
de nacht tot hen door.

'Murat lijkt zich te bedienen van alles wat het Westen en de Oriënt te bieden hebben, om zowel inheemse als westerse bezoekers een pittige exoti-
sche sfeer te bieden,' zei de wapenhandelaar spottend.

De met houtsnijwerk versierde rondboog met zware robijnrode fluwelen
gordijnen vormde de ingang van het casino. Toen ze dichterbij kwamen
duwden twee klaarstaande bedienden de gordijnen met een theatraal
gebaar opzij, alsof ze de ingang van Sindbads grot vol schatten aan hen
onthulden.

De zaal van het casino zag er ook uit als een grot vol schatten, wat werd
veroorzaakt door het glinsteren en glanzen van al het klatergoud en messing in het licht van de elektrische kristallen kroonluchters. Meteen achter
de ingang zagen ze rechts en links twee Oriëntaalse waterbekkens, waarvan er in de zaal nog meer waren en die naar de geur te oordelen waren
gevuld met rozenwater. Een verborgen pomp dreef een kleine, klaterende
fontein aan. Het bassin leek van marmer, maar bestond uit gips met een
kleurstelling waardoor het marmer leek.

'Hol,' mompelde Basil Sahar terwijl hij er tijdens het langslopen met zijn
knokkels tegenaan klopte.

Meteen daarachter lagen de speeltafels, allemaal op een eigen tapijt, bij
uitzondering echte en zichtbaar dure Perzische tapijten. Minstens tien
tafels voor roulette, black jack, backgammon en andere gokspelen vormden een rechthoekige 'u'. De opening ervan was naar een klein, halfrond
podium gericht, dat aan het oog was onttrokken door een gesloten gordijn.
Binnen dit hoefijzer stonden negen chique gedekte tafels, waaraan op alle
tijden van de nacht gegeten kon worden wat de drijvende keuken te bieden
had. In het midden van de tegenoverliggende lange muur bevond zich een
rijkelijk uitgeruste bar, die prima in een Engelse club zou passen met zijn
leren barkrukken en die comfortabel plaats bood aan tien tot twaalf gasten.

Kniehoge, ronde zitkussens met sierlijke bijzettafeltjes stonden verspreid in de ruimte.

Alistair keek zoekend om zich heen naar de pokertafels en vond ze op een halfrond podium aan zijn linkerkant. Twee traptreden leidden ernaartoe en ronde messing tralies omsloten de doorgang aan twee kanten. Er stonden drie tafels. Aan de muren achter het podium hingen meerdere glazen vitrines.

Aan de andere smalle kant van het casino leidde een met tapijt beklede trap naar de rondlopende galerij van de bovenste etage. Ze zagen deuren die waarschijnlijk naar privé-kamers leidden. De balustrade van de galerij, die uit messing spijlen bestond, was versierd met bladgoud in de vorm van slingerende Arabische bloemenmotieven, zoals ze ook in moskeeën als wandmozaïeken of uit steen en marmer gehouwen bewonderd konden worden.

'Fantastische tent,' zei Alistair goedkeurend, die het niet kon schelen of de waterbekkens in een casino van marmer of goedkoop gips waren. Het enige wat hem interesseerde was wat er aan de speeltafels gebeurde, hoe hoog de inzetten waren en of hij te maken had met beroepsspelers of met amateurs, die hij in een handomdraai een poot kon uitdraaien. Hij popelde om daarachter te komen.

Pas toen hij de geïrriteerde blik van Basil Sahar zag, ging hij snel verder. 'Ik bedoel, voor een bordeeljongen die zijn carrière aan een binnenplein is begonnen, is dit helemaal niet slecht.'

'Als je het over de duivel hebt ...,' bromde de wapenhandelaar en hij wees met een nauwelijks merkbare hoofdbeweging naar de trap van de galerij. 'Daar komt de schoft. En ik ben bang dat hij me na al die jaren toch heeft herkend.'

'Als het voor u hetzelfde blijft, zou u ons een grote dienst bewijzen als u uw minachting voor hem een tijdje voor u houdt en ons aan hem zou voorstellen,' fluisterde Byron tegen hem, die het plotseling niet zo'n goed idee meer vond dat ze in gezelschap van de wapenhandelaar waren. Als Basil Sahar zijn minachting voor Ahmet Murat openlijk toonde, kon dat op hen terugslaan en de kwestie van de 'stem van de profeet' onnodig moeilijk maken.

Daarom benadrukte hij het nog een keer: 'Daar zouden we u werkelijk heel dankbaar voor zijn. En een beetje overdrijving voor wat betreft de status van ons kleine reisgezelschap zou heel gunstig voor ons zijn, als u dit verzoek niet al te onredelijk vindt.'

De wapenhandelaar keek hem verrast aan. Byron dacht dat hij aan de verbaasde blik kon aflezen dat hij niet meer geloofde dat dit drijvende casino voor hen niet meer dan een van de vele bezienswaardigheden van Constantinopel was.

Hij stelde echter geen vragen, ook omdat daar geen tijd voor was, en knikte. 'Als het zo belangrijk voor u is, zal ik u dat plezier natuurlijk graag doen, meneer Byron. Het zal me zelfs bijzonder amuseren om hem flink te imponeren. Gelukkig kunnen we achteraf onze handen wassen.' Met die woorden zette hij een stralende lach op, alsof er een lamp was aangestoken.

Ahmet Murats gezicht had bij de aanblik van de wapenhandelaar, die voortdurend met de machtigen der aarde aan één tafel zat en zaken met hen deed, een extatische uitdrukking gekregen. Basil Sahars bezoek aan zijn casino moest als een ridderslag op hem overkomen.

De casino-eigenaar had een middelgroot postuur, brede schouders en een krachtige borstkas. Vol zwart haar bedekte zijn hoofd en zijn snor was net zo zwart, waarbij onwillekeurig de associatie met de dikke, harde haren van een borstel opkwam. Zijn gezicht vertoonde sporen van ongeremde genotzucht en was net zo pafferig en dik als zijn buik. Maar ondanks zijn dubbele kin en weke wangen waren er in zijn gezicht nog genoeg harde trekken die deden vermoeden dat hij in zijn jongere jaren waarschijnlijk het uiterlijk had gehad van een man, waarmee je het beter niet aan de stok kon krijgen. Hij droeg een gesteven wit overhemd en een perfect gesneden zwart zijden maatkostuum. De elegante biezen langs de revers en zakken waren net zo robijnrood als de gordijnen. In het midden van de zilvergrijze stropdas fonkelde een diamanten dasspeld.

Hij kwam met uitgestrekte armen op de wapenhandelaar af. 'Basil, vriend van me,' riep hij stralend van vreugde alsof ze sinds hun jeugd geen verbitterde concurrenten waren geweest. 'Dat noem ik nog eens een verrassing!'

'Ik kon het niet laten gaan om je glinsterende rijk eindelijk eens te bewonderen, mijn beste Ahmet!' antwoordde Basil Sahar terwijl hij zich liet omarmen door de man die hij vanuit het diepst van zijn hart verachtte.

'We moeten absoluut over vroeger praten, Basil. En natuurlijk brand ik van verlangen om van je te horen waarmee je bezig bent en wat je naar je vaderland heeft gebracht. We horen en lezen tenslotte zulke opwindende dingen over je,' ratelde Ahmet Murat. Zijn Engels was hard maar vloeiend. 'Ik wist gewoon dat je ooit een belangrijk iemand zou worden.'

'Ja, dat herinner ik me,' antwoordde Basil Sahar.

'Bij Allah, we hebben elkaar heel wat te vertellen.'

'Inderdaad, inderdaad, mijn beste,' zei de wapenhandelaar. 'Maar eerst wil ik je voorstellen aan mijn illustere gezelschap waarmee ik het genoegen heb gehad om in de Orient-Express te reizen.'

Ahmet Murat glimlachte vriendelijk. 'Ik kan niet wachten om kennis met hen te maken.'

'Ten eerste is het me een eer om je voor te stellen aan de wereldberoemde miss Harriet Chamberlain-Bourke,' begon Basil Sahar. Hij legde het er meteen heel dik op. 'Haar reputatie als koorddanseres en messenwerpster is legendarisch. Haar roekeloze voorstellingen zijn adembenemend, zoals ik uit eigen ervaring kan zeggen.'

Niet alleen Ahmet Murat zette grote ogen op, maar Harriet ook. 'Nu overdrijft u, meneer Sahar,' zei ze met een charmant verlegen lachje.

'En ze is ook nog bescheiden, hoewel ze in de grootste theaters ter wereld heeft opgetreden,' vulde Basil Sahar aan, om daarna naar Byron te wijzen. 'Naast haar staat meneer Byron Bourke, haar broer. Iedereen zou moeten proberen hem als beleggingsadviseur te krijgen, omdat hij heeft bewezen over een gouden hand op de Londense beurs te beschikken, zoals het enorme vermogen bewijst dat hij in een paar jaar met aandelenspeculaties heeft vergaard.

'Ach, daar hoort natuurlijk een beetje geluk bij,' zei Byron met een onderdrukt lachje.

'En dan meneer McLean,' ging Basil Sahar volmondig verder. 'Hij is gezegend met het geluk dat hij al op jonge leeftijd de enige erfgenaam van een hele keten drukkerijen en uitgeverijen is. Hij heeft de leiding ervan aan zijn oom overgedragen, zodat hij de vrijheid heeft voor bezigheden die hem meer liggen dan achter een bureau zitten om zijn drukkerijenimperium te leiden.

Alistair grijnsde. 'Heel treffend geformuleerd. Ik geef de voorkeur aan een speeltafel boven een schrijftafel.'

Het verheugde glanzen in Ahmet Murats ogen nam toe.

'Meneer Slade bezit een bouwbedrijf, dat in heel Engeland actief is,' ging de wapenhandelaar verder.

Horatio knikte even en zei diepzinnig: 'Mijn specialiteit is gevangenissen. Daarmee heb ik beroepsmatig grote ervaring. In mijn privé-leven voel ik me bijzonder aangetrokken tot kunst. Een mens moet een uitlaatklep hebben voor de nauwe grenzen waarbinnen het leven iemand soms opsluit.'

Harriet barstte bijna in een schaterende lach uit. Ze redde zich door te hoesten, waardoor ze zich discreet kon omdraaien en de hilariteit op haar gezicht voor Ahmet Murat kon verbergen.

'Het is een enorme eer voor me om jullie als gasten in mijn casino te mogen begroeten en verwelkomen,' zei de casino-eigenaar heel verheugd over de gasten die zo rijk waren. En tot Horatio gericht ging hij verder: 'Omdat u vertelde dat u een liefhebber van kunst bent, zou het me een bijzondere eer zijn om u en uw vrienden mijn bescheiden verzameling zeldzame stukken te mogen tonen.'

'Dat aanbod nemen we met plezier aan, meneer Murat,' antwoordde Horatio. Byron, Harriet en Alistair knikten instemmend.

'Als jullie me dan willen volgen?' verzocht Murat hen. 'Ik heb mijn verzameling in vitrines liggen, zodat mijn gasten er ook van kunnen genieten.'

Terwijl Harriet, Alistair en Horatio met Murat vooruit liepen, bleven Byron en Basil Sahar een paar passen achter hen.

'Er is een toneelspeler aan u verloren gegaan,' zei Byron zachtjes tegen hem. 'U was heel overtuigend. Hartelijk dank voor onze nieuwe levensbeschrijvingen. Een beetje minder was ook voldoende geweest.'

'Dat mag geen naam hebben, meneer Bourke. Als iemand indruk wil maken op Ahmet, dan heeft hij niets aan chique bescheidenheid. Op een grove kwast heeft men een scherpe beitel nodig,' antwoordde de wapenhandelaar opgewekt. 'Ik geef echter toe dat het me een beetje verbaast dat u zo graag een dergelijke indruk bij hem wilt wekken. Maar als die vraag te indiscreet is, zal ik u niet meer lastigvallen met mijn nieuwsgierigheid.'

'Daar kunnen we beter later over praten, meneer Sahar,' antwoordde Byron ontwijkend omdat hij nog niet zeker wist in hoeverre het mogelijk en eventueel zelfs nodig was om hem in te wijden in de achtergronden van hun belangstelling.

'Zoals ik al zei, daarin bent u helemaal vrij,' verzekerde Basil Sahar hem nogmaals. 'En laten we nu maar eens kijken wat deze halsafsnijder te bieden heeft.'

Het was heel behoorlijk wat er in de vitrines tegen de muur achter de drie pokertafels lag uitgestald. En zoals de wapenhandelaar had vermoed, hoorde daar ook een duidelijk oeroude kopie van de Koran bij.

Breedsprakig en met de onverholen trots van een nieuwe rijke, die zijn kunstkennis en de zekere herkomst van zijn aankopen niet vaak genoeg kon benadrukken, alsof hij zichzelf daar steeds weer van moest verzekeren, leidde hij hen langs de vitrines.

Soms wees hij op een gouden bokaal, die afkomstig was uit de Byzantijnse tijd en waaruit Constantijn gedronken zou hebben, soms op een met edelstenen bezette gordel, die de Osmaan Süleyman I, die als 'de Prachtige' de geschiedenis was ingegaan, blijkbaar bij zijn troonsbestijging had gedragen. Bij de verzameling hoorde ook de dolk van een Janitsaar, die een belangrijke rol had gespeeld bij een bloederige paleisrevolutie, en een zilveren divit – een veer met inktpot – die aan een gordel kon worden gedragen en die had toebehoord aan de hofschrijver van sultan Ibrahim, die zijn bijnaam 'de Gek' volkomen had verdiend.

Tenslotte kwamen ze bij het midden van de expositie. Daar stond geen vitrine, maar hing een grote, rechthoekige etalage van donker hout met gouden beslag aan de muur. Achter het glas van de vitrine, die was afgesloten met twee gouden sloten op de bovenste lijst, rustte een indrukwekkend Arabisch kromzwaard in met rood fluweel beklede houders. De gebogen kling van het afgrijselijke wapen verbreedde in het onderste deel van het blad, voordat de spits als een lans toeliep. Kunstig met krullen versierde

Arabische lettertekens, die Allah prezen, waren in het staal verwerkt en zowel de einden van de pareerstang als de knop van het krachtige handvat waren bezet met smaragden.

'En dit is mijn mooiste stuk,' riep Ahmet Murat vol bezittertrots. 'Het is de kroon op mijn verzameling.'

'En wie heeft het genoegen gehad om het wapen tegen wie op te heffen?' vroeg Horatio met beleefde interesse, hoewel hij veel liever meer over het exemplaar van de Koran had gehoord.

'Dit prachtige wapen met zijn edele Damascener kling was van niemand anders dan de legendarische Saladin,' verkondigde Murat plechtig. 'Daarmee is hij de slag tegen Richard Leeuwenhart ingetrokken en in 1187 heeft hij voor de eer van Allah het Franse leger bij Hattin verslagen en Jeruzalem veroverd. Sindsdien draagt dit zwaard de naam "de stem van de profeet".

Byron en zijn vrienden krompen onwillekeurig in elkaar, staarden naar het kromzwaard en vroegen zich af wat de keel van het wapen zou zijn, waarin Mortimer zijn volgende aanwijzing had verstopt.

'Dit fantastische exemplaar is trouwens een geschenk van een edelmoedige landgenoot van u, die een heel buitengewone kunstverzameling heeft opgebouwd,' voegde Murat eraan toe. 'Zijn naam is lord Mortimer Pembroke, voor het geval die naam u iets zegt.'

Byron knikte. 'Ik heb inderdaad wel eens over hem gehoord.'

'Kijk eens aan, dat is dus de "stem van de profeet",' zei Basil Sahar met een geheimzinnig lachje rond zijn lippen. 'Echt heel interessant.'

'Je kent Saladins wonderbaarlijke wapen en weet dat ik het geluk heb dat ik het tot mijn verzameling mag rekenen?' vroeg Murat verrast en trots.

De wapenhandelaar knikte. 'Ik heb er pas kortgeleden over gehoord. En nu ik het voor me zie, ben ik een en al bewondering. Geldt dat voor u niet precies hetzelfde, meneer Bourke?'

'Inderdaad,' mompelde Byron terwijl hij Basil Sahars blik ontweek.

Horatio's handen bewogen onrustig, alsof ze jeukten. 'Meneer Murat, zou het misschien mogelijk zijn om dit prachtige stuk vast te houden en van dichtbij te bewonderen?' vroeg hij met een hese stem.

'Maar natuurlijk,' zei Murat enthousiast, die zich koesterde in de bewondering van zijn illustere gasten. Hij haalde een vergulde sleutel tevoorschijn, waarop Horatio meteen een aandachtige blik wierp, opende het vitrine-raam en pakte het kromzwaard uit de houders. Daarna overhandigde hij het plechtig aan Horatio, alsof het een genezend relikwie was.

Horatio nam het wapen in zijn handen en draaide het om en om, alsof hij zich van het kleinste detail ervan wilde overtuigen. Schijnbaar aandachtig betastte hij de kling en de pareerstang, en zijn rechterhand omsloot het handvat telkens weer, waarbij hij aan de knop met de in goud gevatte smaragd voelde en deed net alsof hij de grip van het wapen testte.

Uiteindelijk knikte hij naar zijn metgezellen met een lachje dat alleen zij wisten te interpreteren. 'Prachtig! Gewoonweg prachtig! De woorden blijven van bewondering zowat in mijn keel steken,' zei hij terwijl hij het kromzwaard aan Murat teruggaf.

'Hoe voelde het aan?' vroeg Alistair opgewonden.

'Ik zeg jullie dat het handvat het in zich heeft. En de knop met de smaragd is een ware openbaring,' antwoordde Horatio, die hen zijn bevindingen daarmee gecodeerd meedeelde.

Harriet lachte. 'Het was dus echt de moeite waard om meneer Murats exclusieve verzameling nader te bekijken.'

Murats straalde bijna gelukzalig. Hij voelde zich gevleid en gewaardeerd en dat in aanwezigheid van de wapenhandelaar, die hij benijdde om zijn onbereikbare succes. Een benijden dat hij op dit moment echter vergat.

'Wat vinden jullie ervan als we nu aan een vrije tafel gaan zitten om een brandy of een glas champagne te drinken?' stelde Byron voor. 'En misschien zelfs een lichte maaltijd te eten?'

'Doen jullie dat,' zei Basil Sahar. Hij voelde dat de vier vrienden op dit moment alleen wilden zijn. 'Dan laten Ahmet en ik intussen onze glorie-rijke jeugd herleven.'

5

Ze kozen een van de vrije tafels in het midden en hoopten dat ze daar voldoende privacy hadden. Bij de operettemuziek die afkomstig was van de platenspeler en de stemmen en geluiden die van de speeltafels kwamen, waren de scherpe oren van een lynx nodig geweest om aan een van de buurtafels iets van hun gesprek op te pikken.

Ze bestelden een drankje bij de ober en kozen een lichte maaltijd van deeg-kussentjes gevuld met schapenkaas en gebakken baars van de menukaart.

'Je dubbelzinnige opmerkingen waren gewoon kostelijk,' zei Harriet toen de ober hun bestelling had opgenomen en wegliep. 'Zoals dat gevangenissen je specialiteit zijn.'

Horatio lachte fijntjes. 'Je moet zo goed mogelijk weten om te gaan met de weinige talenten die je hebt.'

'Hoe staat het ermee, steenrijke beursspeculant? Trakteer je ons op dit etentje?' vroeg Alistair spottend.

'Vertel me niet dat je je geërfde drukkerij-imperium nu al hebt verspeeld,' antwoordde Byron terwijl hij net deed alsof hij geschrokken was.

'Nu ja, in het ergste geval kan Alistairs verloofde hem wat speelgeld geven,' zei Horatio. 'Met de enorme gages die zij blijkbaar opstrijkt.'

Ze lachten allemaal en daarna werd Byron serieus. 'Basil Sahar heeft ons een enorm plezier gedaan met zijn geslaagde voorstelling. Dat moeten we heel erg waarderen.'

Horatio knikte. 'Een prima kerel, dat moet ik hem nageven. Jammer al-leen dat hij zich met de wapenhandel afgeeft. Hoewel hij tot op zekere hoogte gelijk heeft. Als je iedereen aan de schandpaal moet nagelen die aan de oorlog verdient, dan kunnen we beginnen met alle rechtschapen ban-kiers, politici, staalmagnaten en scheepswerfeigenaren, die hun vermogen te danken hebben aan de bouw van oorlogsschepen, pantservoertuigen en allerlei ander oorlogsmaterieel.'

'Daar zit iets in. En de man heeft ongetwijfeld sympathieke kanten. Hij zou alleen iets moeten doen aan zijn geëxalteerde kleding,' was Alistair het met hem eens. 'Maar nu ter zake, Horatio. Weet je zeker dat Mortimers aanwijzing in het handvat van het kromzwaard zit? Want dat heb ik daarstraks begrepen.'

'Inderdaad,' bevestigde Horatio. 'Ik voelde dat de knop met de smaragd erop geschroefd is. Ik kon hem zelfs een stukje opendraaien. In het handvat zit een holle ruimte, dat weet ik zeker. Er is gewoon geen mogelijkheid om zoiets op een andere plek te verstoppen. De pareerstang, die misschien in aanmerking had kunnen komen, is een solide stuk staal. Daaraan kan niets opengedraaid worden.'

Byron knikte. 'Goed, dat is dus duidelijk. En vergeleken met alle problemen die we op ons pad vinden, is dit al een enorme stap vooruit. Nu moeten we alleen ons hoofd erover breken hoe we ongemerkt in de buurt van het kromzwaard komen.'

Harriet keek naar de vitrines. 'We kunnen het glas moeilijk inslaan en de knop uit het handvat draaien. Dat zou de snelste manier zijn om in een Turkse gevangenis te eindigen.'

'Zover zouden we niet eens komen,' zei Horatio. 'Ik heb op het dek vier bewakers geteld met geweren over hun schouder en revolvers aan hun riem. En ik weet zeker dat zij niet de enigen zijn. Een onbewaakt casino op het water is een buitenkansje voor misdadigers. Overdag zijn hier waarschijnlijk minder bewakers, maar met wapengeweld wil ik me niet bezighouden, vrienden.'

'Dat staat ook heel ver bij mij vandaan,' verzekerde Byron hen. 'Ik gebruik geen wapen. Ik houd me daarin heel streng aan de bijbel: Wie naar het zwaard grijpt, zal door het zwaard omkomen. We moeten dus iets anders bedenken.'

Alistair trok een gezicht. 'Het is alleen de vraag wat. Tijdens de openingsuren zullen we waarschijnlijk nauwelijks ongemerkt bij het kromzwaard kunnen komen. En dan hebben we het nog niet eens over die twee sloten gehad.'

'Die sloten zijn geen probleem. Ze zijn absoluut niet ingewikkeld. Die heb ik in een handomdraai gekraakt,' beloofde Horatio. 'Ik heb met een vooruitziende blik tenslotte een groot deel van mijn … kleine gereedschap meegenomen.'

Ze broedden ingespannen op een plan tot het eten werd geserveerd. Toch lieten ze het zich smaken, en ze vonden allemaal dat de keuken lof verdiende.

Toen Byrons blik weer door de zaal ging, bleef deze op het kleine podium hangen en plotseling kreeg hij een idee. 'Ik heb het, vrienden,' riep hij, waarna hij zijn stem meteen weer liet dalen. 'Ik weet hoe we ongezien bij het kromzwaard kunnen komen.'

'Hoe dan? Vertel!' zei Alistair.

'Harriet moet hier optreden,' deelde Byron mee. 'Als zij haar artistieke kunsten vertoont, zijn alle ogen gegarandeerd op haar gericht en zal niemand aandacht schenken aan wat er bij de vitrines gebeurt.'

'Allemachtig, dat is het!' riep Horatio enthousiast.

Harriet keek hen verbaasd aan. 'Ik heb er weliswaar niets op tegen om hier op te treden, dat is tenslotte mijn vak, maar afgezien van het feit dat ik een acrobatentouw, een rad en een assistente nodig heb, die zich op dat rad laat binden en naar wie ik messen kan gooien, kan ik natuurlijk moeilijk naar Murat toe gaan om tegen hem te zeggen dat ik een voorstelling in zijn casino wil geven. Dan komt zelfs een idioot meteen op het idee dat er iets niet klopt.'

'Dat is waar,' zei Horatio zuchtend.

'Natuurlijk kun je jezelf niet aan hem aanbieden,' ging Byron verder. 'Maar als Basil Sahar hem dat influistert, zal Murat misschien happen en met zijn verzoek bij jou komen.'

Alistair grijnsde breed. 'Ja, hou een ezel een sappige wortel voor de neus en hij begint te lopen.'

'Dat is misschien wel zo,' zei Horatio. 'Maar dat betekent dat we de wapenhandelaar in ons plan moeten inwijden. Kunnen we dat riskeren? Wat denken jullie?'

'Voorzover ik hem inmiddels kan inschatten, denk ik van wel,' antwoordde Byron. 'De man heeft een sterk eergevoel, en het is natuurlijk een enorm pluspunt dat Harriet zijn leven heeft gered. Hij weet dat hij nog steeds bij haar in de schuld staat en dat een leuke rondleiding in de stad niet voldoende is. Ik weet zeker dat hij meedoet – en nog met plezier ook.'

'Ja, omdat hij Murat daarmee een loer kan draaien,' zei Alistair. 'Ik denk ook dat we hem kunnen vertrouwen. We hoeven hem tenslotte niet het hele verhaal te vertellen. Dat met het Judas-evangelie kunnen we beter voor onszelf houden.'

'Goed, dan praten we straks met hem,' zei Byron.

Harriet keek met een nadenkende gezichtsuitdrukking in de zaal rond. 'Het klinkt tot nu toe allemaal heel goed. Maar ook als Murat erop ingaat, hebben we nog een paar harde noten te kraken. Zoals hoe Horatio tijdens de voorstelling bij de vitrine moet komen. Gewoon naar de vitrine wandelen en daar zijn "kleine gereedschap" uitproberen is natuurlijk uitgesloten. Als een gast of een ober toevallig in zijn richting kijkt, wordt hij ontdekt. Zulke domme toevallen gebeuren nu eenmaal en daar moeten we rekening mee houden.'

Horatio knikte. 'Je hebt gelijk, Harriet. Maar ik heb er al over nagedacht hoe ik het kan doen. Het moet vanaf de galerij.'

'Wat bedoel je?' vroeg Alistair verbluft. 'En dat moet onopvallend zijn? Hoe wil je het uitstekende deel van de galerij overwinnen? Ik wist niet dat je als een hagedis aan het plafond kunt kleven of kunt vliegen als een vleermuis.'

'Je hoeft de galerij daarvoor alleen op een natuurlijke manier af te sluiten, het liefst met brede zwarte banen stof waarachter ik me kan laten zakken,' legde Horatio uit. 'Harriet kan tegen Murat zeggen dat ze alleen onder die voorwaarde optreedt.'

Harriet knikte enthousiast. 'Ja, omdat alle glitter en glans daarboven me afleidt. Dat klinkt geloofwaardig.'

'Goed, maar wat doe je als Murat op het idee komt om stoelen op het podium te plaatsen?' vroeg Byron aan Horatio.

Harriet trok een gezicht. 'Tja, het zou hem misschien wantrouwig maken als we proberen hem daar vanaf te houden.'

Horatio glimlachte. 'In mijn beroep heb ik geleerd om bepaalde hulpmiddelen te ontwerpen die sommige situaties die onmogelijk lijken toch mogelijk maken. Maar dat leg ik jullie straks in het hotel uit. Bovendien moeten we eerst weten of Basil Sahar zich voor ons karretje laat spannen en of

Murat toehapt. Anders kunnen we het plan meteen weer vergeten.'

'Een goed idee,' meende Alistair, die iets heel anders aan zijn hoofd had. 'En terwijl jij met Basil Sahar praat, Byron, en jullie de details daarna hopelijk met Murat bespreken, ga ik eens kijken wat er aan de pokertafels te doen is. De nacht is nog jong en lijkt veelbelovend. Laten we er dus iets van maken, vrienden.' Met die woorden ging hij staan en haastte zich naar de galerij, waar hij meteen als nieuwe speler aan een van de pokertafels werd verwelkomd. De reputatie dat hij de enige erfgenaam van een drukkerij-imperium was, was hem al vooruitgesneld.

Byron vond de wapenhandelaar aan de bar en vroeg hem voor een gesprek onder vier ogen naar buiten. Basil Sahar volgde hem bereidwillig. Ze zochten een stil plekje op het dek waar ze ongestoord met elkaar konden praten.

'Een beetje frisse lucht doet goed. Dat verfrist de geest en heldert veel op van wat iemand bezighoudt, maar natuurlijk niet alles,' zei hij ondoorgrondelijk terwijl ze tegen de balustrade leunden en uitkeken over het donkere water van de Zee van Marmara.

'Na het voorval in de Orient-Express zei u in de salonwagon dat u ons een verklaring schuldig was,' begon Byron. 'Nu is het mijn beurt om u een verklaring te geven voor ons merkwaardige gedrag van daarstraks.'

'Waarop ik met uw eigen woorden antwoord, dat u me weliswaar geen verklaring verschúldigd bent,' antwoordde Basil met een fijn lachje, 'maar dat het me uiteraard wel interesseert wat er achter uw enorme belangstelling voor het kromzwaard steekt. Een zwaard dat bovendien absoluut niet uit de tijd van Saladin stamt. Als je iets van wapens weet, dan zie je meteen dat de kling uit een veel latere eeuw afkomstig is. In de tijd van Saladin bestond deze manier van metaalverwerking helemaal niet, net als de legering van de pareerstang en het handvat. Het zwaard is hoogstens een paar jaar oud. Dus als u …' Hij aarzelde even voordat hij verderging. '… als u uw oog daarop hebt laten vallen, dan ontraad ik u dat. De smaragden zijn de moeite niet waard.'

'Het is niet onze bedoeling het kromzwaard in ons bezit te krijgen,' antwoordde Byron. 'Het gaat om het volgende: Mortimer Pembroke, degene die Murat het wapen cadeau heeft gedaan, was een uiterst zonderlinge man, om het voorzichtig uit te drukken. Hij heeft namelijk in het handvat, dat hol is en waarvan de knop open geschroefd kan worden, een boodschap verstopt die heel belangrijk voor ons is.'

'Het handvat is hol en bevat een bericht?' herhaalde de wapenhandelaar verbaasd. 'Dat klinkt bijna als een Oosters sprookje. Misschien een testament dat zijn erfopvolging in een heel nieuw daglicht zet?'

'Dat niet, maar iets wat net zulke verstrekkende gevolgen heeft,' zei Byron. 'Zie het alstublieft grootmoedig door de vingers dat ik niet in staat ben om er meer over te vertellen.'

'Dat doe ik. Iedereen heeft grote en kleine geheimen. Maar ik heb de indruk dat u nog iets op het hart hebt, jonge vriend. Heb ik gelijk met mijn vermoeden?'

Byron knikte en wijdde hem in hun plan in, dat alleen kon slagen als hij, Basil Sahar, Murat kon overhalen om Harriet te vragen een privé-voorstelling in zijn casino te verzorgen.

Toen de wapenhandelaar dat hoorde, begon hij geamuseerd te lachen. 'En of me dat zal lukken, meneer Byron. Hij hoeft alleen te beseffen wat een enorme reclame het voor zijn casino zou zijn als hij een artieste van wereldfaam zover kan krijgen dat ze bij hem optreedt.'

'Betekent dat dat u die doorn in zijn vlees gaat steken?'

'Natuurlijk betekent het dat, meneer Bourke. Het zal me meer plezier doen dan de verkoop van de twee onderzeeboten aan de sultan,' antwoordde Basil Sahar. 'Vooruit, laten we een ring door de neus van die schoft steken en hem naar miss Harriet brengen.'

Het duurde inderdaad niet lang voordat Murat na een kort gesprek met de wapenhandelaar zichtbaar opgewonden naar hun tafel kwam en Harriet formeel vroeg hem de grote eer te bewijzen om een speciale voorstelling in zijn Huis van Geluk te verzorgen. En hij was absoluut niet gierig voor wat betreft de gage die hij voor haar optreden in het vooruitzicht stelde.

Harriet aarzelde natuurlijk, zoals ze met haar vrienden had afgesproken, zodat Murats overwinning achteraf nog zoeter zou zijn.

'U vleit me, maar een dergelijke voorstelling kan niet gewoon uit een hoed worden getoverd, meneer Murat. Ik heb mijn artiestenkostuum en mijn messen niet bij me, en ik heb natuurlijk geen assistente. Ook zou ik het juiste touw nodig hebben. Ach, er is zoveel nodig voor een dergelijke voorstelling,' zei ze met een ondertoon van spijt in haar stem.

'Maar dat is allemaal geen enkel probleem,' verzekerde Murat haar meteen. 'Constantinopel heeft dat allemaal te bieden. In de stad zijn beslist circusmensen van wie we alles wat nodig is kunnen lenen. Als u me een paar dagen de tijd geeft, zorg ik voor alles wat u nodig hebt – ook een assistente.'

Harriet keek hem enigszins weifelend aan. 'Denkt u? Maar ik ben gewend om als hoogtepunt van de avond op te treden. Daarom zult u beslist begrijpen dat ik onmogelijk zonder een gepast voorprogramma kan presteren. En de uitgaven daarvoor zouden waarschijnlijk veel te hoog oplopen.'

Nu voelde Murat zich aangetast in zijn eergevoel, vooral omdat Basil Sahar naast hem stond met een spottend lachje op zijn gezicht, alsof hij vol leedvermaak wilde zeggen: Zie je? Ik heb je toch gezegd dat het je niet gaat lukken?

'U krijgt uw voorprogramma. Een die uw grote reputatie eer aandoet,' beloofde Murat haar meteen. 'Geld speelt geen enkele rol. Het zou niet de eerste keer zijn dat ik mijn gasten iets buitengewoons aanbied.'

'Tja,' zei Harriet aarzelend, alsof ze er ernstig over nadacht om in te gaan op zijn verzoek. 'Maar deze ruimte …' Ze stopte, liet haar blik door de zaal dwalen en schudde daarna haar hoofd.

'Wat is er met de zaal? Vertel me wat u veranderd wilt hebben!' drong hij aan. 'Als het mogelijk is, regel ik het.'

Harriet zuchtte. 'De prachtige, maar toch te sterk glanzende afwerking van de galerij. Die zouden bedekt moeten worden, het liefst met lange banen zwarte stof. En ik kan het niet toestaan dat er tijdens de voorstelling iemand uit een kamer komt of over de galerij loopt. Dat zou me afleiden. Daarom moet ik erop staan dat alleen mijn broer en mijn vrienden daar zijn, zodat ik niet wordt afgeleid.'

'Als dat uw wens is, dan is die bij deze vervuld,' zei Murat zonder aarzelen. 'En maak nu eindelijk een eind aan mijn kwelling en zeg ja.' Hij stond op het punt om voor haar op zijn knieën te vallen.

'U bent een handige verleider, meneer Murat,' zei ze met een koket lachje. 'U krijgt uw voorstelling. Ik weet zeker dat het een onvergetelijke herinnering voor u wordt.'

6

Murat had drie dagen bedongen om alle voorbereidingen te treffen. Harriet had daarmee ingestemd, en hij had haar het adres van een kleermaker gegeven die een toneelkostuum voor haar kon maken. Ook had ze met Murat afgesproken nog een keer bij elkaar te komen om het verloop van de voorstelling en een aantal details te bespreken.

 'Ik denkt dat we elkaar toch elke avond hier zien, dat is in elk geval wel mijn bedoeling. Het bevalt me uitstekend bij u,' merkte Alistair daarna op.

Dat stond Murat bijzonder aan, omdat hij van zijn werknemer, die aan Alistairs pokertafel had gezeten en voor het huis had gespeeld, had gehoord dat de jonge Croesus een aanzienlijk bedrag aan hen had verloren. Dat de enige erfgenaam van het drukkerij-imperium uitsluitend fiches op krediet had verspeeld, verontrustte hem niet. Hij twijfelde er niet aan dat hij te maken had met rechtschapen heren, die hun goede reputatie beslist niet op het spel zouden zetten vanwege een paar duizend Turkse goudponden.

'Je speelt een verdomd riskant spelletje,' zei Horatio later tegen hem. 'Als je zo blijft verliezen en hij je vraagt om te betalen, heb je een probleem.'

Alistair maakte een afwerend gebaar. 'Ach wat. Het pokerspel om ons leven, dat we over drie dagen in dit casino spelen, is tien keer zo riskant,' ging hij tegen hem in. 'Het koude zweet staat al op mij voorhoofd als ik alleen maar denk aan het huzarenstukje dat je wilt uithalen om het kromzwaard in handen te krijgen. Laten we hier dus geen grijze haren van krijgen. Het komt wel goed.'

Basil Sahar stond erop dat Harriet zich bij haar inkopen liet begeleiden door twee angstaanjagende lijfwachten en dat ze een draagstoel gebruikte.

Byron was hem er dankbaar voor, want hij was niet vergeten dat ze er tijdens de roofoverval door een lid van de Ordo Novi Templi in het Weense rioleringssysteem alleen dankzij de gunstige omstandigheden redelijk goed vanaf waren gekomen.

Ze vroegen zich nog steeds af wat deze mysterieuze orde te betekenen had en waarom de ordeleden Mortimers notitieboekje in hun bezit wilden krijgen. Weliswaar voelden ze zich inmiddels wat zekerder, omdat ze geloofden dat ze hen met hun afleidingsmanoeuvre in het Bristol met succes om de tuin hadden geleid, maar toch was het belangrijk om uiterst waakzaam te blijven. Niemand wist of ze hun spoor hadden teruggevonden en of ze nog een keer een poging zouden wagen. Onbeantwoord was tot nu toe ook de vraag, wie zich achter de naam De Wachters verborgen en waarom deze mensen wisten over hun zoektocht naar de papyri van Judas.

Mortimers aantekeningen riepen vragen van een heel eigen aard op. En hoewel Byron zijn vrienden tijdens deze dagen af en toe bij hun zwerftochten door de stad begeleidde, was hij voornamelijk bezig om de gecodeerde aanwijzing voor de volgende bestemming van hun reis op te sporen.

Telkens bezweek hij echter voor de verleiding om die zoektocht urenlang te verwaarlozen en verder te gaan met de geheimzinnige passages uit het Judasevangelie, die op alle bladzijden voorkwamen. Het oefende een sterke aantrekkingskracht op hem uit om deze zinnen letter voor letter uit de chaos te halen, ze eerst tot afzonderlijke woorden en daarna tot zinnen te vormen en over de juiste vertaling ervan na te denken. Het gaf hem het gevoel dat hij een archeoloog was, die heel moeizaam zand van de ene scherf na de andere veegde, ze bij elkaar legde en deze berg schijnbaar nutteloze scherven weer terugbracht tot dat wat het ooit was geweest, bijvoorbeeld een mozaïek, een beschilderde schaal of een kruik.

Soms kwam Harriet bij hem langs, vertelde wat ze inmiddels had bereikt en keek een tijdje zwijgend en ook verbaasd toe.

Deze minuten waren nog kostbaarder voor hem dan het ingewikkelde werk aan de Aramese tekst.

'Je hebt een engelengeduld, Byron,' zei ze een keer bijna plechtig, toen ze zag hoe hij langzaam de ene Aramese letter na de andere achter elkaar zette. 'Ik zou dat nooit kunnen. Denk je dat al dat werk de moeite waard is?'

Hij keek op. 'Alles wat je met liefde doet is de moeite waard, Harriet. En niet het resultaat is de moeite waard, maar het feit dat je het mág doen.'

'Liefde is zo'n groot woord,' zei ze zachtjes. 'Het kan zoveel en tegelijkertijd zo weinig betekenen. Het hangt er waarschijnlijk gewoon van af wat je onder liefde verstaat en wat je ervan verwacht.'

'Dat klopt helemaal,' antwoordde hij. Hij had het gevoel dat dit misschien het moment voor een openhartige verklaring was. Maar voordat hij de moed had gevonden om een poging in die richting te doen, veranderde ze haastig van onderwerp.

'Heb je eigenlijk weer iets interessants ontdekt in de Judas-tekst, dat het waard is om voor te lezen en ook voor iemand die niet heeft gestudeerd begrijpelijk is?' vroeg ze met een andere, kordate stem.

Byron zuchtte onderdrukt over de verspilde kans. 'Ja, dat heb ik inderdaad,' zei hij terwijl hij terugbladerde in zijn notitieboekje. 'Deze interessante passage bijvoorbeeld: *Kom, zodat ik jou kan leren over geheimen die niemand ooit heeft gezien. Want er bestaat een groot en oneindig koninkrijk, waarvan de uitgestrektheid door geen enkel engelengeslacht is gezien, en waarin zich een grote en onzichtbare Geest bevindt.*'

'En jij denkt dat Jezus degene is die tegen Judas praat?'

'Alles wijst erop, want Judas ziet zichzelf in bijna alle passages die ik tot nu toe heb gevonden als enige uitverkorene in de kring van discipelen. Fascinerend is ook de volgende passage, die als volgt gaat: *Op een dag was Hij met Zijn leerlingen in Judea en Hij vond hen, samen zittend, in godsvruchtige beschouwing. Terwijl Hij Zijn leerlingen naderde, samen zittend en een gebed uitsprekend over het brood, lachte hij. De leerlingen spraken tot Hem: "Meester, waarom lacht U om ons dankgebed? We deden wat juist is." Hij antwoordde en sprak tot hen: "Ik lach niet om jullie. Jullie doen dit niet uit jullie eigen wil, maar omdat hierdoor jullie God zou geloofd worden." Zij zegden: "Meester, U bent de zoon van onze God." Jezus sprak tot hen: "Hoe kennen jullie mij? Waarachtig ik zeg jullie, geen enkele nakomeling van dit geslacht waartoe jullie behoren zal mij kennen."*'

Byron keek van de bladzijde op. 'Dit is een van de passages die op een aantal onbelangrijke afwijkingen na overeenkomt met passages uit de evangeliën. Is dat niet opwindend?'

'Ik sla er niet bepaald steil van achterover als ik eerlijk ben,' gaf ze onomwonden toe. 'Maar dat heeft niet zoveel te betekenen, want wat weet ik tenslotte van de Bijbel? Zo, en nu moet ik weer gaan. Mijn twee spierbundels wachten vast en zeker al om me te begeleiden. Ik ga mijn kostuum passen.'

Byron liet haar met tegenzin gaan. 's Middags hield hij zijn vrienden gezelschap bij een uitstapje naar de Grote Bazaar. Deze *bedestens* was een enorm complex dat uit een uitgebreid vertakt halachtig bazaargebouw bestond, dat 's nachts werd afgesloten en werd bewaakt. De afzonderlijke winkels en werkplaatsen, waarvan er in sommige hallen meer dan duizend waren, beschikten over ijzeren deuren en raamluiken, alsmede ingebouwde brandkasten. In deze overdekte bazaar werden duizend en één goederen te koop aangeboden en in de stegen heerste een adembenemende bedrijvigheid met het daarbij passende geluidsniveau.

Op de terugweg naar het hotel was Alistair zo moe van al het lopen dat hij de heuvel naar Pera niet meer op wilde strompelen.

'Laten we onszelf wat rust gunnen en de paardentram nemen,' stelde hij voor.

De anderen hadden daar niets op tegen, omdat hun voeten brandden, dus stapten ze in de tram. Zodra Harriet zag hoe mager en verzwakt het span paarden was, had ze er spijt van dat ze ermee had ingestemd. Bovendien moest ze gescheiden van Byron, Alistair en Horatio in de *haremlik* zitten, terwijl de voorste en veel ruimere *selamlik* voor de mannen was gereserveerd.

Voor de paardentram liep een man met een vilten muts. Hij hield een messing claxon in zijn hand, waarop hij aan een stuk door blies. Zo baande hij een weg door de mensenmenigte voor de tram en waarschuwde hij voorbijgangers, zodat niemand onder de hoeven of de wielen kwam. Stoepen waren er namelijk niet en de straten waren smal, vaak kronkelend en geplaveid met grove stenen.

De koetsier liet zijn lange zweep op de rug van de dieren knallen, maar op de heuvels konden de arme paarden maar twee tot drie stappen doen. Daarna bleven ze weer staan en keken elkaar schijnbaar bedroefd aan.

Ondertussen belaagden drommen straatverkopers de passagiers via de open ramen en prezen luidkeels hun goederen aan.

Zo ging er een hele tijd voorbij. Tenslotte sprongen meerdere sterke mannen, die medelijden met de dieren hadden, uit de tram en hielpen de tram heuvelopwaarts duwen. Ook Alistair, Horatio en Byron hielpen mee.

'Fijn, zo'n rustig ritje in de paardentram,' mopperde Alistair.

Toen ze terugwaren in het Pera Palace was Byron van plan om eerst de ontcijfering van een Aramese tekstpassage af te maken en daarna weer op zoek te gaan naar de volgende aanwijzing.

Op een bladzijde, waarop het weer eens wemelde van rijen letters die werden herhaald, had Mortimer meerdere keren het jaartal 1423 genoteerd en een aantal opmerkingen opgeschreven over de Franse regent graaf Van Bedford, die in dat jaar was getrouwd met Anne, de zus van graaf Filips II van Bourgondië, en met dit politiek gemotiveerde huwelijk de Engels-Bourgondische band had versterkt.

Plotseling werd hij achterdochtig toen hij in de Aramese tekst op drie woorden stuitte die helemaal niet in het verhaal pasten en door middel van gedachtestreepjes van de rest van de tekst waren gescheiden. Toen hij de drie woorden had ontcijferd, lachte hij plotseling, richtte zijn aandacht onmiddellijk op de schijnbaar nutteloze herhaling van de rijen letters die na de Aramese regels volgden, piekerde er een tijdje over hoe hij de getallencode moest kraken en vond uiteindelijk de sleutel.

Enige tijd later riep hij zijn vrienden bij elkaar en vertelde hen het goede nieuws. 'Ik heb de vierde code,' zei hij terwijl hij naar de rijen letters wees, die waren omringd door orthodoxe kruisen en piepkleine icoonachtige tekeningen. 'Ze bevatten de naam van de volgende plek waar we naartoe moeten reizen.'

'En waarom ben je daar zo zeker van?' vroeg Harriet.

'De drie woorden "het zichtbare woord", die Mortimer op deze bladzijde in het Aramees in een tekstuittreksel van het Judas-evangelie heeft verstopt,' antwoordde Byron.

'Dic knaap weet echt hoe hij iemand het leven zuur moet maken,' klaagde Horatio hoofdschuddend. 'Maar jij bent achter zijn streken gekomen. Dus dit is de gecodeerde boodschap?'

'Inderdaad,' bevestigde Byron.

Harriet, Alistair en Horatio bekeken de tekst nauwkeuriger.

```
                          1423

WBDEAEENAVPDRJAESNNRJDAOMTGTOZHSNIIPDCAUEHVNHDATEENW
LIDIDCELEOMDRNOEEOEBSSDETTEBEARDRSGUZEOWAEDEGNSN

WBDEAEENAVPDRJAESNNRJDAOMTGTOZHSNIIPDCAUEHVNHDATEENW
LIDIDCELEOMDRNOEEOEBSSDETTEBEARDRSGUZEOWAEDEGNSN

WBDEAEENAVPDRJAESNNRJDAOMTGTOZHSNIIPDCAUEHVNHDATEENW
LIDIDCELEOMDRNOEEOEBSSDETTEBEARDRSGUZEOWAEDEGNSN

WBDEAEENAVPDRJAESNNRJDAOMTGTOZHSNIIPDCAUEHVNHDATEENW
LIDIDCELEOMDRNOEEOEBSSDETTEBEARDRSGUZEOWAEDEGNSN
```

Alistair trok een gezicht. 'Dat lijkt niet bepaald op een simpel aftelrijmpje,' zei hij spottend.

'Ik had er eerst ook wat moeite mee,' gaf Byron toe. 'Maar toen vroeg ik me af wat dat geklets over graaf Van Bedford en zijn huwelijk met de zus van de graaf Van Bourgondië te betekenen had en waarom dat jaartal meerdere keren op deze bladzijde staat. Ik vermoedde dat het getal misschien meer betekende dan alleen een historische datum, maar omdat het uit vier in plaats van vijf cijfers bestaat, kon ik natuurlijk meteen uitsluiten dat het weer om een eenvoudige bilaterale substitutie ging, zoals de code in de Weense riolering.'

'Natuurlijk,' merkte Horatio droog op.

'Na een tijdje ben ik op het idee gekomen dat we hier met een deeldispositie te maken konden hebben,' ging Byron verder, die helemaal in zijn element was.

'Natuurlijk! Wat zou het anders moeten zijn?' zei Harriet spottend, die net als Horatio en Alistair niet wist waarover hij het had.

'Is het heel onbeleefd van ons als we je vragen om ons de cryptische details te besparen en je kaarten gewoon open op tafel te leggen?' vroeg Alistair gekweld.

'Goed dan, laten we dit deel overslaan,' zei Byron. 'Ik heb de letters in vier groepen verdeeld en daarmee vier verticale rijen met letters gevormd. Dat leverde de volgende kolommen op.' Hij bladerde in zijn notitieboekje, om hen het tussenresultaat te tonen, dat er als volgt uitzag:

'Halleluja!" liet Horatio zich ontvallen. 'Daar kunnen we iets mee.'

Byron glimlachte fijntjes. 'De volgorde van de kolommen klopt nog niet, zoals jullie zien. Pas als je ze volgens het systeem 1-4-2-3 onder elkaar of naast elkaar zet, zoals ik op de volgende bladzijde heb gedaan, ontstaat er een samenhangende tekst. Dit is de bestemming waar Mortimer ons na Constantinopel naartoe stuurt.'

Alistair las de tekst

W	E	B	D
A	N	E	E
A	D	V	P
R	E	I	A
S	R	N	N
I	O	D	A
M	T	T	G
O	S	Z	H
N	P	I	I
D	U	C	A
E	N	H	V
H	T	D	A
E	W	E	N
L	I	I	D
D	L	C	E
E	D	O	M
R	E	N	O
E	B	O	E
S	E	S	D
T	B	T	E
E	O	A	R
R	U	S	G
Z	W	E	O
A	E	E	D
G	N	N	S

van de vier kolommen hardop voor: 'Waar Simon de heldere ster zag ... en de rotspunt wilde bebouwen ... bevindt zich de iconostase en ... de panaghia van de Moeder Gods.' Hij schudde zijn hoofd. 'Dat is net zo begrijpelijk als een adres in het Londense bevolkingsregister.'

Harriet dacht er hetzelfde over. 'Als dat een plaatsaanduiding is, dan moet je eerst weten wie deze Simon was die de heldere ster heeft gezien en de rotspunt wilde bebouwen en wat een panaghia en een iconostase zijn.'

Byron leunde geamuseerd naar achteren. 'Ik neem aan dat onze meestervervalser van iconen het geen probleem vindt om ons dat precies uit te leggen. Of vergis ik me daarin?'

'Absoluut niet, Byron,' antwoordde Horatio terwijl hij zijn bril rechtzette. 'Een iconostase, vanuit het Grieks vertaald een "beeltenishouder", is in de orthodoxe kerk een architectonische kast, die meestal rijkelijk met iconen is versierd. In de regel bestaat deze iconostase uit een houten wand, die vaak verguld is en van sculpturen is voorzien. En de panaghia, wat vertaald de "heilige" betekent, is de icoon van de Moeder Gods.'

'Goed, dan weten we dus dat Mortimer het vierde deel van zijn Judaspuzzel in een Maria-icoon heeft verstopt,' stelde Alistair vast. 'De vraag is alleen waar die hangt.'

'Hé, niet zo respectloos,' zei Harriet plagerig. 'En hij hangt natuurlijk op de plek waar Simon de heldere ster heeft gezien en op de rots wilde bouwen.'

'Slimmerdje. En waar is dat?' vroeg Alistair. 'Zeg alsjeblieft niet Rusland!'

smeekte hij tegen Horatio. 'Want dan geef ik er de brui aan en gok ik net zolang in Murats casino tot ik weer dik in de plus sta.'

'Maak je geen zorgen. We gaan niet naar Rusland, maar naar Macedonië,' antwoordde Horatio. 'De Simon over wie het hier gaat was een Griekse kluizenaar-monnik, die in de veertiende eeuw leefde. De legende vertelt dat hij tijdens een kerstnacht op een rotsachtig schiereiland een visioen kreeg. Hij zag in de buurt van de grot waar hij woonde een heldere ster boven een rotspunt. Dat visioen beschouwde hij als een goddelijk teken om met zijn leerlingen op deze plek een klooster te bouwen. Het bleek door de bijna ontoegankelijke rots echter uiterst moeizaam en gevaarlijk te zijn. Simons volgelingen begonnen al snel over de beproeving te mopperen en wilden het werk neerleggen.'

'En toen gebeurde er waarschijnlijk weer eens een wonder, zoals altijd in dit soort verhalen,' zei Alistair spottend.

'Inderdaad, ongelovige Thomas,' bevestigde Horatio. 'Een van Simons leerlingen, een man met de naam Isais, die water wilde halen, stortte van de rots in de diepte. Hij had meteen dood moeten zijn, maar hij stond op wonderbaarlijke wijze meteen weer op. Hij had geen enkele verwonding opgelopen door de enorme val en de aardewerken potten die hij bij zich had, waren helemaal onbeschadigd gebleven. Dit wonder beschouwden de mannen als een goddelijke bevestiging om verder te bouwen. Toen het klooster klaar was, noemden ze het "Nieuw Bethlehem". Na Simons dood werd het klooster opnieuw gedoopt en kreeg het de naam Simonopetra, een combinatie van het woord "petra", dat "rots" betekent, en de naam van de stichter.'

'Heel aangrijpend,' zei Alistair. 'Het is verbazingwekkend hoeveel wonderen andere mensen altijd meemaken. Dan ga je je toch afvragen waarom je zelf zo zelden visioenen en wonderen meemaakt. Gisternacht bij Murat had ik de een of andere visionaire openbaring goed kunnen gebruiken.'

'Hou toch eens op met dat vervelende gedoe,' zei Harriet eerder verveeld dan geërgerd tegen hem. 'We weten al lang dat jij nooit een religieus mens wordt. Het is gemakkelijker om een kameel door het oog van een naald te laten kruipen. Laat Horatio dus gewoon vertellen wat hij over klooster

Simonopetra weet en waar het ligt.'

'Het klooster ligt op het bergachtige schiereiland Athos, dat als een licht gekromde vinger in de Egeïsche Zee steekt en waarop een hoge berg met dezelfde naam ligt,' deelde Horatio hen mee. 'Aan de westkant, aan de baai van Hagion Oros, wat Grieks is voor "heilige berg". Er zijn daar nog veel meer kloosters. Allemaal heel afgelegen en op rotsen gebouwd, vaak alleen toegankelijk via bergweggetjes en vooral heel gesloten voor de buitenwereld. De monniken in die kloosters leven weliswaar merendeels in grote gemeenschappen, maar voor wat betreft hun karakter en levensstijl zijn het echte kluizenaars.'

'Wat dus betekent dat we dit klooster Simonopetra op Athos niet gewoon kunnen binnenwandelen om het panaghia-icoon even van de muur te halen om naar Mortimers aanwijzing te zoeken,' concludeerde Harriet.

'Had je iets anders verwacht?' vroeg Alistair grimmig. 'Het was niets voor die krankzinnige geweest om het voor de afwisseling een keer gemakkelijk voor ons te maken.'

'Als Mortimer toegang tot het klooster kon krijgen, dan gaat ons dat op de een of andere manier ook lukken,' meende Byron.

'Je vergeet dat de stinkend rijke lord over veel invloed beschikte en dat hij deze Maria-icoon vast aan hen cadeau heeft gedaan,' zei Horatio. 'Daar kunnen wij niet tegenop bieden.'

'Je zou een heel zeldzaam stuk dat in een of andere verzameling in Rusland of ergens anders hangt kunnen vervalsen om ons daarmee toegang te verschaffen,' stelde Alistair voor.

Horatio lachte. 'Weet je hoe lang het duurt om een bedrieglijk echte icoon te maken? Niet zo een als veel prutsers maken, die zelfs craquelure aanbrengen, waardoor een kenner meteen ziet dat het om een vervalsing gaat. Als we het op die manier doen kan het volgend jaar zomer worden.'

'Craque-wat?' vroeg Harriet.

'Dat zijn de typische scheurtjes in de kleurlagen van oude schilderijen,' legde Horatio uit. 'Veel vervalsers die zich niet grondig in het schilderen van iconen hebben verdiept, schilderen van willekeurige voorbeelden, zoals afdrukken. Ze maken deze schilderijen in olieverf, omdat ze niet weten dat deze iconen nooit met olie, maar altijd met tempera werden geschilderd. En een tempera-icoon vertoont ook als deze heel oud is geen barsten en scheurtjes.'

'Goed, dan moeten we gewoon een andere manier vinden om in dat klooster te komen,' zei Alistair schouderophalend. 'Er zal ons wel iets te binnen schieten. En we hebben hier tenslotte eerst nog iets anders te doen.'

'Maar het kan geen kwaad om nu al te informeren welk stoomschip een haven in de buurt van Athos aandoet, en eventueel al hutten te reserveren,' stelde Byron voor. 'Dat kunnen we morgenochtend doen, als we bij Murat zijn geweest en de galerij aan een nauwkeurige onderzoek hebben onderworpen. Stel dat we Constantinopel overhaast moeten verlaten.'

Harriet knikte. 'We kunnen onze koffers morgenmiddag al inpakken, ze bij het rederijkantoor in bewaring geven en onze hotelrekening betalen. Dan dwingt niets ons om naar het Pera Palace terug te keren, wat misschien niet helemaal ongevaarlijk is – afhankelijk van het feit hoe het morgenavond gaat.'

'Het wordt een absoluut succes, in elk geval voor ons,' zei Horatio zelfbewust. 'Ik heb voor veel moeilijkere situaties gestaan. Maar toch is het goed om te doen wat Harriet zei.'

De volgende ochtend informeerden ze naar een gunstige bootverbinding. Een blik op de landkaart had hen namelijk duidelijk gemaakt dat ze over land aanzienlijk langer onderweg zouden zijn dan per schip.

Ze vonden een stoomschip van de Griekse Panhellenioslijn met de naam Xerxes. In het kantoor van de rederij kregen ze te horen dat de hutten van de Xerxes geen luxe boden, wat tot uiting kwam in het bescheiden tarief. Dat kon hen echter niet schelen, want op alle andere stoomschepen zouden ze afhankelijk van de maatschappij twee tot drie dagen moeten wachten. Bovendien onderbrak de Xerxes de reis maar drie keer. Als eerste haven op zijn route naar Saloniki deed het stoomschip Kum-Kale aan, dat in de buurt van Troje aan de Turkse westkust lag, daarna maakte ze een kort uitstapje naar het eiland Limnos en tot slot legde ze vlak voor het eindpunt Saloniki nog even aan in Karyäs, een kleine kustplaats aan de westkant van het Athos-schiereiland. Vanaf Karyäs was het niet ver naar het klooster Simonopetra.

'Geweldig dat we morgenochtend meteen al naar Athos kunnen vertrekken,' zei Byron.

'Ik hoop alleen dat het stoomschip geen drijvende doodskist is die alleen door roest bij elkaar wordt gehouden,' zei Harriet. 'Water is niet bepaald mijn favoriete element. Ik word nogal snel zeeziek.'

'Zo erg zal het beslist niet zijn,' zei Byron. 'Die overtocht van bijna anderhalve dag komen we wel te boven, ook al is de Xerxes blijkbaar van een heel ander niveau dan de Orient-Express.

Alistair wreef in zijn handen. 'Het loopt allemaal weer gesmeerd, vrienden. We hebben alleen nog een leuke avond in het casino voor de boeg.'

7

Draagstoeldragers op blote voeten en met bovenarmen als dikke ankertrossen droegen hen door de Grote Bazaar, die met zijn enorme omvang het belangrijkste winkelgebied van Constantinopel was. Het lag vlakbij het havencomplex aan de Gouden Hoorn, vormde een eigen afgescheiden stadswijk tussen de Bajesid-moskee en de Nuri-Osmanie-moskee en was alleen via bepaalde poorten toegankelijk, die 's avonds werden gesloten en bewaakt.

Wie zich als vreemde alleen in dit labyrint waagde, kon het beste een kompas voor dit avontuur meenemen. Het was namelijk bijzonder eenvoudig om te verdwalen in de onoverzichtelijke en wijdvertakte wirwar van overkoepelde straatjes, die met hun aan twee kanten gelegen kramen en winkels lange hallen vormden. Door de stoffige ramen in de welvingen boven de winkelstraten en de paar hoge koepels viel weinig licht naar binnen. En dit schemerlicht, dat ook op zonnige dagen alles bedekte, versterkte de Oriëntaalse betovering waaraan niet-oosterlingen zich niet konden onttrekken.

Omdat ze met z'n vieren waren, hadden ze twee draagstoelen genomen. Byron had er bij het instappen op gelet dat hij een van deze schommelende vervoersmiddelen met Harriet deelde. Alistair en Horatio deelden de voorste draagstoel. Achter de twee draagstoelen liepen de twee lijfwachten.

Ze waren naar de Grote Bazaar gegaan om nog wat kleinigheden te kopen en de spullen af te halen die Horatio voor zijn riskante kunststuk in het casino had laten maken. Hij was heel tevreden met het werk van de gordelmaker en de smid, die zich precies aan zijn richtlijnen hadden gehouden.

Ze hadden de gordijnen van hun draagstoelen teruggeslagen en vonden het prettig dat ze werden gedragen en zich niet te voet een weg door het lawaaiige gekrioel moesten banen. Als coulissen met bonte Oriëntaalse beelden trokken de voortdurend wisselende straatscènes aan hen voorbij.

Ze merkten echter niet dat ze werden gevolgd door een andere draagstoel, die vlakbij de ijzerwarenwinkel onder een poort had gewacht. Met zijn gouden verflaag, de vele in elkaar verstrengelde bloemmotieven en de roze geborduurde gordijnen leek deze op een van de privé-stoelen waarin de chique vrouwen zich door de stad lieten dragen. Dat misleidde ook de twee lijfwachten.

Plotseling ging alles heel snel.

Zodra de dragers van de bloemendraagstoel de stoel van Byron en Harriet had ingehaald, zetten ze de gesloten draagstoel abrupt neer, precies voor een smalle donkere steeg die naar rechts afboog.

De twee achterste dragers van de bloemendraagstoel trokken tijdens het neerzetten het net open, dat tegen de achterwand hing en waarin drie dikke, met kurken gesloten aardewerken kruiken lagen. De kruiken vielen kapot en de olie stroomde over de straat en vormde een grote plas. De dragers die dat hadden veroorzaakt kregen hoogstens een paar spatten op hun blote benen, want zodra ze de draagstoel, die de steeg blokkeerde, hadden neergezet, sloegen ze bliksemsnel op de vlucht. Ze waren al in de menigte verdwenen voordat de twee lijfwachten en ook Byron en zijn vrienden zelfs maar hadden gemerkt dat er een geraffineerd geplande overval op hen werd uitgevoerd.

Op het moment dat de goudkleurige bloemendraagstoel plotseling stopte, moesten de twee voorste dragers van de draagstoel van Harriet en Byron de stoel neerzetten.

Op hetzelfde moment verscheen er rechts van Harriet een rijzige gestalte met de armen van een aap. Hij hooide Byron een handvol peper en nog iets anders in zijn gezicht, bukte zich het volgende moment naar Harriet, greep haar beet en trok haar ruw van haar plaats en bij hem in de draagstoel. Een tweede, schaduwachtige gestalte rende uit de draagstoel naar de steeg en maakte vrij baan voor zijn handlangers.

Byron was niet in staat haar te hulp te komen. Zijn ogen brandden als vuur en hij kon alleen verblind en hulpeloos naar Horatio en Alistair schreeuwen om hen te alarmeren.

Harriet begon ook te gillen, maar haar gegil werd het volgende moment al verstikt door een in chloroform gedrenkte lap, die een klauwachtige hand op haar mond duwde zodra de boomlange kerel haar aan de andere kant uit de draagstoel de steeg in trok. Een tot twee seconden later vielen daar ook kruiken met olie kapot.

De twee lijfwachten reageerden snel, maar ze dachten waarschijnlijk dat de gemorste inhoud van de gebarsten aardewerken kruiken wijn of een andere vloeistof was waaraan ze geen bijzondere aandacht hoefden te schenken.

Als er geen olie had gelegen, hadden ze een reële kans gehad om de achtervolging op tijd in te zetten en waren ze de ontvoerders niet uit het oog verloren. Maar toen een van de lijfwachten naar voren sprong om zich door de kier tussen de muur en de draagstoel te wringen, gleed hij uit in de plas olie, viel tegen een draagbalk en viel zo ongelukkig voor de voeten van de andere lijfwacht dat deze ook op de grond belandde. Toen ze eindelijk weer op hun benen stonden, wegglijdend in de olie, zich door de kier hadden gewrongen en daar weer dreigden uit te glijden, waren de ontvoerders al spoorloos verdwenen. Ze konden verdwenen zijn achter elk van de vele deuren en poorten, die aan twee zijden van de steeg lagen. Elk spoor van hen en van Harriet ontbrak. Het was alsof ze door de aardbodem waren verzwolgen.

Alistair en Horatio kwamen aanrennen en stuitten op de menigte van kijkers, die om de draagstoelen stonden en hun weg in twee richtingen versperden.

'Wat is er gebeurd?' riep Alistair terwijl hij zich samen met Horatio met veel geduw een weg door de muur van menselichamen baande.

'In vredesnaam, waar is Harriet?'

Byron hoorde alleen hun opgewonden stemmen terwijl ze het kabaal om hen heen probeerden te overstemmen. Hij probeerde zijn ogen open te doen en zag zijn vrienden door de tranen die uit zijn brandende ogen stroomden in een onduidelijk waas.

'Ze hebben Harriet uit de draagstoel getrokken en ontvoerd,' riep hij.

'Wie? Wie heeft Harriet ontvoerd?'

'Ik weet het niet. Alles ging zo verschrikkelijk snel. Het waren twee inheemsen, meer heb ik niet gezien. Een van hen gooide iets in mijn ogen. Ik geloof dat het peper was. Het brandt in elk geval als een gek.'

'Verdomme!' vloekte Alistair woedend. 'Waarom hebben we die twee lijfwachten dan bij ons? Wat een nietsnutten! Ze hebben ze gewoon laten ontsnappen!'

Horatio realiseerde zich wat ze als eerste moesten doen. 'We hebben water nodig! Byron moet zijn ogen meteen uitspoelen!'

Even later hurkte Byron op de rand van de draagstoel en spoelde de peper uit zijn ogen. Wat echter veel pijnlijker brandde dan zijn ogen, die al weer herstelden van de achterbakse aanval, was zijn angst om Harriet. Hij verweet zichzelf dat hij haar ontvoering niet had kunnen voorkomen.

'Je hoeft jezelf geen verwijten te maken, Byron,' zei Alistair. 'Niemand kan iets doen met peper in zijn ogen. De overval was blijkbaar tot in de puntjes gepland. Ik zeg jullie dat dit niet het werk is van een stel plaatselijke misdadigers die op losgeld uit zijn, maar dat het die vervloekte Ordo Novi Templi is!'

'Dat denk ik ook,' zei Horatio. Plotseling zag hij de envelop die op de vloer van de draagstoel lag en hij bukte zich snel. 'En hier hebben we de bevestiging. Op de envelop staan onze drie namen. Ze weten dus zelfs wie we zijn.'

'Allemachtig!' riep Alistair. 'Wat staat er in de brief?'

Horatio scheurde de envelop open en haalde er een correspondentiekaart uit. *'Als jullie miss Chamberlaine-Bourke gezond terug willen hebben, volgen jullie mijn aanwijzingen op. Ga meteen terug naar het Pera Palace. Bij de receptie ligt een brief voor jullie met verdere aanwijzingen. Praat hier met niemand over, als jullie willen dat miss Chamberlain in leven blijft.*

Het is geschreven in foutloos Engels en met een keurig handschrift. De brief is absoluut afkomstig was een landgenoot. Als ondertekening staat er P.B. onder het bericht.'

'Vervloekt satansgebroed!' Alistair schopte woedend tegen de draagstoel. 'Nu hebben ze een aas in handen en kunnen ze ons elk bedrag laten betalen.'

Byron had genoeg van het praten en schelden. 'Vooruit, we gaan terug naar het hotel. En stuur de lijfwachten weg, Alistair. Maar maak ze duidelijk, dat ze moeten zwijgen over de overval en Harriets ontvoering. We mogen geen enkel risico lopen waardoor Harriets leven in gevaar kan komen.

Alistair trakteerde de lijfwachten op een scheldkanonnade en dreigde dat hij ervoor zou zorgen dat ze een afranseling zouden krijgen als ze hun mond niet hielden over de overval. De twee mannen waren blij dat ze niet werden gestraft voor hun schandelijke falen. Ze beloofden maar al te bereidwillig te doen wat de *efendi* van hen verlangden.

In het hotel lag zoals aangekondigd een brief van de ontvoerders in hun postvak. Inmiddels was het branderige gevoel in Byrons ogen aanzienlijk minder geworden, zodat hij in staat was om de tweede aanwijzing zelf te lezen.

'Ga naar jullie kamer en wacht daar tot jullie mijn volgende bericht krijgen, hoe lang dat ook duurt. En houd Mortimer Pembrokes notitieboekje klaar voor uitwisseling. Nogmaals: praat met niemand en probeer al helemaal niet om slim te zijn. Zolang jullie mijn aanwijzingen opvolgen, zal miss C. geen haar gekrenkt worden. Doen jullie dat niet, dan hebben jullie haar dood op jullie geweten. P.B.'

'Nu is goede raad duur,' bromde Alistair. 'Stom van ons dat we niet meteen na de overval in Wenen een of twee revolvers hebben gekocht.'

Horatio schudde zijn hoofd. 'Wat een onzin. Wat hadden we daarmee bereikt? Een wilde schietpartij in een verlaten steeg?'

'Hij heeft gelijk,' viel Byron hem bij. 'En ook nu hebben we niets aan wapens. Of wil je straks bij het overhandigen van het notitieboekje in een wild vuurgevecht met de ontvoerders terechtkomen, zodat Harriet misschien wordt geraakt?'

'Natuurlijk niet,' antwoordde Alistair timide. 'Dat zou ik nooit riskeren. Ik geef net zoveel om Harriet als jullie.'

Dat wist Byron maar al te goed en hij knikte. 'Dan weten we ook wat ons te doen staat. Wie zich ook achter de initialen P.B. verbergt, hij wil alleen in het bezit van Mortimers notitieboekje te komen. Daarom weet ik zeker dat deze Orde van de Nieuwe Tempel erachter steekt. En we kunnen alleen maar hopen dat deze P.B. Harriet inderdaad niets aandoet en haar vrijlaat zodra hij het notitieboekje van ons heeft gekregen.'

Alistair zuchtte hartgrondig. 'Dat betekent dus dat de zoektocht naar het Judas-evangelie hier voor ons eindigt,' stelde hij terneergeslagen vast. 'Zonder Mortimers boekje hebben we geen enkele kans om de louche figuren van de orde voor te blijven.

'Hoe bitter het ook is, onze zoektocht is inderdaad voorbij,' bevestigde Byron. Hij was vastbesloten om niets te proberen. 'Harriets leven is belangrijker dan alle nog zo kostbare papyri.'

'Tja, Murat zal vanavond waarschijnlijk heel teleurgesteld zijn als ik hem niet alleen een flinke som geld schuldig blijf, maar dat de groots aangekondigde speciale voorstelling eveneens in het water valt. Dat wordt de blamage van zijn leven,' zei Alistair. Hij leek zich er niet echt op te verheugen. 'Verdomme, als we vandaag niet naar de bazaar waren gegaan en de spullen door een bode hadden laten ophalen, dan waren we nog steeds in het spel en gingen we morgen niet met lege handen naar Engeland terug, maar vertrokken we met de Xerxes naar Athos.'

'Je had je geld gewoon beter bij elkaar moeten houden en niet alles moeten verspelen,' antwoordde Horatio. 'Dan had je nog altijd je 1000 pond, net als wij.'

'Niemand gaat met lege handen naar Engeland terug, ook Alistair niet,' zei Byron. 'Ik ben nog steeds goed voor mijn woord, dat ik jullie in burcht Negoi heb gegeven. Ik geef jullie alle drie 2000 pond. Ik hoop dat dat de pijn een beetje verzacht.'

'Ongetwijfeld, maar kun je het je wel veroorloven om ons 6000 pond te geven?' vroeg Horatio. 'Het lijkt me niet terecht, Byron. Dat betekent namelijk dat je naast de 5000 pond die je van lord Pembroke hebt gekregen, nog 1000 pond uit je eigen zak moet betalen. Dan sta je er nog slechter voor dan in het begin, terwijl Harriet en ik met 3000 en Alistair met 2000 pond uit dit avontuur komen, wat toch heel behoorlijke bedragen zijn.'

Byron wilde niet liegen tegen zijn vrienden. Ze hadden het recht om de waarheid te weten. 'Jullie hoeven je geen zorgen te maken,' zei hij daarom. 'Er blijft nog genoeg voor me over. Pembrokes cheque, die ik op de ochtend voor ons vertrek op mijn bankrekening heb gestort, bedroeg geen 5000 maar 25.000 pond.'

'Wat?' riep Alistair van zijn stuk gebracht. 'Die schurk heeft jou het vijfvoudige betaald van wat hij ons heeft beloofd? En daar heb je geen woord over gezegd? Dat is het toppunt!'

Horatio was ook verbaasd over het enorme bedrag dat Byron had gekregen, maar het was niets voor hem om jaloers te zijn. 'Iedereen heeft zijn prijs, Alistair,' zei hij schouderophalend. 'En wij waren toch dik tevreden met het bedrag dat Pembroke ons aanbood? Het is niet terecht om Byron nu verwijten te maken. Dat doet me namelijk heel erg denken aan het verhaal over de wijngaard en de dagloners.'

Alistair keek hem geïrriteerd aan. 'Wat voor wijngaard?'

'Nou, de bezitter van die wijngaard nam 's ochtends dagloners aan en beloofde elk van hen een goed loon,' vertelde Horatio. ''s Middags nam de man meer dagloners aan, die nergens werk hadden gevonden en aan het eind van de middag deed hij dat nog een keer. Toen hij 's avonds alle drie de groepen hetzelfde loon uitbetaalde, ik geloof dat het een denarie was, mopperden degenen die voor hetzelfde loon de hele dag in de wijngaard hadden gezwoegd. En als mijn Bijbelkennis me niet helemaal in de steek laat, zei de wijngaardeigenaar tegen een van de verontwaardigde dagloners: "Beste man, ik behandel je toch niet onrechtvaardig? Je hebt toch ingestemd met het loon van één denarie? Neem dan aan wat je toekomt en ga. Ik wil aan die laatsten nu eenmaal hetzelfde betalen als aan jou. Of mag ik met mijn geld niet doen wat ik wil? Zet het kwaad bloed dat ik goed ben?" Dat wil niet zeggen dat ik vind dat Pembroke goed is, maar ik denk dat je wel begrijpt wat ik ermee bedoel.'

Het bloed schoot naar Alistairs gezicht. 'Ik ben helemaal niet jaloers op hem,' zei hij haastig. 'Echt niet, Byron. Ik gun je al dat geld. Maar als we het hadden geweten, hadden we er voor onszelf misschien meer uit kunnen slepen. Dat is alles, echt.'

'Misschien begrijp je het beter als je weet dat lord Pembroke me dat bedrag eerst afhandig heeft gemaakt,' zei Byron. 'Zijn cheque heeft dus alleen het verlies gedekt dat zijn achterbakse intrige me heeft gekost. Maar dat is nu allemaal niet belangrijk meer. Jullie krijgen de 2000 pond, zoals ik heb gezegd, en we praten niet langer over deze kwestie.'

Horatio knikte. 'Ja, op dit moment is niets belangrijker dan dat we Harriet vrij krijgen. Hopelijk horen we snel waar en hoe de uitwisseling moet plaatsvinden.'

8

Hun hoop werd niet vervuld. Uur na uur wachtten ze in het Pera Palace op de volgende aanwijzing van de ontvoerders. Het werd middag en tenslotte liep het tegen de avond.

Door het passieve wachten in de hotelkamer en de onzekerheid raakten ze tot het uiterste gespannen. Byron was ziek van bezorgdheid om Harriet. In deze uren werd hij zich ervan bewust hoeveel ze voor hem betekende.

Toen Byron bij het raam stond en met een bleek gezicht naar de invallende duisternis keek, ging Alistair naast hem staan. 'Je houdt van haar, nietwaar?' vroeg hij zachtjes.

'Ja,' antwoordde Byron net zo zachtjes en meteen drong zich ook een vraag aan hem op die hem al langer bezighield. Hij probeerde hem te onderdrukken, maar moest hem toch stellen. 'En jij?'

Alistair dacht even na. 'Ik begeer haar,' zei hij daarna. 'Dat vind jij misschien niet genoeg, maar zoals ik de wereld zie is het ene net zo goed als het andere.'

Er werd op de kamerdeur geklopt, zodat Byron geen antwoord hoefde te geven. Horatio sprong meteen overeind en deed de deur open. In de gang stond een hotelbediende, die hem een brief overhandigde die net bij de receptie was afgegeven.

Het was het bericht waarop ze al die martelend lange uren hadden gewacht. De brief bevatte de volgende instructies:

Verlaat onmiddellijk jullie kamer en ga naar de foyer. Voor het hotel wacht een koets op jullie. Praat niet met de koetsier en probeer niet om iets over jullie bestemming te weten te komen. Hij weet niets en brengt jullie naar een plek, waar een ander transportmiddel op jullie wacht. Een exemplaar van de Franse krant *Le Moniteur Oriental* van vandaag is het eerste herkenningsteken dat jullie aan het eind van de koetsrit de juiste man hebben gevonden. De volgende zal zich met de *Levant Herald* legitimeren. Praat met niemand op weg naar de koets. Jullie worden in de gaten gehouden. P.B.

'Blijkbaar brengt deze koets ons niet meteen naar de plek waar hij Harriet tegen Mortimers aantekeningen wil uitwisselen. De schoft laat ons dus nog steeds in het ongewisse,' bromde Horatio. 'Wie die P.B. ook mag zijn, hij weet blijkbaar heel goed wat hij doet.'

Byron stopte Mortimers notitieboekje in zijn zak en haastte zich met zijn vrienden de kamer uit. Ze waren te opgewonden om op de lift te wachten en renden de trappen af. Voor de ingang van het hotel wachtte een gewone koets, met een koetsier die net andere gasten weigerde die bij hem wilden instappen. 'Het spijt me heel erg, maar mijn rijtuig is gereserveerd voor de heren Bourke, Slade en McLean.'

'Dat zijn wij!' riep Byron tegen hem en hij sprong in de koets.

De koetsier bracht hen naar de westelijke oever van Galata en stopte voor de aanlegsteiger, waar een hele rij kaiks op klanten wachtte. 'De rit is al betaald, heren. Ik heb de opdracht gekregen tegen u te zeggen dat u hier naar de boot van Harun Ghahib moet vragen,' deelde hij hen bij het uitstappen mee, waarna hij langzaam wegreed.

Ze hoefden niet lang naar de eigenaar van de boot te vragen, want Harun Ghahib verwachtte hen al en gebaarde met een exemplaar van *Le Moniteur Oriental* naar zijn boot.

'En? Waar breng je ons naartoe?' vroeg Alistair toen ze bij hem in de kaik stapten.

'Van hier naar daar,' antwoordde Harun met een brede grijns. Hij greep de riemen en begon krachtig te roeien.

Terwijl de snelle kaik onder de krachtige roeislagen de donkere rivier op schoot, zochten ze op het water naar een andere boot die hen misschien volgde. Door de grote hoeveelheid boten die zich zelfs op dit avonduur op de rivier bevonden was dat echter onmogelijk.

De roeiboot koerste naar de tegenoverliggende haven, maar halverwege veranderde Harun abrupt van richting en roeide stroomopwaarts langs de oever en onder de Oude Brug door. Daarachter lag de oorlogshaven met zijn schepen met kanonnen.

Even later hadden ze hun bestemming bereikt. Harun liet hen bij de Selim-moskee op de steiger van Aya Kapu uitstappen. 'Jullie gaan met een van die koetsen naar jullie vrienden,' zei hij nog. Hij wees naar een chaos van draagstoelen, koetsen en door ossen getrokken rijtuigen, die met elkaar streden om de beste plek op het plein voor de levendige pier. Daarna duwde hij zijn boot met de roeispaan van de kant en verdween uit het zicht.

'Dat kan toch niet waar zijn,' zei Alistair chagrijnig toen ze zagen wie van de koetsiers een nummer van de *Levant Herald* in zijn hand had. 'Met dat rijtuig komen we alleen in slakkentempo vooruit.'

'Wat waarschijnlijk de bedoeling van de ontvoerders is,' zei Byron.

Ze liepen naar de krombenige, tulbanddragende eigenaar van de logge *araba*, een eenassig rijtuig met een dak van stof, dat zowel aan de voorkant als aan de achterkant open was, en een brede zitbank waarop drie personen ruim konden zitten. De araba werd getrokken door twee ossen met flinke horens.

De tandeloze man vergewiste zich ervan dat hij de juiste drie vreemdelingen uit Engeland voor zich had en spoorde daarna de ossen aan.

Voor de koetsier was geen plaats in de araba. De man liep ernaast en stuurde de ossen door ze af en toe te slaan en met een lange stok te duwen.

Byron had de plattegrond van Constantinopel uit voorzorg goed in zich opgenomen en probeerde in gedachten de weg te volgen die de araba nam. Door de duisternis en alle richtingsveranderingen in het stratendoolhof van de heuvelachtige stad was het moeilijk om zich te oriënteren. Toen hij aan hun rechterkant echter een groot park zag, wist hij bijna zeker dat ze zich in de Sultan Sélim-wijk bevonden en langzaam in de richting van de noordwestelijke buitenwijken van Constantinopel reden. Een hele tijd later viel zijn blik op een kerk met een oosters-orthodox kruis, dat onder de bovenste horizontale dwarsbalk nog een tweede balk bezat die een voetensteun symboliseerde.

'Dat moet de St. Dimitri-kerk van de Grieks-orthodoxe gemeente zijn,' fluisterde hij tegen zijn vrienden. Nu is het niet ver meer naar de restanten van de oude stadsmuur.'

'En daarna komt de Turkse wildernis, waar wijd en zijd geen levende ziel te bekennen is,' zei Alistair met een somber gezicht. 'En 's nachts al helemaal niet.'

Een paar straten na de kerk stopte de tulbanddrager bij een groot, met puin bezaaid terrein. Hier waren blijkbaar tientallen huizen van een armenwijk ten prooi gevallen aan een verzengende brand. Ze hadden van Basil Sahar gehoord dat het in deze overvolle stad, waar de huizen bijna allemaal van hout waren, nooit aan branden had ontbroken. Het vuur had de huizen niet zo lang geleden verwoest, want er hing nog steeds een vage brandlucht. Een roedel honden zwierf over het terrein en scharrelde in de puinhopen naar iets eetbaars.

'Hier ik moet brengen,' zei de eigenaar van de araba in gebroken Engels terwijl hij gebaarde dat ze moesten uitstappen. 'Moet wachten. Zal man komen.'

Ze stapten uit de araba, die meteen omdraaide en in de richting verdween waaruit ze net waren gekomen.

'Echt een aantrekkelijke plek voor een nachtelijk rendez-vous,' zei Horatio. 'Onze ordebroeder heeft zijn uiterste best gedaan om ons een paar buitengewone bezienswaardigheden te tonen.'

Byron haalde zijn schouders op. 'Geen slechte plek als je er zeker van wilt zijn dat we inderdaad geen versterking bij ons hebben. Laten we wachten tot onze man opduikt. We kunnen sowieso niets anders doen.'

'Ik zeg jullie dat de ordebroeders ons naar het platteland lokken, waar geen haan ernaar kraait als we straks ergens in ons eigen bloed liggen,' mompelde Alistair, die werd geplaagd door duistere voorgevoelens.

'Praat toch niet zo'n onzin,' ging Horatio heftig tegen hem in. 'Natuurlijk willen ze de politie niet onnodig op hun dak krijgen. En als deze bende echt zo gewetenloos zou zijn en niet zou terugschrikken voor moord, dan hadden ze ons in het rioleringssysteem van Wenen al doodgeschoten. Stop dus alsjeblieft met je onheilspellende pessimisme.'

Er verstreken ruim tien minuten, waarin ze gespannen wachtten tot er eindelijk iemand zou komen. Plotseling zag Alistair een gestalte, die voor hen uit de puinhopen opdook.

'Daar komt iemand!'

'Laat het alsjeblieft allemaal goed gaan,' fluisterde Byron. Zijn hart kromp in elkaar bij de gedachte aan Harriet, voor wie het wachten en de onzekerheid van de ontvoering beslist nog veel martelender was dan voor hen.

9

Een man van middelbare leeftijd en gemiddelde lengte marcheerde met snelle stappen over de puinhopen naar hen toe. Hij had een lantaarn bij zich, waarvan de pit maar zwak gloeide. Hij was niet inheems, wat duidelijk werd toen hij dichterbij kwam, niet alleen door zijn Europese kleding maar ook door het donkerblonde haar dat hij heel kort geknipt droeg.

'Hebben jullie Mortimer Pembrokes notitieboekje?' vroeg hij nors en zonder omwegen in Engels, maar met een sterk accent.

Byron wist meteen dat ze met een Oostenrijker te maken hadden en dat de man waarschijnlijk uit Wenen afkomstig was. Weens-Engels hadden ze gedurende hun verblijf in die stad voldoende gehoord.

'Ja, natuurlijk. Wat dacht je dan?'

'Laat zien,' riep de Oostenrijker.

Byron pakte het notitieboekje en de aansteker, die hij van Alistair had geleend, uit zijn jas. 'Hier is het.'

'Geef hier.' De man stak zijn hand uit.

'Ik pieker er niet over,' zei Byron. Hij knipte de aansteker open, liet hem met een snelle duimbeweging ontvlammen en hield de vlam vlakbij Mortimers notitieboekje. 'Je krijgt het boekje pas als we Harriet hebben gezien en ons ervan hebben overtuigd dat het goed met haar gaat. Als je probeert ons te misleiden, steek ik het notitieboekje in brand. We hebben de achterste lege bladzijden met petroleum doordrenkt. Het zal branden als tondel, dat beloof ik je.' Dat met de doordrenkte bladzijden was weliswaar gelogen, maar dat kon deze louche kerel niet weten.

'Zijn jullie stapelgek geworden? Voorzichtig met die vlam!' riep de man geschrokken. 'Goed dan, houd het voorlopig maar bij je, maar laat me zien of het ook echt het goede boekje is. Houd het omhoog en blader langzaam langs de bladzijden. Ik weet hoe de aantekeningen van Mortimer Pembroke eruit moeten zien.' Met die woorden tilde hij zijn petroleumlamp omhoog en draaide de pit hoger.

Byron sloeg het notitieboekje open, hield het in het licht van de lamp en bladerde langs de bladzijden.

Alistiar werd ongeduldig. 'Verdomme, wil je elke bladzijde bekijken, man?' snauwde hij. 'Het ís Mortimers boekje. En breng ons nu eindelijk naar Harriet. Je hebt ons lang genoeg laten wachten.'

Byron knikte. 'Het is het notitieboek. Je hebt mijn erewoord als heer,' verzekerde hij hem. Hij sloeg het boekje weer dicht. 'En doe nu wat mijn vriend heeft gezegd.'

'Eerst moet ik jullie nog fouilleren op verstopte wapens,' antwoordde de Oostenrijker. 'Ga met jullie rug naar me toe staan en doe je handen omhoog, zodat ik ze de hele tijd kan zien.'

'Idioot,' siste Horatio. 'Geloof je nu echt dat we het leven van miss Harriet op het spel willen zetten?'

'En kom niet op het idee me te overmeesteren en me als gegijzelde uit te wisselen,' waarschuwde de Oostenrijker hen. 'Ik ben bereid om voor onze zaak te sterven, als dat nodig mocht zijn.'

'En wat is jullie záák precies?' vroeg Byron meteen op een provocerende toon.

'Dat gaat jullie niets aan,' antwoordde de ordebroeder, waarna hij spottend verderging. 'Jullie zullen nog vroeg genoeg over ons horen. De hele wereld hoort het als we de openbaring van Judas eenmaal in handen hebben en het inderdaad blijkt te zijn wat onze per ...' Hij stopte plotseling, alsof hij zichzelf eraan herinnerde het geheim van zijn orde niet te verraden.

'Kijk eens aan, de papyri zijn dus al een openbaring geworden,' zei Alistair sarcastisch. 'Nog even en dan wordt deze Judas nog een heilige.'

'Dat is hij al. En hou nu je mond,' snauwde de ordebroeder tegen hem.

Daarna fouilleerde hij hen. Byron lette erop dat de brandende vlam van de aansteker de hele tijd in de buurt van Mortimers notitieboekje bleef. Het was hun enige garantie dat Harriet er heelhuids vanaf kwam.

Eindelijk had de tempelbroeder zich ervan overtuigd dat ze geen wapens bij zich droegen. 'Kom mee,' sommeerde hij terwijl hij zo snel begon te lopen dat ze bijna moesten rennen.

Ze kwamen door de doolhofachtige achterafstraatjes van een woonwijk, die Byron aan de trieste voorsteden van Boekarest deed denken. Hij had het gevoel dat ze in noordelijke richting liepen, maar waar ze zich precies bevonden kon hij niet zeggen. Er viel niet veel maanlicht door de gaten in het wolkendek en er waren te weinig sterren zichtbaar waaraan hij zich had kunnen oriënteren.

Ineens zagen ze aan hun rechterkant de schimmige omtrekken van de restanten van de oude fortificatie van de stad uit de duisternis opdoemen. Meteen daarna bereikten ze een grote opening in de vestingmuur met daarachter een begraafplaats.

'Het wordt steeds gezelliger,' fluisterde Alistair terwijl ze zich langs de dodenakkers haastten. 'Dit is een plek waar Dracula zich kiplekker gevoeld zou hebben. Vooral als hij het bloed van die vervloekte Oostenrijker had kunnen opzuigen.'

'Stop met dat gewauwel,' siste Horatio, wiens zenuwen net zo gespannen waren als die van Byron. 'Je maakt me zenuwachtig.'

'Maak ík je zenuwachtig?' Alistair lachte droog. 'Ik geloof dat je oorzaak en gevolg verwisselt.'

'Kalm, vrienden,' vermaande Byron hen. Hij vermoedde dat Alistair zich net zoveel zorgen om Harriet maakte als Horatio en hij, maar in geforceerd geklets vluchtte om zijn angst niet te voelen. 'Zo meteen komt het tot een uitwisseling en dan is deze nachtmerrie achter de rug. Verliezen jullie je zelfbeheersing nu alsjeblieft niet, maar verman je. Allebei!'

Vlak achter het kerkhof verrees de ruïne van een paleisachtig gebouw. Te oordelen naar de bouwstijl van de paar zuilen die nog overeind stonden, was het een gebouw uit de Byzantijnse tijd, hoewel Byron daar niet helemaal zeker van was.

De Oostenrijker leidde hen over een kronkelpad, dat aan beide kanten werd omzoomd door verwilderde struiken en een paar cipressen. Achter een scherpe bocht, die als de halve ronding van een sikkel door een diep dal liep, verrees een heuvel die was begroeid met bomen en struikgewas. Het ordelid liep naar de heuvel en het leek alsof hij naar boven wilde lopen, maar op het laatste moment draaide hij scherp naar links en na een groep hoge bomen doemde de omtrek van een ander oud gebouw met een door zuilen gedragen ingang op.

Hoe dichterbij ze kwamen, des te meer details konden ze onderscheiden en toen ze nog maar zo'n twintig passen van de ingang waren verwijderd, wist Byron heel zeker dat dit een gebouw uit de Byzantijnse tijd was. De zuilen en de versiering van de gevel vertelden hem dat het in elk geval voor 29 mei 1453 gebouwd moest zijn. Op die dag hadden de islamitische troepen onder Mohammed II het toenmalige christelijke Byzantium namelijk veroverd. Onder de nieuwe naam Stambul was het daarna de hoofdstad van de Osmanen geworden en waren alle grote kerken, ook de Hagia Sophia, in moskeeën veranderd.

Voor het rechthoekige gebouw, dat ongeveer zeventig meter lang en vijftig meter breed was, lag een stapel timmerhout. Er lagen bergen aarde, onder een bergplaats van planken stonden meerdere kuipen voor het mengen van cement en voor de muur lagen grijze zakken opgestapeld. Dat er geen bewakers aanwezig waren om een eventuele nachtelijke diefstal te verhinderen, was alleen te verklaren met het feit dat de ordebroeders ze hadden omgekocht of dat de nachtwakers bij de mannen hoorden die de overval in de Grote Bazaar hadden uitgevoerd.

'Wat zou dat zijn?' fluisterde Horatio. 'Een oud paleis dat wordt gerenoveerd?'

Byron schudde zijn hoofd. 'Daarvoor ontbreken er veel te veel details. Het is te vierkant. Ik zou niet weten waar het ooit voor gebruikt is.'

Even later, toen ze de Oostenrijker door de ingang waren gevolgd en over een breed pad van planken door het donker liepen, wist Byron wat dit voor gebouw was geweest.

'Het is een cisterne, een eeuwenoud waterreservoir.'

10

Uit de diepte van de cisterne staken zeker honderd zuilen met Corinthische kapitelen omhoog. Ze waren minstens vijfentwintig meter hoog en vormden een lange rij. Vanaf de ingang tot de achterste lange muur waren er tien, misschien zelfs twaalf zuilenrijen zichtbaar, die het dak van de cisterne droegen.

Achter de ingang leidde een brede stenen trap naar de bodem van het oeroude waterbekken, dat waarschijnlijk voor de verovering van Constantinopel al niet meer in gebruik was geweest. Misschien was de bron die de cisterne voedde opgedroogd, of was het waterreservoir niet meer gebruikt door een correctie van de muren die de stad omringden.

Byron en zijn vrienden waren echter niet geïnteresseerd in de reden daarvoor en waarom men nu was begonnen met het herstel. Ze zochten in het zuilenwoud naar Harriet.

Naast de naar beneden leidende stenen trap begon een van de lange houten paden, die op steigers rustten, elkaar kruisten en meer dan tien meter boven de grond door het zuilenveld liepen. Op sommige plekken stak het eind van een naar beneden lopende ladder over de rand van de houten paden. Boven hun hoofden waren steigerbalken tussen de zuilen geplaatst en was men begonnen met het bouwen van de eerste looppaden, zodat de herstelwerkzaamheden aan het beschadigde plafond binnenkort ook konden beginnen.

'Tenkrad? Ben jij dat?' riep een harde mannenstem die was gewend bevelen te geven door de hal van de cisterne. Het geluid kwam van iets links van het midden, waar het lichtschijnsel van een lamp op de planken van twee elkaar kruisende paden viel. Het Engels van de man, met een licht Welsh accent, bewees dat hij Engelsman was.

'Ja, perfectus,' antwoordde de Oostenrijker duidelijk onderdanig. 'Ik heb

de mannen bij me. Het is allemaal zoals u het wenste. Ze hebben het notitieboek. Het is het juiste. Daarvan heb ik me overtuigd.'

'Breng ze hiernaartoe,' beval de vreemdeling, die de Oostenrijker met Tenkrad had aangesproken en die blijkbaar de ordetitel 'perfectus' droeg.

Byron wist meteen waar hij deze titel uit de geloofsgeschiedenis van kende. Heel even verwarde dat hem. Het was namelijk niet logisch dat de geloofsgemeenschap, waarin de perfecti een beslissende rol hadden gespeeld,
synoniem was aan de Ordo Novi Templi. In deze situatie had hij echter
geen tijd en geen behoefte om daar langer over na te denken. Inmiddels
hadden ze het midden van de cisterne bereikt en toen de Oostenrijker naar
links afsloeg, zagen ze Harriet.

Byron kromp bij haar aanblik geschrokken in elkaar. Het was alsof er een
ijzeren klemschroef rond zijn borst lag die hem met alle geweld samen-
drukte.

'Allemachtig!' ontglipte het aan Horatio.

'Wat een schoften!' siste Alistair terwijl hij zijn handen tot vuisten balde.

Ongeveer tien passen bij hen vandaan stond Harriet met haar handen
op haar rug gebonden op een houten krukje met drie poten. Een knevel
bedekte haar mond en om haar hals lag de strop van een touw, dat rechts
van haar aan een balk was geknoopt. Als ze van het krukje viel, zou het
touw haar van het pad af trekken, zodat ze boven de afgrond kwam te hangen en haar nek onmiddellijk brak.

Naast Harriet stond een slanke man van misschien vijfenveertig tot vijftig
jaar, die een wijde, zwarte wollen schoudermantel droeg. Zijn haar, dat al
wat grijs begon te worden, was nog korter geknipt dan dat van Tenkrad.
De zijpartijen waren glad geschoren, wat zijn schedel een nog markanter,
maar niet bepaald vriendelijk uiterlijk gaf. Het drukte vreugdeloze strengheid uit en deze strengheid was ook zichtbaar in zijn harde gelaatstrekken.
Links van hem hing aan een dwarsbalk nog een touw, waaraan een mand
was bevestigd. Naast de mand stond een brandende petroleumlamp.

Achter de man, die zonder twijfel de perfectus was, stond op een eerbiedige
afstand van twee tot drie passen nog een ordebroeder. Hij was gedrongen,
hoogstens midden twintig, droeg zijn haar eveneens kort en boven de oren

glad geschoren en had het smalle, spitse gezicht van een fret.

'Stop!' riep de perfectus toen ze nog zo'n tien passen bij Harriet en hem vandaan waren. 'Geen stap verder!'

De Oostenrijker liep haastig naar zijn ordeoverste en de kerel met het frettengezicht toe.

Byron was doodsbleek geworden toen hij Harriet zag en hij moest eerst hevig slikken voordat hij zijn stem terughad. 'Waarom heeft onze vriendin, die jullie niets heeft gedaan, een strop om haar nek?' Hij had moeite om zijn woede en zijn angst om Harriet onder controle te houden.

'Een voorzorgsmaatregel, dat is alles,' zei de perfectus onverschillig. 'Er gebeurt niets met haar als jullie mijn aanwijzingen opvolgen. Het ligt helemaal aan jullie hoe deze kwestie afloopt. Maar vergeet niet: één kleine trap, en de aardse beslommeringen van jullie vriendin zijn voorbij.' Tegelijkertijd zette hij zijn voet op de rand van het krukje.

'Haal de strop eerst van Harriets nek, daarna krijgen jullie Mortimers aantekeningen,' eiste Byron terwijl hij het notitieboekje omhooghield.

De perfectus antwoordde met een geringschattend lachje. 'Idioot! Ik geef hier de bevelen. Pas als ik me ervan heb overtuigd dat jullie me ook echt Mortimer Pembrokes notitieboek hebben overhandigd, laat ik haar vrij. Geen seconde eerder. En als dat zo is, dan heeft jullie vriendin niets te vrezen. We vinden het niet prettig om een mens van het leven te beroven, dat doen we alleen als een dergelijke staf nodig is. De mand, Tenkrad.' Daarna richtte hij zich weer tot Byron, Alistair en Horatio. 'Vang de mand op, leg het notitieboekje erin en laat de mand dan los. Maar doe het voorzichtig.'

De Oostenrijker bukte zich haastig naar de mand en liet hem aan het touw naar voren zwaaien.

Horatio ving de mand op en hield hem vast. Byron legde Mortimers notitieboekje erin en Horatio liet de mand los. Hij zwaaide naar de perfectus terug en omdat Tenkrad het touw tegelijkertijd aantrok, sloeg de mand niet tegen de planken, maar zwaaide op borsthoogte naar de perfectus, zodat deze hem gemakkelijk kon opvangen en het notitieboekje eruit kon pakken.

De perfectus was net naast de petroleumlamp op zijn hurken gaan zitten om het boekje door te bladeren, toen de planken achter Byron en zijn vrienden kraakten.

Voordat ze zich naar het geluid konden omdraaien, riep een stem in onbehouwen, slecht Engels een scherp bevel: 'Niemand zich bewegen, Engelsen! Meteen stil allemaal, anders jullie gaan naar hel van ongelovigen!'

Niet alleen Byron, Alistair en Horatio krompen geschrokken in elkaar, maar ook de perfectus en zijn twee ordebroeders.

Uit de duisternis achter hen waren vier Turkse mannen opgedoken, die waren gekleed in eenvoudige gewaden en een fez op hun hoofd droegen. Twee van hen, onder wie een boomlange kerel, waren met geweren bewapend. De twee anderen hadden pistolen in hun hand. Het was duidelijk dat ze behoorden tot het gespuis van de stad, dat volgens zijn eigen misdadige wetten leefde.

'Ben je nu helemaal stapelgek geworden, Said?' siste de perfectus heerszuchtig tegen de voorste van de twee Turken, die hun pistolen op hen gericht hielden. 'Wat heb je hier te zoeken met je mannen? Jullie hebben jullie loon gekregen en zijn heel royaal betaald. Dus hou je alsjeblieft aan onze afspraak en doe geen ...'

'Meteen mond houden, hond ongelovige, anders kogel in schedel!', onderbrak de aanvoerder met de naam Said hem terwijl hij dreigend met zijn pistool zwaaide. 'Meer geld! ... Alles wat hebben, Engelse hond! ... Ook horloges en wat bevalt! ... Leeg maken zakken! ... En met knie op grond! ... Meteen! ... Allemaal meteen!'

Ook de andere drie schreeuwden bevelen, maar dan in hun eigen taal, en gebaarden dreigend met hun wapens.

'Doe wat hij zegt,' riep Byron haastig terwijl hij Saids bevel opvolgde. 'Op jullie knieën en geef jullie geld en horloges. Als ze ons beroofd hebben, vertrekken ze waarschijnlijk weer. Geen risico's nemen!' Tegelijkertijd haalde hij zijn portemonnee tevoorschijn, waarin maar een bescheiden bedrag aan piasters zat. Zijn geld in Engelse ponden lag samen met Arthur Pembrokes kredietbrief en hun paspoorten veilig achter de dikke stalen deur van de hotelkluis. Alleen het verlies van hun horloges was vervelend, maar daar was overheen te komen. Als Harriet het er maar levend vanaf bracht.

Horatio en Alistair volgden meteen Byrons voorbeeld, haakten de sluitingen van hun horloges los en gooiden hun portemonnee bij die van Byron.

De perfectus piekerde er echter niet over om zich te laten beroven door de mannen die hij voor de overval had ingehuurd en blijkbaar goed had betaald. Waarschijnlijk was hij ook bang om Mortimers notitieboekje kwijt te raken.

In elk geval gaf hij de petroleumlamp een krachtige schop met zijn laars. Terwijl de cilinder door de trap versplinterde en de lamp in de richting van de vier bandieten vloog, verdween zijn rechterhand onder zijn schoudermantel om zijn revolver te pakken. Met een sprong opzij zocht hij dekking achter de Oostenrijker Tenkrad en vuurde tegelijkertijd op Said.

De te haastig afgevuurde kogel miste zijn doel, ketste naast de leider tegen een zuil en verdween als een ricochetschot in de duisternis van de cisterne.

Meteen beantwoordden de vier misdadigers het schot. De meeste schoten van het eerst salvo richtten geen schade aan, maar twee kogels troffen Tenkrad, die met een langgerekte kreet op de grond viel.

De perfectus verspilde geen seconde en vluchtte weg zodra het vuur van de vier Turken weer begon. Hij rende langs de tweede ordebroeder, die verlamd van angst was, en vuurde blindelings achter zich, terwijl hij in de bescherming van de duisternis verdween en blijkbaar naar een zijuitgang van de cisterne vluchtte.

Byron, Alistair en Horatio lieten zich plat op de planken vallen om niet in het kruisvuur terecht te komen. Byron was krankzinnig van angst dat een van de kogels die rakelings van twee kanten over hen heen vlogen Harriet zou raken.

Ze hoorden een kreet die door merg en been ging en meteen weer afbrak, alsof hij was afgesneden, gevolgd door een doffe bonk.

Het kabaal van de geweren en pistolen, dat werd versterkt door de lege cisterne, dreunde nog in hun oren toen Said en zijn handlangers naar hen en de twee op de grond liggende ordebroeders toe renden. Ze gristen de horloges en portemonnees bij elkaar, doorzochten de zakken van de twee neergeschoten mannen en verdwenen daarna haastig met hun buit.

Toen het getrappel van hun blote voeten voorbij de hoofdingang in de nacht wegstierf, sprongen Byron, Alistair en Horatio als op commando op. Achter hen laaiden de vlammen op van de op zijn kant liggende lamp, waaruit steeds meer petroleum sijpelde.

Byron rende naar Harriet toe. Haar gezicht was net zo bleek als een pasgewitte muur en ze beefde over haar hele lichaam. Toch was ze god zij dank ongedeerd. Ze had zelfs geen schampschot.

Snel maakte hij de strop rond haar nek los, gooide het touw over haar hoofd en knoopte de knevel los. Met een verstikte, woedende kreet viel ze in zijn armen.

'Het is voorbij, Harriet. De hemel zij dank dat je niet gewond bent geraakt. Het is opnieuw goed afgelopen,' praatte hij kalmerend tegen haar terwijl hij teder over haar haren streelde. 'We weten wat je hebt doorstaan. Maar zoiets zal niet nog een keer gebeuren, dat beloof ik je. Alles is achter de rug, Harriet. We gaan zo snel mogelijk naar Engeland terug. Lord Pembroke kan naar de pomp lopen met zijn vervloekte Judas-papyri!'

Heel even klampte ze zich aan hem vast alsof ze volkomen krachteloos was en duwde ze haar gezicht snikkend tegen zijn borstkas, maar toen beheerste ze zich. Haar lichaam spande zich en ze maakte zich voorzichtig uit zijn armen los.

'Dank je, Byron … Het … gaat alweer … Het was zo verschrikkelijk … De onzekerheid … En dan die … knevel, die … die me verstikte … En de hele tijd die … die strop om mijn nek,' zei ze terwijl ze de tranen van haar gezicht veegde.

'Deze kerel leeft nog, maar beslist niet lang meer,' zei Alistair achter Byron. Er klonk geen medelijden in zijn stem. 'Die andere is er al geweest. Allemachtig, die is tegelijkertijd van voren én van achteren geraakt. Een staaltje van echte broederlijke liefde.'

Byron liep om de twee ordebroeders heen. Eén blik was voldoende om Alistairs vaststelling te bevestigen. De man met het spitse gezicht lag in een kromme houding op zijn zij op de planken. Twee kogels hadden hem in zijn borstkas getroffen, een derde kogel, die alleen van de perfectus kon zijn, was in zijn rug gedrongen.

De Oostenrijker Tenkrad lag op zijn rug en vocht nog kreunend tegen de dood.

Byron knielde snel naast hem en boog zich over hem heen. 'Wie zijn jullie?' vroeg hij nadrukkelijk. 'Vertel me waar jullie Orde van de Nieuwe Tempel voor staat. Waarom willen jullie het Judas-evangelie absoluut in handen krijgen? En wie is de man die jullie perfectus noemen? Praat tegen me! Je hebt niet lang meer te leven.'

De oogleden van de stervende man fladderden. 'Is ... is ... hij ontkomen ... met het notitieboekje?' vroeg hij moeizaam met een zwakke stem.

'Ja, dat is hij. En hij heeft zijn vlucht afgedwongen door je ordebroeder in zijn rug te schieten,' deelde Byron hem mee. 'Hij is dood. En jij bent dat zo meteen ook. Praat dus!'

Tenkrads mond vertrok alsof hij wilde lachen. 'Markion zij ... geprezen dat hij is ... ontkomen,' fluisterde hij.

'Zei je Markion?' vroeg Byron. 'Zijn jullie misschien aanhangers van de Markion van Sinope die zijn krankzinnige leer in de tweede eeuw heeft ontwikkeld?'

Tenkrad leek hem niet te horen in zijn doodsstrijd of was niet van plan hem daarop antwoord te geven. Heel even verdrong een bijna bevrijde uitdrukking de pijn op zijn gezicht. 'Het is ... gelukt. ... We hebben dit keer ... niet gefaald,' rochelde hij. 'De perfectus zal ... het evangelie vinden. ... De ... waarheid ... zal geopenbaard worden ... Geprezen zijn ... Kain ... en Judas, de echte ... verlichtten ... de overwinnaars van ... de demiurgen.' Bloederig schuim welde uit zijn mond op. Er ging een krampachtige schok door zijn lichaam, waarmee de laatste vonk leven uit zijn lichaam verdween.

'Wat heeft hij gezegd?' wilde Alistair meteen weten.

Ontsteld over wat hij net had gehoord, kwam Byron overeind.

'Niet nu. Later,' weerde hij af. 'Eerst moeten we hier zo snel mogelijk weg en naar de stad terug zien te komen. Stel dat iemand de schoten heeft gehoord.' Hij was in zijn ontdane toestand echter toch niet in staat geweest om uitleg te geven. Bovendien was het niet met een paar snelle zinnen uit te leggen wie Markion van Sinope was geweest en welke overtuigingen hij had vertegenwoordigd.

'Inderdaad,' viel Horatio hem meteen bij. 'Als iemand de politie heeft gebeld en ze ons hier aantreffen, worden we misschien met deze twee moorden opgezadeld. Laten we ons dus haasten, vrienden, en ons uit de voeten maken zo lang we daar nog een kans voor hebben. Of heeft iemand van jullie zin in een rendez-vous met een Osmaanse beul?'

11

Zo snel als ze konden renden ze over het pad terug, haastten zich langs het kerkhof en kwamen bij de brede opening in de oude vestingmuur. Toen ze de woonwijk hadden bereikt en een paar van de kromme steegjes achter de rug hadden, waren ze er pas enigszins zeker van dat ze waren ontsnapt aan het gevaar van gevangenneming. Ze haastten zich verder naar de oever van de Gouden Hoorn.

Gelukkig hoefden ze niet dwars door de stad naar de brug te lopen en daar een Europeaan aan te spreken om hem om bruggengeld te vragen, zodat ze de rivier naar Galata konden oversteken. Horatio had in zijn jaszak nog enkele losse munten gevonden, waaronder een goudstuk met de waarde van een Turks pond. Daardoor konden ze al in het ver stroomopwaarts gelegen stadsdeel Phanar aan boord van een veerboot gaan, die op zijn weg stroomafwaarts ook in Galata aanlegde.

De schok van wat ze hadden meegemaakt zat hen allemaal nog in de benen. Pas aan boord van de veerboot kregen ze langzamerhand hun zelfbeheersing terug.

'Hebben jullie Mortimers notitieboekje echt aan de perfectus gegeven?' wilde Harriet weten.

'Natuurlijk. Dacht je dat we vanwege de papyri jouw leven op het spel zouden zetten?' vroeg Byron enigszins aangeslagen, omdat ze deze mogelijkheid zelfs maar in overweging nam.

'Het spijt me,' zei Harriet meteen. 'Het is gewoon zo moeilijk te geloven dat deze perfectus het boekje nu toch te pakken heeft en dat we daardoor uit-geschakeld zijn. Eerlijk gezegd had ik graag willen weten waar Mortimer het Judas-evangelie heeft verstopt en wat er op de papyri staat.'

'Laten we ons ermee troosten dat die vent het niet gemakkelijk zal krijgen om de verstopplek te vinden,' zei Horatio. 'Een deel van de aanwijzingen ontbreekt en hij weet ook niet wat de "stem van de profeet" is.'

'Helemaal uit het spel zijn we eigenlijk nog niet,' zei Harriet. 'Zelfs als de perfectus ontdekt dat hij naar het klooster in Athos moet, kunnen we hem voor zijn. En als we een geraffineerde hinderlaag voor hem bedenken, kun-nen we het notitieboekje van hem afpakken voordat hij in het klooster naar de icoon kan zoeken.'

'Daar komt helemaal niets van in,' zei Byron meteen energiek. 'Aan zo'n gevaarlijke onderneming beginnen we in geen geval. Dit keer hebben we geluk gehad dat niemand van ons gewond is geraakt. Maar het kan de volgende keer heel anders aflopen. En dat deze perfectus geen consideratie kent, hebben jullie in de cisterne gezien. Hij heeft zijn eigen ordebroeder in de rug geschoten! Nee, daar pas ik voor. Ik vind dat we naar Engeland terug moeten.'

Horatio knikte. 'De kwestie is het absoluut niet waard om ons leven voor te riskeren.'

'Ik denk niet dat we Engeland voorlopig terugzien,' zei Alistair, die tot dat moment verbazingwekkend kalm was gebleven. 'En voor zover ik onze situatie kan inschatten, blijft Athos onze volgende etappe.'

Byron keek geïrriteerd naar hem. 'Heb je daarnet niet geluisterd? Zonder mij, Alistair,' bevestigde hij nog een keer. 'Maar als jij en Harriet zo on-nozel en levensmoe zijn om het nog een keer te willen proberen, dan kan ik jullie natuurlijk niet tegenhouden. Jullie zijn geen kleine kinderen en ik ben jullie gouvernante niet. Ik had alleen gedacht dat jullie verstandiger zouden zijn – zelfs jij, Alistair.'

'Ik pieker er helemaal niet over om zonder jullie aan zoiets te beginnen,' verzekerde Harriet hem snel. 'Je hebt namelijk gelijk. Het zou veel te ris-kant zijn.'

'Ik zie het ook niet zitten om de perfectus in Athos in een hinderlaag te lokken,' zei Alistair. 'Maar dat is ook helemaal niet nodig. Alles blijft namelijk bij het oude, vrienden. We zijn nog in de race, ook zonder Mortimers notitieboekje.'

De anderen keken hem niet-begrijpend aan.

Er verscheen een brede glimlach op Alistairs gezicht. Hij bukte zich, greep in zijn rechterlaars en haalde een rol papier tevoorschijn. 'Hier zijn de laatste tien bladzijden van zijn aantekeningen. Ik hoop alleen dat dit de bladzijden zijn die we nodig hebben om de verstopplek te vinden.'

'Dat kan niet waar zijn,' riep Horatio.

Byron schrok. 'Ben je nou helemaal? Waarom heb je dat gedaan?' snauwde hij tegen hem. 'Stel dat de perfectus had gemerkt dat er bladzijden uit het boek waren gescheurd?'

'Kalm aan, vrienden,' riep Alistair terwijl hij zijn handen afwerend omhoog stak. 'Voordat jullie me aan het kruis nagelen en me veroordelen omdat ik Harriets leven in gevaar heb gebracht, moeten jullie eerst naar me luisteren.'

'Goed dan, vertel,' bromde Byron.

Alistair schraapte zijn keel. 'Mooi, ten eerste heb ik de bladzijden niet zomaar weggeschéúrd, Byron. Toen jij weer eens bij het raam stond, heb het notitieboekje stiekem van de tafel gepakt en ben ik ermee naar de badkamer verdwenen,' vertelde hij. 'Daar heb ik de bladzijden die we nodig hadden heel precies met een scheermesje vlakbij de naad weggesnéden. Daarom had de perfectus, zelfs als hij het boekje heel precies had bekeken, waarschijnlijk niet gezien dat het laatste deel ontbreekt.'

'Maar dat is niet helemaal uit te sluiten,' zei Byron iets minder woedend dan hij daarnet was geweest.

'Bovendien had ik de ontbrekende bladzijden in geval van nood altijd tevoorschijn kunnen halen,' legde Alistair uit. 'In elk geval ontbreekt het beslissende deel van Mortimers aantekeningen in het boekje. En omdat alles goed is gegaan, geloof ik niet dat ik zo verkeerd heb gehandeld. Ik wist dat jij het niet goed zou vinden, Byron. Daarom heb ik het gedaan zonder dat jullie het wisten.'

Harriet schudde haar hoofd. 'Je bent een rare jongen, Alistair. Door en door een gokker, die voor geen enkel risico terugdeinst,' zei ze. In plaats van boos op hem te zijn, lag er voor het eerst sinds haar bevrijding een lach op haar gezicht.

'Ik weet niet wat ik ervan moet vinden, Alistair,' zei Horatio. Hij nam zijn bril van zijn neus en wreef de glazen met zijn zakdoek schoon. 'Je bluf heeft succes gehad, en als je ook nog de juiste bladzijden te pakken hebt, ziet onze toekomst er behoorlijk rooskleurig uit.' Hij zette het ijzeren montuur weer op zijn neus en keek vergenoegd in het rond.

'Dat betekent dus dat alles voor vanavond blijft zoals we het hebben afgesproken,' stelde Harriet vast.

'Dat hangt ervan af of je na alles wat je hebt meegemaakt nog in het casino durft op te treden,' zei Byron.

'Ik ben onder heel andere omstandigheden 's avonds op het touw gestapt,' verzekerde Harriet hem. 'Het lukt me wel. De hoofdzaak is dat Horatio alles heeft wat hij nodig heeft en zíjn kunststuk uitvoert.'

Horatio streek met een enigszins ijdel gebaar over zijn haar, alsof hij wilde nagaan of zijn middenscheiding niet in de war was geraakt. 'Kunststukken zijn dagelijkse kost voor me, vrienden,' zei hij dubbelzinnig en met een geamuseerde glimlach rond zijn lippen.

12

'**M**iss Harriet … heren, daar zijn jullie!' riep Basil Sahar opgelucht toen ze in looppas de hal van het Pera Palace in stormden en daar meteen de wapenhandelaar en zijn lijfwachten tegenkwamen. 'Ik vroeg me al af waar jullie waren. Ik was bang dat jullie misschien van mening waren veranderd.'

'Natuurlijk niet,' zei Byron. 'We zijn alleen … een beetje opgehouden.'

'Ahmet schijnt heel zenuwachtig te zijn. Hij heeft daarnet een boot gestuurd en laten informeren waarom jullie nog niet in het casino zijn,' vertelde Basil Sahar. 'Ik heb de boot teruggestuurd met de boodschap dat er geen reden voor ongerustheid is en dat een grote ster zoals miss Harriet nu eenmaal de allures van een primadonna heeft en geen uren voor haar optreden arriveert.'

Harriet bedankte hem met een zwak lachje voor zijn slimme uitvlucht.

'Maar nu wordt het langzamerhand tijd om te vertrekken. Het is tenslotte al bijna half tien,' waarschuwde de wapenhandelaar, waarna hij ineens achterdochtig naar hen keek. 'Mijn hemel, jullie zien er allemaal behoorlijk aangeslagen uit, als ik het zo mag zeggen. Is er iets gebeurd?'

Alistair vertrok zijn gezicht tot een grimas. 'Alleen een kleine roofoverval. Maar op het verlies van onze portemonnees en horloges na is er niets gebeurd.'

Basil Sahar was geschokt. 'Een roofoverval? Allemachtig, dat is verschrikkelijk. Ik hoop dat de misdadigers jullie niet al te veel geld afhandig hebben gemaakt!'

'Daar is overheen te komen,' verzekerde Byron hem. 'Maar nu hebben we belangrijkere zaken aan ons hoofd dan discussiëren over de verdorvenheid van bepaalde lieden. We kunnen meteen vertrekken als we onze bagage hebben gehaald, onze papieren uit de kluis hebben gepakt en onze hotelrekening hebben betaald.'

'Ik ben zo vrij geweest om het laatste al voor jullie te regelen. En alsjeblieft geen protest of dank,' ging de wapenhandelaar snel verder toen hij zag dat Byron wilde protesteren. 'Het bedrag was niet de moeite waard en het was me een genoegen om de rekening voor jullie te mogen betalen.'

Horatio, Alistair en Harriet haalden hun kamersleutels bij de receptie en liepen al naar de lift, toen de wapenhandelaar Byron tegenhield. 'Wacht heel even. Er is nog iets wat ik onder vier ogen tegen u wil zeggen, meneer Bourke.'

De lift kwam, en toen zijn vrienden zich naar hem omdraaiden en op hem wilden wachten, gebaarde Byron dat ze alvast naar boven moesten gaan en dat hij zich om de spullen in de kluis zou bekommeren.

'Wat is er aan de hand?' vroeg hij daarna verbaasd.

'Ik heb de indruk dat miss Harriet u heel na aan het hart ligt, meneer Bourke,' zei Basil Sahar met een lachje. 'En het is waarschijnlijk niet belangrijk of ze inderdaad uw zuster is, wat ik eerlijk gezegd niet helemaal geloof.'

Byron beantwoordde zijn glimlach. 'Er ontgaat u blijkbaar niet veel, meneer Sahar.'

'U hebt het me ook niet bepaald lastig gemaakt. De blik waarmee u soms naar miss Harriet kijkt, vertelt een aandachtige toeschouwer wat voor soort gevoelens u voor haar hebt. En die zijn beslist niet broederlijk,' zei de wapenhandelaar met een fijn lachje. 'Maar hoe dan ook, ik heb hier iets wat miss Harriet me gisteren heeft gevraagd voor haar te regelen – en weliswaar onder het zegel van discretie.' Uit de zak van zijn blauwe fluwelen jasje, waarbij hij weer eens een opvallende vlinderdas van paarse zijde droeg, haalde hij twee kleine, bruine, glazen flesjes.

'Wat zit daarin?' vroeg Byron gealarmeerd.

'Laudanum,' zei Basil Sahar. 'Verdunde opium dus.'

Byron keek verbijsterd naar de twee bruine flesjes.

'Laudanum is erg geliefd bij vrouwen die zenuwachtig van aard zijn en slaapproblemen hebben,' ging Basil Sahar verder. 'Maar bij een artieste die zo jong en lichamelijk goed getraind is als miss Harriet vind ik het gebruik van laudanum toch enigszins zorgwekkend. Vooral omdat ik het vermoeden heb dat er bij haar misschien een zekere mate van afhankelijkheid speelt, omdat ze meteen twee van deze flesjes bij me heeft besteld.'

'Daarvan heb ik tot nu toe niets gemerkt,' zei Byron terwijl hij aan de nachtmerries dacht waaraan Harriet soms leed. Konden nare dromen, die iedereen waarschijnlijk af en toe had, voldoende reden zijn om zich met laudanum te verdoven?

De wapenhandelaar knikte. 'Dat dacht ik al en met het oog op uw bijzondere genegenheid voor miss Harriet hield ik het voor gepast u hierover te informeren. Ik zal haar de flesjes straks discreet overhandigen. Praat met haar als er een geschikte gelegenheid voor is. U moet er absoluut achter zien te komen waarom ze het verdovende effect van laudanum nodig heeft. En doe uw best om haar ervan te overtuigen dat ze ermee moet stoppen. Laudanum mag de naam hebben dat het onschuldig is en een behaaglijk gevoel opwekt, maar in werkelijkheid is het een gif, dat bij aanhoudend misbruik een vernietigende werking heeft. En dat is het laatste wat ik miss Harriet toewens.'

Byron bedankte hem voor zijn bezorgdheid en verzekerde hem dat hij er bij de eerste de beste gelegenheid voorzichtig met Harriet over zou praten.

Vlak daarna keerden Horatio, Harriet en Alistair terug in de hal. Ze hadden Byrons bagage al meegenomen, omdat de tijd langzamerhand drong.

De wapenhandelaar riep twee krachtige inheemse mannen bij zich, die bij hem in dienst waren en buiten voor de hotelingang hadden gewacht. 'Nemen jullie de bagage. Jullie weten waar het naartoe moet. En vertel meneer Revén dat hij klaar moet staan.'

De enige bagage die ze niet meegaven, was de grote, langwerpige leren tas die ze, samen met veel andere spullen, in de Grote Bazaar hadden gekocht. Deze tas bevatte alles wat ze vanavond nodig zouden hebben.

In de haven van Galata wachtte de grote privé-kaik met zijn vier roeiers, waarvoor de wapenhandelaar zoals afgesproken had gezorgd. Hij benadrukte bij het instappen dat ze de bemanning konden vertrouwen en dat ze na afloop niet bang hoefden te zijn dat ze onaangenaam werden verrast als ze het casino zo snel mogelijk moesten verlaten.

Murat was helemaal van streek toen ze na een korte en snelle overtocht bij zijn drijvende Huis van Geluk aanlegden.

'Allah zij dank!' riep hij met uitbundige opluchting toen ze aan dek stapten. 'U weet werkelijk hoe u een man in spanning moet houden, miss Chamberlain-Bourke!'

Harriet schonk hem een suikerzoet lachje. 'Des te groter is het genot dat u daarna te wachten staat, meneer Murat.'

'Inderdaad, inderdaad,' antwoordde de casino-eigenaar. Hij bood haar zijn arm aan en praatte opgewonden verder. 'Het is allemaal voorbereid. Ik weet zeker dat u niets aan te merken zult hebben. Ik heb me volledig naar uw wensen gericht en kosten noch moeite gespaard. Inmiddels zijn alle kamers op de eerste verdieping leeggehaald. En ik heb, zoals u hebt verzocht, een kamer aan de galerij voor u in orde laten maken. U kunt zich daar omkleden en terugtrekken tot uw optreden, waar mijn gasten met grote spanning naar uitkijken.'

Ze werden nieuwsgierig en verwachtingsvol bekeken toen ze het casino binnenliepen. Murat had een stuk of honderd van zijn rijkste vaste klanten uitgenodigd voor deze speciale voorstelling. Aan de speeltafels werd nog gespeeld, maar in de middenruimte waren de tafels weggehaald en waren gestoffeerde stoelen neergezet. Ze stonden aan beide zijden van het enigszins doorhangende koorddanstouw, dat van de galerij naar het podium liep. De vijf orkestleden, waaronder ook een pianist, die zich verdrongen op een kleine verhoging tussen het podium en de bar, die met een zwarte doek was afgedekt, speelden bekende melodieën.

De galerij was, precies zoals Harriet had geëist, afgesloten met zwarte stofbanen. Ze vielen zo'n anderhalve meter over de balustrade naar beneden in de zaal en op het halfronde podium. De pokertafels waren verdwenen en in plaats daarvan stonden er nu twee rijen stoelen voor twaalf bijzonder bevoorrechte gasten. Hoewel de zwarte banen tot ongeveer halverwege naar beneden hingen, waren ze niet lang genoeg om de vitrines aan de muur helemaal aan de ogen van de casinobezoekers te onttrekken. Als iemand in de zaal zich toevallig omdraaide, had hij nog steeds een redelijk vrij zicht op het kromzwaard. Maar dat risico moesten ze nemen.

'Bent u het ermee eens dat ik het sein geef om met het voorprogramma te beginnen, miss Chamberlain-Bourke?' vroeg Murat, die niet kon wachten tot hij indruk op zijn uitverkoren gasten kon maken met zijn Engelse sterartieste. 'Ik heb vier groepen artiesten geëngageerd. Eerst komen er heel amusante buiksprekers, die het bonte voorprogramma met hun grappen zullen openen. Daarna volgen er drie artiesten op vélocipèdes*. Dan treden er vijf grondacrobaten op die in plaats van botten elastiek in hun lichaam lijken te hebben, en tenslotte heb ik een fantastische goochelaar, die iedereen in de juiste stemming zal brengen voor het hoogtepunt van de avond.'

Harriet knikte met de welwillende arrogantie van een artieste die de prestaties van haar minder beroemde collega's met milde toegevendheid tegemoet trad. 'Doet u dat, mijn beste Murat,' zei ze op een vleierige toon. 'U hebt vast en zeker heel interessante optredens geboekt. Ik trek me met mijn broer en mijn vrienden boven terug. En zorg ervoor dat er niemand naar boven komt en mijn concentratie verstoort.'

'Dat zal niet gebeuren,' verzekerde Murat haar. 'Mijn werknemers hebben duidelijke instructies gekregen om uit de buurt van de galerij te blijven.'

* *voorloper hedendaagse fiets*

379

'Heel mooi, dan staat niets een geslaagde voorstelling in de weg,' zei ze.

Alistair knikte.'Uw gasten zullen nog heel lang over deze avond praten, daar kunt u verzekerd van zijn,' zei hij tegen de casino-eigenaar.

Murats pafferige gezicht straalde als een van olie glanzende vleesknoedel. Terwijl de casino-eigenaar zich naar het podium haastte, het woord tot zijn gasten richtte en belangrijk deed tijdens een bloemrijke en langdradige toespraak, vertrokken ze naar boven.

Murat had weelderige bossen bloemen in de voor hen gereserveerde kamer laten zetten. Het bed was weggehaald en vervangen door vier stoelen. Bovendien stonden er twee zilveren bladen met canapés en zoetigheid en een selectie drank, waaronder twee flessen champagne in zilveren koelers.

Harriet lachte droog. 'Aan zo'n artiestenkleedkamer zou ik heel gemakkelijk gewend kunnen raken. Jammer dat ik niet half zo beroemd ben als Basil Sahar me heeft gemaakt.'

Byron zette de leren tas met de uitrusting neer, liep naar het raam dat uitkeek op de Aziatische kust en het stadsdeel Skutari, en keek naar beneden. 'Onze kaik ligt onder het raam, zoals Basil Sahar heeft beloofd,' deelde hij hen mee.

'Op die man kun je vertrouwen,' zei Alistair terwijl hij de kurk van de eerste champagnefles liet knallen. Op Byrons fronsende blik voegde hij er grijnzend aan toe: 'Zoiets kunnen we toch niet laten verpieteren, vrienden. Bovendien zou het onbeleefd zijn om Murats vriendelijke gebaar te versmaden.'

'We hebben een helder hoofd nodig voor datgene wat we van plan zijn,' maande Byron.

'En dat zullen we ook hebben,' antwoordde Alistair vrolijk. 'Een tot twee glaasjes brengen ons niet van ons stuk, maar helpen ons juist op gang.'

Terwijl Horatio de leren tas uitpakte en alle attributen op de grond uitspreidde, liet Harriet zich op een fluwelen stoel vallen. Ze schudde zwijgend haar hoofd toen Alistair haar een glas parelende champagne voorhield.

Horatio keek haar onderzoekend aan. 'Weten jullie wat? We komen tijdens het voorprogramma al in actie en wachten helemaal niet tot Harriet op het koord staat. Ik geloof namelijk dat de ontvoering en het vuurgevecht in de cisterne haar behoorlijk hebben aangegrepen.' Harriet protesteerde meteen en beweerde het tegendeel.

Byron viel haar snel in de rede. Hij had dezelfde indruk als Horatio. 'Nee, je gaat het podium niet op. Horatio heeft gelijk. Bovendien sluiten we daardoor ook het risico uit dat je straks niet snel genoeg van het podium af bent. En als er iets misgaat terwijl jij nog op het koord balanceert, ziet het er somber voor je uit.'

Alistiar was het met hem eens. 'Ik ben er ook voor om het zo snel mogelijk achter de rug te hebben. Dat op de zenuwen werkende wachten tot het voorprogramma eindelijk voorbij is, brengt me alleen maar in de verleiding om nog meer van deze kostelijke drank te nemen.'

Harriet deed niet eens een poging om hen op andere gedachten te brengen.

'Goed, aan het werk dan,' zei Byron. 'laten we Murat de sensationele voorstelling geven waarnaar hij zo hunkert, al is het dan met een paar kleine wijzigingen in het programma.'

13

Het verloop van hun handelingen hadden ze meerdere keren tot in de kleinste details besproken. Ze wisten allemaal wat ze wanneer moesten doen. Alleen Harriet had nu geen taak.

Daarom gaf Byron haar een deel van datgene wat onder Alistairs verantwoordelijkheid viel, zodat ze zich niet helemaal nutteloos voelde. 'Jij doet het poetskatoen en het touw. Steek de kaars maar aan.'

Harriet knikte, zocht tussen de door Horatio klaargelegde spullen bij elkaar wat ze daarvoor nodig had en stak de lont van de kaars aan.

Alistair klemde een op elkaar gevouwen baan zwarte stof onder zijn arm, stak vier grote veiligheidsspelden in zijn mond, zodat hij ze meteen bij de hand had, en stopte een paar leren handschoenen in zijn colbertzak.

Intussen knoopte Horatio zijn zwarte 'werkvest' dicht, dat hij tegen het colbert van zijn kostuum had verwisseld. Het vest, dat hij uit Engeland had meegenomen en dat een vast onderdeel van zijn uitrusting vormde, bezat net als een jagersvest heel veel lussen en zakken van verschillende afmetingen. Hij pakte een gordel, die was voorzien van twee brede leren riemen, die op zijn borst en rug kruisten en tussen zijn benen door liepen. Op de plek waar de twee gordels op zijn rug kruisten, was een leren lus bevestigd.

Terwijl Horatio nog bezig was om de gordel recht te hangen en met de gespen zo strak mogelijk te trekken, pakte Byron twee kleine rollen zwart geschilderd touw en twee haken met schroefdraad. Op zijn teken deed Alistair het licht in de kamer uit, zodat alleen de kaars nog brandde.

Zachtjes deed hij de deur open, liep de galerij op en controleerde of er inderdaad niemand boven was. Er klonk gelach in de zaal. Op het podium stonden de twee buiksprekers. Ze hadden zich als paleisdienaren verkleed en vertelden hun grappen. Het leek een spotgesprek tussen een stoffen ezel en een levensgrote mannelijke pop, die afgaand op zijn kostuum waarschijnlijk de sultan voorstelde.

Byron trok zich snel bij de balustrade terug, bukte zich en sloop in de bescherming van de afgedekte galerij naar de rechtermuur van het casino. Na zes tot zeven stappen knielde hij en legde het eind van een koord, dat al tot een lus was geknoopt, om een van de meegebrachte haken. Daarna schroefde hij deze iets boven enkelhoogte in het zachte hout van de muur. Nadat hij het touw strak had getrokken, bond hij het andere eind op dezelfde hoogte aan de onderste messing stang van de balustrade. Daarmee zat de eerste van de twee struikelvallen op zijn plek. Gebukt liep hij over de galerij naar de overkant en bracht daar de tweede struikelval aan.

Even later stond hij weer in de kamer. 'De kust is veilig en de touwen zijn gespannen.'

Horatio zag er in zijn brede leren tuig uit als een bouwvakker die op duizelingwekkende hoogte werkte, zoals op de hoge stalen geraamten van een van de wolkenkrabbers die in Amerika en ook in Europa steeds meer in de mode kwamen. In de leren lus op zijn rug had Alistair twee dunne stalen draden met aan het eind een haak bevestigd. De ene draad had een lengte van tien meter en lag opgerold achter hem op de grond. De andere, die een lengte van zo'n vijftig centimeter had, hing van de riemlus naar beneden en liep onder zijn rechteroksel naar zijn borst; Horatio had de haak die aan het eind zat in een lus gehangen.

Uit de halsuitsnijding van het vest stak een donkere bundel stof. Onder de stof tekenden zich meerdere dunne metalen stangen af. In een van de zakken zat een soort ijspriem, die niet over een, maar over drie vlijmscherpe punten beschikte.

'Ik ben er klaar voor,' zei Horatio zachtjes. 'Als jullie dat ook zijn, kunnen we tot actie overgaan.'

'Wat mij betreft kunnen we beginnen,' zei Alistair onduidelijk, omdat de vier grote veiligheidsspelden uit zijn mond staken.

'Eén moment,' zei Byron. Hij stopte net als Alistair een paar leren handschoenen in zijn linker colbertzak, hing een derde draad, die niet met Horatio's ruggordel was verbonden over zijn schouder en schoof een merkwaardig ijzeren voorwerp ter grootte van een hand, waaruit aan een kant twee rijen met elk zes nagellange ijzeren stekels tevoorschijn kwamen, in zijn andere zak. In het midden van het voorwerp hing een dunne ijzeren ring aan een duimlange smalle ijzeren stift.

'Ik hoop dat je de draagkracht van de draden en ringen goed hebt uitgerekend, Horatio,' zei Harriet ongerust toen ze zag dat Byron ze pakte.

'Maak je geen zorgen, dat spul houdt het wel,' verzekerde Horatio haar terwijl hij zijn bril recht zette. Het korte aanraken van zijn bril was de enige aanwijzing dat hij inwendig minder beheerst was dan hij deed voorkomen.

Vanuit de zaal drong applaus tot hen door. De buiksprekers waren blijkbaar klaar met hun optreden.

Harriet pakte de kaars en zette hem helemaal achteraan tussen twee bossen bloemen. Nu was er nog maar een zwak lichtschijnsel zichtbaar.

Voorzichtig deed Byron de deur open, stapte naar achteren en rolde de loper op, zodat de houten vloer kaal voor hem lag. Daarna knikte hij naar Alistair. Deze stond het volgende moment naast hem bij de balustrade. Op het podium onder hen begonnen de artiesten op de vélocipèdes met hun voorstelling.

Alistair vouwde de zwarte doek uit. Intussen maakte Byron de eerste band los, waarmee de middelste van de aan de galerij hangende doeken aan de balustrade was bevestigd. Alistair trok een veiligheidsspeld tussen zijn tanden vandaan en bevestigde het ene eind van hun baan stof aan het corresponderende eind van de naar beneden hangende stof. Even later waren ook de drie andere banden losgemaakt en was Murats zwarte stof met die van hen verbonden.

Horatio hurkte achter hen.

'Zo, nu komt het gevaarlijkste deel, oude geveltoerist,' fluisterde Alistair tegen hem terwijl hij de twee aan elkaar verbonden stofbanen strak hield. 'Je kunt optreden, meneer de artiest!'

Horatio knikte, liep diep gebukt naar de balustrade, wikkelde de ijzeren draad die aan de ruggordel was gehaakt een keer rond de bovenste messing stang en trok de draad daarna langzaam rond de stang tot hij weerstand bij de ruggordel voelde. Hij zette, nog steeds in gebukte houding, zijn linkervoet op de middelste balustradestang en schoof daarna heel langzaam, om geen opvallende bewegingen te veroorzaken, over de bovenste stang.

Tegelijkertijd trok Alistair de stof aan, zodat Horatio erdoor verborgen was, maar niet in de stof verstrikt raakte. Onder bescherming van de stof liet Horatio zich nu langzaam met zijn hoofd naar voren naar beneden zakken.

Met behulp van het gecompliceerde mechanisme dat hij had bedacht, kroop hij als een spin ónder de galerijvloer langzaam in de richting van de glazen vitrine, die vlak achter de rug hing van de argeloze casinobezoekers die op de achterste rij stoelen op het podium zaten.

Het bleek aanzienlijk moeilijker te zijn dan hij had gedacht. Achter het gordijn was nauwelijks licht en al helemaal niet bij de muur boven de vitrine. Het maakte het er niet gemakkelijker op dat het bloed naar het hoofd schoot, omdat hij met zijn hoofd naar beneden hing.

Hij was graag even gestopt om uit te rusten, maar dat zou niets veranderen aan het drukkende gevoel in zijn hoofd. Bovendien klonk er opnieuw applaus in de zaal, wat betekende dat de derde act van het voorprogramma het podium zo meteen zou betreden en dat ze niet veel tijd meer hadden.

Van boven gezekerd door Byron en Alistair, kroop Horatio verder langs de geleidedraad, tot hij eindelijk bij de glazen vitrine met het kromzwaard was. Hij stopte en haalde een bundel valse sleutels tevoorschijn, die hij met uitzondering van de baard had omwikkeld met dunne repen stof, om gerinkel te vermijden. Op dit moment zou niemand in de zaal dat echter horen, omdat de grondacrobaten het applaus van de toeschouwers in ontvangst namen. Nu was er langzamerhand niet veel tijd meer over, want de voorstelling van de goochelaar zou waarschijnlijk niet zo lang duren.

Horatio hing recht voor de vitrinekast terwijl hij naar de juiste loper voor de twee sloten zocht. De eerste poging mislukte, maar tot zijn opluchting had hij bij de tweede poging de passende sleutel al te pakken. Hij maakte de sloten open, stopte de bos valse sleutels weer in zijn zak en knoopte hem dicht. Daarna schoof hij nog dichter naar de vitrine toe, deed het raam open en lette erop dat de scharnieren geen geluid maakten terwijl hij het raam naar beneden liet klappen.

Hij boog naar voren, reikte naar het kromzwaard, tilde het voorzichtig, alsof het een rauw ei was, uit zijn houders, duwde de brede kling met zijn linkerarm stevig tegen zijn borstkas en draaide de knop van het handvat open. Een gevoel van genoegdoening, van triomf zelfs, zoals hij maar zelden bij zijn inbraken had beleefd, stroomde door hem heen toen zijn vingers de holle ruimte aftastten en hij het rolletje papier voelde.

Nu moest hij alleen nog zo snel mogelijk terug naar de galerij.

14

Horatio's terugkeer ging sneller dan ze hadden gepland. Hij wilde net de knop met de smaragd weer op het handvat schroeven toen er plotseling een verbaasde vrouwenstem klonk. 'Kijk toch eens, Charles! Op de galerij hangt een artiest! Heeft hij een zwaard in zijn hand? Wat heeft meneer Murat allemaal voor opwindende verrassingen bedacht!'

Het volgende moment volgden er korte, scherpe en gealarmeerde kreten in het Turks, die beslist voor Murat waren bedoeld, want hij hoorde het woord 'Saladin'. Waarschijnlijk vertelden de casinomedewerkers hem wat er onder de galerij gebeurde.

Horatio voelde de schrik in zijn benen. Achteloos liet hij het kromzwaard en de smaragden knop vallen en riep naar boven: 'Inhalen! Trek zo hard als jullie kunnen!' Daarna stopte hij het rolletje papier tussen zijn tanden en beet er stevig op.

Terwijl onder hem iedereen van zijn stoel sprong en de goochelaar met een onthutste gezichtsuitdrukking zijn optreden beëindigde zonder dat iemand nog naar hem keek, trok Byron zo hard mogelijk aan het touw. Alistair hielp mee, keek intussen over zijn schouder riep naar Harriet: 'Steek het poetskatoen in brand en zet het raam open!'

Ook zonder Alistairs geschreeuw wist Harriet wat ze moest doen. Bij de eerste gealarmeerde kreten uit de zaal had ze de emmer gepakt. Haastig stak ze een lucifer aan en gooide die in de emmer, die voor de helft was gevuld met harsspanen en poetswol die met petroleum was doordrenkt. Er volgde een steekvlam. Harriet gaf het vuur een tot twee seconden de tijd om aan te wakkeren en gooide daarna meerdere kort gesneden, vuistdikke bundels vochtig stro op de vlammen. Er volgde meteen een enorme rook-ontwikkeling.

'Brand! ... Brand!' brulde Alistair met een snerpende stem naar de zaal onder hem, zodra de eerste dichte rookwolken achter hem uit de kamer-deur stegen. 'Brand! ... Red wie zich redden kan! Zo meteen staat het hele casino in brand!'

Intussen probeerde Horatio vertwijfeld op de galerij terug te komen. Byron had de trekdraad veel speling moeten geven, zodat Horatio de vitrine had kunnen bereiken. Doordat Byron en Alistair nu zo hard mogelijk aan het touw trokken, maakte Horatio een zwaaibeweging naar de stoelen op het podium. Hij botste tegen de gasten die daar opsprongen en gooide twee van hen om. Stoelen vielen op de grond en iedereen schreeuwde door elkaar. Hij zwaaide weer terug, en terwijl Byron en Alistair aan het touw bleven trekken, zwaaide hij opnieuw in de richting van het podium, maar nu een stuk hoger.

Gelukkig snerpte op dit moment Alistairs kreet dat er brand was uitgebroken door het casino. Waarschijnlijk dacht niemand er daarom aan om naar zijn benen te grijpen en hem vast te houden. Iedereen wilde alleen zo snel mogelijk het casino uit en naar de boten toe.

Basil Sahar, die een plek op het podium had gehad, rende de treden af en brulde alsof het was afgesproken: 'Eruit! ... Zo snel mogelijk! Het casino brandt zo meteen als een fakkel!' Tegelijkertijd stormde hij naar de uitgang, om naar de achterkant te komen, waar de grote kaik onder het raam van de provisorische kleedkamer van Harriet lag.

Horatio liep een paar pijnlijke kneuzingen op, maar toen pakten zijn vrienden hem beet, trokken hem over de balustrade en bevrijdden hem van de ijzeren draad.

'Heb je het?' vroeg Alistair haastig.

Horatio haalde de rol papier tussen zijn tanden vandaan. 'Ja, hier is het.' Snel stopte hij de rol in een van zijn vestzakken.

'Nu zo vlug mogelijk naar buiten!' drong Byron aan. 'Zo meteen breekt de hel hier los.'

Het henneptouw met de ijshaak, die Harriet achter de vensterbank had gehaakt, hing al langs de muur naar beneden. De hevig rokende ijzeren emmer had ze links voor de deur op de galerij neergezet. Zodra ze zag dat Horatio heelhuids terug was, klom ze uit het raam en gleed langs het touw naar beneden.

Alistair, Horatio en Byron volgden vlak achter haar. Ze hoefden maar een paar stappen te doen om de kaik te bereiken. Niemand schonk aandacht aan hen, want het enige wat iedereen in zijn hoofd had, was zichzelf in veiligheid brengen en in een van de pendelkaiks of particuliere boten stappen.

Nauwelijks waren ze bij de vier roeiers in de kaik gesprongen, die klaar was om af te varen, toen Basil Sahar opdook. Hij had net zoveel haast als de anderen, maar dan om heel andere redenen. Door zijn corpulentie zwaaide zijn bovenlichaam als een zware zak van rechts naar links, alsof hij niet goed wist naar welke kant hij moest omvallen. Met een stralend gezicht kwam hij aanstampen. Hij leek zich kostelijk te amuseren en belandde met een onbeholpen sprong bij hen in de boot, waar twee sterke armen hem opvingen en voorkwamen dat hij overboord sloeg.

'Vooruit, roeien!' riep hij tegen de bemanning, greep een al klaarliggende grote slappe hoed, die hij snel op zijn hoofd zette, en sloeg een wijde donkere schoudermantel om die zijn opvallende kleding verborg. 'Wat een fantastische voorstelling! Er zal nog jaren worden gepraat over dit dappere huzarenstukje!'

Hoe het 'dappere huzarenstukje' zou aflopen, stond echter nog lang niet vast, want ze waren nog maar een paar meter van het Huis van Geluk verwijderd, toen Murats woedende stem over het water schalde. Hij schreeuwde naar zijn mannen, waartoe ook gewapende bewakers hoorden, en wees telkens weer naar hen.

'Verdomme,' vloekte Alistair. 'Hij heeft ons ontdekt! Nu krijgen we zijn hele bende op onze nek!'

'Hemel!' riep Harriet verbeten. 'En we hadden zo gehoopt dat we in de algemene chaos ongemerkt konden verdwijnen. Zo meteen hebben we een paar van Murats pijlsnelle kaiks achter ons aan.'

En die kerels hebben wapens,' zei Horatio met een bezorgde gezichtsuitdrukking. 'Dat kan nog slecht aflopen!'

'Dat was een mogelijkheid,' zei Basil Sahar kalm. 'En daarom heb ik voorzorgsmaatregelen genomen. Murats mensen hebben geen schijn van kans om ons in te halen. We zullen hen een hak zetten! De kerels die zo meteen de achtervolging inzetten, zullen verbaasd staan.' Hij begon tegen zijn roeiers te roepen. 'We zetten geen koers naar de Galata-haven, maar naar de Leandertoren, jullie weten wel. En als jullie de kaik vleugels geven en laten vliegen, krijgen jullie allemaal een bonus van twee goudstukken!'

De vier gespierde mannen grijnsden en deden nog meer hun best. De boot schoot pijlsnel door de nachtelijke rivier, alsof hij inderdaad elk moment in de lucht kon opstijgen.

'Wat gaan we bij de Leandertoren doen?' vroeg Byron verbaasd. 'Dat is toch dat piepkleine eiland midden in het water waarop een vuurtoren staat! Daar kunnen we ons nooit voor onze achtervolgers verstoppen!'

'Wacht maar af, meneer Bourke,' antwoordde Basil Sahar. 'Je hoeft niet net als Aladin een wonderlamp te hebben om als een geest in lucht op te lossen.' Hij bukte zich naar de mand die onder zijn zitplank stond en met een stuk oud zeildoek was afgedekt, trok het doek weg en haalde twee sein-lampen tevoorschijn. De een brandde rood, de ander groen.

'Ik hoop dat hij weet wat hij doet,' mompelde Alistair sceptisch terwijl ze met krachtige slagen naar het kleine rotseiland voeren.

De vuurtoren met zijn op een minaret lijkende spits en een aansluitend gebouw, dat een periode als quarantainestation en later als douanekantoor was gebruikt, stak ongeveer een kwart mijl voor de oever van Skutari uit de Zee van Marmara. Hij was in de achttiende eeuw op het smalle ei-land gebouwd. Vanaf het eiland hadden de bewoners van Constantinopel in de Byzantijnse tijd tijdens oorlogen een zware ketting dwars over de Bosporus gespannen, om vijandige schepen de invaart te beletten. Zijn Europese naam had de Leandertoren te danken aan een legende. Volgens dit verhaal zwom Leander elke nacht naar haar geliefde Hero. Toen de fakkel die haar de weg wees op een nacht doofde, raakte ze haar oriëntatie kwijt en verdronk. De Turken noemden de vuurtoren 'Meisjestoren' en de legende die bij deze naam hoorde was niet minder tragisch. Een prinses had van een waarzegger te horen gekregen dat ze vergiftigd zou worden en zou sterven. Om haar te beschermen was ze in de toren opgesloten. Ze ontsnapte echter niet aan haar lot, want ze werd gedood door de beet van een gifslang die in haar fruitmand terechtgekomen was.

De kaik schoot al snel door de zeestraat tussen het vuurtoreneiland en de Aziatische oever. Zodra ze ter hoogte van de vuurtoren waren, stuurden de roeiers de boot scherp naar links. Daarmee kwamen de vuurtoren en het gebouw met zijn door zuilen gedragen overkappingen tussen hen en de drie smalle kaiks te liggen die de achtervolging hadden ingezet.

Basil Sahar pakte de twee signaallampen en zwaaide ze kruislings heen en weer.

'Wie zou hij een teken willen geven?' vroeg Horatio verbaasd. 'Zien jullie iets?'

Alistair staarde net als zijn vrienden over het open, vrije wateroppervlak, waarop wijd en zijd geen boot te zien was. 'Ik zie niets.'

'Jawel!' riep Harriet het volgende moment. 'Er steekt iets uit het water ... Iets donkers ... Het is rond, net als de rug van een walvis. En het komt op ons af!'

'Heilige zeemeermin, dat is geen walvisrug, maar de romp van een onder-zeeboot,' riep Alistair.

'Inderdaad, waarde vrienden. Ik dacht dat de gelegenheid gunstig was om jullie een blik in de toekomst van de oorlogsmarine te gunnen,' riep Basil Sahar vergenoegd. 'Maar nu moeten we snel zijn! We moeten aan boord van de Argonaut VI zijn voordat Murats mannen ons weer in zicht hebben.'

'Moeten we in zo'n blikken doos stappen en onderduiken?' vroeg Horatio ontzet terwijl de onderzeeboot geluidloos dichterbij gleed. In het open luik stond een man met een touw in zijn hand. 'Die dingen hebben beslist nog duizend kinderziektes.'

'Misschien wel, maar het alternatief is dat we zo meteen beschoten wor-den,' zei Byron, die het ook geen prettig idee vond om in de onderzeeboot te klimmen.

Ze hadden niet veel tijd om daarover na te denken, want de onderzeeboot was al langszij gegleden. Het touw vloog naar hen toe en Basil Sahar drong erop aan dat ze overstapten en zo snel mogelijk via het luik naar binnen gingen en langs de ijzeren ladder naar beneden klommen. De zeeman lette erop dat ze niet uitgleden op het dek. Nog voordat het luik dicht was dreef de kaik in een gezapig tempo verder. Als Murats mannen hem hadden in-gehaald, zouden ze geen vreemden in de boot aantreffen. En de inheemse roeiers zouden beweren dat ze geen Engelsen aan boord hadden gehad en dat Murats mensen zich vergist moesten hebben. Want waar hadden de Engelsen dan plotseling naartoe moeten verdwijnen, midden op het water?'

In de onderzeeboot was het beklemmend krap. Byron en zijn vrienden had-den op aanwijzing van een slanke man met een kortgeknipte volle baard, die duidelijk de commandant was, voor in de boegruimte plaatsgenomen, twee rechts en twee links. Overal zagen ze een chaos van buizen, ijze-ren handwielen, hendels en bedieningsinstallaties. Achter de ronde glazen ramen bewogen wijzers over de schaalverdeling van meetinstrumenten met cijfers en percentages. De bodem onder hun voeten bestond uit ijzeren roosters, waardoor de ingewikkelde technische apparatuur in het onderste deel van de romp zichtbaar was. Aan de achterkant van de boot klonk het ratelende geluid van een machine.

'Hier zou ik kunnen leren bidden,' mompelde Alistair, die voortdurend slikte alsof hij tegen opkomende misselijkheid vocht.

Horatio hield zich krampachtig aan een ijzeren greep vast, zodat zijn knokkels wit onder zijn huid schemerden. 'Ik heb heel wat fantasie,' zei hij, 'maar ik had nooit kunnen denken dat ik mijn graf in een samengedrukte stalen doodskist op de bodem van de Bosporus zou vinden.

'Kalm maar, Basil weet vast wel wat hij doet,' fluisterde Byron. 'Hij maakt niet de indruk dat hij levensmoe is.'

'Maar een beetje gek is hij wel,' antwoordde Alistair meteen met een hese fluisterstem. 'En bij zulke mensen weet je nooit op welk moment ze de grens naar krankzinnigheid overschrijden.'

De commandant gaf snel achter elkaar een serie opdrachten in het Frans aan zijn drie bemanningsleden, die daarop hendels omzetten en aan ijzeren wielen draaiden.

Er klonk een gedempt, dreigend gesis. Op hetzelfde moment versnelde het geratel van de machine en dook de onderzeeboot met de boeg naar beneden. Een paar seconden later, wat voor het gevoel van Byron en zijn vrienden echter aanzienlijk langer duurde, stierf het sissen weg en richtte de romp zich weer op.

'Zo, nu hebben we voldoende water boven ons om niet gezien te worden en ook niet met een scheepskiel in botsing te komen,' verkondigde Basil Sahar. 'En sta me nu toe om jullie *mon cher capitain* Jules Revén voor te stellen.'

De Franse kapitein knikte vanaf zijn commandopost kort naar hen, waarna hij zijn aandacht meteen weer op de instrumenten richtte.

'Hij was zo vriendelijk om op mijn verzoek in te gaan en dit nachtelijke tochtje onder het wateroppervlak de Bosporus met een gereduceerde bemanning te maken,' ging Basil Sahar opgewekt verder. 'Gewoonlijk zijn er zeven mannen aan boord. Maar dan zou er voor jullie en mij geen ruimte zijn geweest. En de mannen die anders de twee torpedobuizen bedienen, zijn vandaag niet nodig. Hoewel het natuurlijk een verleidelijk idee is om zo'n torpedo op Murats casino af te vuren. Vinden jullie de Argonaut VI geen prachtig stukje moderne techniek?' Hij keek vol verwachting naar hen en zag alleen gespannen, bleke gezichten.

'Een heel normale stoomboot die op het water vaart was ook goed geweest,' mompelde Horatio.

De wapenhandelaar lachte. 'Ach, ik moest jullie dit gewoon laten zien. Het is mijn knaller van het moment en gebaseerd op de ontwerpen van de Amerikaanse onderzeebootbouwer John Holland. Deze *submersible*, zoals de Franse ingenieurs de duikboot noemen, heeft een lengte van bijna 90 voet, een waterverplaatsing van 65 ton, wordt aangedreven door een gecombineerde diesel-elektromotor, beschikt over maar liefst 564 accumulatoren die tijdens een vaartocht op diesel op het water weer opladen, maakt onder water ruim 5 knopen en kan een diepte van ongeveer 80 voet bereiken.'

'Heel interessant,' mompelde Horatio. 'Maar ik zou liever weten wanneer we opduiken en weer veilige grond onder onze voeten hebben.'

Basil Sahar lachte vrolijk. 'Je bent hier zo veilig als in Abrahams schoot,' verzekerde hij hem. 'Maar voor jullie geruststelling: kapitein Revén vaart maar een klein rondje met ons. Over een paar minuten duiken we achter de punt van het Aziatische vasteland weer op en daar wacht onze kaïk op ons.'

'God zij dank,' zuchtte Horatio.

'We leggen nog voor middernacht aan in de baai van Haidar Pascha, waar ik kamers in hotel Mahallé heb gereserveerd en waar jullie bagage al naartoe is gebracht,' vertelde Basil Sahar. 'Het hotel is weliswaar lang niet zo goed als het Pera Palace, maar de leiding is in handen van Europeanen en het is tenslotte maar voor een nacht. Morgenochtend nemen jullie de Skutari-veerboot en dan zijn jullie in een handomdraai in de haven van Stambul, waar jullie aan boord van de Xerxes kunnen gaan.'

Tien minuten later doken ze tot hun opluchting eindelijk weer op. Ze stapten over in de grote kaïk, die hen naar de baai van Haidar Pascha bracht, waar sinds de bouw van de Anatolische spoorlijn een haven en een snel groeiende plaats met een Europese karakter was ontstaan.

Byron en zijn metgezellen wilden na wat ze deze dag en avond hadden doorstaan dolgraag nog een tijdje onder elkaar zijn en een eerste blik op de papierrol uit het handvat van het kromzwaard werpen.

Basil Sahar stond er echter op om de geslaagde actie met een fles champagne in de kleine hotelbar te vieren. En dus was het kwart over een voordat ze eindelijk afscheid van hem namen, hun kamers opzochten en helemaal uitgeput in bed vielen.

15

Bij hun aankomst in de Gouden Hoorn hadden Graham Baynard en zijn twee ordebroeders hun intrek in hotel Métropole genomen, een tweederangs hotel met heel bescheiden kamers aan het eind van de Rue Venedik. Een solide bed, een kleerkast met een klemmende deur, naast het raam een wascommode met afgebladderd aardewerk, een eenvoudige houten tafel met twee net zo eenvoudige als harde stoelen, was alles wat het Métropole zijn gasten te bieden had. Het was meer dan genoeg voor de behoeften van Graham Baynard. Al het andere zou alleen overbodige luxe en een schandelijke zwakte tegenover de verleidingen van de demiurgen zijn geweest.

De perfectus verspilde geen gedachten aan Tenkrad en Breitenbach, die in de cisterne hun leven hadden gegeven voor de Ordo Novi Templi, toen hij kort voor het begin van de dageraad aan tafel zat. De wereld zou hen niet missen, ze hadden tenslotte alleen de heel eenvoudige rang van credens gehad en waren dus nog ver van de ware verlichting verwijderd geweest.

Voor hem op de tafel stond het ijzeren beeld van de aan de boom hangende Judas tussen de twee zwarte kaarsen. Ervoor lag het heilige boek van Markion, de gesel en Mortimers notitieboekje. De kaarsen brandden echter niet en Markions boek met de enige ware leer was dicht. Dit was geen moment voor heilzame vervloekingen, maar om af te rekenen met zijn onvergeeflijke misser.

Graham Baynard had een lange, verschrikkelijke nacht achter de rug, waarin hij van euforische vreugde in een afgrond van ontzetting was getuimeld. Hij had innerlijk gejuicht toen hij was ontsnapt aan de overval in de cisterne en hij had niet kunnen wachten tot hij weer in zijn hotelkamer was om Mortimers aantekeningen te bestuderen. Dat had hij daarna dan ook uur na uur gedaan, maar het gejuich was hem al snel vergaan. Eerst was het maar een zwak vermoeden geweest, waaraan hij niet had willen toegeven. Maar de onrust, die onder zijn huid kriebelde, verspreidde zich steeds verder tot deze helemaal bezit van hem hadden genomen. Uiteindelijk werd het kwellende vermoeden zekerheid; er ontbraken bladzijden aan Mortimers notitieboekje. Ze hadden hem bedrogen.

Van bisschop Markion wist hij waarop hij moest letten. Ruim anderhalf jaar geleden had Mortimer Pembroke Markion, als deskundige op het gebied van apocriefe teksten, maar zonder dat hij zijn echte naam en identiteit kende, naar Pembroke Manor laten komen om de door hem gevonden papyri te beoordelen.

Het was de leider van de orde bijna gelukt om Mortimer zover te krijgen dat hij de oeroude tekst voor een nadere beoordeling aan hem toevertrouwde. Markion had meteen geweten wat hij voor zich had en hij zou de papyri nooit meer afgegeven hebben. Plotseling was de onberekenbare lord, die werd gevreesd vanwege zijn buien van geestelijke verwardheid, van gedachten veranderd. Van het ene op het andere moment had hij bisschop Markion onbeschoft en onder het uiten van ordinaire verwensingen de deur gewezen en hem als een marskramer weggejaagd.

Wat zijn geestelijke leider in de korte tijd van zijn bezoek aan Pembroke Manor wel te weten was gekomen, was het ruwe geografische gebied, waar Mortimer het evangelie van Judas had gevonden. Dat was heel belangrijk, omdat Mortimer in zijn plotselinge woede-uitbarsting tegen Markion had geschreeuwd dat hij de Judas-papyri nog eerder zou terugbrengen naar de plek waar hij ze had gevonden, dan dat hij ze aan een hebzuchtige schoft als Markion of een andere charlatan zou afgeven. Korte tijd later was de lord zo overhaast en bij nacht en ontij op reis gegaan, dat ze hem uit het oog waren verloren. En als een huisbediende van de Pembrokes niet had verteld dat Mortimer na zijn dood een merkwaardig notitieboekje met aantekeningen over zijn laatste reis had achtergelaten, dat de nieuwe lord als een kotbare schat bewaakte, was het Judas-evangelie onbereikbaar voor hen gebleven.

De aanwijzingen voor de vindplaats ontbraken echter in Mortimers aantekeningen, en Graham Baynard twijfelde er niet aan dat die er wel waren geweest. Hij had in het notitieboekje namelijk genoeg zinspelingen gevonden voor alle andere plaatsen waar hij de drie mannen en de vrouw naartoe was gevolgd. Het wemelde van zinspelingen op Wenen, de Balkan, Constantinopel en een land met een orthodoxe dwaalleer. En toen hij uiteindelijk een vergrootglas had gepakt en een deel van de band had opengesneden, had hij de minieme resten van de afgesneden bladzijden gevonden. Er ontbraken er tien, en zonder dit laatste deel, dat hij zich door de neus had laten boren, waren Mortimers aantekeningen waardeloos.

De perfectus wist wat dat betekende. Hij hoefde bisschop Markions antwoord op het telegram dat hij later deze ochtend zou versturen niet eens af te wachten. Zijn falen zo kort voordat ze hun doel hadden bereikt, was onvergeeflijk. En de straf die daarop stond kende hij. Daarom zou hij ook niet wachten tot zijn meerdere deze aan hem oplegde, maar zou hij hem meteen voltrekken. Wat daarvoor nodig was, had hij bij zich.

Terwijl de nieuwe dag aanbrak, haalde Graham Baynard alles uit zijn reisapotheek wat hij voor het grijpen op tafel moest hebben liggen. Hij pakte drie rollen verband, schroefde de deksel van het doosje wondzalf en schonk jodium op een schoteltje.

Toen alles op zijn plek lag, aarzelde hij niet lang. Hij pakte de gesel en klemde de houten steel tussen zijn tanden. Hij balde zijn linkervuist, op de linkerpink na. Die legde hij op de rand van het tafelblad. Daarna zette hij het scheermes met zijn rechterhand op het achterste kootje.

'Sterf, verdorven vlees,' stootte hij uit terwijl hij met al zijn kracht duwde.

De pijn die van zijn hand door zijn lichaam joeg toen hij zijn pink afsneed, beroofde hem bijna van het bewustzijn. Hij vocht met al zijn wilskracht tegen de wens om voor de brandende pijn in bewusteloosheid te vluchten. Hij beet in het hout van de gesel en schreeuwde gedempt toen hij de bloedende stomp in het jodiumbad doopte. Het was alsof hij gloeiende kolen aanraakte.

Bevend van pijn smeerde hij zalf op de wond en begon het verband om zijn pink te wikkelen. De wond moest worden verzorgd door een arts, die in het Europese deel van Pera beslist niet moeilijk te vinden zou zijn.

Voordat hij de kracht vond om naar de receptie te gaan en de weg naar de dichtstbijzijnde dokter te vragen, bracht hij eerst lange minuten vol pijn ineengedoken aan tafel door.

De Levantijnse dokter, die de wond later hechtte, stelde geen vragen over het ongeval waarbij hij zijn pink was kwijtgeraakt. Misschien dacht hij er het zijne van toen hij de gladde snijwond zag. In elk geval deed hij zijn werk, accepteerde zijn honorarium en wenste hem een voorspoedige genezing.

Omdat hij door de pijn niet in staat was om naar het telegraafkantoor te gaan om een telegram aan bisschop Markion te versturen, ging Graham Baynard naar zijn hotelkamer terug.

Hij zat een hele tijd versuft aan tafel, bang om naar Londen terug te keren. Op een bepaald moment pakte hij Mortimers notitieboekje weer, bladerde tot aan de afgesneden bladzijden en vroeg zich telkens opnieuw af hoe hij zo had kunnen falen.

Ineens stopte hij. De lege bladzijde, die op het uitgesneden deel volgde, lag voor hem. Zag hij vage omtrekken op het papier? Hij vergat het brandende kloppen van zijn hand, pakte het notitieboekje op en hield het tegen het licht.

Een wild gevoel van opwinding stroomde door hem heen toen hij besefte wat hij zag. Mortimer Pembroke had op de laatste van de ontbrekende bladzijden met een potlood of een puntige pen een tekening gemaakt, en de lijnen waren doorgedrukt op de erachter liggende lege bladzijde.

Even later had de perfectus een potlood in zijn hand en begon hij de bladzijde met dunne strepen te arceren, zonder veel druk met het potlood uit te oefenen. Langzamerhand verscheen er een tekening van een landschap.

Eigenlijk was het nietszeggend. De tekening bevatte geen speciale details waaruit een bepaald land, laat staan een concrete plaats geconcludeerd kon worden. Hij voelde hoe de bittere teleurstelling door hem heen stroomde, tot hij het teken zag dat Mortimer in de landschapsschets had geplaatst.

Hij wist meteen waar hij naartoe moest, om daar uit te kijken naar Arthur Pembrokes groep, die in het bezit was van de laatste bladzijde. Ze zouden niet aan hem ontsnappen. Wie door dit land reisde, moest door deze stad komen. En omdat ze in Wenen in het Bristol hadden gelogeerd, de Orient-Express hadden genomen en in Constantinopel in het Pera Palace hadden overnacht, zouden ze in deze stad eveneens hun intrek nemen in een van de beste hotels. En het aantal eersteklas hotels was daar op één hand te tellen, zelfs op zijn linker.

Hij had dus nog steeds een kans om de verstopplek van het Judas-evangelie te vinden en die zou hij benutten, bij Markion en de uitverkorenen Kain en Judas!

Deel zes

Het zichtbare woord

1

Het stoomschip Xerxes bleek weliswaar geen door roest bij elkaar gehouden drijvende doodskist te zijn, maar verschilde voor wat betreft luxe net zoveel met het Pera Palace als de Orient-Express met een goederentrein met een passagierswagen derde klas. Het stoomschip was eigenlijk een vrachtschip, dat daarnaast over dertig kajuiten beschikte voor reizigers met bescheiden eisen voor wat betreft onderkomen en maaltijden. Hun negen medereizigers waren bescheiden zakenmannen en vertegenwoordigers, die om beroepsmatige redenen naar Kum-Tale, Limnos of Saloniki wilden. Er waren geen passagiers die een educatieve reis of een plezierreis maakten, wat in dit jaargetijde en met oog op het derdeklas niveau van de Xerxes niet zo vreemd was.

Constantinopel was met haar in het heldere ochtendlicht stralende koepels en fier omhoog stekende minaretten nog niet uit het zicht verdwenen toen Byron en zijn vrienden op het achterdek onder de zonneluifel bij elkaar gingen zitten om eindelijk te bekijken wat er op het rolletje papier stond dat Mortimer in het kromzwaard had verstopt.

Horatio haalde het stuk papier dat net zo groot was als een bankbiljet tevoorschijn, rolde het uit en verzwaarde de randen met Alistairs aansteker en zijn pakje Gold Flakes.

'Dat heeft de "stem van de profeet" ons dus te vertellen. Het is jullie beurt om een betekenis aan deze tekens te ontlokken,' zei Horatio. 'Wie begint er? Niet allemaal tegelijk, vrienden!'

Harriet en Alistair lachten en daarna keken ze allemaal weer eens naar Byron.

Deze lachte fijntjes. 'Ik ben blij dat ik jullie kan vertellen dat het in elk geval geen onoplosbaar raadsel is.'

'Misschien niet voor iemand zoals jij, die iets van cryptologie begrijpt,' zei Alistair. 'Maar ik snap absoluut niet wat voor soort geheimcode Mortimer hier heeft gebruikt.'

'Het noachitische geheimschrift, dat niet alleen oud, maar ook gemakkelijk te ontcijferen is,' zei Byron. 'De vrijmetselaars gebruiken het nog steeds, bijvoorbeeld op hun grafschriften.'

Harriet fronste haar voorhoofd. 'Noachitisch? Dat klinkt in mijn oren als een ziekte.'

'Wacht, ik schrijf het noachitische alfabet voor jullie op,' zei Byron. Hij haalde zijn notitieboekje en een potlood uit zijn zak. 'Het is doodeenvoudig en zo gebeurd. In principe bestaat deze code uit twee rasters met vier lijnen en twee x-vormige kruisen, die met behulp van punten een zesentwintigdelig geheim alfabet opleveren. En dat ziet er dan zo uit.'

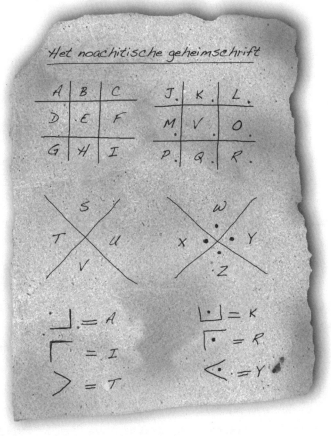

‘Heel slim,’ zei Alistair verbaasd.

Harriet pakte Byrons stift. ‘Laten we dan maar eens kijken wat Mortimers ons voor aanwijzing heeft gegeven.’ Even later had ze de tekens in het Latijnse alfabet omgezet en hadden ze de derde aanwijzing voor de verstopplek voor zich liggen.

Waar de heilige mannen

'Wat een ellendige klootzak!' riep Alistair verontwaardigd. 'In plaats dat hij ons iets zinnigs meedeelt, heeft hij nietszeggende onzin in het kromzwaard verstopt. Als we dat van te voren hadden geweten, hadden we niet naar Constantinopel hoeven te gaan. Al dat werk en de gevaren die we hebben getrotseerd voor vier volkomen nutteloze woorden!'

'Tja, maar om dat te weten moet je ze eerst uit het handvat van het wapen halen,' zei Horatio. 'En Mortimer wilde het iedereen die naar het Judasevangelie zocht niet te gemakkelijk maken. Ik denk dat hem dat tot nu toe aardig is gelukt.'

Harriet knikte. 'Dat kun je wel zeggen! Na de aanwijzing "in klooster St. Simeon" dacht ik dat het concreet zou worden. Maar wat kun je van een krankzinnige verwachten, Alistair?'

'Mortimer zal er wel een bedoeling mee hebben gehad,' zei Byron.

'Inderdaad, hoe hij ons het leven zo zuur mogelijk maakt,' mopperde Alistair. Hij verkreukelde het briefje geërgerd tot een prop en gooide het op tafel. 'Het ontbreekt er nog maar aan dat we in klooster Simonopetra als vervolg op "waar de heilige mannen" een spreuk vinden zoals bijvoorbeeld "vroom in gebed zijn".'

Horatio haalde zijn schouders op. 'Ook dan zullen we ermee moeten leven. Bovendien moet je niet te veel goede gaven van het lot verlangen. We moeten dolblij zijn dat we eindelijk van de perfectus van deze Ordo Novi Templi af zijn. Dankzij jouw riskante eigenmachtige daad, die god zij dank geen verwoestende gevolgen heeft gehad, staat die kerel met lege handen.'

Alistair grijnsde. 'Mijn beste Horatio, ik accepteer jullie dank welwillend, ook al komt die een beetje laat.' Daarna werd hij weer serieus. 'Byron, nu we het toch over die enge perfectus hebben … wat heeft Tenkrad gezegd voordat hij stierf? Was het iets wat licht werpt op de Ordo Novi Templi?'

'Dat doen zijn laatste woorden inderdaad,' bevestigde Byron. 'Maar het is geen vriendelijk licht.'

'Dat was ook niet te verwachten,' merkte Harriet op. 'Maar vertel.'

Byron dacht even na waar hij moest beginnen. 'Herinneren jullie je nog dat lord Arthur op Pembroke Manor vertelde over een man die Mertikon heette en die er door Mortimer van werd verdacht dat hij hem volgde en de papyri van hem wilde stelen?'

Ze knikten.

'Arthur Pembroke heeft zich in de naam vergist,' ging Byron verder. 'De echte naam van de man die hem blijkbaar achtervolgde, was Markion.'

'Hoezo was?' vroeg Horatio.

'Omdat deze man, die als Markion van Sinope in de religiegeschiedenis is opgenomen, al meer dan 1700 jaar dood is. Hij leefde in de periode tussen het eind van de eerste en het midden van de tweede eeuw n.Chr.'

'Stel je voor,' zei Alistair verbaasd. 'Maar hoe kan Mortimer gedacht hebben dat deze Markion van Sinope achter zijn Judas-papyri aanzat, als hij al vijftienhonderd jaar dood was? Was dat alleen het fantasieproduct van een krankzinnige?'

Byron schudde zijn hoofd. 'Nee, dat geloof ik niet, ook al achtervolgde de echte Markion uit de tweede eeuw hem natuurlijk niet.'

'En Dracula dan?' opperde Harriet.

'Zelfs hij is maar een paar honderd jaar geworden. Ik vermoed eerder dat het om een titel binnen de orde gaat. Maar laten we we het daar niet over hebben,' zei Byron. 'Het is voor jullie veel interessanter wat voor ideeën deze historische Markion van Sinope had. Zijn naam komt namelijk in meerdere apocriefe teksten voor en zijn leer wordt onder meer in *Tegen de Ketters* van Ireneüs van Lyon uitvoerig behandeld en uiterst fel verworpen.'

'En wat is dat voor leer?' vroeg Horatio.

'Ireneüs noemde het de dwaalleer van de Kainieten. Dat waren vurige aanhangers van alle bijbelse moordenaars en misdadigers zoals Kain, die zijn broer Abel uit jaloezie doodde, of Esau, die zijn eerstgeboorterecht voor brood en een bord linzensoep aan zijn broer Jakob verkocht en hem later naar het leven stond, of de Sodomieten. Al deze negatieve historische figuren werden vereerd door de Kainieten. Ze worden trouwens ook uitvoerig genoemd in de teksten van Epifanius en van Theodorus van Cyrus.'

'Kun je je drang tot het geven van theologische colleges alsjeblieft een beetje beperken?' vroeg Alistair. 'Anders krijg ik nog pijn in mijn nek van al het knikken dat ik moet doen om de indruk te wekken dat ik je betoog kan volgen.'

Harriet lachte. 'Stel je niet zo aan. Zo moeilijk is het toch niet te begrijpen als Byron een keer iets uitlegt. Bovendien hebben we tijd genoeg. Dus vertel verder over Markion en deze Kainieten, Byron, en alsjeblieft zonder je te beperken.'

'Markion van Sinope was een succesvolle koopman, die in eerste instantie was aangesloten bij de christelijke gemeente van Rome en een groot vermogen binnenbracht met zijn zaken,' ging Byron verder. 'In Rome begon hij echter al snel een nieuwe theologie te ontwikkelen, die niet in overeenstemming te brengen was met de christelijke leer. Hij kan als een vroege vertegenwoordiger van de gnostiek worden beschouwd.'

Alistair knikte schijnbaar wetend. 'Natuurlijk, de alom bekende gnostiek! Nu is het me allemaal duidelijk. Ik heb me altijd al afgevraagd wie deze gnostiek had bedacht.'

Byron glimlachte. 'Met gnostiek wordt een filosofische stroming binnen het vroege christendom bedoeld met als doel het ware inzicht in God. Dat druist fundamenteel in tegen de heilsleer van Jezus, zoals deze in de evangeliën wordt verkondigd. Markion en zijn volgelingen waren ervan overtuigd dat de materiële aardse wereld in principe slecht was en nooit goed zou kunnen worden. Het goede was alleen bij God in de hemel te vinden.'

'Een merkwaardige gedachtegang om Gods schepping als door en door slecht en onveranderbaar verdorven te beschouwen,' zei Harriet.

'Voor de aanhangers van de gnostiek, maar meer nog voor de Kainieten, zijn de mensheid en de aardse wereld geen scheppingen van God maar het werk van de demiurg, de heer van het kwaad, die niets met de God van de liefde en het licht in de hemel te maken heeft,' legde Byron uit. 'Deze demiurg heeft de ziel van de mensen in een lichaam gevangen, hij is verantwoordelijk voor al het verdriet en ongeluk in het leven en probeert met behulp van allerlei aardse verleidingen de mensen ervan te weerhouden de weg terug naar het licht van het inzicht en naar God te vinden.'

'Wat een afschuwelijk idee, dat de wereld van de duivel is en dat God hier op aarde niets te vertellen heeft,' vond Alistair. 'Dat vind ik nog moeilijker te accepteren dan de bewering dat Jezus als zoon van God is gestuurd om de mensheid te verlossen.'

'De Kainieten beschouwen Jezus niet als een heilbrengende messias, maar als een goddelijk wezen met een schijnlichaam, wat men in de theologie docetisme noemt,' ging Byron verder. 'Volgens de leer van de Kainieten kan er namelijk geen verlossing plaatsvinden door Jezus na te volgen, maar alleen door de geestelijke overwinning op alle materiële zaken. Dat Markion met zijn twee-godenleer op hevig protest van de christenen in Rome stuitte, is niet zo vreemd. Ze hebben hem in het jaar 144 als ketter geëxcommuniceerd, uit de gemeente gestoten en hem al zijn geld teruggegeven. Daarna heeft hij zijn eigen kerk gesticht en zijn leer door middel van reizen tot Egypte en Perzië verspreid.'

'Dat kan ik nog volgen en die leer van de twee goden lijkt me net zo geloofwaardig of ongeloofwaardig als de leer van de drie-eenheid de Vader, de Zoon en de Heilige Geest, die het christendom predikt,' zei Alistair. 'Wat ik echter niet begrijp, is waarom Markion en zijn volgelingen uitgerekend moordenaars zoals Kain verheerlijken.'

Horatio knikte. 'Dat vraag ik me ook af.'

'Heel eenvoudig, omdat volgens de Markionistische leer Kain, Esau, Korach en de Sodomieten in tegenstelling tot Abraham en Mozes, de lichtgestalten van het Oude Testament, een completer en hoger inzicht hadden en het duivelse spel van de demiurg doorzagen,' legde Byron uit. 'Doordat ze niet aan zijn wetten gehoorzaamden en deze nietsontziend overtraden, hebben ze zich aan zijn boze macht onttrokken. Als bewuste zondaars waren ze daarom de onbetwiste vijanden van de demiurg.'

'Ook Nietzsche zou met zijn nihilistische opvattingen fantastisch in deze kring van bijzonder verlichte figuren passen,' merkte Horatio spottend op. Alistair stak zijn tong naar hem uit.

'Wat de rol van Judas bij Markion en de Kainieten betreft; ze vereren hem omdat hij blijkbaar als enige van alle discipelen en apostelen de waarheid heeft ingezien,' ging Byron verder met zijn uitleg. 'In de ketterse teksten wordt gesteld dat hij groot is vanwege zijn weldaden, die hij het menselijke geslacht ten deel liet vallen. Het Judas-evangelie is voor alle huidige volgelingen van de Markionistische leer van grote betekenis, omdat ze hun leer daarmee kunnen onderbouwen en afstand kunnen nemen van het verwijt dat ze een onbeduidende splintersekte zijn.'

'Dus nu staat vast dat de mannen van de geheime Ordo Novi Templi Kainieten zijn,' zei Harriet. 'Geen wonder dat ze Mortimers papyri zo graag in hun bezit willen hebben. Afhankelijk van wat er in dit Judasgeschrift staat, zou dat een triomf voor hen en een stoot onder de gordel van de christelijke kerk zijn. En enkele passages die je in Mortimers notitieboekje hebt gevonden, Byron, laten inderdaad vermoeden dat het om een Markionitische leer gaat.'

Byron knikte. 'Maar zoals ik al een keer heb gezegd, zal een dergelijk Judas-evangelie de christelijke kerken niet op hun fundamenten laten schudden. Het zal de Kainieten hoogstens meer publieke interesse en nieuwe volgelingen opleveren. Al deze leren zijn immers ruimschoots bekend en zijn al eeuwenlang in talrijke teksten besproken. Bovendien beleden de Catharen een soortgelijke twee-godenleer met de demiurg als de wereldschepper en de god van de liefde en het licht, naar wie de ziel alleen kan terugkeren door strenge overgave en geestelijke erkenning. Deze geloofsbeweging verspreidde zich van de twaalfde tot de veertiende eeuw in Zuid-Frankrijk, en tevens naar Duitsland, Spanje en Italië, tot de rooms-katholieke kerk tussen 1209 en 1310 een vernietigende oorlog tegen de Catharen begon, die in de geschiedenis ook bekend staat als de Albigenzenkruistocht.'

'Juist, de Catharen,' herinnerde Horatio zich. 'Bij hen bestond de rang van perfectus eveneens. Zo werd iemand genoemd die het hoge niveau van inzicht had bereikt. Dat moet de Ordo Novi Templi van ze hebben overgenomen.'

Byrn knikte. 'Net als de benaming "credens" voor de gelovigen die nog te zeer in de aardse wereld gevangen zaten. De credensen werden pas na het ontvangen van het zogenaamde consolamentum perfectus en leidden daarna een sober kloosterleven. Dat lijken de ordebroeders van de Nieuwe Tempel van hen afgekeken te hebben, wat gemakkelijk te verklaren is als je naar de inhoudelijke overeenkomsten van beide leren kijkt.

Alistair haalde diep adem. 'Goed, dan hebben we dat ook afgehandeld.'

'Er schiet me nog iets belangrijks over Athos te binnen,' zei Horatio plotseling. 'We hebben daar namelijk een heel netelig probleem, vrienden.'

'En dat is?' vroeg Harriet.

'Het gaat om jou,' zei Horatio. 'Het hele kloosterschiereiland is een heilige plek voor de monniken en dat betekent dat er absoluut geen vrouwen mogen komen. Daarom houden ze de passagiers die in Karyäs aan land gaan waarschijnlijk scherp in de gaten.'

'Dat kun je toch niet menen,' riep Harriet.

'Jazeker, dat is zo. Ik ken de geschiedenis van Athos en zijn kloosters goed. Er bestaat zelfs een oeroud document dat op de huid van een bok is geschreven, waarin staat dat deze wet niet alleen voor vrouwen geldt, maar voor alles wat vrouwelijk is, dus zelfs voor huisdieren,' vertelde Horatio. 'Niets vrouwelijks mag op Athos aanwezig zijn, luidt deze onherroepelijke wet.'

'Dat is dan echt een probleem,' zei Byron bezorgd.

Alistair grijnsde. 'Tja, dan moeten we het dit keer zonder Harriets hulp doen en vaart zij met de Xerxes verder naar Saloniki. Dan ontmoeten we elkaar daar, als we ons bezoek aan Simonopetra achter de rug hebben.'

'Daar komt helemaal niets van in,' protesteerde Harriet heftig. 'We blijven bij elkaar. Ik kom op de een of andere manier wel aan land, ook al moet ik me als man verkleden.'

'Dat is helemaal geen slecht idee,' vond Byron. Hij wilde onder geen voorwaarde van haar gescheiden zijn. 'Wat denk jij, Horatio?

Horatio streek nadenkend over zijn smalle snor terwijl hij Harriet opnam. 'Mmm, dat moet kunnen lukken. Met de juiste mannenkleren, een wijde schoudermantel, zware laarzen, een bril en een grote hoed kan ze heel goed voor een man doorgaan, vooral met haar jongensachtige pagekapsel. En haar fijne gelaatstrekken kunnen ook gemakkelijk veranderd worden. Wat donkere make-up is voldoende om schaduwen onder haar ogen te creëren.'

'Mooi zo,' zei Harriet terwijl ze met een triomfantelijke blik in haar ogen naar Alistair keek.

'En waar moeten we al die spullen zo snel vandaan halen?' wilde Alistair weten.

'We hebben in de haven van Kum-Tale twee uur de tijd, omdat de Xerxes daar een deel van haar vracht lost en andere goederen aan boord neemt,' zei Byron. 'Dat moet voldoende zijn om te kopen wat we nodig hebben.'

'In geval van nood hebben we op Limos ook nog tijd,' voegde Horatio eraan toe. 'Het lukt ons wel.'

Harriet keek Byron en Horatio dankbaar aan. 'Dat is dan geregeld.'

'Ik vind het prima, want uiteraard had ik het niet graag zonder je aantrekkelijke gezelschap gesteld,' zei Alistair terwijl hij overeind kwam. 'Zo vrienden, nu heb ik zin om de demiurg wat eer te bewijzen. Ik ga eens kijken of er op de Xerxes mensen zijn die het genot van een consolamentum net als ik nog niet hebben meegemaakt en daarom niet afkerig zijn van een spelletje poker.' Met die woorden liep hij vrolijk fluitend weg.

2

Terwijl de Xerxes door de Dardanellen voer, wachtte Byron op een geschikt moment om Harriet onder vier ogen aan te spreken over de laudanum, die Basil Sahar in Constantinopel voor haar had geregeld.

Na de gevaren die ze daar hadden doorstaan en de zekerheid die ze nu hadden dat ze de perfectus definitief van zich hadden afgeschud, waren ze allemaal ontspannen, en dat wilde hij niet verpesten door met Harriet over zo'n gevoelig punt te beginnen. Hij was bang dat ze het hem kwalijk zou nemen als hij haar waarschuwde voor de gevaren van laudanum. Waarschijnlijk wilde ze helemaal niet dat hij zich ermee bemoeide. Hij kende haar trots en wist hoezeer ze op haar zelfstandigheid was gesteld.

Hij stond de hele dag in tweestrijd, want hoewel hij zich uit liefde en bezorgdheid verplicht voelde om het met haar te bespreken, was zijn angst voor een scherpe terechtwijzing groot. Hij schaamde zich voor die lafheid en wist niet hoe hij zijn dilemma moest oplossen.

Het loste zich echter vanzelf op.

Toen Byron 's avonds laat van het toilet naar zijn kajuit terug liep en langs haar deur kwam, hoorde hij dat Harriet in haar slaap weer eens met haar demonen worstelde. Dit keer aarzelde hij geen moment. Hij voelde dat haar kajuitdeur niet op slot was en ging zachtjes naar binnen.

Zoals hij had verwacht brandde er licht. Ze was blijkbaar bang voor de nachtelijke duisternis, maar zowel het licht als de laudanum beschermden haar niet afdoende tegen de verschrikkelijke nachtmerries. Een van de twee bruine, glazen flesjes stond op de plank onder de patrijspoort en verraadde dat ze voordat ze naar bed ging een slok had genomen.

Harriet lag in gekromde houding in bed en gooide in haar slaap haar hoofd heen en weer, alsof ze de nachtmerrieachtige beelden die haar kwelden wilde ontvluchten. Haar handen klauwden in de dekens. Ze jammerde, snikte en stootte onbegrijpelijke zinsflarden uit, net als de twee andere keren. Ook dit keer kromp hij in elkaar toen hij haar zo zag lijden.

Hij ging op de rand van haar bed zitten en begon zachtjes tegen haar te praten en haar te strelen, zoals hij in de Orient-Express had gedaan. Dit keer was zijn strelen niet zo voorzichtig en vederlicht, waardoor niet alleen de nachtmerrie verdween, maar ze ook wakker werd en haar ogen opendeed. Ze keek hem een hele tijd zwijgend aan.

'Je had een nachtmerrie,' zei Byron zachtjes. 'Ik was op de gang en toen ik je hoorde huilen moest ik wel naar binnen komen.'

'Dat heb je in de trein ook gedaan,' antwoordde ze. 'Ik wist de volgende ochtend niet zeker of ik het had gedroomd of dat je inderdaad op mijn bed had gezeten en me had gestreeld.'

Hij knikte. 'Ik kon niet anders,' zei hij. 'Het deed me pijn om je in je slaap te horen jammeren en snikken. Vergeef je het me?'

'Wat valt er te vergeven, Byron? Het was de mooiste droom die ik in jaren heb gehad. Maar het is nog veel kostbaarder nu ik weet dat het helemaal geen droom is geweest,' fluisterde ze terwijl ze zijn arm voorzichtig aanraakte.

Deze aanraking en de blik die hij in haar ogen zag, gaven hem de moed om te doen wat hij al zo lang en zo hartstochtelijk wilde.

Hij nam haar gezicht teder tussen zijn handen, boog zich voorover en kuste haar. Heel voorzichtig en vol angst dat hij daarmee de grens van wat was toegestaan overschreed.

Zijn angst bleek echter ongegrond, want nauwelijks raakten hun lippen elkaar of ze sloeg haar armen rond zijn nek, trok hem naar zich toe en beantwoordde zijn kus.

Het was een kus waarin ze elkaar zwijgend hun liefde verklaarden en die geen van beiden als eerste wilde beëindigen. Als drenkelingen klampten ze zich aan elkaar vast en toch verdronken ze in de lange kus, die de bevrijding van een veel te lang onderdrukt verlangen bevatte.

'Eindelijk,' stamelde Harriet ademloos toen ze elkaar loslieten. 'Eindelijk is het gebeurd.'

'Ja,' zei Byron alleen. Hij kon niet geloven dat het nu echt zover was. Het verbaasde hem dat uitgerekend hij de eerste stap had gezet, terwijl hij zich toch jarenlang aan zijn belofte had gehouden dat hij zich nooit meer zou laten meeslepen door zijn gevoelens voor een vrouw, dat hij zijn beschermende pantser niet zou afleggen en zich niet kwetsbaar zou opstellen. Het was hem nu echter duidelijk dat je de liefde net zo min kon afdwingen als je haar het zwijgen kon opleggen. Haar macht oversteeg elke menselijke wilskracht, als ze eenmaal bezit van iemand had genomen.

'Weet je wanneer ... wanneer het bij jou is begonnen?' vroeg ze een beetje verlegen, alsof ze zich ervoor schaamde dat ze zijn kus had beantwoord.

Byron dacht na. 'Ik geloof dat ik het begon te beseffen toen de ordebroeder in het Weense kanalisatiesysteem dat mes op je keel zette en vlak daarna op je schoot.'

'Bij mij was het iets later,' zei Harriet. 'In de Orient-Express. Maar ik wilde er eerst helemaal niets van weten en heb het afgedaan als een naïeve droom. Wat zou een man zoals jij met iemand zoals ik te maken willen hebben?'

'Wat bedoel je daarmee, "met iemand zoals ik"?' vroeg Byron verbaasd.

'Nu ja, ik behoor nu eenmaal niet tot de betere kringen. Ik ben een eenvoudige artieste die een karig levensonderhoud verdient doordat ze op een koord kunstjes doet en messen naar mensen smijt,' probeerde ze haar artistieke talent belachelijk te maken.

'Wat een onzin,' ging hij meteen tegen haar in. 'Ik weet zeker dat een vrouw uit de betere kringen, zoals jij dat noemt, me nooit zo in vuur en vlam had kunnen zetten als jij hebt gedaan. Je bent de meest fantastische vrouw die ik ooit ben tegengekomen.'

Harriet keek aandachtig naar hem en vroeg na een korte aarzeling: 'Fantastischer dan de geheimzinnige Constance, over wie Arthur Pembroke het had toen het over je erewoord als heer ging?'

Byron zweeg even. 'Ja, ook fantastischer dan Constance,' zei hij daarna. 'Bovendien was ik destijds nog heel jong, en wat begreep ik van de liefde?'

'Ga je me vertellen hoe het zat met die vrouw?' vroeg ze. 'Of wil je er liever niet over praten?'

Hij lachte. 'Dat hangt er helemaal van af wat je me als tegenprestatie voor mijn verhaal te bieden hebt.'

'Laat me even nadenken.' Ze fronste haar voorhoofd en deed net alsof ze ingespannen nadacht. 'Wat denk je hiervan?' vroeg ze terwijl ze hem naar zich toe trok.

Ze verzonken weer in een lange, innige kus.

Na afloop lachte hij zachtjes en streelde met zijn vinger over haar vochtige lippen. 'Ja, dat is heel redelijk. Als ik voor elk deel van het verhaal zo'n kus krijg, doe ik mijn uiterste best om ervoor te zorgen dat het niet zo snel afgelopen is.'

'Ik denk dat dat geregeld kan worden,' antwoordde ze. 'Maar vertel nu. Wie was Constance?'

'Ze was de verloofde van een studiegenoot met wie ik in Oxford goed bevriend was. Het begon vlak na onze examens. Destijds was ik net twintig geworden, terwijl George Jamieson, zo heette mijn vriend, vijf jaar ouder was.' Byron zweeg even. Het was veel moeilijker dan hij wilde toegeven om terug te keren naar de periode waarin Constance zijn denken en gevoelens had beheerst.

Harriet legde haar hand op de zijne. Ze zei niets en wachtte tot hij uit zichzelf verder vertelde.

'Constance kwam uit een zogenaamd gegoede familie met een lange, eerbiedwaardige stamboom, maar een bescheiden vermogen, terwijl Georges familie heel rijk was. Daarbij vergeleken was mijn vader, hoewel hij enige welvaart had bereikt, een arme sloeber,' ging Byron verder. 'De Jamiesons bezaten een rederij, een werf en aandelen in lucratieve ondernemingen. Hij was dus een uitermate goede partij.'

'Die jouw – natuurlijk beeldschone maar ook berekenende – Constance aan de haak had geslagen.'

Byron knikte. 'Toen kwam de dag waarop George met een groep vrienden vertrok voor een maandenlange educatieve reis naar Europa. Deze grand tour wordt in de bovenste lagen als de afsluiting van de opleiding beschouwd. Constanse was graag met hem op reis gegaan, maar de slechte gezondheid van haar ouders liet dat niet toe. George drukte me voor zijn vertrek dringend op het hart om tijdens zijn afwezigheid op Constance te letten en ervoor te zorgen dat ze tijdens deze maanden niet te veel alleen was. Ik heb hem mijn erewoord gegeven dat ik haar beschermer en broederlijke kameraad zou zijn.'

'Ik vermoed het al,' zei Harriet. 'De broederlijke kameraad werd al snel verliefd.'

'Inderdaad,' gaf Byron toe. 'Hoewel zij het uitlokte doordat ze met me flirtte, zich tijdens het wandelen, als ik haar mijn arm aanbood, dicht tegen me aandrukte en me door kleine aanrakingen te kennen gaf dat ze mijn nabijheid zocht. Wie van ons voor het eerst met vuur speelde is ook helemaal niet belangrijk meer. In elk geval leidden onze afspraakjes ertoe dat we verliefd op elkaar werden. Ik dacht dat in elk geval. Toch bracht ik de wilskracht op om het alleen bij liefdesbetuigingen te laten. Ik heb haar maar een keer gekust. Liever gezegd, Constance heeft mij gekust, hoewel dat geen kus uit liefde was. Maar ik wil niet op de zaak vooruitlopen.'

'Klopt het dat ze je heeft verraden toen haar verloofde terug was en dat ze net heeft gedaan alsof jij had geprobeerd haar tijdens zijn reis van hem af te pakken?' raadde Harriet.

Hij schudde zijn hoofd. 'Nee, het was veel erger. Tot de kennissenkring van haar ouders behoorde een officier van het koninklijke garderegiment, een knappe, charmante man in een prachtig uniform, naar wie veel vrouwen omkeken. Constance vertelde me dat hij haar het hof maakte en dat hij blijkbaar minder remmingen had dan ik. Ik zag ze ook verschillende keren samen in het theater of bij een concert, maar daar had ik in mijn naïvitiet en goedgelovigheid geen bedenkingen bij. En ik kwam al helemaal niet op de gedachte dat Constance hem aangemoedigd kon hebben.'

'Niet iedereen is zo op zijn eer gesteld als jij,' zei Harriet.

'Dat is me later ook duidelijk geworden, maar toen was het al te laat,' ging Byron verder. 'Toen de zomer ten einde liep en het nog ruim een week duurde voordat George terugkwam, zouden Constance en ik een boottochtje op de rivier maken en aansluitend gaan picknicken. Daar kwam echter niets van. Meteen toen ze er was barstte ze namelijk in een vertwijfelde huilbui uit. Het duurde een tijd voordat ik haar zo had gekalmeerd dat ik haar kon vragen wat er voor verschrikkelijks was gebeurd. Ze vertelde snikkend dat de gardeofficier haar op een avond na een theaterbezoek had meegenomen naar een café, waar hij haar had overgehaald om te veel champagne te drinken. Hij had haar dronkenschap uitgebuit om haar te verleiden en haar van haar … haar eer te beroven.'

'Je bedoelt dat hij haar heeft verkracht,' corrigeerde Harriet hem. 'Sorry, maar ik hou niet van die hoogdravende omschrijvingen zoals "geroofde eer" en "gevallen meisje", waarmee preutse mensen de dingen maskeren die ze pijnlijk vinden om uit te spreken.'

'Vind je me preuts?'

Ze glimlachte naar hem. 'Een man die 's nachts de slaapkamer van een kuise en verlegen maagd binnensluipt en er misbruik van maakt dat ze slaapt om haar te kunnen strelen, zou ik niet bepaald preuts willen noemen,' plaagde ze hem. 'Maar vertel verder.'

'Nu komt het moeilijke deel,' zei Byron. 'Ik kan namelijk niet goed meer uitleggen hoe Constance me zover heeft gekregen dat ik toestemde in een duel met de officier om haar eer te redden.'

'Heb je met een man geduelleerd?' riep ze ontsteld. 'Maar dat is toch al lang verboden!'

Byron haalde zijn schouders op. 'En toch gebeurt het nog steeds. Waar geen aanklager is, is ook geen rechter.'

'Was dat op de dag waarop ze je heeft gekust?'

Hij knikte. 'Ik was een volslagen idioot, gevangen in mijn liefde voor haar en de erecode waarmee ik ben opgegroeid, dus heb ik toegestemd. Bovendien verzekerde ze me dat haar eer was gered als beide duellisten een symbolisch schot hoog boven het hoofd van de tegenstander gaven. Dat was een leugen, want tegen de officier had ze gezegd dat ik had geprobeerd haar … te verkrachten. En ze had hem gesmeekt om tijdens het duel geen genade voor recht te laten gelden.'

'Wat een afschuwelijke intrige.'

'Terwijl ik in de dageraad op een eenzame open plek in het bos mijn schot naar de hemel afvuurde, schoot hij gericht en trof me rechts in mijn borstkas. Gelukkig had hij het fatsoen om me niet te laten doodbloeden, maar me naar het dichtstbijzijnde ziekenhuis te brengen. Ik zweefde dagenlang tussen leven en dood en had weken nodig om van mijn verwonding te herstellen. En terwijl ik in het ziekenhuis lag en voor mijn leven vocht, drong Constance er bij George op aan om onmiddellijk te trouwen. Ze kreeg haar zin. George liet me in het ziekenhuis via een brief weten dat ik het niet moest wagen hem ooit weer onder ogen te komen. Anders zou hij afmaken, wat Constances redder van haar eer helaas niet helemaal was gelukt. Ik heb George en Constance nooit meer gezien.'

'En hoe weet je dat Constance haar officier heeft opgestookt om jou bij het duel te doden?' vroeg Harriet.

'Omdat Constance bijna acht maanden na haar huwelijk te vroeg is bevallen. Bij de geboorte deden zich zware complicaties en bloedingen voor, zodat moeder en kind stierven,' vertelde Byron. 'Na haar dood vond George bij het opruimen van haar secretaire haar dagboek. Daarin had ze alles uitvoerig opgeschreven; haar flirt met mij, haar relatie met de officier en dat ze zwanger van hem was geworden en bang was dat ik alles aan George zou vertellen. Daarom wilde ze absoluut dat ik dood was voordat hij terugkwam.'

'Wat een gewetenloze vrouw!'

'Ja, deze echte Constance verborg zich achter de mooie façade en het masker van onschuld. George heeft me haar dagboek gestuurd en me in de begeleidende brief gevraagd hem te vergeven voor wat Constance en hij me hadden aangedaan. Hij was niet in staat om me dat in mijn gezicht te zeggen. Hij kon haar bedrog niet verwerken, heeft een groot deel van zijn erfenis aan liefdadige organisaties gegeven en is naar India gegaan. Er wordt verteld dat hij daar twee jaar geleden bij een opstand om het leven is gekomen. Meer weet ik niet, en het interesseert me ook niet. Het dagboek en zijn brief heb ik verbrand. Daarna heb ik gezworen dat ik de rest van mijn leven vrijgezel zou blijven.'

'En hoe zit het nu met je eed?' vroeg ze zachtjes.

Hij keek haar liefdevol aan. 'Moet ik daar nog antwoord op geven?'

'Ach, Byron,' zuchtte ze ineens met een neerslachtige uitdrukking op haar gezicht. 'Misschien is dit allemaal een grote vergissing …'

'Hoe kun je zoiets zelfs maar denken?' vroeg hij ontsteld. 'Heb je er spijt van dat … dat we elkaar hebben gekust en dat je nu weet hoeveel ik … van je hou?'

Ze schudde haar hoofd. 'Nee, daar heb ik geen spijt van. En ik zou willen dat niets onze liefde in de weg staat,' verzekerde ze hem met een verdrietige klank in haar stem. 'Maar …' Ze zweeg.

'Wat maar?' wilde hij meteen weten.

'Ik ben bang dat je niet weet waaraan je begint, Byron,' mompelde ze neerslachtig. 'Ik sleep eveneens een last uit mijn verleden mee. En het is geen last die ik ooit te boven zal komen, zodat ik de vrouw voor je kan zijn die je wilt hebben en die je verdient. Ik heb het leven van een mens op mijn geweten, Byron. Zoiets laat je nooit los.'

'Heb je daarom zulke verschrikkelijke nachtmerries en zoek je je toevlucht tot dat duivelse spul laudanum?' vroeg hij terwijl hij naar het bruine flesje op de plank onder de patrijspoort wees.

'Weet je daarvan?'

'Ja, Basil Sahar heeft me verteld dat je hem hebt gevraagd twee flesjes verdunde opium voor je te regelen,' zei Byron. 'Hij maakte zich zorgen om je, en ik nog veel meer. Je mag het niet nemen, ik smeek het je. Het is puur vergif en verwoest op den duur je geest en je lichaam, ook al merk je daar nu nog niets van. Je moet me beloven dat je het niet meer gebruikt!'

'Ik weet dat je gelijk hebt,' antwoordde ze gekweld. 'Maar als ik het niet neem of maar zo weinig als vannacht, dan … dan komen die verschrikkelijke beelden terug.'

'Dan moet je leren om daar op de een of andere manier tegen te vechten,' zei hij smekend. 'Wat zijn het voor nachtmerries?'

Harriet keek hem niet aan. 'Ik … daar wil ik niet over praten,' fluisterde ze.

Hij zweeg en wachtte. Het was niets voor hem om aan te dringen als ze het niet uit vrije wil wilde vertellen, maar hij hoopte dat ze het uit zichzelf zou doen.

'Het gebeurde op een herfstochtend vlak voordat het licht begon te worden,' begon ze nadat ze een tijdje had gezwegen. 'Ik was veertien jaar en met familieleden uitgenodigd voor een jacht. We waren al lang voor het aanbreken van de dag op pad gegaan. Ik was doodmoe omdat ik die nacht nauwelijks had geslapen. Toen we een korte pauze hielden, viel ik met mijn geweer in mijn handen tegen een boom geleund in slaap. En toen … toen is het gebeurd.' Ze slikte moeilijk en zweeg even.

Byron hield haar hand vast en wachtte.

'Ik werd plotseling wakker en haalde de trekker over,' ging ze tenslotte met een trillende stem verder. 'De kogel raakte mijn oom, die me wakker had gemaakt, van dichtbij en doodde hem onmiddellijk.'

'Ik kan begrijpen dat zo'n vreselijk ongeluk je heel lang achtervolgt,' zei hij meelevend. 'Maar je bent toch niet voor moord aangeklaagd?'

Harriet schudde haar hoofd. 'Nee, iedereen getuigde dat het een ongeluk was geweest en dat hij niet voor de loop van het geweer had moeten staan toen hij aan mijn schouder schudde om me wakker te maken.'

'Dan heb je jezelf niets te verwijten en hoef je je geweten toch niet te belasten?'

'O jawel, want ik weet al heel lang niet meer zeker of het echt een ongeluk was. Ik ben er zelfs van overtuigd dat ik al wakker was en helemaal bewust de trekker heb overgehaald,' sprak ze hem tegen. 'Ik haatte die man uit het diepst van mijn ziel en had er voor die herfstdag al vaak naar verlangd hem te doden.'

'En waarom haatte je hem zo?'

'Omdat … omdat hij me langer dan een jaar … had misbruikt. Hij … is nooit … tot het uiterste gegaan, maar het was zo ook verschrikkelijk genoeg. Ik wilde hem dood hebben … en dat is ook gebeurd,' zei ze met een nauwelijks hoorbare stem. Ze sloeg haar handen voor haar gezicht en begon te huilen.

Byrons wist van ontzetting niet wat hij moest zeggen, dus trok hij haar zwijgend in zijn armen, wiegde haar als een klein kind en streelde liefdevol over haar haren.

Later, toen ze haar zelfbeheersing terug had, trok hij zijn ochtendjas uit en glipte bij haar onder de deken. 'Probeer nu te slapen, schat van me. Ik zal over je waken zodat dat je geen nachtmerrie krijgt, daar geef ik je mijn erewoord op.'

Ze glimlachte een beetje, ging dankbaar tegen hem aan liggen en legde haar hoofd en haar arm op zijn borstkas, alsof ze er zeker van wilde zijn dat hij haar 's nachts niet onverwacht alleen liet. Een paar minuten later sliep ze.

Byron lag wakker tot het licht werd, omdat hij geen seconde van deze kostbare nabijheid wilde opofferen aan de slaap.

3

Toen het licht werd sloop Byron terug naar zijn kajuit. Harriet en hij hadden afgesproken dat ze Horatio en Alistair voorlopig niets zouden vertellen over deze nieuwe fase van hun relatie. Dat zou haar verhouding met Alistair misschien lastig maken en een negatieve invloed hebben op het uitvoeren van hun opdracht.

'Alistair is een gokker en hij weet dat hij niet altijd kan winnen,' had Harriet gezegd. 'Maar het is waarschijnlijk beter om niet meteen aan de grote klok te hangen wat er tussen ons is gebeurd. Laten we de dingen op hun loop laten en zien wat er gebeurt.'

Byron werd een beetje ongerust over haar laatste zin, want die klonk in zijn oren alsof ze er in het daglicht aan was gaan twijfelen of hun liefde toekomst had. Hij sprak zich moed in door eraan te denken dat hij zich waarschijnlijk te druk maakte om die zin en dat uit haar afscheidskus in elk geval duidelijk was gebleken wat ze voor hem voelde.

De Xerxes hield zich heel nauwkeurig aan de dienstregeling. Met maar een halfuur vertraging voeren ze 's middags rond de zuidpunt van het ruim vijfenveertig kilometer lange en slechts negen kilometer brede schiereiland Athos. Het bergmassief van kristallijnen leisteen was begroeid met bossen met eiken, kastanjes en platanen. Op veel plekken was echter ook grijze, naakte rots zichtbaar, waarop de moeilijk toegankelijke kloosters en skiten, de onderkomens van de monniken, troonden. Op het zuiden van het schiereiland stak de Hagion Oros, de heilige berg van Athos, met zijn hoogte van meer dan 1900 meter en zijn als marmer glanzende top boven alle andere bergen uit.

Het stoomschip hield eerbiedig afstand van de gekloofde kust, met haar onbegaanbare uitlopers begroeid met lage tamariskenstruiken en steile berghellingen die zich tot ver in het diepe blauw van de zee uitstrekten.

'Niet bepaald gemakkelijk om ongemerkt in zo'n klooster binnen te dringen,' zei Alistair met een bezorgde uitdrukking op zijn gezicht, toen ze langs een klooster op een rotspunt voeren. 'Ik word al duizelig als ik er alleen maar naar kijk.'

Horatio knikte. 'Het is een echte uitdaging. De kloosters op Athos worden niet voor niets de "zwaluwnesten van de heilige mannen" genoemd. In de oudheid was de heilige berg van Athos gewijd aan de heidense goden. De Grieken dachten dat de berg een versteende reus was, die de strijd met de goden had verloren. Soms komen er hier kleine aardbevingen voor, dan is het net alsof de stenen reus stuiptrekkingen heeft. Dan storten er soms muren van kloosters in en ontstaan er diepe scheuren.'

'Had Mortimer geen normaal klooster voor zijn icoon kunnen uitzoeken?' mopperde Alistair. 'Deze kloosters zien eruit als machtige vestingen, met verdedigingstorens en kantelen enzovoort!'

'Ze zijn net als de Byzantijnse kastelen als vestingen gebouwd omdat ze dat ook waren. In tijden van oorlog moesten ze zich beschermen tegen plunderende en rovende legers en in vredesperioden tegen de roversbenden en piraten die de Middellandse Zee eeuwenlang onveilig hebben gemaakt,' zei Horatio. 'Daarom was een onaantastbare ligging net zo belangrijk als afzondering van de wereld.'

'De kaarten vallen nu eenmaal niet altijd zoals je ze graag wilt hebben,' antwoordde Harriet. 'Dat zou jij toch moeten weten.'

Hij grijnsde meteen. 'Een waar woord. En we zullen weer het beste maken van de kaarten die die krankzinnige aan ons heeft uitgedeeld.'

'Ik geloof dat het langzamerhand tijd wordt dat we met je vermomming beginnen,' zei Horatio.

Ze hadden in de haven van Kum-Tale alles gekocht wat ze daarvoor nodig hadden en toen Harriet omgekleed uit haar kajuit kwam, had ze behalve haar gelaatstrekken bijna niets vrouwelijks meer. Ze droeg zware laarzen, een niet bijzonder elegant winterkostuum van grove roestbruine wol, een wijde schoudermantel met opgevulde schouders, een vilten hoed met een brede rand en een bril met een donker hoornen montuur en ronde, niet geslepen glazen. De zwachtels die ze rechts en links tussen haar onderkaak en wangen had gestopt, veranderden haar nog meer. Daarmee zagen haar wangen eruit als wangzakken, die haar fijne gelaatstrekken ontsierden en waardoor er samen met de hoornen bril en de donkere oogschaduw weinig van haar mooie uiterlijk overbleef.

'Alleen de baardgroei ontbreekt, lieftallige jongeling,' spotte Alistair toen hij haar zag. 'Pas maar op dat een van die pijendragers je geen onzedelijk voorstel doet. Sommige van deze heilige mannen schijnen een voorliefde voor lieftallige jongens te hebben, vooral als hun huid zo glad is als die van jou.'

Harriet gaf hem een speelse klap met haar wandelstok en zei met een brommende, lage stem: 'En jij houdt je smerige tong in toom!'

De haven van Karyäs bleek een bescheiden aanlegplaats te zijn, met een kleine wachttoren op een havenhoofd, dat de schepen in de baai van Dafni bij slecht weer een beetje beschutting moest geven. Aan het havenhoofd lagen een stuk of tien kleine vissersboten aangemeerd en een paar roeiboten lagen verspreid op het rotsachtige strand. Daarachter zagen ze wat kleine, op schuren lijkende hutten. Dat was alles. Een echte plaats, laat staan een stad, was er niet in de baai. Karyäs, de hoofdstad van de monnikenrepubliek, lag meer dan anderhalf uur landinwaarts.

'Daar zijn de monniken die erop toezien dat vrouwen de heilige berg niet betreden,' fluisterde Horatio toen ze van boord gingen. Hij wees stiekem naar de twee monniken met lange baarden in zwarte pijen, die aan het eind van loopplank wachtten.

Ze liepen de loopplank af. Harriet was de een na laatste en had een wild bonkend hart.

De twee monniken keken naar hen met een gesloten, bijna afwijzende gezichtsuitdrukking, alsof ze het liefst elke bezoeker, ook de mannen, meteen weer hadden weggestuurd. Maar de tijden waren veranderd en zij bepaalden niet langer wie Athos mocht betreden en wie niet. In elk geval voor wat betreft het schiereiland. In de kloosters waren ze nog uiterst streng tegenover vreemdelingen. Veel kloosters waren consequent gesloten.

Er verstreken een paar bange momenten toen ze voor de twee monniken stonden, maar gelukkig zagen ze niets verdachts en lieten ze hen passeren.

Ze vonden al snel een muildierdrijver, die hen op zijn dieren over het pad de bergen in leidde. De tocht van tweeënhalf uur voerde langs laurierstruiken, waarvan de kruidige geur zich met de koude lucht mengde, en door bossen vol esdoorns, eiken en platanen, die diepe avondschaduwen wierpen. Ze kwamen ook langs een klooster, dat aan een opgedroogde beekbedding lag en in het schemerlicht op een naargeestig kasteel leek.

Net voordat de nacht Athos in diepe duisternis hulde, bereikten ze Karyäs. De kleine monnikenstad met haar wit gekalkte huizen, kerken en kapellen lag te midden van tuinen en beboste hellingen.

Ze vonden al snel onderdak in een van de eenvoudige pensions, brachten de bagage naar hun kamers en aten een eenvoudige maaltijd in een donkere hoek van de gelagkamer. Daarbij dronken ze met hars gekruide wijn, die wat gewenning nodig had, zoals Horatio het met een zuur gezicht treffend formuleerde.

De volgende ochtend kochten ze een wandelkaart van het schiereiland, die miserabel slecht op goedkoop papier was gedrukt, maar die voldeed. Ze vonden ook een dun boekje dat in het Duits was geschreven. Het bevatte een samenvatting van de geschiedenis van de verschillende kloosters, informatie over de belangrijke iconen die zich achter hun muren verborgen, en tot hun verrassing ook de plattegronden van een aantal van deze gebouwen. De plattegrond van Simonopetra stond er ook bij. Hoewel er niet bepaald een bedrijvige drukte in het slaperige stadje heerste, gingen ze uit voorzorg toch naar een zonnige helling buiten de bebouwde kom om de beschikbare informatie te bestuderen.

'Geen wonder dat ze Mortimer met zijn kostbare icoon in Simonopetra hebben verwelkomd,' zei Byron toen hij in de brochure las dat een brand in 1891 enorme schade aan het klooster had aangericht en een groot deel van de iconenverzameling had vernietigd. 'Zijn geschenk moet na het verzengende vuur bijzonder welkom zijn geweest.'

Horatio interesseerde zich meer voor de plattegrond van het klooster. 'Dit is de westelijke muur, die naar zee is gericht,' vertelde hij terwijl zijn vinger over de afzonderlijke delen van de tekening ging. 'Een stuk achter de *kodonostassion*, de klokkentoren, die op de westelijke muur is gebouwd, bevindt zich de *katholikon*.'

'En dat is?' vroeg Alistair.

'Zo wordt de hoofdkerk genoemd. Die ligt altijd in het midden van het complex,' legde Horatio uit. Hij was helemaal in zijn element. 'En deze dunne lijn in het achterste, naar het oosten gerichte deel van de katholikon is de muurhoge iconostase, de beeltenishouder. Die scheidt de *naos* van de erachter liggende *bema*.'

'Stop alsjeblieft met Byron na te apen en langdradige lessen over het orthodoxe geloof en de kerkarchitectuur te geven,' waaschuwde Alistair hem.

'De bema is samen met het altaar de allerheiligste plek, waar de godsdiensten worden gehouden. De naos is de ruimte voor de iconenmuur, waar de monniken tijdens de godsdienst staan,' legde Horatio met enige verbittering in zijn stem uit. 'En dat alles, mijn vriend, zul jij je ook moeten inprenten. Als we Simonopetra betreden, wat ongetwijfeld alleen 's nachts en tussen de vele gebedstijden van de monniken door mogelijk zal zijn, moet jij ook precies weten waar we zijn en waar we de icoon moeten zoeken.'

'Dat komt ook wel goed,' verzekerde Alistair hem een beetje timide. 'Maar je verlangt toch niet van me dat ik achteraf alle vaktermen nog opdreun?'

'Laten we erover nadenken van welke kant we het klooster het beste kunnen benaderen,' zei Byron terwijl hij de wandelkaart van Athos uitspreidde.

'Gelukkig ligt Simonopetra niet al te ver van Karyäs,' zei Harriet, toen ze de twee punten op de kaart had gemarkeerd. 'Ik denk dat het tien tot elf kilometer is. Dat kunnen we gemakkelijk in twee uur lopen.'

'Dat geloof ik niet, want we lopen door bergachtig terrein, waarmee we niet vertrouwd zijn, en al helemaal niet 's nachts,' antwoordde Byron. 'We kunnen tenslotte geen gids meenemen voor wat we van plan zijn.'

'Dat betwijfel ik ook,' meende Horatio. 'Bovendien lijkt het me geen goed idee om ergens bij de poort over de muur te klimmen.

'Waarom niet?' wilde Alistair weten.

'Ik heb me lang genoeg met iconenkunst en deze kloosters beziggehouden om te weten dat een kloosteringang op Athos veel weg heeft van een middeleeuwse vesting,' zei Horatio. 'Deze bestaat bijna zonder uitzondering uit een dubbel portaal, een binnen- en een buitendeur met een overdekt tussendeel, dat *diavatikon* wordt genoemd. Alle vleugeldeuren zijn van massief hout met dik metalen beslag en grote nagels. Zelfs als het me lukt om de sloten te kraken, dan komen we niet binnen. Aan de binnenkant liggen namelijk dikke houten balken voor de deuren, de *sigos*, die met een soort grendel horizontaal heen en weer worden geschoven.'

'Dat kunnen we dus vergeten,' zei Byron.

Horatio knikte. 'En je hoeft ook niet te proberen om daar over de muur te klimmen. Het portiershuis van een klooster is namelijk altijd bemand, zodat ze op elk tijdstip een kom water en een stuk brood aan arme pelgrims kunnen geven. Dat is voor monniken een ijzeren Bijbels gebod. En bij de kloosters rond Athos bevindt deze *portarius* zich in de verdedigingstoren bij de poort. Dan worden we onmiddellijk ontdekt, ook omdat het terrein voor het klooster door het vestingkarakter overal goed te overzien is.'

'En hoe moeten we dan in Simonopetra komen?' vroeg Harriet, die al vermoedde wat het antwoord zou zijn.

'We gaan via de zee en zoeken aan de westkant van het klooster naar een mogelijkheid om binnen te komen,' antwoordde Horatio. 'En daarvoor hebben we het een en ander aan uitrusting en vooral een stevige roeiboot nodig. Nog beter is een visser die zijn mond kan houden, ook 's nachts bekend is met de verraderlijke eigenschappen van de kust en ons naar het klooster brengt.'

4

'**D**at is onze man.' Met de geschoolde blik van een beroepsspeler die eraan gewend is om zijn medemensen scherp te observeren, wees Alistair naar een visser in de baai van Dafni, waar ze 's middags bij heiig weer waren aangekomen. 'Bij hem hebben we de meeste kans dat hij zich laat overhalen om aan ons bootfeestje mee te doen.'

'En waarom zou uitgerekend deze visser zich daarmee inlaten?' vroeg Harriet verbaasd.

'Omdat zijn boot enigszins afzijdig van de andere boten ligt aangemeerd en hij in z'n eentje een net repareert, terwijl de andere vissers daar verderop bij elkaar zitten te kletsen,' antwoordde Alistair. 'Die man is een buitenstaander met wie de anderen niets te maken willen hebben. Misschien omdat hij zich niet aan hun regels houdt, of misschien heeft hij een andere reden heeft om zijn eigen weg te gaan.'

Alistairs vermoeden bleek juist te zijn. Toen ze de magere man van begin veertig aanspraken en terloops vroegen hoe het met de visvangst in deze omgeving was gesteld, kreeg de visser een verbeten uitdrukking op zijn gegroefde, door het weer getaande gezicht.

'Het gaat. Maar wat heb ik eraan als ik volle netten binnenhaal terwijl de handelaren in Karyäs me een hongerloontje betalen? En aan wie moet ik mijn vangst verder verkopen?' beklaagde hij zich in gebroken Engels. 'De monniken zijn zelfs nog erger. Die willen mijn vis het liefst gratis hebben. "We nemen je in onze gebeden op, Spiros Konstantinos!", hebben ze een keer tegen me gezegd terwijl ze een paar armzalige koperen munten in mijn hand drukten. Maar van hun vrome gebeden kan ik geen nieuwe netten en verf voor de boot kopen. En in het café kan ik daarmee ook niet betalen.'

'Hoe komt het dat u zo goed Engels spreekt?' vleide Byron hem.

Het gezicht van de visser lichtte even op. 'Ik kom hier niet vandaan. Ik ben in Saloniki geboren en heb vaak contact gehad met Engelsen, voordat ik met een vrouw uit Karyäs trouwde en visser ben geworden. Maar dat zal snel voorbij zijn. Er is niets wat me nog hier houdt sinds mijn vrouw afgelopen jaar is overleden. God heeft ons helaas geen kinderen geschonken, en als ik eindelijk een koper voor mijn boot en mijn hut heb gevonden, ga ik naar mijn familie in Saloniki terug.' Hij spuugde in de richting van de andere vissers. 'Maar de winter is daarvoor geen gunstige tijd. Misschien lukt het volgend jaar, als God het wil.'

'Misschien kunnen we u helpen om al veel eerder naar uw geboorteplaats terug te keren,' zei Byron. 'We zouden uw boot namelijk graag voor een nachtelijk uitstapje huren en zijn bereid daar goed voor te betalen. Heel goed zelfs, als u een man bent die niet veel vragen stelt en kan zwijgen.'

Spiros Konstantinos keek met een waakzame, achterdochtige blik naar hen en naar de zakken en de tas, die Horatio bij zich had. 'En wat moet dat voor nachtelijk uitstapje zijn?'

'Zoals ik al zei, we betalen niet voor vragen,' zei Byron terwijl hij hem een kleine leren buidel voorhield. 'Maar u hebt mijn woord dat we geen plannen hebben die u slapeloze nachten zullen bezorgen. We zijn geen misdadigers die u bij een misdaad willen betrekken.'

'Wat willen jullie dan?' vroeg de visser terwijl hij de geldbuidel aanpakte om te kijken wat voor bedrag ze hem aanboden.

'Alleen dat u ons nog voor het invallen van de nacht met uw boot naar Simonopetra brengt, ons daar afzet, een paar uur wacht en ons dan weer hiernaartoe brengt,' vertelde Byron.

Spiros Konstantinos kreeg een ongelovige blik in zijn ogen toen hij zag hoeveel goudstukken er in de kleine geldbeurs zaten. Het was meer dan hij in een jaar met zijn visvangst kon verdienen. 'U wilt 's nachts bij Simonopetra aan land gaan? Dat klinkt heel merkwaardig,' mompelde hij.

'Het gaat om een idiote weddenschap, beste man,' begon Alistair te vertellen. 'Wij Engelsen hebben soms enigszins potsierlijke ideeën, zoals u misschien weet. In elk geval heeft een vriend met ons gewed dat het ons nooit en te nimmer zal lukken om ongemerkt het klooster in te gaan en in het katholikon een foto van de iconostase te maken.'

'Dat lukt u ook niet,' antwoordde de visser. 'De monniken zijn waakzaam.'

'Dat moet eerst nog blijken,' zei Alistair. 'We willen het proberen, want het is een weddenschap om heel veel geld.'

'En dat is ook echt alles wat jullie in Simonopetra willen?' vroeg Spiros Konstantinos sceptisch.

'We willen niets stelen of het klooster op een andere manier schade berokkenen, daar geef ik mijn erewoord op,' zei Byros ernstig. 'Dat zweer ik op de Bijbel, op het graf van mijn ouders zaliger en op alles wat er verder nog heilig voor me is.'

Spiros Konstantinos keek van de een naar de ander, alsof hij van hun gezichten wilde aflezen of het de waarheid was. Daarna stopte hij de geldbeurs weg. 'Goed dan, ik geloof jullie.' Hij schudde zijn hoofd en voegde eraan toe: 'Zo'n krankzinnige weddenschap kunnen alleen Engelsen bedenken.'

En zo zaten ze twee uur voor het invallen van de nacht in zijn kleine vissersboot en zeilden bij een matige wind langs de kust naar Simonopetra.

Met de schemering begon het te misten.

'Het ontbrak er nog aan dat we in dichte mist terechtkomen,' fluisterde Harriet bezorgd, die met Byron voorin bij de boeg zat, terwijl de visser bij de achtersteven zat en de helmstok bediende.

'Niet bepaald ideaal voor een romantisch boottochtje in het maanlicht,' antwoordde Byron met een heimelijk lachje. Hij moest zichzelf dwingen om haar hand niet te pakken. 'Maar voor ons plan kan een beetje mist helemaal geen kwaad.'

Toen het klooster in zicht kwam, was het net nog licht genoeg om een indruk van het enorme gebouw te krijgen.

'Lieve hemel!' liet Alistair zich ontvallen. 'Moeten we daar omhoog, Horatio? Meen je dat serieus? Heb jij daar misschien ervaring mee, bijvoorbeeld doordat je de noordwand van de Eiger of dat soort rotswanden hebt beklommen?'

'Niet echt,' antwoordde Horatio terwijl hij naar zijn verrekijker greep. 'Maar het is vast niet zo steil als het lijkt.'

Ook Byron zakte de moed in de schoenen toen hij de rotswand en het klooster zag.

Het klooster leek een meter of honderd landinwaarts uit een rots te groeien. Hoge, gladde, steile wanden die waren opgebouwd van rechthoekige leistenen blokken vormden ver boven hen twee brede, langwerpige torens met daken van grijze leisteen. Het derde leistenen blok stond iets apart, maar was door middel van houten galerijen met de twee andere verbonden. Bovenin, op duizelingwekkende hoogte, zagen ze rijen smalle ramen die op zwaluwnesten leken. Onder de ramen liepen houten galerijen, die werden ondersteund door schuine steunbalken. Een dunne balk op de galerijen deed dienst als balustrade, alsof het vertrouwen in God voldoende was om je op een dergelijke hoogte naar buiten te wagen.

Aan de voet van de rots lag een kleine baai met een botenhuis en een aanlegsteiger. Op dit tijdstip was daar echter geen monnik te zien.

'Daar loopt een pad omhoog!' riep Horatio naar zijn vrienden terwijl hij de verrekijker aan Byron gaf. 'Zo komen we bij het klooster.'

'Maar dat loopt beslist om het gebouw heen en leidt naar de kloosterpoort aan de voorkant,' vreesde Harriet.

Byron richtte de verrekijker op het rotsachtige pad dat achter het botenhuis over gewaagd overhangende terrassen met sinaasappel- en citroenbomen naar boven slingerde. 'In geval van nood blijft ons niets anders over dan het toch aan de voorkant te proberen,' zei hij toen hij de verrekijker liet zakken.

Horatio pakte hem meteen weer om gebruik te maken van het laatste licht.

'Er is nog geen reden om het bijltje erbij neer te gooien, vrienden,' zei hij optimistisch. 'Als mijn ogen me niet bedriegen komt het pad vlakbij de onderste galerij van het derde blok.'

Toen de anderen zich daarvan wilden overtuigen, dreven er echter mistsluiers langs de muren, waardoor ze niet konden zien wat Horatio had gezien, en toen de nevelslierten het gebouw weer vrijgaven, had de duisternis zich over de kust verspreid.

'Jullie moeten me maar vertrouwen,' zei hij. 'En laten we nu aan land gaan en het brood eten dat we hebben meegenomen. We moeten nog een paar uur wachten. Pas als iedereen in het klooster slaapt kunnen we naar boven gaan, en dan hebben we de tijd tot de *vigilie* van vijf uur.'

Spiros Konstantinos trok zijn boot een stuk bij de aanlegsteiger en het botenhuis vandaan in een stille inham het strand op. Daarna gingen ze op de rotsen zitten, pakten hun meegenomen eten en probeerden geduld te hebben.

Telkens weer keken ze op de eenvoudige messing zakhorloges die ze tegelijkertijd met de mannenkleren voor Harriet in Kum-Tale hadden gekocht, tot het eindelijk tijd was om te vertrekken. Ze pakten de twee touwen met een dikte van twee vingers en een lengte van dertig meter uit de zakken, en het kleine anker dat voor een roeiboot was bedoeld en dat ze samen met de touwen in Karyäs hadden gekocht.

Byron en Alistair hingen allebei een rol touw over hun schouder, Harriet pakte het anker en Horatio klemde zijn tas onder zijn arm. Daarin zaten een petroleumlamp en een deel van het gereedschap waarmee het hem in Engeland telkens weer was gelukt om in goed beveiligde herenhuizen binnen te dringen.

Spiros Konstantinos keek hen hoofdschuddend na toen ze over de rotsen achter de baai met het botenhuis klommen en daarna op het rotsachtige pad uit het zicht verdwenen.

5

In een gespannen stilte volgden ze het smalle, steile pad, dat door dichte tamariskenstruiken slingerde en over terrassen liep. De mistige duisternis vereiste dat ze heel goed opletten waar ze hun voeten neerzetten.

De grijswitte steile muren van het klooster kwamen steeds dichterbij. En hoe dichterbij ze kwamen, des te hoger en ongenaakbaarder leek de aan de rots klevende galerij voor de onderste rij ramen.

Toen de hoog oprijzende leistenen muur van de derde toren nog maar een steenworp van hen verwijderd was, boog het pad scherp naar rechts af, om rond de zuidkant van het kasteelachtige gebouw naar de poort aan de voorkant te leiden.

Ze hadden in de duisternis bijna niet gezien dat het pad zich hier vertakte maar Horatio, die rekening had gehouden met zo'n splitsing, zag het op het laatste moment.

'Stop! We moeten hierlangs!' fluisterde hij. 'Deze aftakking leidt naar de stenen trap, die we daarstraks hebben gezien en die naar een poort in de muur loopt.'

'Waar is dat pad dan?' vroeg Alistair zachtjes.

'Het moet hier zijn,' zei Horatio zelfverzekerd terwijl hij de takken van het struikgewas terug boog. 'Het is alleen nogal begroeid, omdat het waarschijnlijk al een hele tijd niet meer is gebruikt.'

'Wat niet wil zeggen dat we dan bij de poort uitkomen,' zei Harriet.

'Maar misschien hoog genoeg voor ons plan,' antwoordde Horatio terwijl hij voor hen uit liep.

Even later bereikten ze een met struiken begroeide helling, die overging in de leistenen muur. Een smalle trap uit rotsgesteente liep steil langs de muur omhoog. Deze bood net voldoende plaats aan één persoon en bezat geen leuning aan de kant van de afgrond.

'Ik wist het,' zei Horatio opgelucht. 'Dit pad leidt ons naar de paradijselijke iconenkunst van Simonopetra.'

Alistair keek wantrouwend naar de stenen trap. 'Verheug je maar niet te vroeg. Het lijkt erop dat onze klim ver voor de ingang naar je paradijs strandt. Het bovenste deel van de trap ontbreekt namelijk.'

'Alistair heeft gelijk,' zei Byron. 'De trap stopt daar boven.'

'Ja, waarschijnlijk heeft een kleine aardbeving het bovenste deel vernield,' zei Horatio. 'Maar voor ons doel komt de trap hoog genoeg. Als jullie goed kijken, zien jullie dat de afstand van de laatste begaanbare treden naar de onderste galerij maar zo'n vijftien meter bedraagt.'

'Daar hebben we toch niets aan?' vroeg Harriet. 'Met een touw komen we niet zo ver naar boven.'

Alistair knikte. 'Inderdaad, het lukt ons nooit om het touw met het anker zo hoog te gooien,' zei hij verbeten. 'Je breekt eerder je nek dan dat je zelfs maar in de buurt van de galerij komt.'

Horatio's ogen fonkelden vrolijk achter zijn ronde brillenglazen. 'En toch zeg ik jullie dat het kan lukken, al is het dan niet door het touw te gooien. De menselijke geest onderscheidt zich door originaliteit, vrienden. En ik heb al heel andere problemen overwonnen met mijn pennenwerper.'

'Over wat voor pennenwerper heb je het?' vroeg Alistair verbaasd.

'Dat zien jullie zo meteen,' zei Horatio. Hij zette zijn tas neer en haalde er een ijzeren buis met de lengte van een arm en de dikte van een kaars uit. Aan het onderste eind was een duimdik stuk hout bevestigd, dat eruitzag als het schouderstuk van een geweerkolf. Een handlengte onder het einde van de buis stak een smalle stalen steunbalk naar buiten. Deze was net lang genoeg om hem met gemak te kunnen beetpakken. Aan de andere kant was een korte houten greep aangebracht en in de ijzeren buis zat een glijrail.

Harriet, Byron en Alistair waren behoorlijk verbaasd, toen Horatio ook nog een vuistdikke houten rol uit zijn tas haalde, waarop een luciferdunne stalen kabel was gerold. Aan het eind ervan hing een ijzeren pen, die net zo lang en bijna zo breed was als een duim.

'Kun je ons uitleggen wat dat is en wat je ermee gaat doen?' vroeg Harriet verbaasd.

Horatio lachte zachtjes. 'Dit is mijn eigen uitvinding,' verkondigde hij met zichtbare trots. 'Nu ja, eigenlijk heb ik alleen het principe van een kruisboog, of liever gezegd een harpoen, gebruikt. Boven in de buis leg je de pen, die met de dunne kabel is verbonden. Dan span je de stalen veer met de hendel, die zich in de ijzeren buis bevindt, je zet de pennenwerper stevig tegen je schouder, richt met behulp van het handvat en schiet de pen weg.'

'Heel leerzaam,' mopperde Alistair. 'Maar daarmee heb je nog steeds niet uitgelegd hoe jouw prachtige uitvinding ons moet helpen om op die vervloekte galerij te komen.'

'Dat kan ik het beste laten zien als we boven aan de trap zijn,' zei Horatio. 'Een van jullie mag al beginnen met een paar knopen in een van de touwen te leggen. Dat maakt het omhoogklimmen straks gemakkelijker. En het anker moet aan een eind worden vastgemaakt.'

'Ik ben heel benieuwd wat je wilt gaan doen,' zei Byron nieuwsgierig. Hij begon knopen in het touw te leggen en het anker aan het eind vast te binden. Daarna liep hij achter de anderen aan, die de stenen trap al opgeklommen waren.

'Verdomd hoog hier,' mompelde Alistair met één oog op de gapende afgrond.

'Blijf naar boven kijken,' raadde Harriet hem aan. 'Dat helpt.'

Uiteindelijk hadden ze de laatste trede bereikt. Terwijl Horatio op de plek stond waar de trap was afgebroken en loodrecht de diepte in liep, en blijkbaar geen last had van hoogtevrees of duizeligheid, persten de anderen zich zo dicht mogelijk tegen de muur aan.

'En nu?' vroeg Byron gespannen en met een wee gevoel in zijn maag.

'Nu mogen jullie duimen dat ik de pen bij het eerste schot over de balk krijg,' antwoordde Horatio zachtjes. 'En let op als ik raak schiet en de pen aan het touw naar ons terugzwaait. Als we hem niet meteen te pakken krijgen, moet ik het touw inhalen en het opnieuw proberen.'

Hij haalde de lange, dunne, ijzeren draad van de houten rol, stopte de pen in de werper en plaatste deze tegen zijn schouder. Langzaam trok hij de spanhendel naar achteren, terwijl zijn linkerhand de greep omklemde. Hij richtte schuin naar boven op de driehoekige opening tussen de draagbalk en de bodem van de galerij en liet de spanhendel los.

Met een scherp, metaalachtig zingend geluid vloog de pen uit de buis en trok de dunne stalen draad op zijn vlucht achter zich aan.

Horatio had de afstand goed geschat. De pen schoot in een perfecte ballistische baan omhoog. Eén moment leek het alsof hij te hoog had gemikt en het projectiel boven zijn doel uit zou schieten, maar toen werd het gewicht van de stalen draad merkbaar. De pen bereikte het hoogste punt, begon sterk af te buigen en ging recht op de opening af. Toen het projectiel achter de balk in de diepte viel, trok Horatio even aan de lijn en daarna zwaaide de pen naar hen toe.

Byron greep in de lucht, maar miste. De pen suisde langs hem. Gelukkig kreeg Harriet, die achter hem stond, de draad te pakken voordat deze met de pen aan het eind weer kon wegzwaaien.

'Uitstekend! Dat was de eerste klap,' fluisterde Horatio opgewekt. Hij zette de pennenwerper naast zich tegen de muur en pakte het touw met het anker. 'De rest is kinderspel.'

Hij knoopte de ijzeren draad snel aan een van de drie kromme haken en trok het anker daarna voorzichtig naar de steunbalk van de galerij omhoog. Twee tot drie keer moest hij kort aan de stalen draad trekken, maar daarna zaten twee van de ankerhaken achter de balk. Hij trok stevig aan het touw met de knopen om zich ervan te overtuigen dat het anker gewicht kon dragen en niet van de balk gleed.

'En langs dat touw moeten we nu omhoog klimmen?' vroeg Alistair. 'Wat gebeurt er als het anker wegglijdt?'

'Dat gebeurt niet,' verzekerde Horatio hem. 'Daar geef ik je mijn woord op en je kunt het ook met je eigen ogen zien. Ik ga namelijk als eerste. Als je me het andere touw geeft, bevestig ik dat aan de balustrade en laat het naast de draagbalk naar beneden hangen, zodat jullie gemakkelijker rond het uitstekende deel kunnen komen.'

'En jij dan?' vroeg Byron ongerust.

'Ik ben weliswaar niet zo artistiek begaafd als Harriet, maar voor dit soort kleine hindernissen zijn mijn lenigheid en spierkracht groot genoeg,' zei hij niet zonder trots terwijl hij het tweede touw dwars over zijn borstkas hing. 'Hoe denken jullie dat ik mijn vrijlating uit veel gevangenissen eigenhandig heb vervroegd? Ik klim nu omhoog. Een van jullie moet de petroleumlamp aan zijn riem hangen, vergeet dat niet! En houd het eind van het touw vast. Als het wegglipt, kunnen jullie niet achter me aan komen.'

'Dat is eerder een aantrekkelijke dan een nare gedachte,' mompelde Alistair.

'Als je niet durft, kun je beter hier blijven,' zei Horatio schouderophalend. 'Dan hoef ik straks bij het afdalen niet naar de trap heen en weer te zwaaien.' Met die woorden pakte hij het touw en begon omhoog te klimmen.

Byron hield het touw vast en zette zich met zijn voeten schrap tegen de stenen rand van een traptrede. Maar Horatio was niet zwaar en hij klom snel en behendig langs het touw omhoog.

Toen hij de balk had bereikt, trok hij zich erop, greep de overhangende rand van de planken vloer boven hem en hing heel even alleen aan zijn handen honderden meters boven de door mist versluierde afgrond.

Niet alleen Byron hield op dat moment zijn adem in. Ze waren allemaal bang dat hij zichzelf had overschat en in de diepte zou storten, maar ze zagen verbaasd dat hij zich met het gemak van een ervaren turner aan de plankenrand omhoogtrok, met zijn rechterhand naar de hoekpaal greep, zijn linkerbeen omhoog zwaaide en het volgende moment op zijn buik op de vloer van de galerij lag.

'Petje af!' riep Harriet bewonderend. 'Dat had ik hem niet verbeterd.'

Horatio haalde de tweede rol touw van zijn schouder, knoopte de touwlus aan de balustradebalk en liet het touw naar beneden hangen, zodat zijn vrienden ernaar konden grijpen zodra ze de draagbalk hadden bereikt.

'Jij bent aan de beurt,' zei Harriet tegen Byron. 'Alistair kan het touw vasthouden terwijl ik de petroleumlamp aan mijn riem hang.'

Het kostte Byron enige overwinning om Horatio op deze duizelingwekkende hoogte te volgen. Zijn trots verbood hem echter om terug te krabbelen, en dankzij het tweede touw had hij het iets gemakkelijker dan Horatio. Hij volgde Harriets advies om niet naar beneden te kijken, maar zijn hart bonkte wild terwijl hij langs het touw omhoog klom. Voordat hij het touw met één hand losliet, verzekerde hij zich ervan dat zijn voeten en zijn andere hand het touw stevig omklemden. Bij de draagbalk was er nog een kritiek moment, maar Horatio bukte zich onmiddellijk, greep zijn jas met één hand, pakte zijn pols met zijn andere hand en trok hem naast zich op de galerij.

'Allemachtig!' kreunde Byron zachtjes. Hij schoof snel van de rand weg en leunde naar adem snakkend tegen de muur. 'Waar zijn we in vredesnaam aan begonnen. En dat voor mij, voor wie het grootste avontuur tot nu toe was dat ik een zeldzaam boek in een bibliotheek vond.'

'Dat heb je toch fantastisch gedaan, Byron. De mens groeit met zijn taken,' fluisterde Horatio vrolijk.

'Zoiets had ik van mijn leven nooit kunnen dromen.'

Dat gold ook voor Alistair, die nu aan de beurt was. Harriet had hem verteld dat de laatste, in tegenstelling tot de anderen, vrij boven de afgrond zou zwaaien. En net als Byron stond zijn trots het hem niet toe om op de trap achter te blijven. Het lukte hem om zonder grote problemen naast hen op de galerij te komen, al was het buiten adem en met een lijkbleek gezicht.

Om Harriet hoefden ze zich geen zorgen te maken. Voor haar was het zwaaien aan het touw boven de afgrond geen probleem. Ze klom net zo snel en gemakkelijk als Horatio naar boven en had geen hulp nodig om haar lichaam over de rand te zwaaien.

'Zo, dan zijn we allemaal weer gezellig bij elkaar,' fluisterde ze. Ze maakte de draadbeugel van de petroleumlamp van haar riem los en haalde een doosje lucifers tevoorschijn.

'Draai de pit zo meteen zover mogelijk naar beneden,' zei Horatio terwijl hij de bladzijde met de plattegrond van Simonopetra openvouwde, die hij uit het boekje met de kloosters van Athos had gescheurd. 'We moeten zeker weten waar we zijn en dat de kust vrij is voordat we met een opgedraaide vlam door het klooster gaan wandelen.'

'Vertel me alsjeblieft niet dat er achter deze muur monnikencellen liggen en dat we langs de slapende mannen van Athos moeten sluipen,' fluisterde Alistair ongerust.

Horatio schudde zijn hoofd. 'Nee, de cellen bevinden zich als het goed is in het gebouw aan de andere kant van de binnenplaats. Helaas is deze kaart niet al te gedetailleerd.'

Hij wierp een laatste blik op de kaart in het licht van de brandende lamp en knikte naar Harriet, die de pit zo ver naar beneden draaide dat de vlam met een heel zwak schijnsel brandde.

'Blijven jullie hier, dan ga ik kijken waar we het beste naar binnen kunnen,' fluisterde hij, waarna hij gebukt langs de muur begon te sluipen en door de ramen naar binnen gluurde.

'Mijn God, de galerij schommelt bij elke beweging als een boot op een woelige zee,' fluisterde Alistair toen de galerij zachtjes begon te bewegen.

'Stop alsjeblieft met dat pessimisme van je,' siste Harriet.

Even later gebaarde Horatio, die het midden van de lange galerij inmiddels had bereikt, naar de anderen. 'Hier komen we in een gang,' fluisterde hij toen ze naar hem toe waren geslopen. 'Het raam staat open. Ik denk dat we de uitnodiging maar moeten accepteren.'

Ze klommen achter elkaar door het openstaande raam naar binnen en volgden de gang tot de deur aan het eind. Horatio deed hem voorzichtig open, gluurde in de duisternis, luisterde even ingespannen en knikte tevreden. 'De kust is veilig. De binnenplaats ligt voor ons, wat betekent dat het katholikon links van ons ligt.'

Even later gleden ze als schaduwen langs de muur naar de kerk. Ondanks de duisternis zagen ze dat de gepleisterde muren van het katholikon met donkerrode verf waren gesausd. De kleur moest herinneren aan het bloed van Christus en de martelaars.

Horatio deed één vleugel van de kerkdeur zo ver open dat ze door de kier in het erachter liggende atrium konden glippen, waarachter een grote, rechthoekige ruimte lag.

Harriet draaide de pit van de lamp hoger, maar Horatio gaf haar niet veel tijd om de weelderige muur- en plafondschilderingen en de fresco's te bewonderen. Hij trok haar aan haar arm met zich mee door de naos, waar het licht op het donkere koorgestoelte viel.

'Hier is de iconostase,' riep hij met een gedempte stem, pakte de lamp van haar aan, draaide de vlam omhoog en liet het felle licht op de vergulde houten wand schijnen, waaraan niet alleen veel iconen hingen, maar die ook rijkelijk van sculpturen was voorzien. Er lag een verrukte uitdrukking op zijn gezicht. 'Mijn God, wat prachtig. Kijk al die kostbare iconen eens! En daar, rechts van de *vassiliki pili*, de middendeur, die ook "koningsdeur" wordt genoemd. Daar hangen de iconen van Christus Pantokrator en de heilige Johannes de Doper.'

'En kom nu maar weer met je beide benen op de grond terug,' zei Alistair ongeduldig. 'We hebben niet aan het touw gehangen en zijn naar binnen geklommen om naar een saaie lezing over iconenkunst te luisteren. Vertel maar gewoon waar Mortimers pana-wat-het-ook-is hangt.'

'Meteen links van de koningsdeur,' bromde Horatio geïrriteerd. 'Daar hangt de panaghia aan elke iconostase.' Hij zwaaide met de lamp naar de andere kant van de middendeur met de dubbele vleugels, waarbij het licht op de paneelschildering van de moeder Gods viel, die in kostbare gewaden was gehuld. Het overdadige goud straalde hen zo krachtig tegemoet dat het leek alsof het hen wilde verblinden.

Zelfs een leek als Alistair zag onmiddellijk dat deze icoon bijzonder oud en waardevol moest zijn.

'Naar beneden ermee,' zei hij respectloos terwijl hij de panaghia van de iconostase haalde. 'Laten we maar eens kijken waar Mortimer zijn boodschap heeft verstopt. Waarschijnlijk heeft hij iets op de achterkant gekrast. Dat past helemaal bij hem.'

Er was niets. Verbaasd draaide Alistair de op een stuk hout geschilderde icoon in het licht van de lamp, maar hij zag nergens een verstopte boodschap.

'Verdomme,' vloekte hij. 'Het ontbreekt er nog maar aan dat die pijendragers Mortimers icoon niet hier hebben opgehangen, maar ergens anders. Dan zitten we echt tot aan onze nek in de puree.'

'Rustig, Alistair,' zei Horatio geïrriteerd. 'Neem jij de lamp en geef mij de icoon. Bij mij is hij in betere handen.'

Horatio onderzocht hem nauwgezet en met het oog van een kenner. Toen hij aan de houten achterkant voelde, begon hij plotseling zachtjes te lachen.

'Heb je iets gevonden?' vroeg Harriet opgewonden.

Horatio knikte. 'Iemand heeft hier een smalle reep houtkit aangebracht, en hij heeft veel moeite gedaan om de kleur van de kit aan te passen aan het hout. Geen slecht werk van Mortimer Pembroke, maar niet goed genoeg.'

Hij haalde zijn zakmes uit zijn broekzak en klapte een van de lemmeten open. Voorzichtig krabde hij de houtkit van de onderkant van het paneel. Daaronder kwam een duimlange inkeping tevoorschijn, die amper zo breed als twee lucifers was.

'Denk je dat Mortimer zijn boodschap in die dunne spleet heeft verstopt?' vroeg Alistair. 'Zie je een stuk papier?'

'Er zit geen papier in,' zei Horatio terwijl hij de inkeping nog dichter bij het licht van de petroleumlamp hield. 'Ik zie iets glanzen dat eerder ... tja, op een dun dubbelgevouwen stuk koperblad lijkt.'

'Je hebt gelijk,' zei Byron verbaasd, die zich over Horatio heen boog. 'Er glanst inderdaad iets koperachtigs.'

'Laten we het er maar uithalen,' zei Horatio. Hij zette de punt van het lemmet op het koperblad, draaide een beetje en haalde het voorzichtig uit de spleet. 'Eureka! Daar hebben we Mortimers "zichtbare woord", zoals de oosters-orthodoxe kerk iconen ook wel noemt.' Met een tevreden uitdrukking op zijn gezicht klapte hij het lemmet weg, stopte het zakmes in zijn zak en vouwde de vingerlange reep open.

Harriet zuchtte. 'En opnieuw zijn het allemaal raadselachtige krabbels ...'

'Wat denk jij ervan, Byron?' vroeg Horatio, die ook niet wijs werd uit de tekens. 'Zegt het je iets?'

Byron fronste zijn voorhoofd. 'Ik weet het niet helemaal zeker ... maar het kunnen tekens zijn van een geheimschrift dat door de Vrijmetselaars wordt gebruikt. Om er iets meer over te kunnen zeggen, moet ik eerst nadenken over de tekens en zien of ik het alfabet op een rij krijg. Daarvoor hebben we nu geen tijd.'

'Mijn idee,' viel Alistair hem bij. 'Laten we verdwijnen, voordat die pijendragers voor hun volgende zinloze geprevel ...'

'Getijden,' corrigeerde Horatio hem. 'Een beetje meer respect alsjeblieft.

Ik heb niets tegen je geloof in Nietzsche, maar daarom hoef je nog niet zo denigrerend over de vroomheid van de monniken te praten.'

De terechtwijzing gleed van Alistair af als een waterdruppel van een geoliede huid. 'Ik bedoelde natuurlijk voordat de pijendragers hiernaartoe komen voor hun vrome getijde. Bovendien kan ik niet wachten om zo meteen weer als een aap aan het touw te hangen.'

'Soms, lieve Alistair, gedraag je je ook als een aap zonder dat je aan een touw hangt,' zei Harriet scherp. Ze pakte de petroleumlamp op en blies de vlam uit. Voor de terugweg hadden ze geen licht nodig.

Zonder dat ze werden gezien keerden ze via de weg die ze waren gekomen naar de onderste galerij terug. Dit keer ging Harriet als eerste met het touw naar de overkant. Ze klom iets lager dan de stenen treden van de trap reikten en liet het touw parallel aan de rotswand heen en weer zwaaien. Even later had ze de bovenkant van de trap bereikt, vond bij de eerste poging houvast op de treden en gaf een teken dat de volgende kon komen.

Horatio ging als laatste naar beneden. Voordat hij dat deed maakte hij het hulptouw los en gooide dat zwierig naar hen toe. Alistair kreeg het te pakken en wikkelde het in wijde lussen rond zijn schouder. Intussen trok Horatio de dunne stalen draad onder de draagbalk vandaan en bevestigde deze aan het anker. Toen hij bij hen op de trap stond, trok hij net zo lang aan de stalen draad tot het anker loskwam van de balk. Horatio trok het anker snel naar zich toe, maar kon niet voorkomen dat het tijdens de val in de diepte meerdere keren luid kletterend tegen de leistenen wand en de stenen trap sloeg.

Ze waren ervan overtuigd dat de monniken wakker zouden worden door het metaalachtige gerinkel dat in de stilte van de nacht verschrikkelijk hard klonk en naar de galerijen zouden stormen, maar er klonken geen gealarmeerde kreten boven hen toen ze zich van de smalle trap af haastten en terugliepen over het rotsachtige pad.

Spiros Konstantinos had zijn vissersboot al uit het zand in het water geschoven toen ze bij hem kwamen. 'En? Wie heeft de weddenschap gewonnen?' vroeg hij.

'Wij natuurlijk,' antwoordde Alistair verwaand terwijl hij in de boot sprong. 'En nu mag je het zeil hijsen. Ik heb mijn buik vol van kloosters. Of het moet St. Simeon heten en een ruïne zijn.'

7

Ze brachten een koude, onaangename nacht door aan de oever van een smalle strook kust in de baai van Dafni. Ze zouden maar al te graag voor de koude wind schuilen in de vissershut van Spiros Konstantinos, maar ze wilden het risico niet lopen dat een van de andere vissers hen zag of dat ze het wantrouwen van de twee bewakende monniken wekten. Het gevaar dat Harriets vermomming werd ontdekt, was te groot. Dat zou aanzienlijke problemen met de autoriteiten van de monnikenrepubliek opleveren en dan konden ze voorlopig niet van het schiereiland vertrekken. En om op dit uur van de nacht het hele eind naar Karyäs te lopen was ook geen optie. Daar zou het ook wantrouwen wekken als ze de eigenaars van het pension kort voor het aanbreken van de dag uit hun slaap haalden omdat ze naar hun kamer wilden.

Terwijl Spiros Konstantinos zich in zijn boot uitstrekte en een oud stuk zeildoek over zijn hoofd trok, zaten ze ineengedoken in de armzalige beschutting van een paar hoge rotsblokken op het strand. Ze zouden op dit moment heel wat over hebben voor een paar warme dekens!

Om te zorgen dat de tijd sneller voorbij ging, probeerden ze Mortimers tekens op het stuk koperblad in het licht van de petroleumlamp te ontcijferen en gingen ze verder met hun zoektocht naar de volgende bestemming, die ze hopelijk uit de aanwijzingen op de tien door Alistair uitgesneden bladzijden konden halen.

Byron pakte zijn notitieboekje en een potlood en pijnigde zijn hersenen om zich het geheimschrift van de Vrijmetselaars te herinneren. Hij vond het lastiger dan de noachitische code, maar na een paar verbeteringen had hij het tenslotte voor elkaar.

'Zo, dat moet het zijn,' zei hij terwijl hij zijn werk liet zien.

Geheimschrift Vrijmetselaars

'Laten we Mortimers stuk koper ernaast leggen en de boodschap ontcijferen,' zei Horatio. Hij haalde de kleine reep metaal tevoorschijn en legde deze onder de code die Byron op een bladzijde van zijn notitieboekje had geschreven.

Byron schreef de bijbehorende Latijnse letters op de bladzijde en kreeg de volgende tekst:

vanaf
de hete
woestijnheuvel

'Nou, dit keer heb ik niets te klagen,' zei Alistair. 'Gelukkig liggen de Judas-papyri niet in het tsarenrijk of in het een of andere land waar ons sneeuw en ijs te wachten staan. Ik vind het hier koud genoeg. Een beetje woestijnzon kan ik heel goed gebruiken in dit jaargetijde. Waren we er maar vast.'

'Laten we dan maar eens kijken of we uit deze tien bladzijden uit Mortimers dagboek kunnen achterhalen wat de volgende etappe van onze reis wordt,' zei Harriet. Ze had de losse blaadjes, verzwaard met kiezel-stenen, voor zich uitgespreid in de volgorde waarin ze in het notitieboekje hadden gezeten. 'Ik ben beniewd of iemand van ons in al deze tekeningen en rijen met letters en cijfers een betekenis kan ontdekken.'

'Na een tijdje ingespannen maar vruchteloos piekeren wees Horatio naar een symmetrische groep letters, die aan twee kanten door takken was ingesloten.

EJ3A
OYDW3Q
SRWJ3AIK6
WPPWIEJ3AYDE
MQAPAJPRWJ3AY
KKGJRIW3AJE
JDAPCKQ3A
JXKAGRW
J3AEF3Ah
DAE3RW
JOWIQ
Ah

'Dat doet me op de een of andere manier denken aan de laurierbladeren waaruit vroeger zegekransen werden gevlochten,' zei hij. 'Kan dat iets te betekenen hebben?'

'Natuurlijk! Dat is het, Horatio! De lauwerkrans van de Romeinse keizers!' riep Byron terwijl hij met zijn vlakke hand tegen zijn voorhoofd sloeg. 'Mijn God, ik zag door alle bomen het bos niet meer. Dat is de aanwijzing. En ik weet ook hoe we de tekst moeten ontcijferen. Er wordt beweerd dat Julius Caesar deze code heeft ontwikkeld, wat natuurlijk geklets is, want die bestond al veel eerder. Maar hij heeft er vaak gebruik van gemaakt en daarom staat de code in de cryptologie ook wel bekend als de "caesarschijf".'

'En hoe ziet deze caesarschijf eruit?' vroeg Alistair.

'Ik teken hem zo voor jullie. Maar eerst wil ik tellen welke letters het meest voorkomen, zodat ik weet hoeveel plaatsen Mortimer de binnenste schijf heeft verschoven,' zei Byron, waarna hij een lijst maakte van de frequentie waarin de letters voorkwamen. Daarna knikte hij. 'Het lijkt erop dat hij voor de vijfde plek heeft gekozen. De n wordt bij hem een j en de e een a.' Daarna tekende hij de caesarschijf.

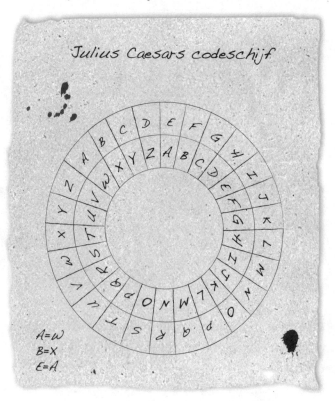

'Eigenlijk moet je de twee ringen uitknippen, zodat je ze naar behoefte kunt verschuiven naar de plek die is afgesproken,' legde Byron uit. 'Dat hoeven wij niet te doen, omdat we weten dat Mortimer de vijfde plek heeft gekozen voor de binnenste ring.'

Even later lag de ontcijferde tekst voor hen, die hen vertelde waar ze de vijfde aanwijzing voor de verstopplek van het Judas-evangelie konden vinden. Deze luidde:

IN DE SCHADUW VAN DE MOKATTAM
IN DE CHIQUE TENT VAN DE COOKNOMADEN
IN HET GOUDEN BOEK VAN DE IJDELHEID
VAN SAMUEL

Harriet kreunde. 'Hemel, dat zijn meteen vier raadsels in een keer. Ik heb er geen idee van wie of wat mokattam is en wat de chique tent van de cooknomaden moet zijn, en ik kan ook niets beginnen met het gouden boek van de ijdelheid en een naam zoals Samuel.'

'Ik geef toe dat het gouden boek van de ijdelheid mij ook niets zegt,' gaf Byron toe. 'En als Mortimer met "Samuel" de twee gelijknamige boeken in het Oude Testament niet bedoelt, waarin het trouwens absoluut niet om ijdelheid gaat, dan weet ik op dit moment ook niet wat ik met die naam aan moet. Dat geldt echter niet voor de Mokattam. Die ken ik namelijk uit de Arabische geschiedenis.'

'En wat is de Mokattam dan?' vroeg Horatio hoopvol.

'Een bergketen in Egypte, waarvan de uitlopers tot de stad Cairo lopen,' vertelde Byron.

'De woestijn en Egypte, dat klopt toch als een bus!' riep Alistair. 'We gaan dus naar Cairo! Daar ben ik heel blij mee. Het moet niet moeilijk zijn om in Saloniki een overtocht naar Egypte te krijgen.'

'Het is natuurlijk mooi dat we onze volgende reisbestemming nu kennen,' zei Horatio. 'Maar de vraag blijft wat de drie andere raadselachtige zinnen te betekenen hebben.'

'Cooknomaden, dat zouden de toeristen kunnen zijn die hun reis naar Egypte door reisbureau Thomas Cook laten samenstellen en organiseren,' dacht Harriet hardop na.

'Natuurlijk! Dat is het!' riep Horatio. 'En omdat de bijzonder gefortuneerde en verwende klanten van Thomas Cook er niet aan denken om hun intrek te nemen in een nomadentent, wordt met "de chique tent" waarschijnlijk een vooraanstaand hotel in Cairo bedoeld.'

Byron knikte. 'Dat zou heel goed kunnen. Het is alleen de vraag welk hotel Mortimer daarmee heeft bedoeld.'

'In Saloniki kunnen we mischien ergens een reisgids over Egypte kopen,' zei Harriet optimistisch. 'Daarin staan de eersteklas hotels vermeld en dan vinden we hopelijk een aanwijzing voor wat Mortimer bedoelt met "het gouden boek van de ijdelheid van Samuel".'

Dan blijft dus alleen over dat we het hier tot het eind van deze verdomd koude nacht moeten uithouden. Laten we hopen dat we niet te lang op het volgende stoomschip naar Saloniki moeten wachten op deze ellendige monnikenrots,' zei Alistair terwijl hij huiverend over zijn armen wreef. 'Ik kan niet wachten om de warme woestijnzon op mijn buik te laten schijnen en eindelijk te achterhalen waar Mortimer het Judas-evangelie heeft verstopt.'

8

Wolkenloos en als een diepblauw geglazuurde keramieken schaal welfde de hemel boven het Turkse Rodos, het eiland dat vergeven was van het architectonische erfgoed van de heerschappij van de Johannietenorde, die twee eeuwen had geduurd. De zon scheen warm op de havenstad en op fort St. Nikolas, dat aan het eind lag van het schiereiland dat zich naar het westen uitstrekte.

De warmte deed Arthur Pembroke goed. Sinds hij het vochtige en koude weer van Engeland achter zich had gelaten en hij met Trevor Seymour op het eiland in het zuiden van de Egeïsche Zee was gearriveerd, had zijn jicht hem niet een keer tot zijn rolstoel veroordeeld.

Toch had hij een verbeten uitdrukking op zijn gezicht toen hij na zijn middagwandeling naar de haven via de Catharinepoort in de stad terugkeerde. Zelfs het feit dat hij in het kantoor van rederij Messageries Maritimes een actuele Engelstalige krant had gevonden, bezorgde hem geen beter humeur.

Met zijn wandelstok verdreef hij drie inheemse waterdragers, die in de Bazaarstraat stonden en luidkeels met elkaar praatten. Hij trok zich niets aan van hun verontwaardiging omdat hij hen als ezels aan de kant joeg. Hij had ook geen oog voor de prachtige Suleiman-moskee, die zich aan het westelijke eind van de Bazaarstraat verhief en het warme licht van de zon opving in haar koepel. Met een chagrijnig, verontrust gezicht omdat Janus zich nog steeds niet had gemeld, beende hij door het vuil van de straat naar zijn hotel terug. Het volgende telegram had er al lang moeten zijn. Maar telkens als hij Trevor naar het telegraafkantoor stuurde, en dat deed hij meerdere keren per dag, kwam deze met lege handen terug.

Was er iets gebeurd waardoor Janus niet in staat was om een telegram aan hem te sturen? Was zijn antwoord voor zijn vertrek uit Engeland niet op tijd in Boekarest aangekomen? Of wilde Janus zo vlak voor het einddoel niet meer meewerken?

Het laatste leek hem het minst waarschijnlijk, omdat hij zich goed had ingedekt tegen deze mogelijkheid met de brief, die Janus destijds aan hem had geschreven en die goed was voor tien tot vijftien jaar gevangenis als hij deze aan de politie overhandigde. Aan de andere kant moest hij bij de zoektocht naar het Judas-evangelie waarschijnlijk overal rekening mee houden, zelfs met verraders onder eigen dak. Hij zou met een gepaste straf antwoorden op het uitblijven van het telegram. Het geschikte moment en de juiste plek daarvoor zouden zich nog voordoen.

Als hij maar niet zo onzeker hoefde te zijn over het verdere verloop en waar Mortimer op zijn krankzinnige reis kriskras door Europa en de Orient was geweest.

Arthur Pembroke was somberder dan hij in lange tijd was geweest toen hij aankwam in hotel Karajannis, waar hij met zijn butler zijn intrek had genomen. Het werd beschouwd als het beste Europees geleide hotel van Rodos en de keuken was heel behoorlijk.

Zonder de vriendelijke groet van de hoteleigenaar achter de kleine receptie zelfs maar met een zwijgend knikje te beantwoorden, liep hij naar de trap en beende naar boven.

Daar liep hij Trevor Seymour tegen het lijf. 'Goed dat u er bent, mylord. Ik wilde al op zoek naar u gaan, sir.'

'Is er nieuws van Janus?' vroeg Arthur Pembroke opgewonden. Tegelijkertijd gaf zijn oogspier de monocle vrij, zodat deze naar beneden viel en aan het koord op zijn vest bungelde.

'Inderdaad, sir. Het telegram waarop u wachtte is tegen de middag in het telegraafkantoor aangekomen. Ik ben net terug.'

'Waar is het telegram opgegeven?' bromde Arthur Pembroke.

'In Saloniki, mylord.'

Vlak daarna zat lord Pembroke op een rieten stoel met kussen op het kleine zonneterras dat bij zijn twee ruime kamers hoorde en gebaarde naar zijn butler dat hij het telegram moest voorlezen. Voor lezen had hij een andere monocle nodig, die ergens bij zijn boeken op de secretaire lag. En waarvoor had hij anders een butler?

'Heel goed, sir,' zei Trevor Seymour. Hij opende het telegram met de onbeweeglijke gezichtsuitdrukking die hem eigen was en las het telegram voor aan de lord.

'mortimers derde aanwijzing als volgt + stop + waar de heilige mannen + stop + aanwijzing vier als volgt + stop + vanaf de hete woestijnheuvel + stop + op weg naar cairo + stop + daar onderdak in hotel shepheard + stop + laatste raadsel voor vijfde aanwijzing als volgt + stop + in de schaduw van de mokattam + stop + in de chique tent van de cooknomaden + stop + in het gouden boek van de ijdelheid + stop + van samuel + stop + janus + stop.'

Arthur Pembroke lachte. 'Mortimer is dus naar Egypte teruggegaan, precies zoals ik al had gedacht. Heel goed. Dat land is me niet onbekend. En dit is de beste tijd voor een kort bezoekje aan de Nijl.'

'Mag ik uit uw opmerkingen afleiden dat u met de volgende boot naar Alexandrië wilt, mylord?' vroeg de butler.

'Dat mag je, Trevor. Regel het. En stuur meteen een telegram naar het Savoy Hotel in Cairo dat men kamers voor ons reserveert. Ik was liever

naar het Shepheard gegaan, maar dat wordt waarschijnlijk te riskant,'
dacht hij hardop na. 'Ik zal er een paar dagen mee moeten leven dat ik in
het Savoy slaap, waar voortdurend een half regiment Engelse officieren
rondhangt en de bar belegert alsof het hotel hun hoofdkwartier is. Maar
goed. In elk geval doet het op het gebied van service niet onder voor het
Shepheard.'

'Ik regel het meteen, sir.'

'Doe dat. En stuur een telegram naar het Shepheard, ter attentie van Janus,'
droeg hij de butler op, waarna hij hem de korte tekst dikteerde. 'Voordat je
vertrekt, mag je eerst beneden een pot met honing voor me halen.'

'Honing, sir?' herhaalde de butler verbaasd.

Arthur Pembroke trok zijn wenkbrauwen op. 'Is er iets mis met mijn
uitspraak, Trevor?' vroeg hij sarcastisch. 'Ja, ik zei honing.'

'Het spijt me, sir! ... Een pot honing. Heel goed, sir.'

Toen Trevor Seymour de honing had gebracht en was vertrokken om de
andere opdrachten van zijn lord uit te voeren, ging Arthur Pembroke naar
de kamer met de zitmeubelen en de secretaire naast het raam.

Hij trok de onderste la van het kleine bureau open, waarin hij zijn tien
boeken reislectuur bewaarde. Een van de boeken was een groot, dik, versleten exemplaar met de complete wereldgeschiedenis, dat door twee sterke
elastieken werd dichtgehouden. Daarnaast lag een iets kleiner en minder
dik boek, eveneens met twee elastieken om het omslag gespannen. Hij
hoefde niet meer te controleren of alles nog op zijn plek lag, maar hij deed
het toch.

Hij haalde de elastieken van het geschiedenisboek, sloeg het open en knikte tevreden. In de holte van de uitgesneden bladzijden lag een pistool met
een korte loop. Hij pakte het op, woog het in zijn hand en draaide aan
het magazijn. Daarna legde hij het terug en controleerde de holte in het
kleinere boek, waarin een doos patronen verborgen zat.

Hij haalde een gedragen overhemd uit de waszak, spreidde het uit op het
blad van de secretaire en legde de boeken erop. Daarna pakte hij de honing
en liet iets meer dan de helft uit de pot op de boeken druppelen, waarna hij
ze omdraaide. Aansluitend wreef hij ze tegen elkaar, zodat de omslagen

flink kleverig werden. Tevreden met zijn werk rolde hij de twee boeken in het overhemd en knoopte dat stevig dicht.

Dat moest voldoende zijn om ervoor te zorgen dat de douanebeambten in Egypte van zijn boeken afbleven. Een voorzorgsmaatregel die misschien overbodig was, maar ingevoerde wapens werden in Egypte als smokkelwaar beschouwd en werden meteen in beslag genomen. In tegenstelling tot andere Oriëntaalse douanebeambten stonden de Egyptenaren onder Europees management, en wie hen met smeergeld probeerde om te kopen, kon daardoor in ernstige problemen komen.

Hij had natuurlijk ook een revolver in Cairo kunnen kopen, maar dat vond hij te lastig. Bovendien wist je nooit wat ze je aansmeerden in een duistere bazaarwinkel of onderwereldkroeg. En voor wat hij van plan was moest hij blindelings op het wapen en de patronen kunnen vertrouwen.

Er bevond zich nog een tweede wapen in hun bagage, waarvoor hij moest zorgen. Dat kon echter wachten.

Deel zeven

De tent van de herder

1

Dat is ze dus, de stad van de duizend minaretten, die door de Arabische volken vol bewondering Masr-el-Kahira wordt genoemd, wat zowel "de zegevierende" als "de wreekster" betekent,' zei Byron terwijl hij het bonte oriëntaalse panorama van de stad aan de voet van het Mokkatamgebergte in zich opnam.

Hun Griekse stoomschip Hellas was, na veel vermoeiende en tijdrovende tussenstops, 's ochtends eindelijk de haven van Alexandrië binnengelopen. Daarna hadden ze de trein naar Cairo genomen, die hen in een bijna drieënhalf uur durende treinrit langs de Nijl naar de beroemdste metropool van de Arabische wereld had gebracht, en nu reden ze in een open koets met een met kwasten versierd zonnedak van Bab el-Hadid, het Centraal Station van Cairo in het noordwesten van de stad, naar het Shepheard-hotel in het centrum.

'Of het nu de zegevierende of de wreekster is, ik vind elke naam best zolang de zon maar zo heerlijk warm blijft schijnen,' zei Alistair terwijl hun rijtuig over de brug over het Ismailiyeh-kanaal hobbelde en daarna de drukke verkeersstroom van de brede boulevard Sharia Bab el-Hadria indook.

'Daar kunnen we wel op rekenen,' zei Harriet. 'Het wordt zelfs nog warmer, als het klopt wat de treinconducteur ons heeft verteld.'

'Het weer is waarschijnlijk het enige waarin Cairo en Constantinopel verschillen,' meende Alistair. 'Bij het station dezelfde chaos van schreeuwende kruiers, die de koffers uit elkaars handen trekken. En in de stoffige straten en pleinen hetzelfde mierenhoopachtige gekrioel van tulbanddragende mannen op blote voeten in gewaden als nachthemden, die hetzelfde afgrijselijke lawaai produceren.'

'Het weer is niet het enige waarin de twee steden verschillen,' antwoordde Byron. 'En het stof draagt het stempel van de nabije woestijn, vriend.'

'Dat klopt. En bovendien zijn hier meer Engelse officieren en toeristen, die met kurken tropenhelmen met nekbescherming en omgehangen kaartentas door het gebied wandelen alsof ze op het punt staan voor een woestijn-expeditie te vertrekken om nieuwe faraograven te ontdekken, terwijl ze alleen op weg zijn naar de dichtstbijzijnde bar of speelclub.' Alistair glimlachte breed.

Horatio schudde zijn hoofd. 'Je bent een cultuurbarbaar,' zei hij streng, maar toen lachte hij. Byron en Harriet keken ook vrolijk.

Ze waren allemaal in een uitstekend humeur. Geen van hen twijfelde eraan dat Egypte het laatste station op hun zoektocht naar het Judas-evangelie was. Hier zou hun wekenlange, avontuurlijke reis eindigen en ze waren optimistisch dat ze de laatste raadsels en codes na wat hoofdbrekens tenslotte ook zouden ontcijferen.

'Geen wonder dat Mortimer dit hotel als chique tent van de Cooknomaden heeft beschreven,' zei Harriet toen ze het Meidan Kantaret el-Dikkeh, een driehoekig plein met in het midden eveneens een driehoekig plantsoen, waren gepasseerd en het langgerekte, paleisachtige gebouw van het Shepheard voor hen opdook. Het beroemde hotel was ooit een koninklijk paleis geweest. Een stukje verderop zagen ze het grote el-Ezbekija-park.

'En meteen ernaast zit het plaatselijke filiaal van Thomas Cook,' zei Byron terwijl hij naar het gebouw naast het hotel wees, met het bedrijfsbord van het Engelse reisbureau boven de ingang.

Een groot terras met veel afzonderlijke zitgroepen, die deels in de schaduw van grote gespannen zonneschermen lagen en door zware bloembakken met manshoge steekpalmen van elkaar werden gescheiden, lag achter een smeedijzeren balustrade aan de voorgevel. Een trap met tien treden leidde van het trottoir naar het terras en zorgde voor een nadrukkelijke scheiding tussen de chique wereld van het hotel en de normale wereld van de boulevard.

Het terras was het trefpunt van een kapitaalkrachtige en bonte schare internationale gasten, die in de rieten stoelen en ligstoelen neerstreken voor de high-tea of een drankje. Engelse officieren in smetteloze, elegante uniformen, hun helm op hun knieën en een brandy in hun hand; verveelde jonge Engelse vrouwen in rijkleding; Noord-Europese toeristen met verrekijkers die leergierig waren verdiept in hun lectuur over de faraocultuur; een groep mannen die, naar hun kleding en de met aarde besmeurde laarzen te oordelen, een polowedstrijd hadden gespeeld; een ronde tafel met Amerikaanse zakenmannen die opgewekt Gin Fizz dronken en de avond waarschijnlijk niet rechtop zouden overleven; en voorname bankiers op gevorderde leeftijd die de beursnoteringen in de krant bestudeerden en zo formeel gekleed waren alsof ze net uit de Londense City kwamen.

De koets stopte voor de hotelingang en er kwamen onmiddellijk oriëntaalse bedienden in livrei aanrennen om hun bagage aan te nemen. Ondertussen bood een ezeldrijver Horatio wiet aan, terwijl een straathandelaar Byron met een samenzweerderig gefluister aansprak om hem een gegarandeerd echt faraohoofd aan te smeren. Hij was net zo moeilijk af te schudden als een klit, en als de portier hem niet met een pak slaag en de politie had gedreigd, was de opdringerige kerel hen waarschijnlijk zelfs naar de foyer gevolgd.

De buitenkant van het Shepheard was indrukwekkend, maar het interieur was adembenemend, zelfs voor hotelgasten die gewend waren aan luxe en voor het eerst een voet in het hotel zetten.

De foyer met haar op de faraonische bouwkunst geïnspireerde enorme zuilen weerspiegelde de in Europa heersende Egypte-manie. Ze waren van roze marmer, dat een sterk contrast vormde met de donkere parketvloer met zijn vele tapijten. Arabesken en mozaïeken die waren opgebouwd uit kleine steentjes sierden de bovenste rand van de muren. Moorse rondbogen, die in het midden spits toeliepen, leidden van de foyer naar de aangrenzende ruimten.

'Ik heb helemaal niets tegen goede hotels,' mompelde Horatio toen hij de overmatige uiting van Egyptisch-Moorse bouwkunst zag. 'Maar moest het uitgerekend een paleis uit duizend-en-één-nacht zijn?'

'Hoezo? Ik vind het hier mooi,' antwoordde Alistair. 'We moeten zo meteen maar eens vragen waar we de harem voor de gasten kunnen vinden. Waarschuw me maar als je een eunuch ziet. Die weet beslist hoe hij er moet komen.'

Harriet verdraaide haar ogen.

Byron ging ook niet in op Alistairs grap. 'Ik heb ook niets met deze overdadige pracht en praal, maar Mortimers spoor leidt duidelijk naar dit hotel,' zei hij tegen Horatio. 'Het Shepheard staat bekend als het beste hotel in Cairo. Het is het enige hotel dat de "chique tent van de Cooknomaden" kan zijn.'

'Toch moeten we misschien een goede reisgids kopen en alle eersteklas hotels nog een keer bekijken,' zei Harriet. In Saloniki hadden ze geen reisgids voor Egypte kunnen vinden. 'In het reisbureau van Thomas Cook is beslist een Baedeker te koop. Die is in dat soort zaken altijd het meest betrouwbaar.'

Ze handelden de formaliteiten bij de receptie af en werden daarna door een hotelbediende naar hun kamers gebracht, die naast elkaar lagen en zo groot waren dat je erin kon verdwalen.

'Na de lange dagen op zee en de treinrit heb ik behoefte aan beweging,' verkondigde Harriet toen ze even later weer bij elkaar kwamen. 'Ik wil een lange wandeling maken en iets van de stad zien.'

'Een fantastisch idee,' zei Byron meteen.

Horatio toonde geen interesse. 'Ik geloof dat ik een dutje ga doen. Ik voel het schommelen van de Hellas nog steeds.'

Ook Alistair had geen zin in een lange wandeling. 'Gaan jullie maar wandelen,' zei hij met een veelbetekenende grijns. 'Ik ga eens kijken wat er in de bar te beleven is.'

Harriet en Byron waren absoluut niet teleurgeteld dat ze een paar uur met z'n tweeën konden doorbrengen. De receptionist regelde snel een *dragoman*, een inheemse gids, voor hen en raadde hen aan om te beginnen met een uitstapje naar de citadel en de uitlopers van de Mokattam.

'Vanaf daar hebt u een fantastisch uitzicht, vooral nu het vandaag zo ongewoon helder is,' verzekerde hij hen. 'Heel Cairo ligt daar aan uw voeten.

En u kunt over de Nijl uitkijken en de woestijn en de piramiden zien.'

Ze namen zijn advies dankbaar aan en vertrokken onder de hoede van de kleine, behendige dragoman, die tot hun opluchting niet opdringerig bleek te zijn. Toen ze hem duidelijk maakten dat ze niet geïnteresseerd waren in overdreven veel informatie over de gebouwen omdat ze de nieuwe indrukken op zich wilden laten inwerken en bovendien het een en ander te bespreken hadden, was hij niet beledigd. Hij maakte alleen af en toe een opmerking en hield afstand, om hen niet het gevoel te geven dat hij hun persoonlijke gesprek afluisterde. Dat ze heel veel om elkaar gaven was duidelijk; ze hielden elkaars hand voortdurend vast.

Het eerste deel door Cairo naar de citadel, die zich aan de zuidoostelijke rand van de stad verhief, legden ze af in een open koets. Op het grote Roumelehplein dicht bij de Sultan-Hasan-moskee stapten ze uit en zetten hun verkenningstocht te voet voort.

Via elkaar tulbandachtig kruisende wegen liepen ze vlak daarna langs de oude citadel met de enorme muren, poorten en torens, die in het jaar 1166 blijkbaar met de stenen blokken van kleine piramiden in Giseh was opgebouwd, en de Mohammed-Ali-moskee, die door Saladin op de laatste uitloper van de kale Mokattam was gebouwd. De moskee op de kale heuvel straalde zelfbewustzijn en oriëntaalse trots uit.

Even later lag de koningin van de Arabische steden tussen de woestijn en de groene oevers van de Nijl letterlijk aan hun voeten. Onder hen zagen ze het Roumelehplein en de prachtige gevel van de Sultan Hasan-moskee, zwartbruin geschilderd als het gelaat van een trotse bedoeïn, die zich alleen gebonden voelde aan de wetten van de woestijn. Een flink stuk daarachter zagen ze de imposante minaret van de Ibn Tulun-moskee, met de wenteltrap die als een versteend slangenlijf omhoog kronkelde.

'Kijk eens! Daar! De piramide van Giseh!' riep Harriet terwijl ze opgewonden aan Byrons hand trok. 'Wat een enorm bouwwerk is dat, als je het zelfs op deze afstand kunt zien. We moeten haar absoluut bekijken en misschien ook beklimmen als dat mogelijk is.'

Byron gaf een liefdevol kneepje in haar hand. 'Dat is vast en zeker mogelijk, maar ik weet niet of ik dat wel wil. Ik heb namelijk van een gesprek tussen twee gasten in de hotelfoyer opgevangen dat het heel vermoeiend is om deze piramide te beklimmen, omdat de blokken die de treden vormen tot borsthoogte en hoger komen. Het is absoluut geen normale trap. Je moet hem waarschijnlijk als een berg beklimmen.'

'Je gaat mee,' antwoordde ze vastbesloten, waarna ze glimlachte. 'Ik wil samen met jou boven op de piramide staan en ver de woestijn in kijken.'

'Ik denk dat we nog genoeg van de woestijn te zien krijgen,' zei hij glimlachend. 'Ik heb namelijk het gevoel dat Mortimer de Judas-papyri heeft verstopt op de plek waar hij ze heeft gevonden. En die plek ligt beslist niet in de huizenzee onder ons met al zijn bazaars, moskeeën en minaretten, maar ergens in de woestijn. Zo, en nu moeten we langzamerhand naar Horatio en Alistair in het hotel terug. Ze vragen zich vast af waar we blijven. Het wordt ook tijd om de bladzijden in het notitieboekje nog een keer intensief te bestuderen en eindelijk te achterhalen wie Samuel is en wat het "gouden boek van de ijdelheid" te betekenen heeft.'

Harriet zuchtte en het zorgeloze lachje op haar gezicht maakte plaats voor een verdrietige trek. 'Ik wilde dat we het allemaal achter ons konden laten en die papyri konden vergeten, Byron. Ik heb het nare voorgevoel dat het ons geen geluk gaat brengen.'

Hij keek haar verbaasd aan. 'Hoe kom je plotseling op die dwaze gedachte? We hebben alle gevaren achter de rug, Harriet. We hoeven alleen de resterende raadsels nog op te lossen en dan hebben we de Judas-documenten.'

'Ik weet hoe graag je ze wilt vinden, zodat je ze op de terugreis naar Engeland kunt bestuderen,' antwoordde ze. 'Maar als ik je heel erg zou smeken om er uit … uit liefde voor mij vanaf te zien en er niet verder naar te zoeken, zou je dat dan doen? Horatio en Alistair kunnen de verstopplek zonder ons ook wel vinden.'

'Ik wil alles voor je doen, liefste,' antwoordde hij terwijl de blik in zijn ogen haar vertelde hoeveel hij van haar hield. 'Maar ik kan het niet, Harriet. Ik heb mijn erewoord gegeven. En ik … nee, wíj kunnen Horatio en Alistair niet in de steek laten. Ik begrijp trouwens helemaal niet waarom je ineens zo'n somber voorgevoel hebt, nu we zo kort voor de eindstreep zijn.'

Ze zuchtte nog een keer diep. Daarna dwong ze zich te glimlachen. 'Je hebt gelijk. Dat kan niet. Misschien zie ik alleen spoken en loopt alles goed af.'

'Natuurlijk,' verzekerde Byron haar. Terwijl ze de heuveltop af liepen om naar het hotel terug te gaan, daalde het veelstemmige gezang van de moëddzins vanaf de minaretten op Cairo neer, om de gelovigen in de stadswijken op te roepen voor het avondgebed.

Byron had gelijk gehad. Horatio en Alistair wachtten inderdaad al ongeduldig op hen toen ze in het laatste avondlicht de foyer in liepen.

Alistair sprong meteen uit zijn stoel toen hij hen zag en liep naar hen toe. Hij had een folder in zijn hand waarop een kleurenfoto van hotel Shepheard prijkte.

'Terwijl jullie slenterden en tortelden, heb ik een flinke stap vooruit gezet,' riep hij triomfantelijk. 'We weten nu wat het tweede deel van het raadsel uit Mortimers notitieboekje te betekenen heeft. Jullie zullen grote ogen opzetten!'

2

Wanneer heb je die ingenieuze inval gekregen?' vroeg Harriet. 'Vertel me niet dat dat bij het gokken in de bar was.'

Alistair schudde geamuseerd zijn hoofd. 'Het zou nooit bij me opkomen om met een stel kaarten in mijn hand aan iets anders te denken dan aan de pot en hoe ik die van de anderen kan aftroggelen. Als ik iets doe, dan doe ik het goed. Kom mee naar de bar, dan vertel ik jullie wie Samuel is.'

Ze gingen achteraan in een rustig hoekje zitten en gebaarden naar de aansnellende ober dat ze nog even niets wilden bestellen.

'Voor de dag ermee!' drong Byron aan. 'Wat heeft de hotelfolder met Mortimers Samuel te maken?'

'Heel veel,' zei Alistair. 'Toen ik hier beneden tevergeefs rondkeek, op zoek naar een stel pokervrienden, zag ik deze folder op een van de tafels liggen. Omdat ik me verveelde heb ik hem gelezen. Er staat een stukje geschiedenis over deze chique herberg in, en plotseling zag ik de naam van de man die het oude paleis in 1864 in een hotel heeft veranderd. Dat zijn naam Shepheard was, ligt natuurlijk voor de hand, maar raad eens naar zijn voornaam!'

'Samuel?'

Alistair knikte. 'Helemaal goed, Harriet. Er staat een foto van die vent in, met een zwarte volle baard en een nogal belachelijke fez met een kwast die tot onder zijn oor komt,' zei hij terwijl hij de folder naar hen toe schoof. 'Als er één letter minder in zijn achternaam stond, heette hij "shepherd", "herder" dus. En in overdragende zin is een hoteleigenaar immers een soort herder, die waakt over het welzijn van zijn betalende schaapjes. Het klopt allemaal als een bus.'

'Geweldig, Alistair,' zei Byron goedkeurend.

'En omdat Mortimer dit door Samuel Shepheard gestichte hotel bedoelt ligt het ook voor de hand wat het "gouden boek van de ijdelheid" is,' voegde Horatio eraan toe. 'Dat is natuurlijk het gastenboek, dat beroemde en hooggeplaatste personen krijgen om er een bijdrage in te schrijven. Een beroemde lord zoals Mortimer Pembroke heeft het gastenboek beslist ook gekregen. De volgende aanwijzing voor de verstopplaats is dus waarschijnlijk in zijn bijdrage in het gastenboek te vinden.'

'En wat zeggen jullie nu?' vroeg Alistair trots als een pauw. 'Terwijl jullie je buiten hebben vermaakt, hebben wij het raadsel opgelost!'

'Daaraan kun je zien tot welke uitzonderlijke prestaties je in staat bent als je met je handen van de kaarten afblijft,' zei Harriet spottend. 'Als je "pokervrienden" in de bar had gevonden, waren we nu nog geen stap verder geweest.'

'Hoe dan ook, we zijn nog maar een paar uur in Cairo en het raadsel is opgelost. Dat bevalt me uitstekend,' zei Byron vrolijk terwijl hij overeind kwam. 'Laten we maar eens zien of ze ons het gastenboek willen geven, zodat we Mortimers bijdrage in alle rust kunnen bekijken.'

'Het verhaal over de biografie van Mortimer, waaraan je zogenaamd werkt, kan ons hier misschien ook verder helpen,' dacht Horatio.

Byron was het met hem eens. 'Vooral als we laten doorschemeren dat Mortimer bijzonder enthousiast was over zijn verblijf in het Shepheard en dat ik dat natuurlijk in mijn boek ga vermelden,' zei hij sluw.

'Samuel Shepheard leeft niet meer,' zei Alistair. 'Het hotel is in het bezit van een bedrijf met de naam Compagnie Internationale des Grands Hotels en de huidige directeur is een zekere Pascal Lambert.'

'Bedankt voor de informatie,' zei Byron. 'Het is altijd goed om meteen de juiste naam bij de hand te hebben en de indruk te wekken dat je een deskundige op het gebied van de materie bent. Horatio, jij gaat mee als mijn illustrator, maar het zou waarschijnlijk een nogal vreemde indruk maken als we met z'n vieren om het gastenboek gaan vragen.'

'Doen jullie tweeën dat maar,' zei Alistair grijnzend. 'Ik heb mijn deel al gedaan.'

Byron liep met Horatio door de foyer naar de chef de recepción en vertelde het verzonnen verhaal over lord Arthur Pembroke, de hen opdracht had gegeven om een biografie te schrijven over zijn vorig jaar overleden broer, de beroemde onderzoeker en wereldreiziger, en dat ze daarom alle relevante details van zijn bewogen leven verzamelden.

De *chef de recepción* was meteen bereid om mee te werken en haalde het zware gastenboek uit zijn kantoor. Het had een leren omslag dat was versierd met gouden arabesken. 'Als u het tijdstip van lord Mortimers laatste bezoek aan ons bij benadering kunt vertellen, moet ik zijn bijdrage zonder problemen kunnen vinden, meneer Bourke.'

Byron dacht even na. 'Volgens de informatie van zijn broer is hij hier twee jaar in dezelfde periode geweest, in december dus.'

'O, dan hebt u helaas niets aan dit boek,' zei de chef de recepción spijtig. 'We zijn afgelopen jaar september namelijk in een nieuw gastenboek begonnen, omdat het andere vol was. En ik kan helaas niet bij de boeken van eerdere jaren, meneer Bourke.'

'En de reden daarvoor is?' vroeg Byron.

'Directeur Lambert bewaart de oude gastenboeken in zijn privé-kluis, omdat ze een hoge waarde voor ons hotel vertegenwoordigen,' deelde de chef de recepción hem mee. 'Hij is de enige met een sleutel van deze kluis. Helaas kan ik hem niet vragen om het betreffende boek voor u uit de kluis te halen omdat hij op dit moment voor zaken in Port Said is.'

Byron en Horatio trokken een teleurgesteld gezicht.

'We verwachten hem overmorgen terug,' ging de chef de reception verder. 'Als u zo lang kunt wachten, zal meneer Lambert u bij zijn terugkeer beslist het plezier doen, u een kijkje in het gastenboek te gunnen. Uit uw woorden maak ik op dat u voor het eerst in Egypte bent. Daarom zal het u vast niet moeilijk vallen om uw dagen te vullen met het bezichtigen van de stad en de naburige bezienswaardigheden.'

Dat deden ze inderdaad, hoewel ze regelmatig gescheiden op stap gingen. Horatio bracht zijn tijd door in musea en kunstgalerieën, Alistair in het gezelschap van andere hotelgasten die graag voor een spelletje poker bij elkaar kwamen, en Byron vol dankbaarheid met Harriet. Op de ochtend van hun derde dag in Cairo was Pascal Lambert terug uit Port Said. Hij had er inderdaad geen bezwaar tegen om het bewuste gastenboek aan hen te geven.

'U moet zich alleen niet verbazen over de bijdrage van lord Pembroke,' zei hij terwijl hij Byron het boek overhandigde. 'U weet waarschijnlijk wel dat hij een man met bepaalde … nu ja, nogal ongewone karaktertrekken was, en dat wil heel wat zeggen bij de uitgesproken individualiteit van onze gasten. In elk geval is lord Pembrokes bijdrage ons heel goed bijgebleven vanwege het nogal excentrieke karakter ervan.

'Dat past uitstekend bij het beeld dat we inmiddels van hem hebben,' antwoordde Byron. Hij bedankte hem en was net als zijn vrienden nieuwsgierig naar de excentriciteit die ze in het gastenboek zouden vinden.

Ze trokken zich met het boek in Byrons kamer terug, en omdat Alistair de oplossing van het raadsel op het spoor was gekomen, liet Byron het aan hem over om naar Mortimers bijdrage te zoeken.

Hij had de plek al snel gevonden, bladerde verder en trok een verbaasd gezicht. 'Dat bestaat toch niet!' riep hij.

'Wat is er?' vroeg Harriet terwijl ze voorover boog om een blik op de bladzijde te kunnen werpen.

'Die vent heeft in plaats van de een of andere zin, zoals de meeste andere belangrijke gasten voor hem hebben gedaan, hele gedichten in het boek geschreven, die meerdere bladzijden beslaan. Sommige zijn maar een paar regels, andere vullen een hele bladzijde,' zei Alistair verontwaardigd.

'Lees de gedichten eens voor,' vroeg Horatio terwijl hij zijn brillen-glazen schoonmaakte. 'Ik ben benieuwd of je geschikt bent als voor-drachtskunstenaar van verheven dichtkunst.'

'Goed, het begint met een kort gedicht van viereneenhalve regel:

> Ik was het hoogtepunt van het leven nabij,
> toen het donkere woud me omringde en ik,
> verward, de juiste weg niet vond.
> Waarom was het woud zo dicht en doornig
> O wee ...

Alistair trok een gezicht. 'Tja, de vrolijke rijmelaar is nauwelijks op gang gekomen, of hij stopt alweer met zijn gedicht. Hij wist waarschijnlijk niets meer te bedenken. Vandaard dat "o wee" natuurlijk.'

'Die dichtregels zijn afkomstig uit het eerste hellengezang van Dantes' Goddelijke Komedie en deze begenadigde dichter heeft daarna nog een fantastisch epos, zowel voor wat betreft lengte als inhoud, geschreven,' zei Byron, die geduldig probeerde te blijven. De tijd drong god zij dank niet, dus mocht Alistair de tijd nemen voor zijn pleziertje.

'Zo zo,' mompelde Alistair. 'Laten we dan maar naar het volgende onster-felijke epos gaan. Dit keer is de dichter in elk geval in staat om te rijmen, wat een vooruitgang is.' Hij lachte toen hij de eerste regels vluchtig door-las. 'Bovendien schijnt hij iets van de op een na belangrijkste zaken van het leven te begrijpen – begeerte en vrouwen. Luister wat Mortimer heeft geschreven.' Hij begon overdreven hoogdravend te declameren:

> I cry your mercy - pity - love - ay, love!
> Merciful love that tantalizes not,
> One-thoughted, never-wandering, guileless love.
> Unmask'd, and being seen - without a blot!
>
> O! let me hav thee whole, - all - all - be mine!
> That shape, that fairness, that sweet minor zest
> Of love, your kiss - those hands, those eyes divine,
> That warm, white, lucent, million-pleasured breast.

Alistair keek op en grijnsde: 'Het spijt me, vrienden, maar op het moment dat hij ter zake komt verliest hij blijkbaar de moed. Heel jammer. Het zou interessant zijn geweest om te horen welke diepe, sensuele inzichten hij nog meer te bieden had,' zei hij vrolijk.

'Dat kan ik je wel vertellen,' zei Byron. 'Maar het zal je plezier in het gedicht waarschijnlijk bederven. Het is namelijk geen erotisch gedicht, zoals jij abusievelijk aanneemt, mijn vriend, maar een sonet van John Keats met de titel I cry your mercy, die over het existentiële van de mensheid gaat en de zin van het leven. Het laatste stuk gaat namelijk als volgt:

> Yourself - your soul - in pity give me all.
> Withhold no atom's atom, or I die.
> Or living on perhaps, your wretched thrall.
> Forget, in the mist of idle misery.
> Life purposes - the palate of my mind.
> Losing its gust, and my ambition blind!

Alistair trok een gezicht en haalde zijn schouders op. 'Over John Keats werd in de weeshuizen waar ik mijn jeugd heb doorgebracht nu eenmaal niet gepraat,' zei hij terwijl hij verder bladerde. 'Goed, nu komen we bij Mortimers laatste dichterlijke bijdrage. Dit keer heeft hij alle registers opengetrokken en heeft hij het helemaal opgeschreven, want het gedicht beslaat een hele bladzijde. Helaas is het in het Duits, zodat ik het gouden boek aan jou moet doorgeven, lieve Harriet.'

Harriet pakte het gastenboek van hem aan en begon voor te lezen:

Oh Täler weit, oh Höhen
Oh schöner, grüner Wald,
Du meiner Lust und Wehen
Andächtiger Aufenthalt!
Da draußen, stets betrogen,
Saust die geschäftige Welt,
Schlag noch einmal die Bogen
Um mich, du grünes Zelt!

Wenn es beginnt zu tagen,
Die Erde dampft und blinkt,
Die Vogel lustig schlagen,
Dass dir den Herz erklingt:
Da mag vergehn, verwehen
Das trübe Erdenleid,
Da selbst du auferstehen
In junger Herrlichkeit

Da steht im Wald geschrieben
Ein stilles, ernstes Wort
Von rechtem Tun und Lieben,
Und was des Menschen Hort,
Ich habe treu gelesen
Die Worte, schlicht und wahr,
Und durch mein ganzes Wesen
Werd's unaussprechlich klar.

Bald werde ich dich verlassen,
Fremd in der Fremde gehn,
Auf buntbewegten Gassen
Das Lebens Schauspiel sehn;
Und mitten in dem Leben
Wird deines Ernsts Gewalt
Mich Einsamen erheben
So wird mein Herz nicht alt.

Harriet liet het gastenboek zakken. 'Nogal romantisch voor die krankzinnige Mortimer. Maar ergens ook gepast, als hij het heeft over *Bald werd ich dich verlassen* en *Fremd in der Fremde gehn* praat. Dat past tenslotte bij zijn vertrek uit Cairo en het feit dat hij daarna niet lang meer heeft geleefd.

Byron knikte. 'Het gedicht, dat overigens is geschreven door Joseph von Eichendorff, heet "Afscheid" en is dus inderdaad heel passend. Maar als bijdrage in het gastenboek van een hotel is het behoorlijk excentriek.'

'Laten we ons liever druk maken om de vraag wat Mortimer met deze twee gedeeltelijke gedichten en één volledig gedicht heeft bedoeld,' zei Horatio. 'Waar heeft hij de vijfde aanwijzing voor de verstopplek van de Judas-papyri verborgen? Bovendien zijn de gedichten niet van Mortimer zelf. Als de dichtregels van hem waren geweest, dan was het anders, maar in de gedichten van Dante, Keats en Eichendorff kun je toch geen raadsels verstoppen.'

'Ik zou het ook niet weten,' zei Harriet.

'Je vergist je, Horatio. Je kunt elke tekst als gecodeede boodschap gebruiken,' zei Byron terwijl hij het gastenboek naar zich toe trok. 'Vaak is de code in een bestaande tekst zelfs gemakkelijker te ontdekken dan in een tekst die zelf is geschreven.'

'Dan ben ik heel benieuwd hoe snel je in deze lyrische uitbarstingen over hellegezang, tweeslachtig verlangen en sentimentele afscheidspijn een aanwijzing voor ons vindt,' zei Alistair sceptisch.

Byron begon de gedichten aandachtig te lezen. Op de eerste en de tweede blik kon hij de code niet ontdekken, dus las hij ze zin voor zin nog een keer door.

'Dat is het!' riep hij plotseling opgelucht. 'Ik wist dat er op een bepaald moment een soort linguïstische steganografie aan te pas zou komen.'

'Mag dat in duidelijke taal, meneer de cryptoloog?' vroeg Alistair.

Byron nam hem een beetje in de maling door niet meteen terzake te komen. Nu hij Alistairs spottende opmerking geduldig voor lief had genomen, mocht deze luisteren naar zijn uitleg over de linguïstische steganografie.

'Dat zijn twee camouflageprocedures. Bij de ene vorm van de codering laat je een geheime boodschap als volledig onvervangbare en begrijpelijke boodschap verschijnen,' legde hij uit. 'Bij de andere methode gebruik je bij wijze van code minieme grafische details. Dit wordt een semagram genoemd en is vooral erg populair bij amateurs. Een beroemd voorbeeld is de eerste Engelse vertaling van "De augmentis scientiarum" van de jonge Francis Bacon uit het jaar 1623, waarbij twee lettertypen als binaire code zijn gebruikt.'

'Dat heb ik altijd al willen weten' zei Alistair met bijtende spot. 'Als de man met de zeis me voor het grote afscheid komt halen, kan ik in elk geval zeggen dat mijn leven vervuld is geweest.'

Zelfs Byron deed mee aan het gelach van zijn vrienden. 'Goed, genoeg uitleg. Kortom: Mortimer heeft zich met een semagram in het gastenboek vereeuwigd. Dat de eerste twee gedichten niet volledig zijn, heeft er misschien mee te maken dat de resterende regels de letters niet bevatten die hij nodig had voor zijn boodschap. We hoeven ons daarom waarschijnlijk alleen op het laatste gedicht te concentreren, op *"Abschied"* van Eichendorff.'

'Waar zie jij dan twee lettertyen?' vroeg Harriet. 'Ik zie in alle regels alleen Mortimers vertrouwde handschrift, al is het iets minder onbeholpen dan in veel passages in zijn notitieboekje.'

'Dit is dan ook het gouden boek,' merkte Horatio spottend op. 'Hij heeft waarschijnlijk iets beter zijn best gedaan. Maar Harriet heeft gelijk, ik kan ook geen verschillende lettertypen ontdekken.'

'De afwijking zit ook niet in hele woorden of zelfs zinnen, dat zou te veel opvallen, maar hier en daar in een enkele letter,' antwoordde Byron. 'Ze vallen nauwelijks op in de tekst, hoewel ze cursief geschreven zijn. Het oog is erop getraind om hele woorden te zien en stelt deze in een normale tekst niet letter voor letter samen. Daarom zien we zulke kleine afwijkingen vaak over het hoofd.'

'Mijn ogen zien nog steeds niets,' bromde Alistair.

Byron pakte een potlood. 'Let op, ik zal de betreffende letters heel dun onderstrepen, zodat ik de potloopstrepen achteraf kan weggummen.' Hij ging aan het werk en dat ging hem vrij snel af omdat hij nu wist waarop hij moest letten.

'Zo, dit is de boodschap die Mortimer in het gedicht van Eichendorff heeft verstopt.' Byron draaide het boek naar hen toe, zodat ze de onderstreepte letters beter konden zien.

Oh Täler weit, oh Höhen
Oh schöner, grüner Wald,
Du meiner Lust und Wehen
Andächtiger Aufenthalt!
Da draußen, stets betrogen,
Saust die geschäftige Welt,
Schlag noch einmal die Bogen
Um mich, du grünes Zelt!

Wenn es beginnt zu tagen,
Die Erde dampft und blinkt,
Die Vogel lustig schlagen,
Dass dir den Herz erklingt:
Da mag vergehn, verwehen
Das trübe Erdenleid,
Da selbst du auferstehen
In junger Herrlichkeit.

Da steht im Wald geschrieben
Ein stilles, ernstes Wort
Von rechtem Tun und Lieben,
Und was des Menschen Hort,
Ich habe treu gelesen
Die Worte, schlicht und wahr,
Und durch mein ganzes Wesen
Werd's unaussprechlich klar.

Bald werde ich dich verlassen,
Fremd in der Fremde gehn,
Auf buntbewegten Gassen
Das Lebens Schauspiel sehn;
Und mitten in dem Leben
Wird deines Ernsts Gewalt
Mich Einsamen erheben
So wird mein Herz nicht alt.

'Nu zie ik het ook,' riep Harriet verbaasd. 'Hij heeft die letters inderdaad cursief geschreven. Dat zou mij dus nooit opgevallen zijn.'
Horatio pakte het potlood en schreef de onderstreepte letters op de achterkant van de hotelfolder. De ontcijferde boodschap luidde als volgt:

Op Jebu neerzagen

'Voor Mortimers aanwijzingen geldt hetzelfde als voor die Russische poppen in een pop,' kreunde Harriet. 'Als je een raadsel hebt opgelost, blijkt de oplossing opnieuw een raadsel te zijn. Of heeft iemand er een idee van wie of wat Jebu is?'

Alistair en Horatio schudden hun hoofd.

'Op het eerste gezicht kan ik er ook niets mee,' zei Byron. 'Ik meen me echter te herinneren dat ik de naam Jebu een keer ben tegengekomen in een boek over de Egyptische mythologie. En als we de vijf aanwijzingen achter elkaar leggen, dan kan Jebu eigenlijk alleen een plaatsbepaling zijn.'

Horatio schreef de vijf aanwijzingen voor de duidelijkheid onder elkaar op. 'Dat is de tekst die we tot nu toe op de vijf plekken hebben verzameld en die betrekking hebben op vijf van de zes Hebreeuwse begrippen van het hexagoon.'

Het Judas-evangelie rust onder ruïne
In klooster St. Simeon
Waar de heilige mannen
Vanaf de hete woestijnheuvel
Op Jebu neerzagen

'Ik heb het gevoel dat de tekst daarmee is afgesloten,' voegde Horatio eraan toe. 'We hebben nu alle informatie. We moeten alleen nog uitzoeken waar Jebu ligt en dan vinden we het Judas-evangelie onder de ruïne van een voormalig klooster met de naam St. Simeon. Eigenlijk ontbreekt de punt aan het eind van de vijfde aanwijzing alleen nog.'

'Misschien ontbreekt die omdat de boodschap nog niet compleet is,' zei Alistair. 'Een hexagoon heeft tenslotte zes zijden en bij de zesde heeft

Mortimer beslist niet zonder reden in het Hebreeuws en met melkinkt "de donkere kamer" geschreven. Er ontbreekt dus nog één deel van de puzzel.'

'Dat klopt, en ik denk dat ik weet wat het ontbrekende deel is,' zei Byron.

'Bedoel je die nietszeggende tekening van de rivieroever met een paar palmen en een fellahhut op de laatste bladzijde van de pagina's die Alistair uit het boekje heeft gesneden?' vroeg Harriet.

Byron knikte. 'Inderdaad, omdat Mortimer op deze bladzijde het begrip "de donkere kamer" aan de rand heeft geschreven en daarmee heeft herhaald. Maar zoals je al zei, de tekening is nietszeggend en zeker niet plaatsbepalend.' Hij haalde de bladzijde uit zijn zak en keek er een hele tijd naar.

Byron schudde zijn hoofd. 'Nee, ik zie het geheim ook niet. En dat terwijl ik er op zoek naar de code al zo vaak naar heb gekeken. Maar ik zie het gewoon niet.'

'Laten we ons daar later druk om maken en laten we eerst maar eens uitzoeken wie of wat Jebu is,' stelde Horatio voor terwijl Byron de tekening wegstopte. 'We zouden nu eigenlijk een uitgebreide encyclopedie moeten hebben.'

Het Shepheard beschikt over een eigen bibliotheek voor zijn gasten,' zei Alistair. 'Dat staat allemaal in de folder.'

Harriet sprong overeind. 'Laten we daar dan onmiddellijk naartoe gaan.'

3

De hotelbibliotheek van het Shepheard was heel indrukwekkend. In de goed gesorteerde boekenkasten stond de nieuwste editie van de Encyclopaedia Britannica. Snel trokken ze het deel met alle bijdragen die met een 'j' begonnen uit de kast en sloegen de bladzijde open waarop het woord Jebu werd uitgelegd.

'Ik wist wel dat Jebu iets met Egyptische mythologie te maken had,' zei Byron, waarna hij de passage voorlas. 'Jebu, Egyptische naam voor het eiland met de gelijknamige plaats bij de eerste stroomversnelling in de Nijl, tegenover Aswan, in de Oudheid Elephantine, vernoemd naar de aanwezigheid van olifanten in dit gebied. Vanaf deze meest zuidelijk gelegen grensvestingstad van Egypte trokken expedities naar Nubië en de naburige granietsteengroeven.'

'We hebben het,' riep Alistair enthousiast. 'Het past allemaal in elkaar. Het klooster St. Simeon ligt dus aan de bovenloop van de Nijl bij de stroomversnelling van Aswan.'

'Wacht even,' vroeg Byron. 'Er staat nog meer. Op het zuidelijke deel van het eiland Elephantine bevinden zich overblijfselen van de vroegere stad, die een uitgebreid tempelgebied met tempels van het Middelste Rijk, de achttiende dynastie en de Perzische tijd omvatte en deels door Ptolemeërs en Romeinen werd uitgebreid. Nu komt het interessante deel. Door toevallige vondsten en latere grafvondsten werden in Elephantine een groot aantal papyri en beschreven potscherven in de Egyptisch-Aramese taal ontdekt. Een deel van deze documenten geeft belangrijke informatie over het jodendom en de diaspora op die plek en in de Perzische provincies Juda en Samaria. Naast Jahwe vereerden de joden van Elephantine nog twee goddelijke figuren.' Byron keek op. Zijn ogen straalden van vrolijke opwinding. 'Ik denk dat we de plaats hebben gevonden waar Mortimer de papyri heeft verstopt, vrienden. En waarschijnlijk is dat dezelfde plek waar hij ze eerder bij opgravingen of toevallig heeft gevonden.'

'Ja, het klopt allemaal. De puzzel is compleet!' riep Alistair enthousiast. 'Nu hoeven we alleen nog na te gaan of er op bij het Nijleiland ook een ruïne van een voormalig klooster is.'

Toen ze er bij de receptionist naar vroegen, kon hij hun meteen informatie geven. 'Er is inderdaad een klooster in Aswan. In de woestijn aan de westoever van de Nijl leefden Koptische monniken. Ze hadden een hard en vaak ook gevaarlijk bestaan. De monniken waren op zichzelf aangewezen als ze het aan de stok kregen met Bedoeïnse roversbenden en religieuze moslimstrijders, voor wie een christelijke kloostergemeenschap natuurlijk een doorn in het oog was. De strijders onder de halve maan trokken zich er niets van aan dat het land, voordat Mohammed profeet werd en met zijn veroveringskrijgstochten begon, al eeuwenlang christelijk was. Geen wonder dus dat St. Simeon al in de dertiende eeuw werd opgegeven. Er staat niet veel meer van het enorme complex. Maar als u toch in Aswan bent, is de ruïne beslist een bezoek waard.'

De volgende vraag lag voor de hand. 'En hoe komen we het beste naar Aswan?'

'U kunt een van de cruiseschepen nemen, die tot de eerste stroomversnelling stroomopwaarts de Nijl opvaren,' deelde de receptionist hen mee. 'Deze populaire tochten duren meestal iets meer dan een week en kunnen hiernaast bij Thomas Cook worden geboekt.'

'Een week op de Nijl is niet echt wat ons op dit moment voor ogen staat,' bemoeide Alistair zich ermee. 'Is er een snellere verbinding naar Aswan?'

'Die is er inderdaad, heren, en weliswaar met de trein,' antwoordde de receptionist. 'Voor toeristen is er een speciale trein met slaapcoupés, die 's avonds uit Cairo vertrekt en 's ochtends in Aswan aankomt.'

'Die nemen we,' zei Alistair, zonder op de mening van zijn vrienden te wachten.

'Als ik u met betrekking tot uw hotel nog een tip mag geven voor uw verblijf in Aswan …'

'Graag,' zei Byron.

'Gasten die de voorkeur geven aan een hotel van onze kwaliteit, kan ik alleen hotel Cataract aanbevelen. Het hoort bij het bedrijf van Thomas Cook en staat onder de gedegen Duitse leiding van meneer Steiger. Vanaf het terras heeft men een fantastisch uitzicht over de stroomversnelling. Het ligt bovendien gunstiger dan het Savoy, dat ook een goede reputatie heeft maar op het eiland Elephantine ligt, wat bij elke excursie de noodzaak van een overtocht met de boot noodzakelijk maakt. En over hotel Aswan wil ik alleen kwijt dat het in de haven bij de kade ligt.'

Ze bedankten hem voor zijn uitgebreide informatie en liepen een eind bij de receptiebalie vandaan.

'We nemen de nachttrein van vandaag natuurlijk,' zei Alistair.

'Als we voor de trein nog slaapcoupés kunnen krijgen, heb ik daar niets op tegen,' antwoordde Byron, die net zoveel haast had om bij de bovenloop van de Nijl te komen.

'Je kunt het beste nu bij Thomas Cook informeren of er nog plaatsen in de trein vrij zijn,' stelde Alistair voor. 'Koop de tickets meteen. Ik wandel intussen naar de dichtstbijzijnde bazaar om een eenvoudige archeologen-uitrusting aan te schaffen.'

'En waaruit bestaat die?' vroeg Horatio verbaasd.

'We hebben nog een petroleumlamp, maar ik denk dat wat gereedschap zoals een schep, pikhouweel, breekijzer en misschien ook een touw onder bepaalde omstandigheden handig kunnen zijn,' antwoordde Alistair opgewekt. 'Mortimer heeft de papyri beslist niet op een presenteerblaadje voor ons klaargelegd.'

Byron haalde zijn schouders op. 'Je hebt gelijk. Het kan in elk geval geen kwaad om die spullen in geval van nood bij de hand te hebben.'

'Goed, als het jullie niets uitmaakt om dat te regelen, gebruik ik die tijd om naar een behoorlijke kapper te informeren om mijn haren te laten knippen,' zei Harriet. 'Dat wordt namelijk hoog tijd.'

'Dat is me helemaal niet opgevallen,' zei Byron. Hij was een beetje teleurgesteld omdat hij liever een paar uur met haar alleen had doorgebracht.

'Misschien duurt het helemaal niet lang,' troostte ze hem. 'Met een beetje geluk hoef ik niet te wachten en ben ik meteen aan de beurt. Dan ben ik op z'n laatst over twee uur terug.'

Ook Horatio had plannen. 'Ik ga nog even met mijn schetsboek naar het Egyptische museum. Van de expositie heb ik tot nu toe pas een fractie gezien. Wie weet hoe lang het duurt voordat ik weer in Cairo kom.'

Zo was iedereen, behalve Byron misschien, de komende uren druk bezig. Hij hoopte echter dat hij niet zo lang op Harriet hoefde te wachten. En tot ze terug was kon hij, als hij hun treinreservering bij reisbureau Cook had geregeld, Mortimers Nijloever-tekening nog een keer bestuderen.

Ze spraken af elkaar op z'n laatst rond de hightea weer in het Shepheard te zien.

Geen van hen merkte dat de perfectus achter hun rug stond en hen observeerde.

4

Graham Baynard zat in een diepe stoel naast een van de dikke zuilen, die net zo goed in een kleine faraotempel hadden kunnen staan. Hij deed net alsof hij een Engelse krant las, maar in werkelijkheid observeerde hij het komen en gaan van de gasten heel aandachtig.

Vanaf zijn zitplek had hij een goed zicht op alles wat er in de hotelfoyer van het Shepheard gebeurde. Hij kon de trap en de lift, de hotelingang en de receptie in de gaten houden.

Met het uiterlijk dat hij zich in Cairo had aangemeten, zouden zijn voormalige ordebroeders Tenkrad en Breitenbach hem zelfs nauwelijks hebben herkend. Hij had zijn baard de afgelopen periode flink laten groeien en hem aan de zijkanten kort geknipt. Een halflange pruik verborg het korte borstelhaar met de markant uitgeschoren slaappartijen. Op zijn neus droeg hij een van de zonnebrillen met ronde groengekleurde glazen, die zo populair waren bij de Egypte-toeristen. Daarbij droeg hij het licht kakikleurig zomerkostuum, dat veel Europese bezoekers blijkbaar als een essentieel onderdeel van hun reisgarderobe beschouwden. Natuurlijk mochten ook de kaartentas aan de brede leren riem en de tropenhelm met nekbescherming niet ontbreken.

De perfectus wist zeker dat hij met deze vermomming onherkenbaar was, en dat gold helemaal voor Arthur Pembrokes gezelschap. Die vier hadden hem tenslotte alleen in de cisterne in het zwakke licht van de petroleumlamp gezien. Zelfs de vrouw had geen gelegenheid gehad om hem nauwkeurig te bestuderen. Eerst was ze een hele tijd verdoofd geweest door de chloroform en daarna had hij haar tot de aankomst van de anderen in de cisterne laten blinddoeken. Waarschijnlijk kon hij vlak naast hen gaan staan zonder dat ze in de gaten hadden wie hij was.

Sinds zijn aankomst in Cairo waren zijn dagen gevuld met pendelen tussen de paar eersteklas hotels op zoek naar het gezelschap van lord Pembroke. Hoewel naast het Shepheard en het Savoy alleen het Continental, hotel du Nil en hotel d'Angleterre als logeeradres in aanmerking kwamen, had de zoektocht hem flink beziggehouden. Hij had niet telkens bij de recepties willen informeren of er een reservering was op een van de namen die hij kende. Hij wilde niet het risico lopen dat een overvriendelijke receptiemedewerker hen vertelde dat een goede bekende naar hen had gevraagd. De enige kans die hij nog had, wilde hij nergens door in gevaar brengen.

De voorzichtigheid en inspanningen waren de moeite waard geweest, want nu had hij ze eindelijk gevonden, als gasten van hotel Shepheard. Daarmee kwamen de Judas-papyri, die hij in Constantinopel als verloren had beschouwd, weer binnen zijn bereik. Dit keer kon hij zich echter geen fouten veroorloven.

Stiekem observeerde hij hoe de vier de bibliotheek uit liepen en naar de receptiebalie gingen. Hij vouwde zijn krant op, kwam uit zijn stoel overeind en slenterde dichterbij. Hij bleef twee tot drie stappen bij hen vandaan staan en keerde hen zijn rug toe. Helaas hoorde hij niet precies wat ze de receptionist vroegen.

Toen de vrouw en de drie mannen naar de andere kant van de hotelfoyer gingen om daar iets te bespreken, liep hij naar de receptionist toe.

'Het spijt me, maar heb ik het goed begrepen dat de drie Engelse heren net naar een interessante Nijlcruise hebben geïnformeerd?' vroeg hij terloops. 'Ik zou me namelijk graag bij mijn landgenoten aansluiten. In gezelschap is een dergelijke onderneming natuurlijk veel gezelliger.'

'Het spijt me, meneer. Het gezelschap is van plan om met de nachttrein naar Aswan te reizen,' deelde de receptionist hem bereidwillig mee.

'O, dan heb ik het waarschijnlijk verkeerd begrepen,' zei Graham Baynard. Hij knikte vriendelijk naar de man en slenterde verder.

Toen hij vlak daarna zag dat de vier uit elkaar gingen, besloot hij in elk geval een van hen in het oog te houden.

De persoon die hij tenslotte het hotel uit volgde, had zichtbaar haast en liep met snelle passen over de Sharia Kamel in de richting van het El-Ezbekiye-park en stapte voor hotel Continental in een van de koetsen die daar stonden te wachten. Dat vond Graham Baynard heel vreemd, want er hadden genoeg vrije koetsen voor het Shepheard gestaan.

Snel sprong hij in een van de open paardenrijtuigen en beval de koetsier om de koets voor hem te volgen en zich niet te laten afschudden.

De rit ging over het Operaplein. Vlak daarna sloeg de koets rechtsaf de Sharia el-Manahk in en de volgende kruising linksaf. De straat mondde uit in een rotonde, die werd gedomineerd door het statige gebouw van de Bank van Egypte. De koets nam de eerste afslag van de rotonde en ratelde over de brede boulevard Sharia Kasr en-Nil. Een paar straten voor de rivier verliet de koets het verkeer en stopte voor de ingang van het Savoy Hotel.

Graham Baynard gooide de koetsier haastig een munt toe, waarmee hij hem veel te royaal betaalde voor de rit, sprong naar buiten en volgde de gestalte snel het hotel in. Daar zag hij, hoe de door hem gevolgde persoon bij de receptie blijkbaar naar iemand informeerde, want de receptionist knikte en wees naar de hotelbar.

Verbaasd over de betekenis ervan, maar ook met het instinct van een jager die een veelbelovend spoor rook, liep hij op enige afstand naar de bar en geloofde het eerste moment zijn ogen niet, toen hij zag naar wie de persoon doelbewust toe liep.

Het was Arthur Pembroke en dat hij niet in hetzelfde hotel logeerde als het gezelschap dat hij met de zoektocht naar het Judas-evangelie had belast, was verdacht. Net als het feit dat hij hier maar met een van de vier personen had afgesproken en dat deze ontmoeting blijkbaar geheim was.

Graham Baynard ging aan het eind van de lange bar zitten, waaraan een groep officieren van hun koninklijke majesteit zich verdrong, en probeerde iets van het zichtbaar opgewonden gesprek van de twee personen op te pikken. Het gelach en de luide stemmen van de officieren maakten dat echter onmogelijk.

Het deed geen afbreuk aan zijn jubelstemming. Hij wist nu hoe hij de Judas-papyri in zijn bezit moest krijgen.

Deel acht

De donkere kamer

1

Met matige snelheid ratelde de nachttrein over het smalspoor naar Aswan. Aan zijn linkerkant stroomde de door modder donkere Nijl naar de wijd vertakte delta. Geluidloos voeren de canja's, platte fellahboten met versleten, vaak verstelde zeilen aan de licht gebogen mast over de rivier, af en toe snel gepasseerd door een raderboot van twee verdiepingen, met aan de achtersteven een rad waaruit het omhooggespoelde water schuimend in de rivier terugstroomde. Op een zandbank voor de rietkraag van de oever lagen twee krokodillen, die hun gepantserde lichamen blootstelden aan de laatste warmte van de dag. In de verte cirkelden een stuk of vijf gieren boven een stuk aas.

Op het groene oeverland wisselden uitgestrekte velden, kleine nederzettingen met hutten die waren gemaakt van Nijlmodder, vijgenboomplantages en groepen palmen elkaar af. De stammen van de palmbomen staken hoog in de lucht en droegen trotse kronen van palmbladeren. Bij de primitieve *saqias*, de schepraderen, liepen ezels stompzinnig in een kring rond, terwijl het bruine water uit de houten bakken in de irrigatiekanalen stroomde.

Aan de rechterkant van het traject drong de woestijn op achter de smalle streep vruchtbaar land. Het zand, verguld door het avondlicht, glansde in bedrieglijk veelbelovende kleurnuances. Duinen staken in bizarre vormen, als opgezweepte en plotseling verstarde golven, uit de zandzee omhoog. De hemel had alle kleuren, van stralend purper tot bleek rozerood. Je kreeg het gevoel dat er elk moment een karavaan hoogpotige kamelen aan de horizon kon opduiken, die met langzame, majestueuze passen over de duinen trokken, begeleid door woestijnbedoeïnen in witte boernoesen en met donkere, getaande gezichten.

Nog voordat de trein ter hoogte van de el-Fayum-oase was, doofde het laatste licht langzaam boven de woestijn. Onder de sterk geroete stoomwolken, die bijna zo zwart waren als de nacht die nu inviel, reden ze verder stroomopwaarts.

In de restauratiewagon aten Byron en zijn metgezellen een lichte avondmaaltijd, waarvan de kwaliteit net zo bescheiden was als de rest van de trein, hoewel deze alleen voor toeristen bestemd was. Ze hadden er alle vier geen behoefte aan om uit te zoeken hoe het was gesteld met de inheemse treinen.

Ze vertrokken al vroeg naar hun coupé, omdat de barwagon overvol was en ze de laatste nacht voor hun bestemming zo snel mogelijk achter de rug wilden hebben.

De slaap wilde echter bij geen van hen komen, wat maar voor een deel aan de smalle en weinig comfortabele bedden lag. Byron had geen reguliere slaapcoupés kunnen reserveren. Daarom deelden ze met zijn vieren een coupé met bedden die op smalle, opklapbare britsen leken.

Hun gesprek ging natuurlijk over de kloosterruïne St. Simeon, waar ze morgen na een wekenlange, gevaarlijke reis door half Europa en een deel van de Oriënt eindelijk zouden arriveren. Ze maakten zich er zorgen over dat ze de verstopplek van de papyri misschien niet konden vinden, omdat ze de tekening op de laatste bladzijde van het notitieboekje nog steeds niet hadden ontcijferd.

Op een bepaald moment kwam hun gesprek weer eens op de persoon Judas Iskariot en op de vraag of de papyri inderdaad uit de eerste eeuw stamden en door deze leerling van Jezus waren geschreven.

'Als je het goed beschouwt, is Judas de kleurrijkste en interessantste persoon van het hele Nieuwe Testament, met uitzondering van Jezus,' zei Horatio. 'Misschien is hij zelfs belangrijker en menselijker dan Petrus, op wie Jezus zijn kerk heeft gebaseerd.'

'Dat met de kerk moet je niet al te letterlijk nemen, want Jezus was niet alleen een jood, zoals alle anderen in zijn omgeving, maar hij beschouwde zichzelf ook als een jood,' zei Byron. 'Hij had alleen een radicaal afwijkend idee van de manier waarop je de joodse schrift en zijn wetten moest naleven. Hij heeft ze van al het traditionele formalisme bevrijd en ze tot een glasheldere revolutionaire boodschap gevormd. Aan de stichting van een kerk, die zich van het jodemdom afkeerde, zal hij echter nauwelijks hebben gedacht. Maar ik ben het volledig eens met wat je net over Judas zei, Horatio. In zijn tragiek is hij echt de kleurrijkste persoon van het Nieuwe Testament.'

'Respect voor een verrader?' vroeg Alistair sceptisch vanaf het bovenste bed aan de andere kant.

'Ongetwijfeld. Door zijn verraad en zijn band met de hogepriesters heeft hij als geen ander een ultieme schuld op zich geladen,' zei Byron. 'Tegelijkertijd is hij door zijn daad echter onlosmakelijk met Jezus' overgave op Golgatha en de verlossing verbonden. En het is niet nodig om erover na te denken of Judas tot zijn daad was gedwongen of niet en hoe Jezus' leven in Jeruzalem zou zijn verlopen als Judas hem niet aan de hogepriesters had uitgeleverd.'

'Misschien was Jezus toch al van plan om zich aan zijn vervolgers over te geven en heeft Judas' daad de zaak alleen bespoedigd,' zei Harriet, die het bed onder Byron had.

'Dat geloof ik niet. Dan was zijn dood namelijk geen offer, maar een tot zelfmoord leidend martelaarschap en zijn lijden als het ware "zelf veroorzaakt".

'Nou en?' vroeg Alistair. 'Een kruisiging is een kruisiging.'

'Helemaal niet,' ging Byron tegen hem in. 'Dan had zijn dood nooit de verlossingskracht kunnen hebben die het nu had, door het zuivere, externe en opgelegde lijden. Waarschijnlijk had Jezus een beréídheid tot sterven en ook een vermóéden van zijn dood, maar het is uitgesloten dat hij medeplichtig was aan zijn eigen kruisiging.'

'Het is heel moeilijk om grip op de persoon Judas te krijgen,' zei Horatio. 'Hij lijkt me een gedreven iemand.'

'En hij is zo tegenstrijdig,' vulde Harriet aan. 'Hij levert Jezus eerst schijnbaar koelbloedig uit en neemt de dertig zilverstukken van de hogepriesters aan, maar tussen de dood van Jezus en zijn herrijzenis pleegt hij vol berouw zelfmoord. Het is ook tegenstrijdig dat Jezus hem zowel tijdens het laatste avondmaal als bij de arrestatie op de Olijfberg ondanks alles nog steeds met "vriend" aanspreekt.'

Byron was het met haar eens. 'Het is net zo onmogelijk om de daad van Judas te willen begrijpen en interpreteren als de kwadratuur van een cirkel. Judas is waarschijnlijk de meest tegenstrijdige persoon uit de geschiedenis van de mensheid. De een of andere filosoof heeft hem ooit een verrader én een martelaar aan wie het christendom het mysterie van Golgatha "te danken heeft" genoemd. Deze paradox is waarschijnlijk heel treffend.'

'En hoe staat het dan met de zogenaamd grenzeloze liefde van God?' vroeg Alistair meteen. 'Als die bestond, dan zou hij Judas toch moeten vergeven, hoewel zijn verraad tot de kruisiging van zijn goddelijke zoon heeft geleid?'

'Een goede vraag,' zei Horatio.

'Ik weet zeker dat hij niet voor eeuwig in de onderste lagen van de hel suddert, waarin Dante hem in zijn *Goddelijke Komedie* naartoe heeft verbannen,' zei Byron. 'Maar wie kan daarop een bewezen antwoord geven? Grote auteurs en filosofen hebben altijd geprobeerd het gedrag van Judas te interpreteren en zijn persoon een diepere betekenis in de heilsgeschiedenis te geven, maar geen van deze pogingen is tot nu toe echt bevredigend geweest.'

'Mischien geven de Judas-papyri, die Mortimer heeft gevonden, uitsluitsel over de ware motieven van zijn daad,' zei Harriet.

'Of het blijkt een verschrikkelijke tekst te zijn die in de geestelijke lijn van Markion en de Kainieten ligt,' zei Alistair. 'Ik vind het allebei prima. De hoofdzaak is dat we het Judas-evangelie vinden.'

'Als ik eraan denk dat we de papyri morgen misschien al in ons bezit hebben en dat onze opdracht is vervuld, geeft me dat ergens een vreemd gevoel,' zei Horatio dromerig in de duisternis van de coupé. 'Ik ben er langzamerhand helemaal aan gewend om met jullie op reis te zijn.'

Harriet lachte zachtjes. 'En wij met jou. En dat terwijl ik dacht dat we elkaar op zijn laatst in Wenen zo verbitterd in de haren zouden vliegen, dat lord Arthurs mooie droom dat we gezamenlijk de verstopplek voor hem vinden en hem daarmee wereldberoemd maken, al in Oostenrijk in een ramp zou eindigen.'

'Tja, eigenlijk zijn we helemaal geen slecht team,' viel Alistair haar bij. 'Als ik aan alle avonturen denk die we samen hebben beleefd en doorstaan, vind ik het ook heel onwerkelijk dat die periode bijna voorbij is. Ik moet die jichtknobbel Pembroke een compliment maken. Hij heeft bewezen dat hij een verduiveld goede hand heeft als het gaat om het vinden van de juiste personen die hij tot deze zoektocht kon dwingen.' En daarna voegde hij er spottend aan toe: 'Maar de hoogedelgeboren lord heeft er vast niet aan gedacht dat hij zou helpen bij het smeden van een liefdesband tussen twee van ons en dat ik naast een mooie som geld ook nog een extra portie hogere vorming uit dit avontuur zou slepen.'

Byron lachte verlegen. 'En ik had niet gedacht dat ik ooit bevriend zou raken met een kunstvervalser en een pokerspeler en dat ik daar trots op zou zijn,' antwoordde hij.

'Ja ja, je kunt de wereld tegenwoordig niet meer vertrouwen,' grapte Alistair. 'Waar moet dat eindigen?'

'Ik vind het voldoende dat we elkaar kunnen vertrouwen,' zei Horatio droog. 'En daarmee wens ik mijn gewaardeerde lotgenoten een goede nacht. En als ik af en toe snurk, hoop ik dat jullie een ander de schuld geven.'

Ze wensten elkaar welterusten en Byron strekte in het donker zijn hand naar beneden uit en tastte naar die van Harriet. Met een zwijgende druk verzekerden ze elkaar van hun liefde.

Byron dacht er nog een tijdje verbaasd over na, hoe zijn leven en veel van zijn opvattingen, die zo onomstotelijk hadden geleken, gedurende de laatste weken waren veranderd. Dat zijn liefde voor Harriet zijn pantser van verbitterde vrouwenafkeer had opengebroken en ze zijn gevoelens met dezelfde kracht beantwoordde, was al een wonder. Maar dat hij vrienden als Horatio en Alistair had gevonden, hen in zijn hart had gesloten en zelfs plezier had gehad in al hun avonturen, terwijl hij tot nu toe een excentriek en teruggetrokken leven in het veilige rijk van zijn boeken had geleid, was niet minder verbazingwekkend.

Het was alsof hij was gedwongen om het starre korset dat hij droeg uit te trekken en dat hij voor het eerst vrij was van alle zelfopgelegde dwang en de zuivere, bedwelmende geur van het leven kon inademen. En dat een terugkeer naar zijn oude leventje niet meer mogelijk was, ondanks de liefde voor zijn wetenschappelijke werk, was vanzelfsprekend voor hem. Het voelde niet als een verlies, maar als winst.

Terwijl hij daar nog over nadacht, wiegde het monotone geratel van de trein hem langzaam in slaap.

2

De volgende ochtend arriveerden ze al vroeg in Aswan. Wat het station werd genoemd, was niet meer dan een open perron naast een lange rij palmen, waarachter een bescheiden gebouw in oriëntaalse vakwerkstijl met een blauw geschilderd metalen dak verrees. Aan de huidskleur en het gelaat van de inheemse straathandelaren, koetsiers en kruiers te zien waren ze al een stuk verder in Zwart-Afrika doorgedrongen.

Bijna op dezelfde hoogte als het treinstation lag het langwerpige eiland Elephantine, een groen tapijt dat werd omspoeld door de troebele Nijl. De tegenoverliggende oever steeg na een kort vlak stuk steil omhoog. Uit de bruinrode rots waren talrijke rechthoekige openingen gehakt, die de wind deels weer had gevuld met zand van dezelfde kleur. Ze leidden naar lang geleden geplunderde holen en grafkamers, waarmee de steile oever bezaaid was.

Een paar kilometer boven het treinstation, tussen de granietrotsen van de eerste Nijlstroomversnelling, lag het eiland Philae met een tempel uit de faraotijd. Ook op de oever bij Aswan stonden resten van zuilenrijke heiligdommen uit het lange tijdperk van de Egyptische zonnegoden.

Ze regelden snel een koets waar hun bagage en de stevige tas met het in doeken gewikkelde graafgereedschap op werd vastgesjord. Op weg naar hotel Cataract, dat een stuk buiten Aswan lag, kwamen ze in het overzichtelijke stadje met zijn witgekalkte huizen langs een Engelse kerk met Koptische architectuur, het uitnodigend ogende café Khédival en een filiaal van Thomas Cook, dat comfortabel dicht bij het plaatselijke telegraafkantoor lag.

Dat de receptionist van het Shepheard hen hotel Cataract had aanbevolen, was een garantie dat het om een uitstekend geleid hotel ging. En dat klopte.

Het hotel verhief zich op een rotsachtige kaap boven de Nijl en het overdakte terras in Moorse stijl bood een fantastisch uitzicht over de rivier met zijn enorme granietrotsen en kleine eilanden.

Maar hoe ze de hoge standaard van het hotel en het uizicht ook wisten te waarderen, hun gedachten cirkelden alleen rond het klooster St. Simeon. Ze hadden allemaal haast om de rivier over te steken naar de plek waar de Judas-papyri ergens onder de ruïne verstopt lagen.

En zo zaten ze minder dan een half uur na hun aankomst al in een canja, die door een pezige jongen met de naam Hasan over de rivier werd gevaren. Hun gereedschap hadden ze in het hotel gelaten, omdat ze op klaarlichte dag natuurlijk niet in de ruïne konden gaan graven.

Een warme woestijnwind vulde het trapezevormige zeil dat bij de boeg zo puntig eindigde dat het bijna driehoekig was. Op de westelijke oever bij de aanlegsteiger, die op de hoogte van de zuidelijke eilandpunt van Elephantine lag, wachtten al ezeldrijvers met hun dieren om de toeristen naar het oude Koptische klooster te brengen. De weg leidde in noordwestelijke richting door een lange kloof in de steile oever.

'Dat de heilige mannen vanaf hun woestijnheuvel op Jebu neerzagen, klopt dus niet,' zei Alistair, die net als zijn vrienden vergeefs naar de ruïnen van het klooster uitkeek.

'Wat maakt dat uit, Alistair,' antwoordde Horatio, die op de rug van de ezel als een op het zadel liggende zak zachtjes heen en weer schommelde. 'De hoofdzaak is dat we klooster St. Simeon vinden.'

Vlak voor het eind van de kloof leidde de ezeldrijver zijn kleine colonne over een uitgesleten, rotsachtig pad naar een heuvel, die in een woestenij van zand en rotsachtige heuvels overging. Meteen daarna zagen ze de kloosterruïne voor zich.

'Heilige Simeon,' zei Horatio verrast terwijl hij naar de enorme afmetingen van het gebouw keek. 'Dat klooster is enorm! Dat moet vroeger een echte woestijnvesting zijn geweest.'

Ook Byron, Alistair en Harriet waren er niet op voorbereid geweest om op deze plek zo'n enorm complex aan te treffen, met overblijfselen die nog steeds getuigden van het vestingkarakter van het oeroude Koptische klooster.

Ruim tien meter hoge muren, deels uit granietgesteente, deels uit Nijlmodderstenen, omringden St. Simeon. De langste van de vier muren had een lengte van zo'n honderd meter. In een hoek van het complex verrezen drie enorme verdedigingstorens, met muren die naar binnen toe in elkaar overliepen en een kartellijn vormden die er uitzag als een dubbele z. Een vierde toren verrees buiten de muren. De hoekige, vestingachtige torens met de paar vensteropeningen waren op het bovenste deel na goed bewaard gebleven, maar van de kerk en de andere gebouwen stonden alleen nog skeletachtige restanten overeind.

Toen ze door de poort in de oostelijke muur naar binnen liepen, zagen ze dat het uitgestrekte complex zich over twee verschillende niveaus uitstrekte. Het deel met de kerkruïne, dat naar het oosten was gericht, vormde het onderste niveau, het grotere westelijke deel het bovenste. Er liepen een stuk of tien toeristen rond die St. Simeon bezichtigden, de vrouwen onder kleurige, met franje afgezette parasols en de mannen met tropenhelmen op hun hoofd. Sommigen bewonderden de restanten van de oude schilderingen op het plafond van de kerkruïne. Anderen wandelden door het gedeelte waar volgens de gids ooit de cellen van de monniken en het refectorium waren geweest.

'Kan iemand me vertellen waar we met zoeken moeten beginnen?' vroeg Alistair ontmoedigd door de omvang van het complex. 'Dit kan jaren gaan duren.'

'Daar kun je wel eens gelijk in hebben,' zei Harriet terneergeslagen. Ze had zich de zoektocht naar de verstopplek eenvoudiger voorgesteld.

Horatio knikte met een nadenkende uitdrukking op zijn gezicht. 'We kunnen meteen vergeten dat we de plek waar Mortimer de papyri heeft verstopt door een gelukkig toeval vinden. Zonder exacte aanwijzingen hebben we geen enkele kans om het Judas-evangelie te vinden.'

Byron zuchtte diep. 'Wat betekent dat we de tekening absoluut moeten ontcijferen. Anders is alles wat we de afgelopen weken hebben doorstaan vergeefse moeite geweest.' Het was een deprimerende gedachte.

Ze bleven nog ruim een uur in de uitgestrekte ruïne. Niet omdat ze hoopten dat ze toch nog ergens een aanwijzing voor de verstopplek vonden, maar om vertrouwd te raken met het complex en de afzonderlijke blokken in hun geheugen te prenten. Daarna gingen ze moedeloos terug.

Toen ze weer in Hasans canja zaten en de hete woestijnwind het opgewervelde zand over de rivier blies, keek Hasan bezorgd naar het westen. *'Khamsin,'* zei hij, waarna hij in gebroken Engels uitlegde: 'Zware wind uit woestijn. Brengt veel zand. Kan worden storm en dan niets meer zien. Soms dagen duren.'

'Nou, fantastisch,' zei Alistair. 'Een zandstorm ontbrak nog aan ons geluk.'

'Maar zoals je net hebt gehoord, ontaardt niet elke khamsin in een zandstorm,' antwoordde Harriet, die zich niet nog meer wilde laten deprimeren.

Hasan bracht hen naar hun hotel op de andere oever. Voordat ze uitstapten vertelde hij dat hij met zijn jongere broertjes en zusjes in een kleine lemen hut vlakbij het hotel woonde, voor het geval ze nog meer boottochtjes wilden maken.

'Mij alleen weten laten. Kan nog veel laten zien,' verzekerde hij hen. Natuurlijk wilde hij zulke goed betalende klanten graag vaker van dienst zijn.

'We willen nog een paar keer over de rivier naar St. Simeon,' zei Byron vriendelijk tegen hem. 'Waarschijnlijk ook 's nachts. Is dat een probleem?'

Hasan lachte en toonde zijn stralend witte tanden. 'Geen probleem, efendi. Rivier mijn huis. Wanneer maar willen, ik klaar,' verzekerde hij hen ijverig.

'Dat is in elk geval een klein lichtpuntje in alle ellende,' mompelde Alistair terwijl ze de rotstrap naar het hotel opliepen.

Ze gingen op het terras zitten, bestelden thee en een etagère met kleine driehoekige sandwiches en bestudeerden om de beurt Mortimers tekening. De ingenieuze inval wilde echter niet komen.

Hun stemming had een absoluut dieptepunt bereikt toen een hotelbediende met een klein zilveren blad op het terras verscheen en naar een van de andere tafels liep.

'Meneer Sedgewick,' zei hij tegen een forse man met een brede baard. 'Een telegram voor u, meneer.'

Plotseling schrok Harriet op, pakte de tekening met het oeverlandschap nog een keer en fronste haar voorhoofd. 'Lach me alsjeblieft niet uit,' zei ze na een korte aarzeling. 'Maar kunnen het misschien morsetekens zijn?'

Haar opmerking sloeg in als een bom.

'Morsetekens? Waar dan?' riep Alistair opgewonden.

'Nou, dat gras aan de oever,' zei Harriet terwijl ze er met haar vinger naar wees. 'De halmen hebben maar twee verschillende lengten, sommige zijn kort, de andere zijn lang ...'

'Allemachtig, je hebt gelijk!' riep Byron enthousiast. 'Het morsealfabet bestaat maar uit twee tekens, een korte en een lange. Dat kan geen toeval

zijn. Mortimers code bestaat uit morsetekens!'

'Morsetekens. Ik word gek! Dat is de oplossing van het raadsel!' Horatio lachte bevrijd. 'Mijn God, daarvoor zou ik je kunnen omhelzen en zoenen, Harriet!'

'Bedankt voor het aanbod,' antwoordde Harriet. 'Maar je zult het waarschijnlijk niet erg vinden dat ik dat liever aan een ander overlaat.' Ze bloosde een beetje.

'En we weten ook wie,' zei Alistair met goedmoedige spot. Hij had zich er al lang bij neergelegd dat Harriet niet voor zijn charmes was gevallen en verliefd was op Byron. 'Ter zake, vrienden. We moeten een tabel met het morsealfabet zien te bemachtigen. We kunnen het beste naar het telegraafkantoor gaan. Daar hebben ze er beslist een die we kunnen overschrijven.'

'Die moeite kunnen we ons besparen,' zei Horatio. 'Het morsealfabet kan ik voor jullie opschrijven. We gebruikten het in de gevangenis om met onze buurcelgenoten te communieren.'

'Aan het werk dan, Horatio!' drong Byron aan terwijl hij het potlood en notitieboekie naar hem toe schoof.

Morsetekens

A = .−	P = .−−.	1 = .−−−−
B = −...	Q = −−.−	2 = ..−−−
C = −.−.	R = .−.	3 = ...−−
D = −..	S = ...	4 = ...−
E = .	T = −	5 = ...
F = ..−.	U = ..−	6 = −....
G = −−.	V = ...−	7 = −−...
H = ...	W = .−−	8 = −−−..
I = ..	X = −..−	9 = −−−−.
J = .−−−	Y = −.−−	0 = −−−−−
K = −.−	Z = −−..	
L = .−..		
M = −−		
N = −.		
O = −−−		

Zonder al te veel na te hoeven denken, schreef Horatio het morsealfabet in het boekje. 'Zo, dat moet het zijn.'

Ze begonnen meteen met het ontcijferen van de tekst. Harriet las de morsetekens van de tekening aan Horatio voor, die de overeenkomende letters opschreef. 'Lang, lang, kort ... kort, lang, kort ... lang, lang, lang ... lang, lang, kort.'

'Daarmee hebben we het woord "grot" al,' deelde Horatio hen mee. 'Verder, Harriet.'

Een paar minuten later lag Mortimers laatste aanwijzing en daarmee de exacte plaatsaanduiding van de verstopplek voor hen. Deze luidde:

> Grot bij westeinde
> Waar kerk tegen rots leunt
> Ingang van grafkelder
> Door valse cisterne

Alistair straalde van vreugde. 'Vrienden, het is ons gelukt. We hebben de verstopplek. Nu hoeven we het Judas-evangelie alleen nog naar Engeland te brengen en de rest van het geld op Pembroke Manor te incasseren.'

'Maar alles in de juiste volgorde,' zei Byron, die net zo enthousiast was. 'Eerst moeten we vannacht naar het klooster om de papyri op te halen.'

'Ik zeg tegen Hasan dat hij klaar moet staan en als dat lukt een ladder moet meenemen,' stelde Horatio voor. 'Wie weet wat Mortimer met een "valse cisterne*" bedoelt. Wanneer vertrekken we?'

'Om middernacht,' zeiden Byron en Harriet in koor.

* *waterreservoir*

3

Hoewel er geen enkele wolk aan de nachtelijke hemel stond, was het zicht uitgesproken slecht. Het zand, dat de khamsin uit de woestijn meevoerde, hing als een fijne sluier in de lucht. De warme wind was de afgelopen uren voelbaar in kracht toegenomen, maar had zich god zij dank niet tot een echte zandstorm ontwikkeld. Toch was het zand onaangenaam, omdat het in hun mond en neus en kleren drong. Dat namen ze echter graag voor lief. Ze hadden te lang naar dit moment uitgekeken om zich nu te laten tegenhouden. In het hotel hadden ze na een vroege avondmaaltijd geprobeerd een paar uur te slapen, maar ze waren veel te gespannen geweest. Meer dan af en toe een beetje dommelen was geen van hen gelukt.

Hasan had niet gevraagd wat ze midden in de nacht met een ladder in het klooster wilden en had ook geen bezwaar gemaakt om die voor hen te regelen en hen ondanks het slechte zicht over de rivier te varen. Het goudstuk dat Byron in zijn hand had gedrukt, had hem tot nog veel gewaagdere ondernemingen kunnen verleiden. Om zich tegen het zand te beschermen had hij een doek voor zijn gezicht gebonden. Hij stuurde de canja zelfverzekerd tussen de ondiepten van de Nijl naar de aanlegsteiger aan de voet van de bergkloof.

'Ik hier wachten, efendi,' zei hij terwijl ze aan land gingen en hij de boot aan de steiger vastlegde.

'Het zal een tijd duren, waarschijnlijk een paar uur,' zei Byron. 'We moeten tenslotte naar boven lopen en straks weer helemaal terug.'

'Ik wachten. Allah mijn getuige. En als nodig tot nieuwe morgen,' beloofde Hasan. Hij haalde een stuk oud zeildoek tevoorschijn, ging op de bodem van zijn canja liggen en rolde zich erin.

Alistair legde de zak met het graafgereedschap over zijn schouder, terwijl Byron de ladder pakte die Hasan voor hen had meegenomen. Horatio pakte de petroleumlamp, waarvan ze de brandstofhouder tot de rand hadden gevuld. Zodra ze uit het zicht van de oever waren, stak Horatio de lont aan, zodat de lamp het pad voor hen verlichtte en ze in het donker van de nacht niet over losse stenen struikelden.

Door de wervelende stofwolken, die soms als spoken van het fijnste zand om hen heen dansten, werd de klim door de kloof nog lastiger dan die overdag al was geweest. Maar ze kenden de weg en ze hoefden niet bang te zijn dat ze verdwaalden.

Ze kwamen bij de splitsing, waar een pad naar de top van de heuvel en de stenen vlakte met de kloosterruïne leidde.

Eindelijk zagen ze de vage omtrekken van St. Simeon met zijn hoge muren en torenstompen in de met zand doordrenkte duisternis. Ze gingen sneller lopen en tenslotte betraden ze het complex via de poort in de oostmuur.

'Nu moeten we ons concentreren en de grot vinden die zich ergens in het westelijke deel van het complex bij de kerkruïne moet bevinden,' zei Alistair. 'Hoewel de benaming "grot" niet past bij een klooster midden in de woestijn.'

'De raadselachtige aanwijzingen van Mortimer zijn allemaal nogal vaag,' zei Byron. 'We vinden de grot en de valse cisterne wel. We kunnen het beste drie tot vier passen uit elkaar gaan staan en een rij vormen, zodat we het terrein systematisch kunnen afzoeken.'

'Dat klinkt verstandig,' zei Horatio.

Langzaam liepen ze in een rij over het met puin bezaaide terrein achter de ruïne van de Koptische kerk. Daarbij moesten ze telkens weer langs opstekende resten van muren stappen en rond openingen lopen die ooit kelders waren geweest.

Ze hadden het bovenste niveau van het complex al bereikt, toen Harriet, die rechts aan de buitenkant liep, iets zag. 'Hier staat nog een stuk van een rondgewelf en een muur,' riep ze opgewonden. 'En ik zie ook een vierkante opening in de grond. Dat moet de cisterne zijn!'

Ze liepen meteen naar haar toe. Het licht van de petroleumlamp viel in een vierkante granieten schacht, met zijwanden van ongeveer vijf meter en een diepte van tweeënhalf tot drie meter. Er lag stuifzand op de bodem.

'En waar moet de ingang van de zogenaamde Judas-grafkelder dan zijn?' vroeg Alistair. 'Dit is volgens mij geen valse, maar een echte oude cisterne.'

'Laten we hem eens wat nauwkeuriger bekijken,' zei Byron terwijl hij de primitieve houten ladder liet zakken. Het eind kwam weliswaar niet helemaal tot de bovenrand, maar toen Byron op zijn buik over de rand schoof, was het geen probleem om bij de bovenste sport te komen.

Byron daalde in de granieten ruimte af, meteen gevolgd door Alistair, die de lamp van Horatio aanpakte. Bij het licht van de lamp zochten ze de muren af naar de ingang van de grafkelder. Ze vonden echter niets.

'En?' Zien jullie iets wat op een ingang lijkt?' vroeg Horatio hoopvol van boven.

'Vergeet het maar! Ik zie alleen gladde, naadloze, granieten muren,' stelde Alistair teleurgesteld vast. 'We kunnen in dit gat eeuwig wachten tot er in een van de wanden plotseling een magische deur opengaat, als je maar op de juiste plek drukt. Zo'n wonderbaarlijk sesam-open-je-effect komt alleen in sprookjes voor. Laten we boven verder zoeken, Byron.' Met die woorden wilde hij de ladder alweer op klimmen.

'Wacht! Niet zo haastig!' hield Byron hem tegen. Hij had de centimeter-dikke laag zand op de bodem met zijn laars opzij geschoven. 'Kom eens hier met die lamp!'

'Hoezo?' vroeg Alistair. Hij stapte weer van de ladder en bukte zich naast Byron.

Byron was inmiddels op zijn hurken gaan zitten om het zand met zijn handen opzij te vegen. Er kwam een grote stenen plaat met ingelegde repen graniet tevoorschijn, die een symmetrisch patroon vormden.

'Kijk dat eens!' Byron wees naar de plaat.

'Ik zie niets.'

'Kijk naar het patroon in de plaat.'

'Een normale versiering,' zei Alistair schouderophalend. 'En niet eens bijzonder stijlvol gedaan. Bovendien zijn de repen van hetzelfde graniet als de rest van de plaat, zodat er helemaal geen contrast is.'

'Misschien is het de bedoeling dat de ingevoegde repen nauwelijks van de rest van de plaat te onderscheiden zijn,' antwoordde Byron. 'Waarom zit zo'n versiering op de bodem van een cisterne? Ik denk dat dat een bedoeling heeft. Zet de lamp zo dicht mogelijk bij de plaat, Alistair. En

Horatio, gooi jij je zakmes naar beneden. Als ik me niet vergis zijn twee repen niet zo naadloos ingebracht als de andere.'

In plaats van het zakmes naar hem toe te gooien, klom Horatio naar beneden en ging in de andere hoek staan. Ook Harriet hield het boven niet langer uit. Zij bleef echter op een van de onderste sporten van de ladder staan omdat ze elkaar anders in de weg stonden.

Byron pakte het zakmes van Horatio aan, klapte het kleinste en dunste lemmet open en zette de punt van het mes in de voeg van een van de repen. Voorzichtig oefende hij wat druk uit. Hij dacht al dat de punt van het mes zou afbreken, toen de stenen reep inderdaad begon te bewegen en omhoog kwam. Byron pakte de reep met zijn ander hand en trok hem uit het granieten omhulsel.

Er kwam geen graniet tevoorschijn, maar een doorlopende opening, waarin gemakkelijk vier vingers van een hand pasten om de plaat vast te pakken.

'Niet te geloven!' riep Alistair terwijl Byron het zakmes op de reep aan de andere kant zette en deze er eveneens uit lichtte. 'Dat zijn handvatopeningen! De plaat kan eruit getild worden!'

'Inderdaad,' zei Byron lachend. 'Dit is de ingang van de verstopplek, vrienden!'

Byron en Alistair tilden de plaat samen op en zetten hem op zijn kant in het zand. Het vierkante gat was zo breed dat een man met een normaal postuur met gemak naar beneden kon klimmen.

Alistair hield de lamp in de opening. Het licht viel op een wand waaruit met een afstand van een halve armlengte stenen staken.

'Dat zijn treden,' riep hij opgewonden. 'We hebben het touw niet nodig, maar laten we voor alle zekerheid onze graafuitrusting meenemen. Volgens mij ligt er veel zand. Misschien moeten we dat wegscheppen.'

'Hoe diep is het?' wilde Harriet weten terwijl ze de zak naar zich toe trok.

'Hooguit twee meter. We kunnen daar beneden waarschijnlijk net rechtop staan,' antwoordde Alistair terwijl hij al naar beneden klom.

Byron, Horatio en Harriet volgden hem, nadat Harriet de zak naar beneden had laten vallen.

De ruimte onder de bodem van de valse cisterne was iets groter dan de vierkante plaat boven hen, en was opgebouwd uit moddderstenen. Op veel plekken waren stenen afgebroken of erg broos geworden.

Achter de voorruimte begon een gewelfde, gemetselde gang. Ze moesten hun hoofd intrekken om niet tegen het plafond te stoten. Na vier tot vijf passen boog de gang met een rechthoekige knik naar links en eindigde na nog twee passen voor een deur.

Het hout was zo donker dat de dikke planken, waarvan hij ooit was getimmerd, van ijzer leken. De deur was van eiken- of ebbenhout en was met brede ijzeren nagels beslagen, die dankzij de droge woestijnlucht niet roestten. Een dikke houten balk barricadeerde de deur. De uiteinden rustten rechts en links in precies passende uitsparingen in het metselwerk.

'Ik denk dat we Alistairs ambitieuze graafgereedschap hier kunnen achterlaten,' zei Harriet terwijl ze de zak tegen de muur zette.

'Het lijkt hier beneden eerder op een vesting dan een vroom klooster,' mompelde Horatio toen hij de deur zag. 'Ik zou wel eens willen weten wat de reden daarvoor is geweest.'

'Misschien komen we daarachter als we zien wat er achter de deur is,' zei Byron. Hij tilde de balk uit de houders, zette hem tegen de muur en pakte het ijzeren handvat van de deur vast. De deur was moeilijk in beweging te krijgen en Byron moest hard duwen om hem open te krijgen.

Alistair liep meteen met de petroleumlamp achter hem aan en gaf een schreeuw van verrassing toen het licht het gewelf verlichtte.

'Het is inderdaad een grafkelder.'

'Heilige moeder Gods,' zei Harriet tegelijkertijd. 'Dit moet de bottenkamer van de monniken zijn geweest.'

'Kamer is waarschijnlijk een understatement,' zei Horatio. 'Wat een enorme afmetingen! Hier is plaats voor de botten van honderden monniken!'

De ruimte achter de deur opende zich als een flessenhals naar een indrukwekkend gewelf. Op de breedste plek mat de ruimte van muur tot muur vijftien passen. De lengte schatten ze op ongeveer dertig passen. Achterin eindigde het gewelf in een smalle nis, waar een berg rotsgesteente en zand lag. Rechthoekige zuilen van moddderstenen steunden het plafond.

In de halfronde grafkelder bevonden zich diepe nissen. De onderste nissen hadden een langwerpige, rechthoekige vorm, de daarboven liggende nissen waren als rondbogen gemetseld. Ongeveer de helft van de rechthoekige nissen was gevuld met de bleke botten van de doden. De bijbehorende schedels lagen in de nissen erboven. Op de muren waren stenen kaarsenhouders en stenen ringen aangebracht, die waarschijnlijk waren bedoeld voor pekfakkels. Zand en brokstukken van de stenen uit het oeroude metselwerk bedekten de bodem.

Alistair keek bedenkelijk naar de beschadigde steunpilaren en daarna naar het plafond, waar gesteente en aarde grote scheuren en uitstulpingen hadden veroorzaakt.

'Het ziet er hier niet bepaald veilig uit. Er heeft hier al heel lang geen renovatie meer plaatsgevonden,' mompelde hij spottend. 'En dan overal die onaangename aanwijzingen voor de vergankelijkheid van de mens. We moeten de papyri pakken en hier zo snel mogelijk verdwijnen. Het zou jammer zijn als deze onderaardse bouwval ons graf zou worden.'

'Daar boven!' riep Horatio toen ze de wanden met de lamp verlichtten en het lichtschijnsel op een nis viel, waarin twee rijen schedels opgestapeld lagen. 'Onder de schedels staat een houten kistje!'

Nu zagen de anderen het ook. Ze liepen meteen naar de nis en zetten de petroleumlamp op een van de stenen kaarsenhouders.

Byron trok het eenvoudige houten kistje, dat ongeveer net zo groot was als twee sigarendozen, onder de schedels vandaan. Hij deed het deksel open en daar lag het Judas-evangelie, dat met zwarte inkt in Aramese letters op een stapel bruine, gescheurde bladzijden was geschreven. Ze waren in een slechte conditie, er zaten gaten in de papyri en de randen waren op veel plekken afgebrokkeld, wat gezien de leeftijd, als deze inderdaad uit de eerste eeuw stamden, niet zo vreemd was.

'Ik kan absoluut niet geloven dat we de Judas-papyri echt hebben gevonden,' zei Byron bijna plechtig. 'En dat ik deze documenten, die misschien uit de tijd vlak na Jezus' kruisiging stammen, in mijn handen heb! Ongelofelijk! Het is net een droom.'

'Maak je geen zorgen, je droomt niet, ouwe kerel.' Alistair sloeg hem vriendschappelijk op zijn schouder. 'Ik vind dat wij vieren dat netjes hebben gedaan. Nu moet die jichtknobbel Pembroke met de rest van de poen op de proppen komen.'

'Dat doe ik met alle plezier,' zei de stem van Arthur Pembroke achter hen.

4

Een onverwachte zweepslag had hen niet sterker in elkaar laten krimpen dan de stem van lord Pembroke in de grafkelder van de monniken. Ze draaiden zich ongelovig om en daar stond hij, in een wijde mantel tussen de eerste twee zuilen bij de deur. Achter hem was de lange, ascetische gestalte van Trevor Seymour zichtbaar.

'Mijn respect en complimenten, heren,' zei Pembroke op een bedrieglijke conversatietoon. 'En jij natuurlijk ook, lieve Harriet. Jullie hebben uitstekend werk geleverd, terwijl Mortimer het jullie niet gemakkelijk heeft gemaakt. Het avontuur in de Karpaten bij die graaf lijkt behoorlijk gevaarlijk te zijn geweest.'

'Wat doet u hier?' vroeg Byron geïrriteerd. En hoe weet u dat over de Karpaten?'

Schijnbaar verrast trok Pembroke zijn wenkbrauwen op. 'Dachten jullie nu echt dat ik jullie zonder toezicht naar het Judas-evangelie zou laten zoeken? Ik heb misschien het een en ander tegen jullie in handen, maar dat weegt helaas niet zwaar als een van jullie er de voorkeur aan had gegeven deze kostbare papyri op eigen houtje voor een vermogen te verkopen en in de toekomst Engeland te vermijden. Nee, dat risico leek me iets te groot met het oog op de enorme betekenis die het Judas-evangelie voor me heeft. Ik heb me op de hoogte laten houden van jullie vorderingen.'

'Wat bedoelt u met op de hoogte houden?' vroeg Alistair niet-begrijpend. 'Wie heeft u op de hoogte gehouden en hoe?'

'Janus, mijn ogen en oren in jullie vrolijke groep, heeft me regelmatig door middel van een telegram over jullie vorderingen geïnformeerd,' vertelde Pembroke genietend. 'Dat was een heel geschikte schuilnaam die ik heb bedacht, vind je niet, Harriet?'

Harriet was net zo bleek geworden als de botten om haar heen. 'Je hebt me ertoe gedwongen, monster!' riep ze gesmoord, alsof ze stikte in de schaamte die haar dreigde te overspoelen. 'Ik heb het niet gedaan omdat ik het leuk vond, maar omdat je me hebt gechanteerd. En je hebt me beloofd dat je je vandaag op de achtergrond zou houden en dat je pas morgen naar het hotel zou komen, zodat ik de tijd had om het aan Byron en de anderen op te biechten.'

Pembroke lachte koel. 'Wat is een belofte aan een bastaard waard?' antwoordde hij minachtend. 'En begin er niet over dat je mijn nichtje bent en daarom meer respect verdient. Als mijn zus geen schande over haarzelf en onze familienaam had gebracht, kon je nu volkomen terecht een beroep doen op mijn plichten als oom. Je moeder heeft er echter voor gekozen om ervandoor te gaan met die lapzwans van een artiest en zwanger van hem te worden voordat hij een ring aan haar vinger had geschoven. Wees blij dat ik je grootmoedig bij me heb opgenomen toen je ouders bij die theaterbrand in Sheffield om het leven kwamen en je er huilend alleen voor stond.'

Byron, Horatio en Alistair keken haar verbijsterd aan.

'Ben je zijn nichtje? En heb je ons de hele tijd misleid en stiekem telegrammen naar hem gestuurd?' riep Alistair.

Byron was te geschokt om iets te zeggen. Hij vermoedde weliswaar dat Pembroke haar net zo schandalig had gechanteerd en als werktuig had gebruikt als hen, maar de schok dat ze al die belangrijke informatie achter hun rug om aan hem had getelegrafeerd, was op dit moment groter dan zijn begrip.

Harriet keek hem vertwijfeld aan. 'Ik wilde het niet, Byron, maar ik had geen keus,' riep ze. 'Ik heb een brief achtergelaten toen ik van Pembroke Manor ben weggelopen nadat ik Wilbur, die Pembrokes broer en mijn oom was, tijdens de jacht had doodgeschoten. Daarin had ik geschreven dat hij het me nooit zou vergeven dat ik Wilbur had vermoord. Met die brief heeft hij me gechanteerd. Hij wilde hem aan de politie geven. Ik kon toch niet anders!' De tranen begonnen over haar gezicht te stromen.

'Je ... je had het me kunnen vertellen.' Byron kreeg de woorden maar moeilijk over zijn lippen.

'Dat wilde ik na vannacht doen,' bezwoer ze.

Horatio schudde zijn hoofd. 'Dat jij een Pembroke bent is wel heel sterk,' zei hij droog. 'En dat met die telegrammen ...' Hij haalde zijn schouders op. 'Als iemand de duimschroeven wordt aangedraaid, wie blijft er dan standvastig? Ik zie in deze groep in elk geval niemand, met inbegrip van mezelf. Wat maakt het uit of hij de papyri nu al krijgt of pas als we terug zijn?' En tegen Harriet zei hij kalmerend: 'Neem het niet zo zwaar op, we komen er wel overheen.'

'Dat klopt,' bromde Alistair met tegenzin. 'Maar toch is het een onaangename verrassing.'

Trevor Seymour stond naast Pembroke en volgde de gebeurtenissen zwijgend en met een uitdrukkingsloos gezicht. Helemaal de gedienstige dienaar van zijn lord, deed hij alleen zijn mond open als hij door hem werd aangesproken.

'Het is ontroerend om te zien dat jullie inmiddels beter met elkaar overweg kunnen dan tijdens ons eerste samenzijn,' zei lord Pembroke. 'Maar genoeg gekletst. Laten we terzake komen, heren. De papyri, meneer Bourke.' Hij stak zijn hand gebiedend uit.

'Zo was het niet afgesproken,' protesteerde Byron.

'Natuurlijk, de twee andere heren willen eerst hun geld en Harriet haar compromitterende brief? Goed, dat kan. Daarop ben ik voorbereid.' Hij tastte met zijn linkerhand in zijn jaszak, haalde twee cheques en een envelop tevoorschijn en gooide ze vol verachting voor zich in het zand.

Alistair rende er snel naartoe en pakte de bankcheques en de brief op. Hij wierp een snelle blik op het uitgeschreven bedrag. '4000 pond,' zei hij tevreden. 'Het schijnt allemaal in orde te zijn.' Daarna gaf hij een van de cheques aan Horatio en de brief aan Harriet.

'Als ik u nu mag verzoeken.' Pembroke stak opnieuw zijn hand uit.

Met een verbeten gezichtsuitdrukking liep Byron naar hem toe en overhandigde het houten kistje met de Judas-documenten. 'Ik begrijp alleen niet ...' begon hij.

'Jullie begrijpen zoveel niet, maar dat komt nog,' viel Pembroke hem in de rede. Hij klemde de kist onder zijn linkerarm en voelde met zijn rechterhand onder zijn schoudermantel. Toen zijn hand het volgende moment weer tevoorschijn kwam, had hij een pistool met een korte loop vast. 'En nu terug naar de anderen!'

Geschrokken deinsde Byron achteruit. 'Wat moet dat? Bent u gek geworden? Stop dat wapen weg! U hebt toch wat u wilt?'

'Meneer Bourke, als u niet meteen doet wat ik heb gezegd, dwingt u me om een kogel tussen uw ribben te jagen,' antwoordde lord Pembroke.

Byron haastte zich terug naar Harriet, Alistair en Horatio, die bij de nis met de schedels stonden.

'Wat doe je?' vroeg Harriet. 'We staan quitte. Pak je vervloekte papyri en verdwijn. Je kunt er zeker van zijn dat we je nooit meer onder ogen zullen komen.' Ze spuugde in zijn richting in het zand.

'Dat klopt inderdaad,' antwoordde Pembroke met een boosaardig lachje. 'Ik zal er namelijk voor zorgen dat jullie nog een tijdlang van deze indrukwekkende grafkelder genieten. Voor zover jullie van jullie verblijf kunnen genieten. Ze zeggen dat je sneller sterft van de dorst dan van de honger. Ik kan jullie helaas niet helpen met de informatie of dat proces in volledige duisternis sneller of langzamer gaat.

'Die klootzak wil ons opsluiten!' riep Alistair. Hij was het eerste moment eerder verontwaardigd dan geschrokken.

'U hebt een snel begripsvermogen, meneer McLean,' zei Pembroke met bijtende spot. 'Wat jammer dat u dat aan een leven als labiele speler hebt verspild.'

'Waarom doe je dat, Arthur? Wat heb je eraan om ons hier te laten sterven? Alsjeblieft, laat ons gaan,' smeekte Harriet hem.

'Ik pieker er niet over, lieve Harriet,' antwoordde Pembroke. 'De roem die deze papyri me gaan brengen, laat ik niet aantasten doordat een van jullie later op het idee komt om het grootste deel van het succes voor zichzelf op te eisen. En op heilige erewoorden dat jullie voor altijd zullen zwijgen, durf ik niet te vertrouwen. Je kunt het wreed vinden dat ik jou en je vrienden hier achterlaat, maar grote gebeurtenissen vereisen nu eenmaal grote offers.'

Op dat moment verbrak Trevor Seymour het zwijgen. 'U gaat miss

Harriet en de heren hier niet opsluiten en een ellendige dood laten sterven, mylord!' Zijn stem was beheerst, maar er klonk energieke vastbeslotenheid in door. 'En laat nu de revolver vallen als u niet wilt dat ik u in uw rug schiet. Daar heb ik helemaal geen zin in, maar ik zal geen seconde aarzelen om het te doen als u uw misdadige plan doorzet en uw wapen niet laat vallen.'

Byron en de anderen hadden niet op de butler gelet. Des te groter was hun verrassing en opluchting, toen ze een klein pistool met dubbele loop in Trevor Seymours hand zagen, die schuin van achteren op de rug van de lord was gericht.

'De hemel zij dank!' riep Horatio. 'Er is op Pembroke Manor in elk geval iemand met karakter en een geweten.'

Pembroke bewoog zich niet, maar liet de revolver ook niet vallen. 'Zou je dat echt doen, Trevor?' vroeg hij. 'Na alle jaren die je bij mij in dienst bent geweest?'

'Ik was in dienst van de lord, meneer,' antwoordde de butler koel. 'Dat zijn jarenlang uw broer Wilbur en daarna Mortimer geweest. U hebt de titel pas sinds kort. Ik had tot dit moment gehoopt dat u zich aan de belofte zou houden die u miss Harriet hebt gedaan, zoals men mag verwachten van een man van eer. Helaas is mijn ergste vrees waarheid geworden. Daarom zal ik niet aarzelen om te schieten als u me daartoe dwingt. Laten we onnodig bloedvergieten en problemen met de autoriteiten vermijden. Laat uw wapen alstublieft vallen en vertrek met de papyri.'

'Hoffelijk tot het laatst,' hoonde Pembroke. 'Het spijt me dat ik geen gehoor kan geven aan je charmante smeekbede, Trevor. En stop die belachelijke Derringer maar weer weg. Dat ding deugt hoogstens als speelgoed en voor het schieten op konijntjes in de stal.'

'Niet van dichtbij,' dreigde de butler.

'Goed, haal de trekker dan maar over,' zei Pembroke onverschillig. 'Dan zul je zien hoe nutteloos dat kleine wapen is. Patronen zonder kruit in de huls hebben nu eenmaal de gewoonte om niet af te gaan. Ik weet dat je dacht dat je het wapen meenam zonder dat ik dat wist, maar ik laat niets aan het toeval over, Trevor.'

De butler verbleekte. Hij aarzelde heel even, daarna drukte hij af. Tot ontzetting van hem en van de anderen klonk er echter geen schot, maar alleen een metaalachtige klik.

Pembroke draaide zich onmiddellijk naar hem om, tilde in zijn draai zijn revolver op en sloeg met het wapen tegen Trevors hoofd. Met een kreet tuimelde Trevor Seymour tegen de stenen wand en stortte daarna met een bloedende huidwond op zijn voorhoofd op de grond.

'Je dacht waarschijnlijk dat je heel slim was, Trevor. Maar ik ben jou en die Abbot van je, met wie je 's nachts telkens belde, al heel lang op het spoor,' hoonde Pembroke, waarna hij de revolver meteen weer op Byron en zijn metgezellen richtte. 'Wat dat obscure Genootschap der Wachters waarbij jullie allebei horen ook is, jullie wácht vindt hier zijn verdiende einde.'

'U laat ons hier niet zomaar sterven!' riep Alistair terwijl hij in een daad van roekeloze vertwijfeling naar Pembroke toe rende om zich tegen de arm met het wapen te laten vallen.

Pembroke richtte meteen op hem en schoot.

De kogel trof Alistair onder zijn rechterrib. De inslag stopte hem onmiddellijk. Hij viel opzij tegen een van de zuilen en stortte met een ongelovige uitdrukking op zijn gezicht op het zand en de stenen.

Ontzet begonnen Harriet, Byron en Horatio te schreeuwen.

'Wat een simpele ziel,' zei Pembroke terwijl hij naar de deur liep. 'Aan de andere kant heeft hij het sneller achter de rug. En nu op de grond. Allemaal! Op jullie buik! En stel me niet nog een keer op de proef! Ik heb genoeg patronen in het magazijn voor jullie allemaal.'

Met een enorme vloek knielde Horatio en ging languit op de grond liggen. Harriet en Byron volgden zijn voorbeeld met machteloze haat.

'O ja, er is nog iets wat ik bijna vergeet te vermelden, Harriet,' drong Pembrokes stem vanuit de gang voor de deur tot hen door. Tegelijkertijd was er een schurend geluid van hout op zand te horen. 'Je zelfverwijt was ongegrond. Je hebt Wilbur niet doodgeschoten, bewust of onbewust. Ik moet het weten, want ik zat naast je op de boomstam. Toen Wilbur zich bukte en je wilde wekken, vond ik het gewoon te verleidelijk om je geweer af te vuren. Ik denk dat ik daar niet alleen mezelf, maar ook jou een plezier mee heb gedaan.' Met deze woorden pakte hij het ijzeren handvat en trok de deur dicht.

Byron en Hoatio sprongen onmiddellijk overeind en renden naar de deur om te voorkomen dat Pembroke genoeg tijd had om de balk ervoor te leggen, maar ze waren te laat. De balk viel al in de houders en maakte het onmogelijk om de deur ook maar op een kier open te trekken.

'Wat een ellendige misdadiger, hij is vervloekt tot in alle eeuwigheid!' schreeuwde Horatio terwijl hij doelloos aan de deur trok.

Byron haastte zich naar Alistair, die bloedend en kreunend in het zand lag. Harriet knielde al bij hem.

'Is het erg?' vroeg hij zachtjes.

'Erg genoeg,' mompelde Harriet terwijl ze naar de hand wees die Alistair tegen de wond duwde. Er sijpelde bloed tussen zijn vingers door.

'Mijn God, waarom heb je dat gedaan?' riep Byron vertwijfeld.

Met een van pijn vertrokken gezicht keek Alistair naar hem op. 'Gokkerskarakter,' zei hij naar adem snakkend terwijl hij probeerde te glimlachen, wat echter heel gekweld uitviel. 'Soms heb je ... gewoon pech ... en is datgene wat je voor ... bluf houdt ... toch geen bluf.' De woorden kwamen hortend over zijn lippen. 'Ik ben bang dat ... dat dit mijn laatste spel was ... met de hoogste inzet die ik ... ooit heb gedaan.'

'Praat geen onzin,' ging Harriet met een trillende stem tegen hem in. 'Onkruid dat zo taai is als jij vergaat niet zo snel.' En tegen Byron zei ze: 'We moeten de wond snel verbinden, voordat hij te veel bloed verliest.'

'Wat maakt het uit, Harriet?' zei Alistair kreunend. 'We komen hier niet meer uit. Het wordt voor mij ... een snel vertrek ... Ik wed dat jullie me ... daar straks om benijden.'

'Hou je mond en spaar je krachten,' snauwde Byron tegen hem. Het snoerde zijn keel dicht om Alistair zo te zien liggen en niets te kunnen doen om hem te redden. Ze wisten allemaal dat ze niet uit de monnikengrafkelder konden ontsnappen. 'Laten we hem naar de zandberg bij de nis dragen. Daar ligt hij beter.'

Terwijl Byron zijn vriend onder de armen pakte, tilde Horatio Alistairs benen op. Samen droegen ze hem naar de nis en zetten hem tegen de zandhoop. Daarna sneden ze zijn overhemd open. Harriet trok haar onderrok uit en sneed deze met Horatio's zakmes in drie lange repen, waarmee ze Alistairs wond provisorisch verbond. Daarna bekommerden ze zich om Trevor Seymour, die nog steeds versufd door de klap van Pembrokes pistool met een bloedende huidwond tegen de muur lag.

Toen dat gedaan was, konden ze alleen nog wachten tot de petroleum in de lamp was opgebrand, de vlam doofde en ze in de duisternis een langzame dood tegemoet gingen.

5

Zandwolken wervelden rond de valse cisterne toen Pembroke uit de opening klom. De terugweg naar zijn roeiboot zou nog moeilijker worden dan de tocht naar het kloostercomplex. En nu zou hij geen voordeel hebben van het licht van de petroleumlamp, waarmee Harriet en haar drie sukkels het hem gemakkelijk hadden gemaakt. Stom dat hij de lamp niet had meegenomen, maar daar was nu niets meer aan te doen. Door zo'n vervelende onnadenkendheid zou hij zijn triomf niet laten bederven. Hij had het Judas-evangelie en daarmee zou hij in de hele wereld beroemd worden.

Hij sjouwde de plaat weer boven de opening, liet de twee stenen repen zakken en schoof voldoende zand op de plaat. Daarna klemde hij het houten kistje onder zijn arm en klom langs de ladder omhoog. Het irriteerde hem een beetje dat hij met de ladder moest slepen, maar hij kon hem hier in elk geval niet achterlaten. Hij zou hem buiten de muur in het zand gooien.

Hij had de ladder net omhoog getrokken toen hij een knarsend geluid hoorde. Gealarmeerd draaide hij zich om, zag een man achter een afgebrokkelde muur tevoorschijn springen en staarde het volgende moment in de loop van een pistool, nog voordat hij kans had gezien om zijn wapen te trekken.

'Staan blijven, lord Pembroke!' beval de vreemdeling. 'En laat je handen buiten je mantel. Ik weet dat je gewapend bent, maar je bent niet snel genoeg om aan mijn kogel te ontkomen.'

'Wie … wie bent u?' riep Pembroke geïrriteerd terwijl hij het houten kistje tegen zijn borstkas gedrukt hield.

'Graham Baynard, maar je hebt niets aan die naam,' antwoordde de perfectus. 'En leg nu het kistje met het Judas-evangelie heel langzaam op de grond. Als je doet wat ik zeg laat ik je misschien leven.'

Pembroke kon niet geloven dat hij, de achtervolger van Harriet en haar drie handlangers, zelf door deze vreemdeling was achtervolgd. Hij bedacht koortsachtig hoe hij aan de dreigende ramp kon ontsnappen.

'Op de grond met die kist,' snauwde Baynard tegen hem terwijl hij de trekker spande.

'Luister, we kunnen overal over praten en beslist een overeenkomst sluiten waarmee we allebei kunnen leven, meneer Baynard,' riep Pembroke om tijd te winnen. Tegelijkertijd bukte hij zich echter al om aan het bevel van de vreemdeling te gehoorzamen.

Baynard lachte. 'Misschien net zo'n dodelijke overeenkomst als je de mensen daar beneden hebt opgedrongen?'

Op dat moment veroorzaakte de khamsin een bijzonder dichte zandwolk die om hen hen wervelde. Pembroke maakte onmiddellijk gebruik van deze kans. Hij sprong met het kistje in zijn linkerhand opzij, trok met zijn rechterhand zijn pistool uit zijn riem en vuurde in de richting waar Baynard stond.

Baynard drukte bijna op hetzelfde moment af, maar beide kogels misten hun doel.

In de bescherming van het wervelende zand rende Pembroke achter de muur. Baynards tweede kogel trof een steen, waar hij vanaf ketste. Een scherpe steensplinter raakte Pembrokes rechteroor en sneed het vlees open. Hij merkte het nauwelijks. Hij was vervuld met een verbeten gejuich, omdat het tij op het laatste moment was gekeerd. Nu waren zijn kansen om het er levend vanaf te brengen en met de Judas-papyri te ontsnappen aanzienlijk verbeterd. Die hond van een Baynard zou hem geen tweede keer beetnemen, maar zou degene zijn die in deze ruïne zou sterven.

Baynard vervloekte de khamsin en zichzelf, omdat hij lord Pembroke niet gewoon zonder iets te zeggen had neergeschoten op het moment dat hij uit de cisterne klom. Het was een onvergeeflijke zwakte en een onvrijwillig eerbetoon aan de demiurg. Maar deze fout zou hij niet nog een keer maken. Nu kwam het erop aan wie van hen de sterkste zenuwen had en wie als eerste achter de rug van de ander wist te sluipen.

Pembroke had dezelfde gedachte. Zodra de khamsin weer een zandwolk opwervelde sprong hij gebukt achter de muur tevoorschijn en rende zigzaggend naar de kerkruïne.

Baynard zag de wazige gestalte in de stofsluier en vuurde een derde schot op hem af. Hij zag hoe Pembroke wankelde. Hij had hem geraakt! Maar hij liep meteen verder en verdween het volgende moment achter een borsthoog stuk muur.

Goed, Pembroke was nu gewond en daardoor aangeslagen. Het zou zijn handelingsbekwaamheid en snelheid zeker beïnvloeden.

Baynard was echter niet van plan om de achtervolging in te zetten. Daarmee riskeerde hij alleen dat hij in de vuurlijn van Pembroke terechtkwam en dat plezier gunde hij hem niet. Hij kon wachten tot Pembroke hem in de armen liep.

Hij bukte zich naar een steen en gooide die zo hard mogelijk in de richting waar hij dacht dat Pembroke was, maar dan een flink stuk verder naar links. De steen raakte de kniehoge muurresten van de westelijke poort.

Pembroke reageeerde precies zoals hij had gehoopt. Hij schoot twee keer snel achter elkaar in de richting van het geluid.

Intussen rende Baynard door de ruïne naar de oostelijke poort, die Pembroke nu waarschijnlijk haastig probeerde te bereiken. Dat hoopte hij in elk geval. Het was een risico, maar dat moest hij nemen.

Even later had hij de poort bereikt, liep naar buiten en liet zich een paar stappen van de opening in de muur achter een klein zandduin vallen. Met zijn pistool in de aanslag staarde hij naar de poort.

'Heilige Markion, zorg ervoor dat hij in het aas heeft gehapt en dat ik hem zo meteen voor mijn loop krijg,' fluisterde hij terwijl het zand tussen zijn tanden knarste.

Intussen kostte het Pembroke moeite om het houten kistje vast te houden.

Baynards kogel had zijn linkerschouder geraakt, en hoewel de kogel god zij dank geen bot had verbrijzeld, was de vleeswond erg pijnlijk en raakte hij de kracht in zijn arm snel kwijt. In zijn rechterhand kon hij het kistje niet vasthouden. Die had hij nodig voor zijn pistool, dat hij voortdurend schietklaar in de aanslag moest houden. Hij had niet veel tijd meer om aan zijn belager te ontsnappen voordat de pijn zo hevig werd dat zijn waakzaamheid en reactievermogen erdoor beïnvloed zouden worden.

Omdat Baynard blijkbaar achter hem naar de vlakte in het westen was geslopen, lag zijn redding in het oosten. Daarom moest hij zo snel mogelijk naar de oostpoort toe, waarna hij op weg naar de kloof een zo groot mogelijke voorsprong kon creëren. Als hij de smalle kloof eenmaal had bereikt, waren hij en de Judas-papyri gered.

Pembroke zette alles op één kaart, rende door de ruïne naar het oosten, zag de reddende poort voor zich en stormde erdoorheen, de vrijheid tegemoet. Hij wilde al triomfantelijk lachen toen het schot dreunde.

De kogel trof hem in zijn borst. Er ontsnapte een gil aan zijn keel die plotseling afbrak. Het kistje gleed uit zijn krachteloze hand en de kracht van de inslag rukte hem van zijn benen en slingerde hem op de grond. Hij rolde een keer rond zijn eigen as en bleef daarna roerloos met zijn gezicht in het zand liggen.

'Ik denk dat ons duel daarmee beslist is, lord Pembroke,' zei Baynard tevreden terwijl hij achter het zandduin tevoorschijn kwam en naar hem toe liep. Hij gaf Pembroke een trap in zijn zij, maar de roerloze lord kreunde niet.

Baynard pakte het kistje, overtuigde zich er met een snelle blik van dat de kostbare papyri er inderdaad in zaten en haastte zich weg.

Pembroke was echter nog niet dood, hoewel het leven uit hem stroomde als water uit een zeef. Hij vocht tegen de waanzinnige pijn die zijn borstkas verscheurde en tegen de bewusteloosheid. Hij wist dat hij zou sterven. Maar als dat zo was, wilde hij zijn moordenaar meenemen in de dood.

Met een laatste krachtsinspanning haalde hij het pistool tevoorschijn, dat in zijn val onder hem was terechtgekomen. Hij pakte het met twee trillende handen en richtte op de wegrennende gestalte. Met zijn allerlaatste kracht haalde hij de trekker over. Hij zag nog hoe de kogel Baynard in zijn rug trof en hem een zet naar voren gaf. Daarna viel het pistool uit zijn handen en zakte zijn hoofd in het zand terug.

Toen Baynard door de kogel werd geraakt, was het alsof iemand hem met een knuppel op zijn rug sloeg. De schreeuw waarmee hij viel was het eerste moment niet van pijn, maar van woede omdat hij zo stom was geweest om geen kogel door Pembrokes hoofd te jagen. Hij sloeg zwaar tussen de rotsblokken tegen de grond. Het houten kistje raakte een steen, het deksel sprong open en de papyri waaiden eruit.

Hij strekte zijn hand ernaar uit terwijl er een golf brandende pijn door zijn lichaam schoot. Vertwijfeld probeerde hij de papyri vast te houden, maar de bladzijden braken onder zijn verkrampende vingers, losten als verwelkte loofbladeren in stukken op en werden weggeblazen door de khamsin.

Kwijt, alles kwijt! Zo kort voor de triomf!

'Vervloekt ben je, demiurg!' riep hij met vertwijfelde woede tegen de wind. Er golfde bloed in zijn keel waardoor zijn kreet smoorde. Hij schokte en rochelde, daarna was het voorbij.

6

Nu bent u aan de beurt om ons uw verhaal te vertellen, meneer Seymour,' zei Byron, hoewel het hen eigenlijk niet meer interesseerde wat het Genootschap der Wachters was. Wat ze ook te horen zouden krijgen, ze zouden het meenemen in een zekere dood.

Tegen beter weten in hadden ze de afgelopen minuten met een uiterste krachtsinspanning geprobeerd de deur open te krijgen. Maar deze had, zoals te verwachten was, niet bewogen. Ook hun poging om de schroeven van de scharnieren met Horatio's zakmes uit het zware ijzeren beslag te draaien, was in een mislukking geëindigd. De lemmeten waren stuk voor stuk afgebroken zonder dat ze een schroef hadden losgemaakt. Als ze de zak met het gereedschap hadden meegenomen naar de grafkelder, hadden ze de deur misschien kunnen openbreken met het breekijzer en de pikhouweel.

Trevor Seymour hurkte met een uitdrukking van stoïcijnse kalmte op zijn gezicht tegen de deur. 'Het begon destijds met de onzalige scheiding van koning Henry VIII die de paus niet wilde accepteren, wat ertoe leidde dat Henry zich afscheidde van de rooms-katholieke kerk en zichzelf tot hoofd van de kerk van Engeland benoemde.

'Dan had het jaartal dat op de brief stond die we in Wenen kregen alles te maken hebben met de terechtstelling van Thomas More,' concludeerde Byron.

De butler knikte. 'More was een oprecht mens en een christen, die zich liever aan de beul uitleverde dan de verlangde eed van trouw aan koning Henry als hoofd van de kerk af te leggen. Hij was niet de enige die voor zijn standvastige geloof stierf, maar hij was de prominentste.'

Alistair kreunde onderdrukt, maar hij maakte een afwijzend gebaar met zijn hand toen de anderen bezorgd naar hem keken.

'Het gaat wel,' mompelde hij. 'Laat hem verderpraten ... Ik wil dit absoluut niet missen ...' Hij had duidelijk veel pijn, maar hij was zijn galgenhumor nog niet kwijt.

'In die tijd kwam een aantal achtenswaardige mannen bij elkaar. Ze stonden niet in het centrum van de publieke belangstelling, maar ze hadden enige invloed en vooral geld,' ging Trevor Seymour verder. 'Ze waren echte christenen, want ze waren van mening dat het ware geloof in de heilsboodschap van Jezus Christus niet afgelezen kon worden aan de belijdenis van een medemens, maar alleen aan de manier waarop hij zijn geloof beleeft.'

'Dat klopt helemaal,' zei Harriet zachtjes. Ze wilde Byrons hand pakken, maar durfde dat niet omdat ze bang was dat hij haar zou wegduwen.

'Deze mannen besloten om niet lijdzaam toe te kijken naar de bloederige waanzin van koning Henry, maar andere vervolgden te helpen, voorzover ze daartoe in staat waren,' vertelde Trevor Seymour. 'Ze wilden daarmee een signaal afgeven en er in het geheim over waken dat oprechte, vredelievende christenen hun geloof konden belijden, onafhankelijk van de geloofsrichting waartoe ze behoorden.'

'Daar komt de naam Wachters dus vandaan,' zei Horatio. 'Nu wordt me het een en ander duidelijk, vooral met betrekking tot de gebeurtenissen in Wenen.'

De butler knikte. 'Onze broederschap is nooit heel groot geweest. Er waren maar weinigen die over de schaduw van hun eigen belijdenis heen konden stappen en bereid waren om hun geld en hun leven te riskeren voor de uitgestoten christenen van een andere geloofsrichting. Veel christenen, die onze broederschap in de loop der tijden voorzichtig heeft benaderd om hen voor onze zaak te winnen, wilden het risico niet lopen om hun gezinnen in gevaar te brengen en zelf vervolgd te worden. Toch heeft de broederschap door de eeuwen heen vele malen stille hulp kunnen bieden in de vorm van een schuilplek of geld om te kunnen emigreren naar een veilig land. Onder degenen die we hebben geholpen waren niet alleen calvinisten en katholieken die trouw waren aan Rome, maar ook quakers, adventisten, lutherianen, hugenoten en natuurlijk joden, onze oude broeders en zusters in het geloof.

'Ik zou het een eer hebben gevonden om bij die broederschap te horen, als het lot dat had toegelaten,' zei Byron terwijl hij de vertwijfelde blik in Harriets ogen opving. Hij zag de angst dat ze zijn liefde kwijt was en dat ze de laatste uren of dagen van haar leven met haar schuldgevoelens in deze grafkelder moest leven. Byron voelde echter al lang geen wrok meer. Horatio had gelijk gehad. Arthur Pembroke had hen allemaal met koude berekening en boosaardigheid misbruikt en gechanteerd. Hij kon haar niets verwijten en hoefde haar niets te vergeven. Daarom pakte hij zonder iets te zeggen haar hand, bracht die naar zijn mond en gaf er een zachte kus op. In deze liefdevolle kus lag het enige wat ze hoefde te weten, namelijk dat zijn liefde voor haar nog net zo sterk was als een paar uur geleden, toen ze nog geloofden dat hun avontuurlijke zoektocht naar de papyri een stralende, gelukkige afloop zou hebben.

De tranen schoten in Harriets ogen. Ze schaamde zich er niet voor. Ze kroop dichter naar hem toe, leunde tegen zijn schouder en liet haar tranen de vrije loop, terwijl hij over haar haren streelde en zelf ook tegen zijn tranen moest vechten. Hij vroeg zich neerslachtig af waarom mensen hun leven zo vaak aan futiliteiten verspilden en te laat beseften wat belangrijk was om voor te vechten en zich kwetsbaar voor op te stellen. Liefde was de enige macht in de wereld waarvoor je mocht buigen, vervuld van dankbaarheid voor dit grootste van alle aardse wonderen.

'U hebt er dus voor gezorgd dat uw mannen ons in Wenen in het oog hielden?' vroeg Horatio.

'Ja, dat had ik afgesproken met Abbot, onze gekozen principaal,' antwoordde Trevor Seymour. 'Destijds wist ik nog niets over het boosaardige plan dat Arthur Pembroke had uitgebroed, maar ik vermoedde wel dat hij ons voor onaangename verrassingen kon plaatsen. Ik wist ook over de vervelende strijd tussen Mortimer en die Londense deskundige van apocriefe geschriften. Ik heb gehoord dat deze man dreigde dat hij de middelen en wegen zou vinden om in het bezit van het Judas-evangelie te komen.'

'U wist dus over de Kainieten, die Markion van Sinope als een heilige en Judas en Kain als uitverkorenen beschouwden?' vroeg Byron verbaasd.

'Op dat moment nog niet,' zei de butler. 'Het was me echter opgevallen dat deze man met een merkwaardige hanger speelde, terwijl hij probeerde om Mortimer in zijn netten te verstrikken. Het was een zilveren doodshoofd met een voorhoofd dat was gespleten door een gouden wig. Ik heb dat aan Abbot, onze principaal, verteld. Hij heeft toegang tot veel verschillende informatiebronnen die voor de meeste mensen niet toegankelijk zijn. Helaas stuitte hij pas op het spoor van de Kainieten toen jullie al op de veerboot over het kanaal zaten. Daarop besloten we onze vertrouwenspersonen in Wenen te alarmeren en ze de opdracht te geven voor jullie veiligheid te zorgen. Helaas heeft onze broederschap geen leden in Constantinopel en Egypte. Daarom kwam het goed uit dat Arthur Pembroke jullie al snel achterna reisde en ik hem moest begeleiden. Het spijt me heel erg dat mijn missie is mislukt en dat ik Arthur Pembrokes kwaadaardigheid heb onderschat.' Hij zuchtte diep en zag er voor het eerst gedeprimeerd uit, alsof zijn falen erger was dan de dood die in de grafkelder op hen wachtte. 'Als ik verstandiger en voorzichtiger was geweest, had hij zijn duivelse plan niet kunnen uitvoeren. Dan had het kruit in de patronen gezeten. God is mijn getuige dat ik hem had doodgeschoten. Maar nu ...' Hij stopte en schudde zijn hoofd. 'Ik hoef waarschijnlijk niet te verwachten dat ik op jullie compassie mag rekenen. Dat zou met het oog op de netelige positie waarin ik jullie door mijn falen heb gebracht ook te veel verwacht zijn.'

Horatio lachte droog. Zoals Trevor Seymour kon waarschijnlijk alleen een butler praten, die zijn gevoelens zijn hele leven achter een façade van ijzeren gereserveerdheid verborg en alle rampen van het leven met voorname onderkoeldheid tegemoet trad.

'Mijn lieve vriend, onze situatie is niet netelig, maar uitzichtsloos,' antwoordde Horatio. 'En u hebt ons niet in deze situatie gebracht, maar wij zelf. Daarom is er ook niets waarmee we compassie hoeven te hebben. U hebt gedaan wat in uw macht lag, en daarbij uw eigen leven op het spel gezet. Arthur Pembroke heeft u misleid en tot een slachtoffer van zijn misdadige plan gemaakt, en daarmee bevindt u zich bij ons in uitstekend gezelschap.'

Byron hield Harriets hand nog steeds vast. Wat waren de Judas-papyri ineens onbelangrijk! De jacht op dit sensationele apocriefe geschrift had hen wekenlang in spanning gehouden en hun gedachten beheerst. Ze hadden er zelfs hun leven voor op het spel gezet. Nu leek hun koortsachtige zoektocht naar het Judas-evangelie onbelangrijk en lachwekkend. Het enige echt kostbare dat hij in de afgelopen weken had gevonden, was het wonder van de liefde en de band van de vriendschap. Alle apocriefe geschriften van de wereld waren het niet waard dat hun vriend voor hun ogen langzaam doodbloedde. Om er maar van te zwijgen dat ook Horatio, Trevor, Harriet en hij deze krankzinnige jacht op een paar oude documenten met hun leven zouden betalen. Hij wilde dat Alistair de laatste bladzijden in Constantinopel niet stiekem uit het notitieboekje had gesneden. Dan was hun zoektocht naar het Judas-geschrift daar geëindigd en hoefde er nu niemand sterven. En dan hadden Harriet en hij een toekomst gehad.

'Byron?'

Byron ging meteen rechtop zitten toen Alistairs gesmoorde stem de doodse stilte doorbrak. Hij gaf een kneepje in Harriets hand en ging daarna snel naar zijn vriend toe. Het brak zijn hart om het door pijn getekende gezicht waarop het koude zweet parelde te zien.

'Ja, Alistair?'

'Wil je een sigaret voor me aansteken en tussen mijn lippen duwen?' vroeg Alistair. 'Ik wil hier … geen goede Gold Flakes-tabak laten bederven.'

'Natuurlijk. Meteen.' Byron haalde het pakje en de aansteker uit Alistairs zak, stak een sigaret op en duwde die tussen zijn lippen.

Alistair inhaleerde, blies de rook door zijn neus naar buiten en trok één mondhoek op. 'Kijk eens aan. De wereld ziet er meteen weer een stuk rooskleuriger uit,' zei hij spottend.

'Wat bedoel je?' vroeg Byron verward. 'En kan ik misschien nog iets anders voor je doen?'

Alistair knikte. 'Ja, je kunt … naar … de rook kijken,' zei hij haperend. 'Het lijkt namelijk … alsof het achter me … tocht.'

Byron wist eerst niet wat Alistair bedoelde, tot hij de dunne rooksliert volgde, die niet naar het plafond opsteeg, zoals in de gesloten grafkelder eigenlijk het geval had moeten zijn, maar links boven hem tussen twee rotsblokken verdween.

'Je hebt gelijk! De rook stijgt niet recht omhoog!' riep hij ongelovig en meteen ontwaakte er hoop in hem dat de grafkelder misschien toch niet hun eindbestemming zou zijn. 'Vrienden, daarachter moet een opening zijn.'

Harriet, Horatio en de butler kwamen meteen overeind en renden naar hem toe.

'Allemachtig, als dat geen massieve muur is, maar misschien een tweede uitgang, die alleen met zand en gesteente is gevuld, dan eindigt het hier niet voor ons!' riep Horatio opgewonden ratelend.

'Nu zien jullie eens. Soms kan roken … je leven zelfs verlengen!' Alistair produceerde een moeizaam lachje. 'Als het tenminste … klopt wat ik denk.'

Ze droegen Alistair zo voorzichtig mogelijk bij de zandberg vandaan en zetten hem tegen een zuil, zodat hij zicht op de nis had.

Met de tomeloze kracht die de hoop op overleven in mensen wekt, begonnen ze het zand met hun blote handen weg te scheppen om de stapel rotsblokken te bereiken, die bijna tot het plafond van de gewelfde nis kwam. Het was een klus die hen behoorlijk vermoeide, maar het was niets vergeleken bij het gezwoeg dat daarna kwam.

'Jullie hebben gelijk gehad!' riep Horatio plotseling, toen hij weer een rotsblok van de stapel had getild. 'Daarachter is een opening! Ik kan het duidelijk zien! En ik voel nu ook een sterke tocht!'

'Dan hebben de monniken deze ruimte niet alleen als bottenkamer gebruikt, maar in tijden van nood ook als geheime vluchtroute,' zei Byron.

Hun optimisme steeg en het kon hen niet meer schelen dat ze bloedende schrammen en sneden kregen door de randen van de stenen. Ze hadden gerechtvaardigde hoop dat ze aan de bottenkamer konden ontsnappen.

'We moeten opschieten,' fluisterde Harriet tegen Byron. 'Het ziet er niet goed uit voor Alistair. Hij heeft al veel bloed verloren. Als we hem hier niet snel uit krijgen en hem naar een dokter brengen overleeft hij zijn verwonding niet.'

Byron keek naar Alistair, die in elkaar gezakt en met gesloten ogen tegen de pilaar lag. Zijn adem was onregelmatig en het verband was niet alleen drijfnat van het bloed, maar nieuw bloed bleef door de stof sijpelen, liep over zijn heupen en doordrenkte de stof van zijn broek.

Ze haastten zich om de ingang vrij te maken, tot ze eindelijk zoveel zware rotsblokken hadden weggesjouwd dat ze zich met Alistair door de opening konden wringen. De gang achter de rotsblokken had geen gemetselde wanden, maar bestond uit ruw, grof gehouwen gesteente. Hij was laag, nauwelijks anderhalve meter hoog en net breed genoeg om doorheen te lopen zonder dat ze met hun schouders tegen de wanden stootten.

'Jij neemt de lamp en loopt voorop, Harriet,' zei Byron. Hij had Alistairs riem rond zijn oksels geslagen, zodat hij hem beter kon dragen in de nauwe gang. 'Horatio en ik dragen Alistair.'

'Nee, ík draag hem samen met jou,' sprak Harriet hem meteen tegen. 'Ik ben net zo sterk als Horatio. Hij kan de lamp nemen.'

Er was geen tijd voor discussies. Daarom pakte Horatio de petroleumlamp en liep vooruit. Byron pakte de draagriem en tilde Alistair op, die meteen kreunde van pijn.

'Het spijt me, vriend, maar het moet. Anders krijgen we je niet naar buiten,' zei hij terwijl hij Horatio achterwaarts in de gang volgde.

Harriet had Alistairs benen onder haar armen geschoven en hield ze vlak boven de kniegewrichten vast. Trevor Seymour liep achter haar.

Ze merkten al snel dat de gang niet helemaal door mensenhanden was gemaakt, maar voor het grootste deel uit een natuurlijke rotsspleet bestond. De gang liep afwisselend naar rechts en naar links en liep meerdere keren door natuurlijke grotachtige ruimten. Byron probeerde de richting waarin ze liepen in zijn hoofd te prenten. Hij had het gevoel dat ze naar de drie verdedigingstorens liepen.

De gang was verbazingwekkend lang. Byron had al bijna vijftig passen geteld, toen Horatio plotseling bleef staan. 'Hier loopt een schacht loodrecht naar boven!' riep hij. 'Zonder klimuitrusting kom je daar echter niet omhoog. Maar de gang gaat ook verder.'

'Waar wacht je dan nog op?' riep Byron ongeduldig. Inmiddels deden zijn armen zoveel pijn dat hij bang was dat hij Alistair niet lang meer kon houden. Door de schacht wist hij nu zeker dat ze zich onder de torens bevonden. Waarschijnlijk hadden de monniken de schacht gegraven om vanuit de torens, misschien met behulp van een touw, in de vluchtgang te komen.

Na ruim dertig passen liep de gang geleidelijk omhoog en werd krapper. De wanden bestonden nu uit bijna gladde rots met een paar scheuren en kieren.

'Hier stopt hij,' meldde Horatio. 'Ik zie treden die uit de rots zijn gehouwen, maar geen uitgang.'

'Laten we Alistair even neerleggen,' zei Byron tegen Harriet. Hij liep naar Horatio toe. 'Hou de lamp eens hoger.'

Het lichtschijnsel viel op een plaat met een onregelmatige vorm, die aan de onderkant glad geslepen was. Byron vermoedde dat de bovenkant natuurlijk was gelaten, zodat vreemden de steen niet als sluitplaat van de onderaardse gang herkenden. Hij liep licht gehurkt met ingetrokken hoofd de treden op tot zijn schouders de onderkant raakten, en duwde zo hard mogelijk tegen de plaat tot deze omhoog kwam.

Byron gaf een laatste krachtige duw en ineens voelde hij hoe de khamsin zand in zijn gezicht waaide. Byron lachte terwijl hij zich door de kier wrong en de plaat voor de opening wegschoof. Zijn blik viel op doornig woestijnstruikgewas, dat de ingang bijna helemaal omsloot. Daarna zag hij de rotsachtige heuvels, die vlak achter de muur met de drie torens lagen en waarachter net zo'n kloof lag als degene waar ze doorheen waren gekomen toen ze de heuvel vanaf de aanlegsteiger hadden beklommen.

Hij ging weer naar beneden en droeg Alistair samen met Hariet naar de vrijheid. Ze drongen door het doornige struikgewas en legden hem voor een korte adempauze in het zand.

Alistair kreunde langgerekt en deed daarna met fladderende oogleden zijn ogen open. 'Waar ... waar zijn ... we?' rochelde hij.

'We hebben het gered! We zijn buiten! We zijn dankzij jou in vrijheid!' zei Byron tegen hem.

Alistiar greep zijn hand. 'Dan heb ik ... dus toch nog ... een royal flush ... in mijn ... laatste spel ...' kwam het zwakjes over zijn lippen.

Byron slikte en drukte Alistairs hand. 'Een royal flush! Dat kun je wel zeggen. Daarmee heb je Pembroke overtroefd.'

Alistair lachte terwijl zijn ogen weer dichtvielen. 'Royal flush ...' fluisterde hij met een gesmoorde stem. 'En nu ... halen jullie ... de vette pot! ... Laat hem niet ... ontsnappen!' Er ging een korte siddering door zijn lichaam, daarna zakte zijn hoofd opzij en werd zijn hand slap.

Byron boog zich heel dicht naar hem toe en hield zijn oor bij Alistairs lippen. Hij voelde geen ademhaling meer. Hij legde zijn vinger op de halsslagader. Niets.

Met een brok in zijn keel kwam hij overeind. 'Alistair is dood,' zei hij zachtjes.

Harriet beet op haar lippen.

Niemand zei iets. Een paar lange seconden stonden ze zwijgend om hun dode vriend heen. Er kwamen op dat moment zoveel beelden in hen op. Herinneringen aan zijn ontwapenende glimlach, zijn brutale opmerkingen en zijn zorgeloosheid. Ze hadden Alistair in hun hart gesloten en het leek onvoorstelbaar dat hij niet met hen terug naar Engeland zou reizen en dat ze zijn jongensachtige lach nooit meer zouden zien en niet meer met hem zouden bekvechten over Nietzsche of iets anders.

'Hij was geweldig,' verbrak Horatio het zwijgen. 'Een gekke kerel ... en een goede vriend, zoals je je niet beter kunt wensen. We hebben ons leven aan hem te danken. Ik zal hem nooit vergeten.'

Trevor Seymour en Horatio pakten Alistairs lijk op om hem verder te dragen.

Toen ze even later de oostelijke muur bereikten, struikelden ze door de duisternis en de zandwolken bijna over het lijk van lord Pembroke. Verbijsterd staarden ze in het licht van de lamp naar het lichaam, dat een schotwond in de borst en een vleeswond in de schouder had.

'Mijn god, hoe kan dat?' riep Harriet. 'Wie heeft hem doodgeschoten? En waar is het kistje met de papyri?'

'Bij de weg ligt nog iemand!' riep Horatio toen de khamsin even luwde en de zandwolken gingen liggen.

Ze liepen naar het tweede lichaam, dat net als Pembroke met zijn gezicht in het zand lag. De schotwond in de rug konden ze niet missen. Toen ze het lijk omdraaiden, duurde het even voordat ze het gezicht met de volle baard herkenden.

'Allemachtig!' riep Byron. 'Dat is de perfectus! Die twee hebben elkaar doodgeschoten! En daar ligt het kistje! Maar het is leeg.'

'Hoe heeft die vent ons in vredesnaam gevonden?' vroeg Horatio. 'Hoe is het hem gelukt om ons op het spoor te komen en naar het klooster te volgen terwijl er zoveel belangrijke informatie ontbrak?'

'Op die vragen krijgen we waarschijnlijk nooit antwoord. En ze zijn ook niet belangrijk,' zei Byron. Hij bukte zich omdat hij een stuk papyrus in de hand van de dode had ontdekt. Voorzichtig maakte hij het los uit de verkrampte vingers. Het was niet groter dan zijn handpalm. 'Wat we echter wel weten is dat de Judas-papyri onherroepelijk verloren zijn. De khamsin heeft ze meegenomen en letterlijk in alle windrichtingen verspreid. Het zijn alleen nog snippers, die ergens onder het zand worden begraven.' Hij haalde diep adem en stopte het stukje papyrus bij zich. Het onherroepelijke verlies deed hem niet zo veel. Hij had niet meer dan een zwak gevoel van spijt. De dankbaarheid omdat hij was ontsnapt aan de dood en zeker was van Harriets liefde was te overweldigend. In vergelijking daarmee woog het verlies van het Judas-geschrift zo licht als een zandkorrel. 'Als we ons nu zouden beklagen, zou dat een zonde zijn.'

Horatio knikte. 'Laten we Alistair naar de boot brengen.'

'En wat doen we met deze lijken?' vroeg Harriet. 'We moeten de autoriteiten morgen een geloofwaardig verhaal vertellen, alleen al vanwege Alistair. We kunnen hem hier niet begraven. Dat laat ik niet toe.'

'Dat ben ik ook helemaal niet van plan en Horatio beslist ook niet,' kalmeerde Byron haar. 'We bedenken wel iets.'

Op weg naar de aanlegsteiger bespraken ze hoe ze de dood van de drie Engelsen aan de autoriteiten moesten uitleggen zonder dat ze daarbij zelf in de problemen kwamen. Toen ze Hasan wakker maakten en hij zag dat ze met een vreemde en het lijk van hun vriend terugkeerden, kreeg hij de schrik van zijn leven en riep hij Allah om hulp.

Het duurde een tijdje voordat ze hem hadden gekalmeerd. Daarna zei Byron tegen hem: 'Het is het beste als je niets weet, Hasan. Helemaal niets. Je hebt ons over de rivier gebracht en bent daarna gaan slapen. Geen woord over de zak met gereedschap, de lamp en de ladder,' drukte hij hem op het hart. Hij haalde vier goudstukken uit zijn beurs en gaf een van de munten aan Hassan. 'Als je je daaraan houdt, krijg je geen problemen en geef ik je deze drie goudstukken ook nog.'

Hassans ogen vielen bijna uit hun kassen en hij knikte ijverig. 'Ik niets weten! Ik niets horen en niets zien! Ik slapen! Allah mijn getuige!'

Byron knikte. 'Dat kan hij ook zijn, want het is de waarheid.'

Daarna legden ze Alistairs lijk in de canja en gleden ze over de brede donkere rivier, die kalm en afzijdig naar de monding stroomde, zoals hij al duizenden jaren had gedaan, volkomen onverschillig voor de ontelbare drama's en vrolijke gebeurtenissen die zich aan zijn oevers hadden afgespeeld.

Byron hield Alistairs hand tijdens de overtocht vast, keek strak in de nacht en merkte niet dat de tranen over zijn gezicht stroomden.

Epiloog

Ze keken niet achterom toen de Karnak de haven van Aswan uitvoer en met ratelende schoepen de rivier op stoomde. De herinneringen die verbonden waren met deze plek en het klooster achter de heuvel aan hun linkerkant waren te pijnlijk.

De afgelopen vier dagen hadden ze vastgezeten. Drie doden buiten de muren van een toeristische bezienswaardigheid waren voldoende geweest om de autoriteiten in een enorme staat van opwinding te brengen en negatieve krantenkoppen in de buitenlandse pers te vrezen. Daarom waren de lijken van Arthur Pembroke en de perfectus nog in de dageraad razendsnel en onder strenge geheimhouding weggehaald.

In deze vier dagen waren ze allemaal meerdere keren verhoord. Telkens opnieuw waren hen dezelfde vragen gesteld. Hoe lastig het hen ook werd gemaakt tijdens de verhoren, ze waren niet afgeweken van het verhaal waarover ze het eens waren geworden. Dat luidde dat Pembroke en de vreemdeling, die in overeenstemming met zijn identiteitspapieren als Graham Baynard was geïdentificeerd, elkaar voor een nachtelijk duel buiten de muren van St. Simeon zouden ontmoeten. Toen Trevor Seymour dat had verteld, waren ze de twee naar de andere rivieroever gevolgd. Daar had Alistair geprobeerd om het duel, waarvan ze de exacte reden niet wisten, te voorkomen. Helaas was hij in de vuurlinie terechtgekomen en was hij geraakt. Meer konden ze er niet over zeggen. Nadat hun verklaring was genoteerd, hadden ze eindelijk hun passen teruggekregen, zodat ze zich konden bezighouden met het transport van hun dode vriend, die in de vrachtruimte van de Karnak in een verzegelde zinken doodskist met hen naar Cairo reisde.

Ze hadden een reis van een week met de toeristenstoomboot geboekt, omdat ze er na de hectische weken van hun jacht op het Judas-evangelie behoefte aan hadden om de rust in hun leven te laten terugkomen en hun terugreis niet door haast te laten bepalen. Ze hadden deze periode nodig om langzaam naar hun vroegere leven terug te keren. Dat zou nooit meer zo worden als het voor Pembrokes opdracht was geweest. Van de beroemde plaatsen, waar de raderboot tijdens zijn tocht stroomafwaarts aanlegde, zouden ze in tegenstelling tot alle andere buitenlandse passagiers waarschijnlijk weinig meekrijgen. Maar misschien gingen ze toch een tempel of zo bekijken, alleen al als afleiding van hun rouw om Alistair.

'Wat ga jij doen als we weer in Londen zijn, Horatio?' vroeg Byron terwijl de Karnak in het zachte ochtendlicht langs de groene oevers van de Nijl gleed.

Horatio haalde zijn schouders op. 'Ik pak mijn oude leven in elk geval niet meer op. Omdat Pembroke de cheques, die hij in de grafkelder voor onze voeten heeft gegooid, een paar dagen voor zijn dood heeft getekend, zijn ze contant geld waard. Daarmee begin ik misschien een kleine galerie in Londen. Ik wil wel eens zien of mijn eigen schilderijen net zoveel weerklank vinden als mijn vervalsingen dat vroeger deden.'

'Dat zullen ze heel zeker,' zei Harriet overtuigd. 'Ook als je originelen kopieert en daar eerlijk voor uitkomt.'

'We wachten het af,' zei Horatio. Hij was echter vol vertrouwen dat de sprong naar het deugdzame zakenleven hem zou lukken. Geld had hij immers genoeg, want Byron en Harriet hadden erop gestaan dat hij Alistairs cheque ook zou inwisselen. 'En jij, Harriet? Ga je Pembrokes erfenis aanvaarden en meesteres op Pembroke Manor worden?'

Harriet lachte. 'Absoluut niet! Toen mijn moeder er met mijn vader vandoor ging, is ze onterfd. En als ik me niet vergis, zijn er genoeg familieleden die om de erfenis zullen vechten.'

'Het is niet helemaal uitgesloten dat u toch een deel van de erfenis krijgt,' zei Trevor Seymour, die naast hen stond. 'De rechtspositie in zo'n situatie is heel gecompliceerd. Maar ook als de rechtbanken de onterving van uw moeder bevestigen, kunt u waarschijnlijk op een soort afkoopsom rekenen. De andere erfgenamen zullen niet geïnteresseerd zijn in jarenlange processen en er daarom de voorkeur aan geven onderhands met u tot overeenstemming te komen, zodat ze het vermogen zo snel mogelijk in handen krijgen. Het zal weliswaar geen enorm bedrag zijn dat men u zal aanbieden, maar waarschijnlijk voldoende om een verzorgde toekomst te hebben.'

'Die heeft Harriet nu ook al,' zei Byron terwijl hij liefdevol naar haar glimlachte. Ze hadden besloten om al snel na hun terugkomst in Engeland in alle stilte te trouwen. Natuurlijk zouden Horatio en Trevor Seymour tot de weinige gasten behoren, die ze voor hun huwelijk en een bescheiden feest wilden uitnodigen. Eerst zouden ze echter een waardige begrafenis voor hun dode vriend regelen en een grafsteen bestellen die Alistair mooi gevonden zou hebben. Ze waren het erover eens dat de steenhouwer onder zijn naam en de data een pokerhand in de steen moest graveren, natuurlijk een royal flush.

'Heel jammer dat de woestijnwind de papyri uit het kistje heeft gerukt en ze in alle windrichtingen heeft verspreid,' zei Horatio even later spijtig. 'Nu zal de wereld waarschijnlijk nooit te horen krijgen wat er echt in het Judas-evangelie stond.'

'Dat geloof ik niet,' ging Byron tegen hem in. 'Als deze papyri echt door Judas Iskariot zijn geschreven, dan zijn er kopieën van. Het is altijd gebruikelijk geweest om meerdere kopieën van dergelijke geschriften te maken. Misschien heeft Mortimer een van die kopieën gevonden. Ooit zal er een andere kopie bij een opgraving opduiken. Daarvan ben ik overtuigd. De woestijn verbergt veel geheimen.'

'Over geheimen gesproken,' zei Horatio. 'Ik ga maar eens naar de eetzaal om te kijken wat de Karnak haar gasten voor het ontbijt te bieden heeft. Ik heb plotseling een honger zoals ik al lang niet meer heb gehad.'

'Mag ik me bij u aansluiten?' vroeg de butler, wiens maag eveneens knorde. De afgelopen dagen met alle verhoren hadden ze maar weinig eetlust gehad. 'Ik hoor de roep van de natuur die aan z'n trekken wil komen ook heel duidelijk.'

'Wij komen zo,' zei Byron, die nog even met Harriet alleen wilde zijn. Zodra Horatio en de butler weg waren, haalde Harriet de twee flesjes laudanum tevoorschijn. 'Ik geloof dat ik deze niet meer nodig heb,' zei ze,

waarna ze ze overboord gooide. 'Ik weet zeker dat het met de nachtmerries beter zal gaan.'

Byron lachte. 'Ik zal je wachter zijn,' beloofde hij.

Harriet gaf hem een arm en verstrengelde haar vingers in de zijne.
Zwijgend, maar intens met elkaar verbonden, stonden ze bij de reling en
keken naar de rivier. Weliswaar keerden hun gedachten steeds weer naar
Alistair terug, maar vaker dan in de laatste dagen richtten ze zich nu op
hun gemeenschappelijke toekomst, die net zo fris en veelbelovend voor hen
lag als de jonge ochtend boven de Nijl.

Nawoord

Dit avontuurlijke verhaal over de zoektocht naar het evangelie van Judas Iskariot is pure fictie, hoewel het deels is gebaseerd op historische feiten. De ervaren lezer zal ongetwijfeld literaire voorbeelden zoals De derde man van Graham Greene, Dracula van Bram Stoker, Moord in de Oriënt-Expres van Agatha Christie en enkele andere, minder bekende werken herkend hebben.

Voor Basil Sahar heb ik deels gebruik gemaakt van de biografie van een historische figuur, die leefde in de tijd waarin mijn roman plaatsvindt. Deze beroemd-beruchte wapenhandelaar heette in werkelijkheid Bazil Zaharoff, werd later tot sir benoemd en was drager van het grootkruis van het erelegioen en ridder van de Orde van het Bad. Deze man klom in het echte leven, net als in mijn verhaal, in Constantinopel op van straatarme 'gids' en 'brandweerman' tot een van de meest succesvolle, wereldwijd opererende wapenhandelaren van zijn tijd. Net als mijn Basil Sahar, bracht hij het grootste deel van zijn zakenleven door in de Orient-Express, reserveerde daar altijd coupé 7 en stond erom bekend dat hij in Wenen regelmatig vrouwen liet instappen, die niet bepaald een goede reputatie hadden. Het intermezzo met de krankzinnige Spaanse edelman, die zijn kersverse bruid in de coupé met een mes aanviel en verwondde en die door Bazil Zaharoff en zijn lijfwacht werd gered, heeft in 1886 echt plaatsgevonden, maar de moordaanslag op de wapenhandelaar is fictie. De vrouw werd daarna de minnares van Bazil Zaharoff en achtendertig jaar later, na de dood van haar Spaanse echtgenoot, zijn vrouw. Natuurlijk brachten ze hun huwelijksnacht in coupé 7 van de Orient-Express door.

Dat op de drempel naar de twintigste eeuw, toen op veel plekken in de wereld brandhaarden waren of oorlogen werden gevoerd, de ontwikkeling en de bouw van onderzeeboten in alle industrielanden uit alle macht werd bespoedigd, is ook geen fictie. Onderzeeboten zoals de door mij beschreven Argonaut VI werden in deze tijd gebouwd en het Osmaanse Rijk wilde ze net zo graag tot hun wapenarsenaal rekenen als Amerika, Engeland, Griekenland, Rusland en andere Europese landen.

Het verhaal over de onderzeeboottechniek begon echter vele decennia eerder. Thomas Jefferson liet, toen hij president van Amerika was, aan het eind van de achttiende eeuw al een duikboot met de naam Turtle ontwikkelen, die echter ondeugdelijk bleek te zijn toen hij werd ingezet op de Hudsonrivier tegen het Engelse oorlogsschip HMS Eagle. De eerste echt goed functionerende onderzeeboot, die een succesvolle aanval op een vijandelijk schip uitvoerde, werd in de Amerikaanse burgeroorlog gebouwd door de Amerikaan en Zuiderling Horace L. Hunley. Het was een gevaarte van 19 meter lang, was naar hem vernoemd en werd door een zwengel aangedreven, die werd bediend door acht vrijwilligers. De onderzeeboot zonk drie keer, waarbij niet alleen de bemanning, maar uiteindelijk ook Hunley omkwam. Na de laatste berging viel de nieuwe bemanning van de Hunley in de nacht van 17 februari 1864 met succes het oorlogsschip USS Housatoni van de Noordelijke Staten aan. De torpedo, die zich aan het eind van een lange boegbuis bevond, scheurde een groot gat in de scheepswand en leidde in enkele minuten tot de ondergang van het fregat. Tijdens die actie zonk de Hunley echter ook, waarmee de actie ook dit keer een zelfmoordcommando voor de bemanning bleek te zijn. De Hunley werd een paar jaar geleden geborgen en gerestaureerd en is nu een onderdeel van een museumexpositie. In de decennia die op de ondergang van de Hunley volgden, boekten ingenieurs snel vooruitgang in de ontwikkeling van verhoudingsgewijs veiligere en betrouwbaardere onderzeeboten door de uitvinding van oplaadbare batterijen en benzine- en dieselmotoren. De Argonaut VI komt in alle details overeen met de Holland-VI-onderzeeboot, die door de Amerikaan John Holland werd ontwikkeld, in de laatste jaren van de negentiende eeuw werd gebouwd en door verschillende landen werd aangekocht om hun oorlogsvloot te versterken.

Voor wat betreft de Weense kanalisatie kan ik opmerken dat de geschiedenis hiervan terugloopt tot de eerste eeuw na Christus en niet is voortgekomen uit moderne stedenbouwkundige ontwikkeling. Romeinse soldaten bouwden in Wenen, dat destijds een militair kampement met de naam Vindobona was, een eerste kanalisatiesysteem, dat ook vandaag nog modern aandoet. Ze bouwden de tunnelbodems van dakpannen en gebruikten voor de afdekking stenen platen. Voor kleinere kanalen gebruikten ze buizen van gebakken klei. Deze eerste fase van kanalisatie eindigde met het begin van de volksverhuizing aan het eind van de vierde eeuw. Daarna raakte het hoge niveau van de Romeinse kanalisatie in vergetelheid. In de tijd van mijn roman werden de overspanningen van de Donau, de Wien en andere zijrivieren op grote schaal opgepakt. Het kanalisatiesysteem bereikte echter pas een paar decennia later de labyrintachtige omvang, waardoor de filmcrew onder leiding van regisseur Carol Reed in 1949 bij de opnamen van de thriller De Derde Man in staat was om, met Orson Welles in de hoofdrol, een van de meest beroemde achtervolgingen uit de filmgeschiedenis te filmen. Het gelijknamige boek werd overigens pas na het wereldwijde filmsucces geschreven door Graham Greene. Het is verbazingwekkend dat deze beslissende scène in zijn roman maar een paar bladzijden beslaat.

Mijn verhaal over Markion van Sinope en de splintersekte van de Kainieten komt overeen met de huidige stand van de wetenschap. Sektebisschop Markion en perfectus Graham Baynard zijn echter fictie. Ik weet niets over een dergelijke sekte in die of de huidige tijd. Ook het Achtenswaardige Genootschap der Wachters heb ik bedacht, hoewel je alleen maar van harte kunt wensen dat zo'n genootschap inderdaad zou bestaan! Het oeroude Koptische klooster St. Simeon ligt inderdaad op de westoever van de Nijl bij Aswan. Alleen de 'valse cisterne' met de grafkelder en de onderaardse vluchtgang is een product van mijn fantasie.

De echte geschiedenis van de Judas-papyri leest trouwens als een avontuur. Ze werden in 1978 samen met andere teksten gevonden in de buurt van de stad El-Minya in Midden-Egypte en kwamen in handen van duistere antiquairs en zakenmensen. De totale, in leer gebonden bundel bestond uit 66 bladzijden met de maten 16 x 29 centimeter. Daaronder bevond zich ook een brief van Petrus aan Filippus, de eerste Apocalyps van Johannes en een geschrift waarover de wetenschap al wist door een belangrijke vondst in Nag Hammadi bij de Dode Zee in 1945. Het onbekende deel, dat in de Koptische taal was geschreven en later de naam Judas-evangelie zou krijgen, werd door de onderzoekers in eerste instantie het Boek van Allogenes genoemd.

De reis van de papyri ging eerst naar Cairo, daarna naar Genève en New York en tenslotte naar Maecenas Stichting in Basel. De datering, ontcijfering en conservering van de Judas-papyri, die zich in een uitermate slechte, broze toestand bevonden en al bij de kleinste aanraking uiteen dreigden te vallen, nam jarenlang in beslag en speelde zich af achter de gesloten deuren van conservatoren en wetenschappers. Helaas kon maar ongeveer 80 procent van de tekst worden gered.

Het is onomstreden dat de wetenschappers die het antieke christendom onderzochten, de vondst van de Judas-geschriften als een fenomenale ontdekking beschouwden. Het is ook onomstreden dat het om een soort 'kainitische tegenbijbel' van een gnostische sekte gaat. De vakwereld kende deze leer echter al meer dan 1200 jaar. Niet alleen Ireneüs van Lyon, maar ook veel anderen met en na hem gingen in hun verhandelingen uitvoerig in op deze leer en verwierpen deze als ketterij van een onbeduidende splintersekte. Dat de teksten later de status van een schijnbaar splinternieuwe wereldsensatie kregen en tot een evangelie werden opgewaardeerd, heeft minder met de inhoud te maken dan met de presentatie door de Amerikaanse National Geografic Society en de daaruit resulterende persaandacht. Op 9 april 2006 publiceerde deze vereniging de resultaten van het jarenlange onderzoek wereldwijd in een uitstekend gemaakt, maar duidelijk op sensatie belust, twee uur durend 'docudrama'. De media-aandacht was overeenkomstig en in veel tendentieuze berichtgevingen niet serieus.

Bewezen en serieuze atheïstische en christelijke deskundigen van het antieke christendom waren echter teleurgesteld in hun hooggespannen verwachtingen en de hoop die ze hadden dat de tekst een fundamentele herwaardering van de historische personen Jezus en Judas zouden betekenen. Van de tientallen beoordelaars noem ik twee vertegenwoordigers uit de kring deskundigen kort. Zo deelde de Heidelbergse theoloog Klaus Berger mee dat het in de gnostische literatuur gebruikelijk was om alle negatieve aspecten van de Bijbel een positieve draai te geven. Deze 'gnostische herwaardering' was al lange tijd aan de wetenschap bekend. Ook de Berlijnse handschriftdeskundige Hans-Gebhard Bethge stelde dat de tekst geen nieuwe historische kennis over het leven van Jezus en zijn discipelen bevatte en de vier Bijbelse evangeliën niet de loef afstak, en dat het al helemaal niet als het Nieuwe Testament beschouwd kon worden. Het zou de kennis over het fenomeen van de gnostiek echter verrijken.

Het mag niet onvermeld blijven, dat er zeer zeker enkele theologen zijn die zich ervoor uitspreken om Judas als een heilige te gaan beschouwen. Want dat de uitlevering van Jezus door Judas uiterst noodzakelijk was, wordt door iedereen erkend.

Ik wil graag van de gelegenheid gebruikmaken om dr. Otto Ziegelmeier te bedanken voor zijn enorme steun. Hij heeft mijn werk met betrekking tot de apocriefe geschriften en het Judas-evangelie heel veel gemakkelijker voor me gemaakt. Behulpzame informatie kreeg ik ook van professor dr. Andreas Dix van de universiteit van Bamberg, waarvoor eveneens mijn dank.

Dank ook aan Elizabeth Heckman, die op mijn stapel vakboeken nog twee dunne boekjes legde, die heel belangrijk bleken te zijn. Deze lectuur leidde tot nieuwe prikkelingen en belangrijke stukken tekst in mijn roman. Ik hoop dat ze het me grootmoedig vergeeft dat ik de naam van haar eeuwvereniging Similitudo Dei, die nauw verbonden is met Himmerod, als wachtwoorden voor de telefoongesprekken tussen Trevor Seymour en Abbot heb gebruikt.

Hartelijk dank aan Daniela Gauding en Hermann Simon van het Centrum Judaicum/Stichting Nieuwe Synagoge Berlijn voor hun deskundige advies en vertaling van de Hebreeuwse begrippen die rond het hexagoon staan.

Veel dank ben ik verschuldigd, alweer!, aan abt Bruno Fromme van het Cisteriënzer klooster Himmerod in de Eiffel. Hij voorzag me niet alleen van belangrijke vakliteratuur uit de omvangrijke kloosterbibliotheek, maar was met zijn gastvrijheid en interesse voor mijn werk een spirituele hulp van een heel eigen soort tijdens mijn maandenlange afzondering om deze roman te kunnen afmaken. En daar moet ik opnieuw 'alweer!' aan toevoegen.

Dat geldt in dezelfde mate voor de paters en broeders van de kloostergemeenschap, met wie ik inmiddels al vijftien jaar bevriend ben. Lieve prior pater Martin, broeders Konrad, Petrus, Niklaus, Michael, Benedikt-Josef en postulanten Stefan en Felix, hartelijk dank dat jullie me elke keer in jullie kloostergemeente verwelkomen en me het gevoel geven dat ik hier in Himmerod een tweede thuis heb, ver verwijderd van mijn eigenlijke thuis! En de elektrische kachel was zijn gewicht in goud waard toen de dikke stenen muren zo koud waren tijdens de wintermaanden!

En waar zou ik in deze lange perioden van elf uur per dag marathonschrijven zijn zonder de hulp en dienstvaardigheid van Sigrid Alsleben, Karin May, Katja Rascopp en Christine Rob, die tijdens mijn bezoeken al jarenlang zorgen voor mijn dagelijkse welzijn, mijn was en mijn verbinding met de 'buitenwereld'. Allemaal hartelijk bedankt en Gods zegen!

Dank, hoe diep ik deze ook voel, benadert niet wat ik mijn vrouw Helga verschuldigd ben. Alleen een grote en sterke liefde is in staat om begrip op te brengen voor mijn passie en het offer te brengen, me ondanks veel scheidingspijn jaar na jaar maandenlang naar 'mijn' klooster te laten vertrekken en in het verre Amerika op mijn terugkeer te wachten. Het is een kostbaar geschenk dat ik dankbaar aanvaard. Dat doe ik echter ook met een zekere schaamte, omdat ik in de dertig jaar van ons gemeenschappelijke prachtige en wonderbaarlijke leven mijn beroep van verhalenverteller (met zorgvuldig historisch onderzoek en een christelijke basis) steeds weer boven alle andere zaken mag stellen. Hiermee beloof ik haar dat ik het in de toekomst kalmer aan ga doen en dat ik meer 'aan de rozen zal ruiken' zoals ze dat in de Verenigde Staten zeggen. Groot Byron-gentleman-erewoord, liefste.

Rainer M. Schroder
Himmerod, tweede adventszondag 2007

Rainer M. Schröder

Rainer M. Schröder werd geboren in 1951 in Rohstock in het toenmalige Oost-Duitsland. Vlak voor de bouw van de muur vluchtte het gezin naar West Duitsland waar hij diverse studies volgde en uiteenlopende beroepen uitoefende.

Inmiddels woont hij sinds 1977 als zelfstandig auteur met zijn vrouw afwisselend in Amerika en Duitsland. Zijn reizen hebben hem over vrijwel heel de wereld gevoerd en deze avontuurlijke reizen inspireerden de vele succesvolle, prijswinnende verhalen die hij in de loop van de jaren schreef.

Met een gezamenlijke oplage in Duitsland van ruim 6 miljoen boeken behoort Rainer M. Schröder tot een van de succesvolste Duitstalige auteurs van jeugdboeken en historische romans voor volwassenen.

Voor meer informatie over de auteur:
www.rainermschroeder.com

Bronvermelding

Theologie & Religie

Die Bibel – Altes und Neues Testament, Einheitsübersetzung, Herder Verlag, Freiburg 1993

Bibel heute: Das neu entdeckte Judasevangelium, 1. Quartal 2006

Rocco A. Errico: Das aramäische Vaterunser – Jesu ursprüngliche Botschaft entschlü- Selt, Verlag H.J. Maurer, Freiburg 2006

Ruth Ewertowski; Judas – Verräter und Märtyrer, Urachhaus Verlag, Stuttgart 2000

Andreas Feldtkeller: Warum denn Religion? – Eine Begründung, Gütersloher Verlags-haus, Gütersloh 2006

Peter Krause: Das Judasproblem – Von den spirituellen Hintergründen der Gewalt, Flensburger Hefte Verlag, Flensburg 1991

Herbert Krosney: Das verschollene Evangelium – Die abenteuerliche Entdeckung und Entschlüsselung des Evangeliums des Judas Iskarioth, Verlag National Geografic Society im White Star Verlag, Wiesbaden 2006

Alfred Läpple: Die geheimen Schriften zur Bibel – Apokryphe Texte des Alten und Neuen Testaments, Bassermann Verlag, München 2007

Horacio E. Lona: Judas Iskariot – Legende und Wahrheit, Herder Verlag, Freiburg 2007

Manfred Lütz; Gott – Eine kleine Geschichte des Größten, Pattloch Verlag, München 2007

Gabriele Mandel: Gezeichnete Schöpfung – Eine Einführung in das hebräische Alphaber und die Mystik der Buchstaben, Marix Verlag, Wiesbaden 2004

Joseph Ratzinger/Benedikt XVI.: Jesus von Nazareth, Herder Verlag, Freiburg 2007

Jürgen Werbick: Gott Verbindlich – Eine theologische Gotteslehre, Herder Verlag, Freiburg 2007

Steden, Landenkunde, Geschiedenis

Karl Baedeker: Great Britain, Verlag von Karl Baedeker, Leipzig 1890

Karl Baedeker: London, Verlag von Karl Baedeker, Leipzig 1890

Karl Baedeker: Österreich-Ungarn, Verlag von Karl Baedeker, Leipzig 1903

Karl Baedeker: Konstantinopel und Kleinasien, Verlag von Karl Baedeker, Leipzig 1905

Karl Baedeker: Egypt, Verlag von Karl Baedeker, Leipzig 1902

Glück/LaSperanza/Ryborz: Unter Wien – Auf den Spuren des Dritten Mannes durch Kanäle, Grüfte und Kasematten, Christoph Links Verlag, Berlin 2001

John Harris: Die Häuser der Lords und Gentlemen, Harenberg, Dortmund 1982

Leo Schmidt, Christian Keller u. Polly Feversham (Hrsg.): Holkham, Prestel Verlag, München 2005

Hermann Wagner: Methodischer Schul-Atlas, Justus Perthes Verlag, Gotha 1899

Max Winter: Schatzsucher von heute – Der Kanalstrotter in unterirdischen Wien, Wiener illustrierte zeitung vom 21. Januar 1934

Englische Burgen, Schlösser, Land- und Lusthäuser, Magazin du, Mai 1975

Wien – Illustrierter Wegweiser durch Wien und Umgebung, A.Hartlebens Verlag, Wien 1890

Bieber/Gruber/Herberstein/Hasmann: Geisterschlösser in Österreich, Ueberreuter Verlag, Wien 2004

Robert Bouchal/Josef Wirth: Verborgener Wienerwald – Vergessenes, Geheimnisvolles, Unbekanntes, Pichler Verlag, Wien 2003

Robert Bouchal/Johannes Sachslehner: Mystisches Wien – Verborgene Schätze, Versunkene Welten, Orte der Nacht, Pichler Verlag, Wien 2004

Emil Kläger: Durch die Wiener Quartiere des Elends und Verbrechens, Wien um 1900

Johann Prossliner: Licht wird alles, was ich fasse – Lexikon der Nietzsche-Zitate, Kastell Verlag, München 2000

Harald Roth: Kleine Geschichte Siebenbürgens, Böhlau Verlag, Köln 2007

Harald Roth (Hrsg.): Historischen Stätten – Siebenbürgen, Kröner Verlag, Stuttgart 2003

Klaus Kreiser: Istanbul – Ein historisch-literarischer Stadtführer, C.H. Beck Verlag, München 2001

Jan Neruda: Die Hunde von Konstantinopel, Deutsche Verlagsanstalt, München 2007

Stephane Yerasimos: Konstantinopel – Istanbuls historisches Erbe,
Tandem Verlag, Berlin 2000

Orhan Pamuk: Istanbul – Erinnerungen an eine Stadt, Hanser Verlag,
München 2003

Peter Schreiner: Konstantinopel – Geschichte und Archäologie, C.H. Beck
Verlag, München 2007

M.Capuani u. M.Paparozzi: Athos – Die Klostergründungen – Ein Jahrtausend
Spiritualität und orthodoxe Kunst, Wilhelm Fink Verlag, München 1999

Helmut Fischer: Die Welt der Ikonen – Das religiöse Bild in der Ostkirche,
Insel Verlag, Frankfurt am Main 1996

Franz Spunda: Legenden und Fresken vom Berg Athos, J.F. Steinkopf Verlag,
Stuttgart 1924

Franz Spunda: Der Heilige Berg Athos – Landschaft und legende, Insel Verlag,
Leipzig 1928

Barbara Hodgson: Die Krinoline bleibt in Kairo – Reisende Frauen 1650 – 1900,
Gerstenberg Verlag, Hildesheim 2004

Robert Solé/Marc Walter: Legendäre Reisen in Ägypten, Frederking & Thaler
Verlag, München 2004

Oriënt-Express

E.H.Cookridge: Orient Express – The Life and Times of the World's Most
Famous Train, Random House, New York 1978

Contantin Parvulesco: Orient-Express – Zug der Träume, Transpress Verlag,
Stuttgart 2007

Berndt Schulz: Zu Gast im Orient-Express, Kunstverlag Weingarten,
Weingarten 1998

Werner Sölch: Orient-Express – Glanzzeit, Niedergang und Wiedergeburt
eines Luxus-Zuges, Alba Verlag, Düsseldorf 1998

M. Wiesenthal: The Belle Epoque of the Orient Express, Crescent Books,
New York 1979

Diversen

F.L. Bauer: Entzifferte Geheimnisse – Methoden und Maximen der Kryptologie, Springer Verlag, Heidelberg 2000

Peter Bieri: Wie wollen wir leben? ZEIT-Magazin Leben Nr. 32, 2007

Arno Borst: Barbaren, Ketzer und Artisten, 1988

Marco Carini: Freimaurer – Der geheime Gesellschaft, Parragon Books, Bath

G.K. Chesterton: Die Wildnis des häuslichen Lebens, Berenberg Verlag, Berlin 2006

Adrian Fisher u. Howard Loxton: Geheimnis des Labyrinths, AT Verlag, Aarau 1998

Manfred Geier: Worüber kluge Menschen lichen – Kleine Philosophie des Humors, Rowohlt Verlag, Reinbek bei Hamburg 2006

Brian Innes: Das große Buch der Fälschungen – Die Tricks der größten Fälscher aller Zeiten, Tosa Verlag, Wien 2006

Will-Erich Peuckert: Geheimkulte – Das Standardwerk, Nikol Verlag, Hamburg 2005

Klaus-Rüdiger Mai: Geheimbünde – Mythos, Macht und Wirklichkeit, Lübbe Verlag, Bergisch Gladbach 2006

Peter von Matt: Die Intrige – Theorie und Praxis der Hinterlist, Carl Hanser Verlag, München 2006

Marion Zerbst u. Werner Waldmann: Zeichen und Symbole – Herkunft, Bedeutung, Verwendung, DuMont Verlag, Köln 2006

Juan Bas: Die Taverne zu den drei Affen – und andere Geschichten über das Pokern, Europäische Verlagsanstalt, Hamburg 2003

Andy Bellin: Full House – Die Poker-Spieler und ihre Geheimnisse, Europa Verlag, Hamburg 2002

Andy Haller: All in! – Pokern für Einsteiger, Bassermann Verlag, Münchem 2007

Jan Meinert: Die Poker-Schule, Knaur Verlag, München 2007

Agatha Christie: Tod im Orient-Express, Fischer Taschenbuch Verlag, Franfurt an Main 2005

Graham Greene: Der dritte Mann, Deutscher Taschenbuch Verlag, München 2004